D0833990

afgeschreven

VOOR LIEFDE ZIE DE LETTER L

Van Paola Calvetti verscheen eerder:

De geheime liefde

Voor liefde zie de letter L

PAOLA CALVETTI

Vertaald uit het Italiaans door
Etta Maris

Oorspronkelijke titel: *Noi Due, Come Un Romanzo*
Oorspronkelijke uitgave: Arnoldo Mondadori Editore S.p.A, Milano
Vertaling door: Etta Maris

Omslagontwerp: Wil Immink
Omslagillustratie: © Natalia Sevriukova / Fotolia
Auteursfoto: © Alessandro Albert/Grazia Neri
Typografie en zetwerk: ZetProducties, Amsterdam

www.mistraluitgevers.nl
www.fmbuitgevers.nl

Mistral uitgevers is een imprint van FMB uitgevers bv,
onderdeel van Foreign Media Group.

ISBN 978 90 499 5113 9
NUR 302

Deze roman is fictie. Namen, personages en gebeurtenissen zijn ofwel het product van de verbeelding van de auteur ofwel fictief gebruikt. Enige gelijkenis met werkelijke gebeurtenissen of bestaande personen berust geheel op toeval.

Versteend staan de geliefden al duizenden jaren lang op de door de wind geteisterde weg. Eén dag per jaar worden zij door de zachte windzucht van een fee bevrijd uit de betovering. De twee geliefden worden weer van vlees en bloed, maar de argeloze reiziger die hun omhelzingen wil bespieden, zou verpletterd worden door die onmogelijke en eeuwige liefde.

Ik word de laatste tijd vroeg wakker.

Maar daarvoor, vlak voordat ik wakker word, gun ik Alice en de boekwinkel de gelukzalige ruimte die slapen en waken van elkaar scheidt. Het moment wordt aangekondigd rond een uur of zes, kwart over zes uiterlijk, wanneer het kruidendrankje dat de dromenvernietigende pillen heeft vervangen, zijn plicht heeft gedaan en ik in bed lig met wijd open ogen en slechts één verbazing: het is in de holle stilte van mijn slaapkamer dat de beste ideeën ontstaan.

En mijn hart wordt rustiger.

Het vervelende van dat vroege wakker worden is dat ik vlak na het ontbijt wegglijd in een droevige lethargie en mijn oogleden neervallen als rolluiken. Als ik kon zou ik mijn armen gekruist op de toonbank van de boekwinkel leggen, mijn hoofd erop, en een dutje doen. Of ik zou gaan liggen op de kelim onder mijn voeten, mijn neus tussen mijn voorpoten en mijn staart om mezelf opgerold, net als Mondo, de gordon setter van Gabriella.

Maar dat kan natuurlijk niet en ik beheers me.

Om de sufheid van me af te schudden loop ik naar boven en met de smoes dat ik de thermoskan moet vullen, verstop ik me in het koffiehoekje. Ach, niets bijzonders hoor, geen echte koffiesalon, maar twee luie stoelen, bistrotafeltjes en -stoeltjes die ik gekocht heb op de vlooienmarkt bij de Porte de Clignancourt en als de relieken van een heilige heb laten thuisbezorgen tegen absurd hoge kosten.

Om tien uur precies opent Romans&Romances zijn deur naar de wereld.

Dat tijdstip is niet zomaar gekozen. Vlak na het ontbijt of

vlak voordat men strak in het pak achter de computer zit, voelt men slechts zelden een dringende behoefte om een liefdesroman door te bladeren. En voor lezers die niet kunnen slapen is mijn ambachtelijke *salle de thé* geen geschikte plek. Complexe gemoedstoestanden zoals verliefdheid, liefdesverdriet na verlaten te zijn, spijt over een gemiste kans, loomheid na een eerste nacht of het voornemen om een spetterende wip te maken, kunnen niet gesmoord worden in een koffie verkeerd, ondanks de geruststellende verfijndheid van de porseleinen kopjes en de glaasjes, die in een rij staan opgesteld als een bataljon pafferige soldaatjes. Geen plastic koffiepauzebekertjes hier, maar ook geen croissants, rozijnenkoekjes of puntjes vruchtentaart zoals in een Victoriaanse roman. Ik heb geen vergunning om troost in vaste vorm te verkopen en ik heb nog nooit in mijn leven een soufflé gemaakt.

Voordat de winkel opengaat, zuig ik mijn uur van vrijheid op en wijd ik mij aan het stoffen. Mijn losse pols – niet meer dan een tikje van boven naar beneden – leidt de dans van de plumeau mij over ruggen en kaften. Mijn plumeau, een bamboe steel met aan het uiteinde een wolk ganzenveren, is een eerbetoon aan mijn oude kindermeisje. Ze heette Maria ('net als Callas,' zei ze altijd, trots dat ze zo'n gedegen, waardige naam droeg) en als ze de eetkamermeubels poetste, zong ze 'Grazie dei fior' en 'Vola colomba'. 's Middags, wanneer ik uit school kwam, zaten zij en mama heel dicht bij elkaar te smoezen. Dan luisterde ik soms stiekem hoe ze haar hart uitstortte over haar ellendige leven. Gezien door de ogen van een kind, dat een duidelijke neiging tot excessieve fantasie had, leek Maria een onvermoeibaar model van verdraagzaamheid ten aanzien van tegenspoed.

Terwijl ik de boeken afstof, neurie ik wat voor me uit. Popliedjes uit de jaren zeventig, verzamelde werken van Lucio Battisti, de Beatles en Bruce Springsteen. Geen opera-aria's, die zijn te ingewikkeld voor mijn zachte stem. Het stof dwarrelt door de lucht, wat bij mij een allergische reactie met syncopische niesbuien veroorzaakt, maar stoffen is een noodzakelijke lichamelijke oefening en de plumeau een betrouwbare bondgenoot. Hij onderhoudt de relaties met titels en schrijvers, registreert de omslagen, werpt een vluchtige blik op de flaptekst, ontdekt wie afwezig is en vindt ongewild vergeten boeken terug. Het stille ochtendappel is een welkomstgroet aan de nieuwelingen, een manier om vertrouwd te raken met de romans die ik niet ken, een mogelijkheid om verhalen te weven zonder de bindende beperkingen van genres, periodes, milieus. Vanuit haar naargeestige Thornfield Hall bekent Jane Eyre haar wanhopige liefde voor Rochester aan de verkalkte Elisabeth Bennet, die doet alsof ze op de vlucht is voor de sluwe meneer Darcy, terwijl ingeklemd in de kast 'Liefdes onder het ijs' Mister Stevens het zilver poetst, in koppig zwijgen zuchtend om Miss Kenton en scheel van jaloezie kijkt naar het door John Fowles met de hand geschreven *Het liefje van de Franse luitenant*, dat in de vitrine van 'De Onaantastbaren' gezelschap heeft van een brief van Mary McCarthy aan Hannah Arendt, een geschenk van Gabriella ter ere van de opening van de winkel.

Ik overtreed de wet, ik weet het.

De handboeken voor boekhandelaren dicteren nauwkeurige regels over afstoffen, zoals de verplichting om de handel – zo noemen de onbenullen het – 's avonds voor sluitingstijd op te ruimen. Ik vind het prettiger om de boeken te laten slapen op de tafels. Zodat ze elkaar 's nachts kunnen ontmoeten, vrij en zonder bazin.

Het was geen makkelijke stap.

Ik heb hard moeten oefenen om een dijk te bouwen die mijn mateloze honger naar affectie kon indammen. De alarmbel ging af toen er een guillotine geplaatst werd bij mijn maagingang zodra ik maar iets at. Meestal gebeurde dat 's middags rond een uur of vier. Ik probeerde licht te koken, de chromatische eenzaamheid van rijst met olijfolie op te waarderen, ik werd een fan van ziekenhuisdiëten, vermeed rood vlees, werkte slacentrifuges vol gekookte, smakeloze groenten weg. Niets hielp. Punctueel om theetijd kwam het onzichtbare mes tevoorschijn. Ik leefde in een ondefinieerbare toestand van afwachting, ik voorvoelde een verandering maar had geen idee wat ik moest doen en waar ik moest beginnen.

Ik zocht de eenvoud.

Ik had behoefte aan ruimte, aan gehoord worden, aan uit vliegtuigen stappen. En zo heb ik, voordat ik zou ophouden te bestaan, de jaren van uitputtende zakenreisjes rond de wereld onderbroken en ben ik vertrokken. Alleen. Naar de maagdelijk witte anonimiteit van Arvidsjaur, een dorpje in Zweeds Lapland, waar ik bij rendierbiefstukken en pullen donker bier tactieken bedacht voor de oneindige mogelijkheden van een fatsoenlijk leven. Toen de blonde reus, die door het hotel als gids was besteld, mij begeleidde bij een 'exclusieve en onvergetelijke tour' over de ijsvlakte, ging bij mij, dik ingepakt op de slee, op ongeveer driekwart van mijn een meter zestig het signaal af: een innerlijk schermpje waarop één enkele zin begon te knipperen: TIJD VOOR VERANDERING. Het was alsof ik voor de tweede keer werd geboren, ook al herinnerde ik me absoluut niet hoe de eerste keer was geweest.

Terug in Italië vond ik een oproep van notaris Predellini, die later een charmante vrouw van begin veertig bleek te zijn tot wie mijn tante zich had gewend. Het fluitje van de trein die slechts één keer langskomt. Waar je zonder al te lang nadenken in moet stappen, ongeacht het perron.

'Je bent naïef, onbezonnen en koppig. Ik zeg dit omdat je me dierbaar bent, Emma, maar je hebt je verstand verloren.' De gesel van beledigingen heeft het baritontimbre van de Trouwe Vijand. Hij heet Alberto, is accountant, getrouwd met de vrouw die al vijfentwintig jaar mijn beste vriendin is en heeft mijn plan vanaf het eerste moment tegengewerkt. Na zijn kernachtige 'Het Gaat Niet Werken' achtervolgde de nachtmerrie van schulden, faillissement en ellende waarin ik binnen een week ondergedompeld zou zijn, mij als de geest van Banquo, wat beslist ook te danken was aan mijn enorm onderontwikkelde gevoel voor zaken, even enorm als mijn onbenulligheid op het gebied van exacte vakken, puzzelen, borduren en honden fokken, ongeacht welk ras.

'Het gaat niet werken,' dreunde de mantra van de Trouwe Vijand. Ik nodigde hem uit voor een etentje bij mij thuis onder vier ogen, hij en ik samen, om hem tenminste de foto's te laten zien.

Hij bleek op dieet te zijn.

Ik schoof mijn idee om pasta met saus te maken terzijde en ging voor gestoomde zeebaars met nieuwe aardappeltjes, boontjes met olijfolie en een trebbiano d'Abbruzzo die me een fortuin had gekost. Voor het geval hij van zijn strenge protocol zou afwijken had ik bij Cova een chocoladetaartje gekocht dat moest worden geserveerd met de beste dessertwijn van de wereld, een Pedro Ximenes-sherry. Deze aderlating was noodzakelijk om hem te overtuigen van mijn *enterprise*.

'Kijk, ik heb foto's gemaakt van het interieur, dan heb je een idee hoe het eruitziet. Zodra je even tijd hebt, neem ik je mee om binnen te kijken. Het is nu al mooi, maar met wat kleine aanpassingen kan het echt heel prachtig worden. De muren moeten geschilderd worden, het parket moet geboend, de toonbanken moeten verplaatst worden, er moeten wat tafels worden neergezet en de boekenkasten moeten gerepareerd worden.' Wanneer ik bang ben voor reacties die mijn verlangens kunnen tegenwerken, put ik mij altijd uit in details.

'Je lijkt wel een klein meisje dat winkeltje speelt. "Goedemorgen mevrouw, wat kan ik voor u doen? Wat had u gewild? Zal ik het voor u inpakken?" Dat soort onzin. Je hebt een midlifecrisis, Emma. We krijgen allemaal dat moment waarop we denken dat we sterk genoeg zijn om de jaren tegen te houden als we ons leven maar veranderen. De tweede adolescentie noemen ze dat. Waarom ga je niet een mooie reis maken met Gabriella?'

'O ja, natuurlijk, dan gaan we liften en dan neem ik meteen een liposuctie voor mijn bovenbenen. Albi, ik ben het zat om de wereld rond te reizen. Ik wil blijven zitten waar ik zit. Jij hoeft me alleen maar les te geven in de basisregels van de handel. Het enige wat ik je vraag is een klein beetje hulp.'

'De concurrentie is moordend, Emma. Je zult het moeten opnemen tegen de grote winkelcentra, gewetenloze hyena's die vijftien, twintig procent korting geven op de prijs van een boek. En denk eens aan de verkoop via internet: tik een titel in op de computer, druk op VERZENDEN en na twee dagen wordt je bestelling thuisbezorgd. Je haalt jezelf heel wat ellende op de hals.'

'Jij ziet alles altijd van de negatieve kant! En bovendien wordt het niet zomaar een boekwinkel, maar een gespecialiseerde.'

'Boeken in de oorspronkelijke taal kun je tegenwoordig overal vinden.'

'Dat bedoel ik helemaal niet. Ik bedoel een boekwinkel die gespecialiseerd is in liefde. Die bestaat nog niet.'

'Alsjeblieft zeg! Dit is toch hopelijk een grap, hè? Of heb je soms ook al besloten dat je de muren babyroze gaat verven? Dat is paraliteratuur, Emma. De kiosken op straat en op de stations puilen uit van flutromannetjes over liefde.'

'Het zou iets volkomen nieuws zijn. Zelf in Londen of Parijs...'

'Precies. Vraag je eens af waarom niet. Liefde is een veel te beperkt onderwerp om een omzet mee te kunnen maken. Net zoiets als jeu de boules of schaken of paardensport. Dat is een wereld van specialisten, voor een paar hysterische liefhebbers.'

'Alberto, de literatuurgeschiedenis, de héle literatuurgeschiedenis, is één ononderbroken stroom van liefde. Het is niet een uitstervende soort, zoals de pandabeer of de dwergzeehond of de kip. Dieren voor in het museum of voor reportages in *National Geographic*.

'Kinderen weten heel goed wat een kip is en kippen zijn helemaal niet aan het uitsterven.'

'Ga naar een willekeurige basisschool in Milaan en vraag of de kinderen een kip willen tekenen. Ik wed dat vijf van de tien dat niet kunnen. En weet je waarom niet? Omdat ze nog nooit een levende kip in het echt hebben gezien.'

'Romans verkopen is al niet erg economisch, maar een boekwinkel beginnen die alleen maar liefdesromans verkoopt, is gedoemd een fiasco te worden. Een regelrechte stommiteit. Sorry dat ik het zeg.'

'Alberto, geloof me, niemand kan wedijveren met de losbandige charme van graaf Vronski, pronken met de albasten huid van prins Andrei, complotteren zoals markiezin de Merteuil, je leven overhoop gooien zoals die schurk Heathcliff,' antwoordde ik met zwakke fierheid. Het was een dialoog tussen doven.

Mijn accountant had geen idee wie Heathcliff was.

'Zet je brein in werking, tel tot tien voordat je antwoord geeft en leg me uit waarom een klant bij jou een boek zou moeten kopen en niet in de supermarkt waar hij toch op zaterdagochtend boodschappen doet.'

Ik nip aan mijn glas mineraalwater en vul het zijne met trebbiano om tijd te winnen. Als streng geheelonthoudster ken ik niet de macht van alcohol en vertrouw ik er onbevooroordeeld op.

'Probeer jij maar eens tegen een anonieme verkoper in een megastore met een naamplaatje IK HEET MARCO F. op zijn jasje gespeld, te zeggen: 'Pardon, ik heb ruzie met mijn vriendin, kunt u mij misschien een boek aanraden om het weer goed te maken?' Marco F. zou naar het computerscherm staren, hij zou op het toetsenbord de trilogie 'vriendin+ruzie+goedmaken' intoetsen en wachten tot er een algebraïsche som verkleed als intelligent antwoord op het scherm zou flikkeren, of zonder je ook maar aan te kijken met zijn vinger naar de essayproductie 'daar links achter' wijzen. De essayproductie, snap je? Boekwinkels van ketens zijn plaatsen waar je niet kunt komen, het zijn non-plaatsen zoals Marc Augé zou zeggen. Mijn boekwinkel zal een ja-plaats zijn. Ik zal geen klanten en *consumen-*

ten hebben, zoals jullie economen ze noemen, maar mensen die bij mij vriendelijkheid en antwoorden vinden, en ze zullen niet die ontreddering voelen die bij supermarkten hoort en ook niet het minderwaardigheidsgevoel dat je bekruipt in winkeltjes voor bibliofielen, mensen die boeken behandelen als monumenten om naar te kijken en niet om aan te raken. Mijn winkel zal een menselijk gezicht hebben. Ik denk aan een betaalbare verbouwing, ik zet er alleen gebruikte meubels in, jij zou mijn boekhouding moeten doen om te starten en gedurende minstens een jaar daarna, maar alsjeblieft, sla me niet dood met die vervloekte cijfers van je.'

Hoewel ik me verstikt voelde in een kluwen van vernedering, probeerde ik zijn cynische tegenoffensief te pareren met het wapen van de uitputting. Ik moest hem overtuigen.

'Je enthousiasme is hartverwarmend, lieve vriendin, maar ik wil je erop wijzen dat de wereld, het leven en zelfs de voortplanting van de dieren, dat álles draait om die vervloekte getallen.'

'Het enige alternatief is de winkel verkopen. Dat zou betekenen: vermoorden. Moord met voorbedachten rade.'

Diepe zucht. Pauze. Het misdrijf schrikt hem af. Misschien.

'Het zou je een smak geld opleveren. Vijfennegentig vierkante meter, met entresol, midden in het centrum, dat is ruw geschat meer dan een miljoen euro waard. Maar goed, ik wil het proberen. Ik zal de zaak onderzoeken en een haalbaarheidsrapport voor je opmaken. Ik heb een paar klanten in de uitgeverswereld en ik wil niet de oorzaak zijn van een depressie in de boekenbranche. Ik wil alleen ook niet dat jij je spaargeld weggooit. Je hebt een zoon die je moet onderhouden en je bent kerngezond, lieverd.'

Mijn Alberto, als een broer voor mij die geen broers heeft, was gelaten van tafel opgestaan en had mij, toen hij bij de deur stond, bevroren met een sardonisch lachje, hetzelfde dat mijn hartsvriendin naar het altaar heeft gevoerd. Alberto is lang, betoverend, met nog steeds een volle bos haar waardoor hij helemaal niet op een accountant lijkt, en verbergt achter zijn rationele, nuchtere manier van doen een zachte, edelmoedige ziel. Hij had me omarmd, zonder zichzelf te verloochenen: 'Als je toch bezig bent, vergeet dan niet een kast te reserveren voor ongelukkige verhalen. Die komen statistisch gezien vaker voor dan gelukkige.'

De kast 'Gebroken harten' op de bovenverdieping is aan hem opgedragen, met een verguld naamplaatje. Naar hem: de accountant die mij in rust laat leven omdat hij zich bezighoudt met barcodes en factureringen en mij toestaat dat ik de winkel organiseer met behulp van een register waar ik met de hand titels, uitgevers, verkochte en bij te bestellen romans noteer. Want in mijn boekwinkel is geen spoor te bekennen van een computer. Sinds ik heb gelezen dat tenminste twintig miljoen Italianen lijden onder de stress van nieuwe technologieën en dat het lezen van e-mails en sms'jes het intelligentieniveau doet dalen, heb ik uitstekende motieven om te leven zonder elektronisch postadres. Ik heb juist de smaak te pakken gekregen van één ding tegelijk doen. Eraan wennen om niet meer dingen tegelijkertijd te doen is net zo moeilijk geweest als een nieuw soort gymnastiek leren. Nu doe ik er mijn voordeel mee. Een kast heb ik genoemd naar de restjes van tante Linda: allerlei heerlijkheden van enveloppen en briefpapier in pasteltinten met viooltjes gedecoreerde randjes, Caran D'Ache-kleurpotloden van precies de juiste zachtheid, drie inktpotjes, een stapel schriften met zwartrood kaft, een spons in doosje om je vingers nat te maken, zakjes met elastiekjes, een doosje staafjes van rode zegellak, paperclips en gekleurde punaises, vilten schoolbordwissers, lijmpotjes van Coccoina en flesjes Vinavil, en een rood leren map met kaft van veulenbont en ingewerkt etui. Achter in de kantoorboekhandel heb ik een Olivetti Lettera 22-typemachine gevonden, een kapot juweeltje dat dankzij de liefdevolle aandacht van de enige ambachtsman in Milaan die nog hart heeft voor dat soort schrijfmachines, staat uitgestald in de kast van de briefromans.

Mattia is het enige familielid geweest dat me heeft gesteund. 'Het meest absurde dat een kind dat zijn schoolboeken nooit uit het cellofaan haalt kan gebeuren, is een moeder die een boekwinkel heeft,' zei hij. Het enthousiasme van mijn zoon en een paar vergeelde katoenen wantjes die ik toevallig tegenkwam in een la waren het definitieve fiat.

Nu heb ik het echt naar mijn zin, hier tussen de papieren liefdes.

Liefdes die er zeker van zijn dat ze niet verdorren in een spinnenweb van rimpels en die de medelijdende bezorgdheden tot zwijgen hebben gebracht van vrienden en vriendinnen, ex-echtgenoten, ex-geliefden die ervan overtuigd waren dat ik op het gebied van de liefde niet heb doorgemaakt wat zij, die de wijsheid in pacht hebben, een evolutie noemen. Maar het ligt veel eenvoudiger: ik heb het onderwerp afgesloten. Meer valt er niet over te zeggen. En tien maanden na mijn vlucht naar Lapland zijn misselijkheid en malaises verdwenen, hebben mijn fantasieën een goede dekmantel want op verdrietige momenten open ik een roman en hoef ik mij niet langer te meten met echte liefdes.

Ik ben een tevreden vrouw.

Ik haal mijn stofdoek over de 'Woningen van de liefde', alkoven en hotelletjes waar keurige huwelijken en verboden intriges zijn geconsumeerd. De 'kleine, charmante villa van twee verdiepingen met een hek er omheen in de vorm van een halve cirkel' van Margherita Gautier, 'de vestibule met de vloer van gekleurd marmer' van intrigant Dambreuse, de 'hut met wanden van ongeverfd sparrenhout' waar Connie van zelfmoordenaar David Herbert Lawrence wachtte en wachtte en wachtte, de Londense huizen van Thomas Carlyle in Chelsea en van John Keats in Hampstead. Ik heb er niet veel verkocht, de afgelopen dagen met de meubelbeurs, wie weet, misschien worden timmerlieden en designers nooit verliefd. Het is een paar minuten voor tien, net genoeg tijd voor een kopje citroenthee.

Ik loop de trap op, trots op de strenge opgeruimdheid van de tafels en de kasten. Uit *Ballades d'amour à Paris* (uniek exemplaar, in oorspronkelijke taal, gekocht van een collega in Parijs) steekt een fosforescerend geel vlaggetje. Ik haat mensen die boeken openen, maar het is te wijten aan mijn tolerantie dat sommigen deze plek beschouwen als hun eigen huis. Iemand heeft een teken achtergelaten en gelukkig heeft hij geen ezelsoor in de bladzijde gevouwen. Een naam en een telefoonnummer, geschreven met rode pen. Die naam. Kan dat?

Dat kan.

'Ik heb een focaccia voor je meegenomen, hij is nog warm, zal ik hem boven brengen?'

Alice heeft een rood gezicht van de gymnastiek en natte haren die ruiken naar vanillebalsem.

'Dank je, ik ruim dit even op en dan kom ik beneden. Doe jij maar vast open, het is al laat.'

Ik zit al twintig minuten hier op deze stoel en probeer mijn gedachten te ordenen. Ik denk dat het een grapje, een samenloop van omstandigheden, een toevalligheid is. Federico is een heel gewone naam. Ik zoek in de la de rekenmachine die ik met Kerstmis van Mattia heb gekregen, een ongebruikt zalmrood speelgoedding met gele toetsen die lijken op de knopen van een jas. Ik zet hem aan. Hij doet het. Eenendertig maal twaalf maal tweeënvijftig maal driehonderdvijfenzestig maal vierentwintig is eenendertig jaar, driehonderdtweeënzeventig maanden, zestienhonderd weken, elfduizend driehonderd dagen. Ik heb hem tweehonderdeenenzeventigduizend zeshonderd uur geleden voor het laatst gezien. Ongeveer. Ik heb niets meer van hem gehoord en zelfs voor Gabriella, de enige getuige van dit verhaal, is het onderwerp weggegleden naar de letter V. De V van Vergissingen.

Of Verliefdheden.

Die vaak samenvallen.

Het telefoonnummer intoetsen zou hetzelfde zijn als een *speed date* proberen te regelen, zo'n afschrikwekkend afspraakje in het donker waarbij je in een paar minuten moet vaststellen of je met iemand naar bed wilt en of die ander hetzelfde wil met jou. Federico is nooit een kwestie van seks geweest. Hij is halsoverkop uit mijn leven verdwenen, hij is met onverantwoordelijke haast begraven en een paar minuten geleden opgedoken tussen de schoolbanken van het lyceum.

Ik moet nu niet gaan dramatiseren.

Vanaf een bepaalde leeftijd is het statistisch mogelijk, waarschijnlijk zelfs, dat er tussen de meer dan zes miljard aardbewoners een ex opdoemt, die opeens voor je staat alsof er in de tussentijd niets gebeurd is. Wat verontrust, is dat hij (aangenomen dat het niet een naamgenoot is) juist nu van zich laat horen, nu ik het verleden heb ingepakt en stralend binnentreed in mijn paradijs van kersverse oude vrijster. Ik heb mijn winkel en de boeken beschermen mij tegen alles wat buiten is.

Alleen: sinds vandaag is hij daar buiten.

Na tweehonderdeenenzeventigduizend zeshonderd uur kan ik niet hem opbellen. Ik zou niet tegen de teleurgestelde blik kunnen van een man die (beleefd, hij was altijd heel beleefd) niet zegt wat er door zijn hoofd gaat maar denkt 'daar ben ik mooi vanaf gekomen'. En wat als hij nu heel dik is, of een doodgewone sukkel is geworden, bedrijfsleider van een autodealer, handelsvertegenwoordiger, advocaat, notaris of manager die *slide* zegt in plaats van dia, *briefing* in plaats van vergadering, *badge* in plaats van onderscheidingsteken van scouts en kabouters, of die een telefooncentrale een *phone room* noemt? Ik ben klaar met de *slides* en heb geleerd een microscopisch klein achterkamertje net zo netjes te houden als een boetiek. De enige aanwijzing is het zelfklevende briefje dat op mijn rechterduim geplakt zit. Waarom zou iemand rondlopen met een blokje post-its op zak? Misschien is hij kunstenaar, of een pietjeprecies dat aantekeningen maakt en die op de koelkast plakt. Geen sprake van dat ik advies ga vragen aan Gabriella. Die zou de pro's en contra's tegen elkaar afwegen, fantaseren over mogelijke achtergronden en het allemaal aandikken. Zij is altijd de meest reflectieve van ons tweeën geweest. Zij zou na een grondige analyse van de beschikbare elementen – telefoonnummer, handschrift, het boek dat gekozen is om de boodschap in achter te laten, inschatting van het verleden, de tijd die verstreken is tussen het afscheid en vinden van het bericht – kijken onder de letter A.

Archief.

'Hallo. Met mij.'

'Gelukkig, ik durfde er al niet meer op te hopen.'

Het antwoord komt nadat de telefoon vijf eindeloze keren is overgegaan.

De eerste zes pogingen waren al gestrand bij het netnummer, maar nu snelt die stem, het puzzelstukje dat me de hele dag heeft laten zweven tussen het risico en een verstandige aarzeling, díé stem, aan de andere kant van de lijn voort en klinkt helemaal niet stroperig zoals ik me stellig meende te herinneren. Ik beheers mijn instinctieve neiging om het gesprek af te breken zonder dat het is begonnen; ik kan maar beter rustig gaan zitten, er is geen reden om me op te winden.

'Hoe is het met je, Emma?'

'Goed. Het gaat goed met me. Waar ben je?'

Daar. Ik heb het gezegd. Ik die aan iedereen die het maar horen wil verkondig hoe groot mijn afkeer is van mobiele telefoons en van die vraag waarop iedereen een willekeurig onzinantwoord kan geven. Juist ik, die mijn Nokia heb doorgeschoven naar Mattia (in mijn vorige leven gebruikte ik die zoals iedereen dat doet), waarbij ik eerst een verdoofde ontreddering voelde en vervolgens een snobistisch gevoel van bevrijding. Ik geef toe dat de eerste dagen een ramp waren, maar ik had mijn historische beslissing rondgebazuind aan de halve wereld en kon er niet op terugkomen, net zoals wanneer je op dieet gaat of besluit dat het moment is gekomen om te stoppen met roken: je vertelt het aan iedereen die het horen wil. De eerste uren, de eerste dagen, de eerste weken van onthouding van compulsieve conversatie zijn verschrikkelijk, maar wanneer de wilskracht het wint van de dwang om in herhaling te vervallen, groeit het zelfvertrouwen mateloos. De mobiel en de pc waren extensies van mijn lichaam geworden, met het resultaat dat toen de computer ermee ophield, ik volkomen instortte, want e-mails niet beantwoorden was een teken van onbeleefdheid en als ik de sms'jes uit het geheugen wiste verloor ik mijn identiteit. De belangrijkste heb ik overgeschreven in een klein schriftje, gekaft met Varese-papier. Alice beschuldigt me van 'paleolithische koppigheid'. Dat is niet waar. Ik eis alleen maar mijn recht op onvindbaarheid op en wentel mij in het perverse genot van de onbereikbaarheid. Het heeft zijn nadelen om niet *always on* te zijn, mijn metamorfose heeft heel wat mensen op straat gezet, maar ik ben nu vrij om geen sporen achter te laten. Ik ben een prototype van de nieuwe hedendaagse vrouwelijkheid: ik geloof dat het mogelijk is te leven zonder technologie. Wie van mij houdt weet mij te vinden. Ik heb een vaste telefoon, thuis en in de winkel heb ik tafeltelefoons met een zware hoorn en een draaischijf om de nummers te draaien.

Emma de deugdzame heeft gevraagd waar je bent.

'Ik ben in een hotel. Ik vertrek maandagochtend naar New York. Daar woon ik nu.' Het bericht van een onmiddellijk vertrek is een opluchting voor me. 'We zouden samen kunnen eten, maar misschien is het nu wat laat. Zou jij morgen kunnen?'

'Je bedoelt dineren?'

Waarom stamel ik zo? Dit is toch niet de eerste keer dat iemand me mee uit eten vraagt. Ik zou mezelf een tik moeten geven.

'Morgenochtend koffie en ontbijt? Of misschien samen lunchen? Ik zou je in elk geval graag willen zien...'

Federico heeft haast, uit de snelheid waarmee zijn woorden over elkaar heen rollen zou je kunnen opmaken dat hij last heeft van een kinderlijke euforie of misschien is hij bang dat zijn oude schoolvriendin hem afmaakt met een kort 'nee'. Of een vaag 'ik kan niet', of 'het spijt me heel erg maar ik ben het hele weekend bezet, ik had het heel leuk gevonden om je na al die tijd weer te zien'. Ik heb niets gepland voor de komende vierentwintig uur. Niets anders dan mezelf onweerstaanbaar maken, nu ik er goed over nadenk. Federico praat en ik zie zijn knokige vingers voor me, zijn vierkante afgebeten nagels, zijn asymmetrische handen die bewogen als vissen in een kom. Die heb ik daarnet teruggezien. Vlak voordat ik de moed vond die nodig was om het nummer te draaien, heb ik net zo lang tussen familie, klassenfoto's van de basisschool, doopfoto's, eerste communies en afstudeerdiners gezocht totdat hij uit de stapel tevoorschijn kwam voor een witgekalkt huis aan zee. Achterop stond met balpen een aanwijzing geschreven: 23 augustus 1969. Ik aarzel, alsof ik moet bijkomen van een grote verbazing. Hoe ziet een vijftigjarige eruit die uit mijn leven is verdwenen toen hij nog geen twintig was?

'Federico...'

'Emma...'

'Wat als we elkaar niet herkennen?'

Misschien komt het door de stem of door die foto vanmiddag, maar ik zie zijn volmaakte tanden, onberispelijk witte knopjes, voor me.

'We kunnen elkaar toch altijd bellen? En bovendien heb ik jou een paar uur geleden gezien. Zal ik reserveren? Bestaat *trattoria* Santa Marta nog steeds?'

Hij klinkt enthousiast, brutaal bijna. Maar mijn stem kraakt een beetje en hij moet dat gehoord hebben.

'Hun zoon heeft het overgenomen. Goed dan, we zien elkaar daar om halfnegen. Trouwens, mijn nummer is 0234934738. Heb je een pen bij de hand?'

'Genoteerd. Tot morgen.'

Klik. Ik laat de hoorn op de haak vallen als in een film, in gedachten verzonken.

Wat nu?

Morgen is morgen en als ik zelf mijn haar was, ziet mijn korte bob van tachtig euro eruit als een krop sla. De kapper is een van mijn drugs, net als de sportschool en de schoonheidsspecialiste voor de wekelijkse servicebeurt. De oplossing voor het probleem draagt de lieflijke naam Alice, die uit liefde voor boeken haar afstudeerscriptie over Romaanse filologie in een la heeft weggeborgen en een tijdelijke baan heeft aangenomen in de categorie winkeliers.

'Ik zal op internet een kapper aan huis voor je zoeken en een afspraak voor je maken. Je zult zien dat het me zelfs lukt voor morgen. En, Emma, heb je geen manicure nodig?'

'Mam, ik ben te laat, ik sta zonder benzine, Andrea staat voor zijn huis op me te wachten en de batterij van mijn mobiel is leeg. Ik heb negenenhalve minuut de tijd om te douchen.'

Vanavond stoort het me dat Mattia, die het huis gebruikt als een wegrestaurant, zo druk binnenkomt. Ik ben net ernstig geconcentreerd bezig met de wimperverlengende mascara, als ik hem op de badkamerdeur hoor kloppen met die onbesuisde arrogantie die mij gewoonlijk vertedert maar op dit moment afleidt van de restauratiewerkzaamheden waarmee ik al uren bezig ben. Ik heb er zes uur over gedaan om me een heel klein beetje zeker te voelen over mijn uiterlijk en nu moet ik me voor hem gaan haasten.

'Je kunt hem toch thuis opbellen? Andrea bedoel ik,' schreeuw ik, terwijl hij aan de deur gekleefd blijft.

'Mam, wat is dat voor klotemuziek?'

'Dat is *My Girl* van de Temptations, sufferd. Je kunt de andere wc gebruiken.'

Hygiëne is voor Mattia nauw verbonden met seks. Dat hij

zich nu zo nodig moet wassen, is omdat hij vandaag, een vrije dag, misschien iemand vindt om mee naar bed te gaan. Als ik zeg 'om mee naar bed te gaan' vindt hij me zielig.

'Dat heet neuken, mama.'

Het lukt me niet om 'neuken' te zeggen, maar de avond dat ik zag dat hij zijn tanden floste, pepermuntjes verslond, zich concentreerde op zijn onderlichaam en hem advies hoorde vragen over deodorants, was ik bijna ontroerd. Omdat ik ondanks mijn onwetendheid over de seksuele gewoonten van achttienjarigen wel vermoedde dat hij goede hoop had op iets meer dan een kus. Ik doe de deur open, draai een rondje om mezelf en doe de geloofwaardigheidstest met de enige tastbare vrucht van mijn leven als echtgenote: 'Wat vind je ervan?'

'Dank je, mamsie, in de kleine badkamer moet ik altijd rechtop blijven zitten in het badje. Wat zie je er vanavond lekker uit. Wat ga je doen dat je zo opgetut bent?'

'Ik ga kijken wat voor meisje ik was,' antwoord ik met de meest literaire zin die ik kan bedenken, terwijl ik het volume van de cd-speler lager zet. En met de stille hoop dat hij niet doorvraagt. Wij zijn vertrouwelijk met elkaar, maar ik ben nog steeds zijn moeder en ik kan hem niet vertellen dat ik niet wil onderdoen voor een spookbeeld van mijzelf als achttienjarige. Hoewel hij mij aanmoedigt om aanbidders te zoeken, is mijn liefdesleven gestagneerd bij Michele, zijn vader. Mijn exechtgenoot.

De weelderige haren van de foto zijn er nog allemaal. De kastanjebruine golf die op zijn schouders viel is nu een keurige korte bos met een duifgrijs waas. Hij houdt zijn handen diep in de zakken van zijn montycoat met hoornen houtje-touwtjesluitingen, waaronder de kraag van een Brooks Brothers zichtbaar is, een flanellen pantalon met omslagen, donkerbruine suède Church's-veterschoenen. Zou hij dat expres hebben gedaan?

Misschien heeft hij nooit een ander uniform gedragen. Ik adem diep in en uit en dan... vooruit. Met opgeheven hoofd loop ik het korte stuk straat dat mij scheidt van de montycoat. Hij zal beslist de kleur op mijn wangen zien. Ze zijn kokendheet, ongetwijfeld rood met auberginepaarse vlekjes. Dat komt doordat ik verlegen ben, maar alleen intimi kennen dat detail van mijn karakter. Voor alle anderen ben ik een extravert type dat makkelijk en veel babbelt, ook al ben ik met de jaren de toonhoogten van het melodrama kwijtgeraakt en heb ik de therapeutische waarde van de ironie geleerd. Wij kleintjes schrijden niet voort, wij banen ons een weg. En al zijn het maar een paar meters die mij van hem scheiden, het is alsof ik op weg ben naar een onbekend continent en halverwege ben. Onmogelijk om rechtsomkeert te maken, terug te krabbelen, al was het maar om na te denken over hoe je iemand begroet die een ongelooflijk aantal jaren geleden je ziel heeft gestolen. Een omhelzing zou dubbelzinnig kunnen lijken, beschouwd kunnen worden als overdreven vertrouwelijk. Je zou hem heel simpel een hand kunnen geven. Aangenaam, hoi, Emma. Want eigenlijk is het een beetje als een eerste keer. Maar dan zou hij me formeel vinden en zou hij voor de rest van de avond geblokkeerd zijn. Ondenkbaar om hem om de hals te vliegen, Federico is langer dan een meter tachtig en ik kom als ik op mijn tenen sta hoogstens tot het streepje van de honderdvijfenzestig centimeter. De grijzende man zet een stap in mijn richting. Ik heb niet voldoende tijd om te wennen aan dit nieuwe beeld met oude sporen, ik heb geen tijd om te zien op welk punt hij is, zomaar, puur uit antropologische belangstelling, want zodra ik voor Federico sta drukt hij me met het natuurlijkste gebaar van de wereld tegen zich aan. Hoe kon ik daar niet eerder opgekomen zijn?

'Hallo, Emma.'

'Federico...'

'Zullen we naar binnen gaan?'

Mijn ademhaling wordt regelmatiger, mijn hartspier vertraagt de galop waarin hij zich onstuimig in had gestort. Ik loop achter hem aan de lauwte van de trattoria binnen. Hij heeft nog steeds hetzelfde geurtje: Eau Sauvage. Kennelijk is dat een klassieker gebleven, net als mijn Chamade, een souvenir uit een duty-freeshop in mijn vorige leven. Of hij heeft ook dat opzettelijk uitgekozen.

Rustig, Emma. Romans hebben niets te maken met het echte leven. En dat is, zou mijn Trouwe Vijand zeggen, een gedachte die zo uit een flutromannetje zou kunnen komen.

Federico is bijna antiek in zijn manieren en zijn lengte dwingt hem om het gewicht van zijn lichaam iets naar voren te verplaatsen. Hij is niet dik geworden en galant was hij op school al, wanneer de anderen onbehouwen deden alleen maar om zich een houding te geven. Hij helpt me uit mijn korte zwarte jasje en overhandigt het aan de ober, schuift mijn stoel naar achteren en wanneer ik goed zit, neemt hij rechts van mij plaats. Hij pakt de wijnkaart alsof dat na al die tijd de gewoonste zaak van de wereld is.

'Wit of rood?'

En hoe moet ik hem nu vertellen dat ik geheelonthoudster ben geworden?

Mijn ex-echtgenoot vond dat een van de motieven om de scheiding te laten ontploffen en Federico had het al in de gaten toen we naar goedkope pizzeria's gingen en ik nooit nee zei tegen een glas 'huiswijn'. Hij wacht tot er iets gebeurt, of misschien denk ik dat alleen maar door de volkomen natuurlijkheid waarmee hij zich beweegt, zeker van zichzelf.

'Ik drink geen wijn, maar misschien een biertje.'

'Bier is niet ideaal om iets te vieren.'

'Wat vind je van me?' vraag ik, terwijl ik mijn soepstengel verkruimel op het eigele tafelkleed van de trattoria, waar het lijkt alsof alles heeft stilgestaan bij mijn eindexamendiner: dezelfde rieten stoelen, het buffet met de witte borden en de flessengroene glazen, de wanden bedekt met affiches van films en zwart-witportretten van operazangers, acteurs en personen uit het theater die ik niet ken.

'Dezelfde,' antwoordt hij, zonder speciale buiging in zijn stem.

'Zeg dat nog eens,' vraag ik, immens dankbaar voor dat onweerstaanbare gebaar van generositeit en gezond verstand.

'Je bent helemaal niets veranderd, Emma. Je bent De-Zelf-De,' herhaalt hij met nadruk op de klemtonen terwijl hij naar me glimlacht. Die is ook De-Zelf-De. De onmetelijke vrouwenveroverende glimlach die mij in de vijfde klas van het lyceum het hoofd op hol bracht, toen wij meisjes nog verplicht waren om een zwart schoolschort te dragen met geborduurde stippen op de kraagjes, terwijl zij jeans met wijd uitlopende pijpen en geruite overhemden mochten dragen. Als je bij de vijfde stip was gekomen (Maria deed dat voor mij, met volmaakte hiëroglyfen in donkerblauw draad) was je dolbij: nog negen maanden en dan zou het voorbij zijn. De schaamte van het zwarte jasschort, dat een schitterende explosie van kilts, minirokjes, lieslaarzen en krappe truitjes verhulde, werd op 17 juli 1970 door de vergetelheid weggespoeld. Een tien gemiddeld en groen licht van mijn ouders voor de eerste groepsvakantie.

Federico was aan het begin van het schooljaar als een meteoriet in onze klas ingeslagen vanuit een particulier lyceum, een entree die mijn bestaan op zijn kop had gezet. Een wig in mijn symbiotische vriendschap met Gabriella, die hem dan ook onmiddellijk een afschuwelijk, arrogant, banaal rijkeluiszoontje vond. Verwerpelijk, naar haar smaak van meisje uit een keurige familie met een spartaanse opvoeding en met een vleugje lichtgeraakt snobisme, geaccentueerd door een ronde keel-r, die haar goed van pas kwam bij Frans. In werkelijkheid was ze jaloers. Dat heeft ze jaren later toegegeven, bij de begrafenis van onze docente Engels, toen wij, om ons verdriet over het verlies van de enige vrouw die ons had begrepen en aangemoedigd, onszelf afleidden met het spelletje wie-was-wie-en-hoe-was-die-geworden. Gabriella herinnerde zich hem, zocht hem tussen de kerkbanken van de San Marcokerk die was volgestouwd met drie generaties leerlingen, en zei: 'Wat zou er van die bonenstaak terecht zijn gekomen', zoals zij hem altijd noemde.

'Nog maar vier maanden.'

Dat is de eerste zin die in me opkomt terwijl ik risotto alla milanese en gehaktballetjes in tomatensaus met aardappelpuree bestel. Ik heb tijd nodig. En calorieën. Ik sla mijn ogen als een schoolmeisje neer en spiegel me in het lege bord, waar de kruimels een piepklein zandkleurig duin hebben gevormd.

'Nog maar vier maanden en dan wat, Emma?'

'De middelbare leeftijd.'

'O, die heb ik net gevierd en ik verzeker je dat er niets ergs is gebeurd. Alleen een iets groter feest dan gewoonlijk.'

'Ik ga geen feest geven. Je verjaardag negeren is de beste manier om niet in een depressie weg te zakken. Je lippen zijn dunner geworden,' mompel ik, terwijl ik mijn gezicht dichter bij het zijne breng en een ogenblik later onmiddellijk spijt heb dat ik met zo'n ongelukkig gekozen zin had geprobeerd mijn ongeduld te sussen om hem te vertellen over mij en vooral te horen over hem. Een van de lastige dingen van een nieuwe ontmoeting op mijn leeftijd is dat er een samenvatting zou moeten zijn van de respectieve misstappen, universiteit, werk, echtgenotes, echtgenoten, verloofdes, verloofden, literaire smaak. De tien liedjes die je nooit zult vergeten. Het voordeel met hem is dat we elkaar al kennen, als je de littekens en de wonden van tweehonderdeenenzeventigduizend zeshonderd uren niet meetelt. Daar iets over zeggen zou een idee geven van de huidige gemoedstoestand en toch kan ik er nu niet één bedenken.

'Aardige winkel, waar je werkt,' merkt hij op.

'Het is geen winkel. Het is een boekwinkel. En hij is van mij. Ik heb hem geërfd.'

'Mooi om een boekwinkel te erven in plaats van de gebruikelijke smak geld.'

'Je had me moeten zien bij de notaris – die bovendien een vrouw was. Ik gedroeg me als een echte erfgename, terwijl zij op strenge toon het eenvoudige briefje van tante Linda voorlas, die na negenenzeventig jaar lang potloden slijpen, schriften verkopen en schoolkinderen troosten, aan mij, haar lievelingsnichtje, haar oude kantoorboekhandel naliet. Ik was het enige overgebleven familielid, bij mij waren haar schriften in goede handen.'

'En waarom is de kantoorboekhandel nu Romans&Romances geworden?'

'Ik heb in een week tijd meer winkelcentra afgestruind dan in mijn hele leven, en hoe meer boeken ik boven op elkaar opgestapeld zag tussen bergen luiers en dozen vol gepelde tomaten in blik, des te meer was ik ervan overtuigd dat er behoefte was aan een plek waar mensen elkaar kunnen ontmoeten en in boeken kunnen bladeren zonder gedwongen te zijn die te kopen. Ik heb wat rondgevraagd bij vrienden en net zo lang doorgevraagd tot ik wist dat ik behoefte heb om een boekwinkel binnen te gaan die op mij lijkt. Een plek die over gevoelens praat.'

'Ook daarin ben je niets veranderd.'

'In mijn gevoelens?'

'Je ratelt maar door en laat je risotto koud worden.'

'Ik zou een onsterfelijk product gaan verkopen: de liefde.'

'Tja, onsterfelijk maar bederfelijk.'

'Minder bederfelijk dan een nieuw elektronisch apparaat dat, zodra je het uit de doos hebt gehaald, al verouderd is en moet worden vervangen door een model van de zogenaamde nieuwe generatie.'

'Het is een prachtige plek en jij bent een volmaakte eigenares. Alleen al om te genieten van de sfeer had ik er langer willen blijven.'

'Maar je bent ervandoor gegaan.'

'Ervandoor gegaan, nee, dat niet, maar ik wist me niet zo goed een houding te geven.'

'Nooit eerder een ex-vriendin tegengekomen?'

'Die vermijd ik meestal. Het risico op teleurstelling is te groot. En bovendien ben jij niet zomaar een ex-vriendin.'

'*Ex* is altijd nog beter dan *post*.'

'Sorry, ik houd ook niet van dat voorvoegsel.'

We hebben urenlang gepraat, ons studentenverleden werd opgesteld als 'De Geschiedenis van Italië', een meerdelig werk dat nooit in mijn boekwinkel een thuis zou vinden.

Wat is er geworden van die hielenlikster die altijd vooraan zat?

En Enrico, jouw boezemvriend? Hij is toch niet getrouwd met die dode kat, Teresa?

Ik ben afgestudeerd in architectuur.

Ik werk bij Renzo Piano Building Workshop, het hoofdkantoor is in Parijs, ik werk nu aan een project in New York.

Ik heb een zoon van zeventien.

En ik een dochter van dertien.

Ik ben gescheiden.

Ik niet.

We gaan zo op in de nachtmerries van huiswerk en mondelinge overhoringen, dat we hem niet opmerken. Met een smekende blik en beleefde vastberadenheid overhandigt hij een bonnetje. We zijn de laatste gasten in de pizzeria, het is zondag en hij heeft natuurlijk een verloofde die ergens op hem zit te wachten. Federico haalt een creditcard uit zijn dunne portefeuille. Geen foto's, lijkt me. We gaan naar buiten. De straat is verlaten. Milaan ruikt naar voorjaar en Eau Sauvage.

'Zullen we een taxi nemen?' vraag ik.

'Laten we een stukje lopen, als jij dat ook goed vindt.'

'Dat vind ik heel goed.'

We zijn naar huis gelopen.

'We zijn er. Hier woon ik.'

De ongemakkelijke situatie is tastbaar. En ook een soort vrolijkheid, tenminste wat mij betreft. Ik groet een man bij mijn voordeur en voel me als een debutante die thuiskomt na het bal. Een soort geschoeide Assepoester, met een afwijking in de finale. De prins brengt haar thuis en lost op in de donkere nacht. Het gekke is dat ik in slaap ben gevallen zonder drankjes en zonder te piekeren over wat er gebeurd was.

Ik ga naar binnen door de winkelkamer, die uitkomt op de binnenplaats. De boekwinkel bevindt zich in het gebouw als een bedeltje aan de rimpelige hals van een vrouw aan het begin van de vorige eeuw. De Filippijnse conciërge, die woont in een paar vierkante meter, komt me tegemoet met de gierstbezem in haar hand en overhandigt me een envelop. Alleen mijn naam staat erop geschreven in groene inkt, in een recht handschrift met ronde hoofdletters als de pinakels van de Sagrada Familia.

EMMA VALENTINI. PERSOONLIJK OVERHANDIGEN.

'Een mooie meneer heeft hem bezorgd. Vanochtend vroeg,' mopperde Emily alsof ze een rekening met ellendige dwangbetalingen in haar handen hield.

Beslist een gentleman. Vandaag de dag sturen mensen alleen nog een ivoorkleurige envelop om je uit te nodigen voor hun eerste trouwerij. Voor de tweede of de derde krijg je hooguit een telefoontje en zijn er ook geen bruidslijsten opgesteld. Ik open de envelop. Wie die mooie meneer ook mag zijn, hij moet mijn gedachten hebben gelezen.

Milaan, 12 april 2001
Grand Hotel et de Milan
Via Manzoni 29

Lieve Emma,

Terwijl ik je schrijf denk ik aan je handen en zegen ik de uitvinder van elektrische rolluiken. Ik stel me voor hoe jij deze brief opent en binnengaat in jouw koninkrijk 'met ogen nog gezwollen van tranen of tenminste bedekt met het onzichtbare vlies van de melancholie' (een onuitstaanbare zin die ik integraal heb overgenomen uit een roman die iemand heeft laten liggen in deze hotelkamer). Ik neem de tijd, maar als jongen draaide ik bij opstellen in de klas al met te veel regels om de titel heen. 'Je hebt het opgegeven onderwerp niet helemaal uitgewerkt' was het resultaat van mijn getreuzel. Misschien heb ik architectuur gekozen om ter zake te komen. Het was een heerlijke avond. Ik zou je het liefst willen opbellen, maar het is al laat. Ik ben al dagen in Milaan en heb niemand gebeld. Ik heb geen zin in vrienden, families van vrienden, puberkinderen van vrienden. Ik heb geen zin om me te gast te voelen, ook al zal iedereen wel boos zijn, Enrico in de eerste plaats, die denkt dat hij op mij een recht van voorkoop heeft. Ik bel hem niet op omdat ik me een rotzak zou voelen als ik hem niet zou vertellen dat ik jou heb gezien. Van tevoren dacht ik dat ik heimwee zou voelen. Maar dat was niet zo. Milaan, toegetakeld als een warenhuis met banken, kasten, lampen, tafels, feesten, cocktails, inauguraties en openingen van alle mogelijke orde en op elk mogelijk uur van de dag, lijkt mij niet meer aan te gaan. Eergisteren dwaalde ik rond in de buurt van Via Tortona, waar de voormalige gebouwen van Ansaldo de wijk een vermeende air van internationale stad geven; de bioscoop in Via Torino, waar wij 's ochtends heen gingen, is er niet meer, nu zit er een rij winkels die allemaal hetzelfde zijn, de mocassins met kwastjes, de cowboylaarzen en de onderbroeken zijn nu goedgekeurde pornoproducten geworden. Om het geratel van de trams te ontlopen (wat een lawaai maken die!) ben ik afgeslagen naar Piazza Sant'Alessandro. De lucht was dreigend betrokken als een metalen hekwerk en hulde de façade van de Basiliek, bouwjaar 1601 en schitterend voorbeeld van barokarchitectuur, in schaduw. Vier oude vrouwen met kapsels zo luchtig als wolken strompelden de trappen van gneis op. De kleinste van hen raakte onbedoeld mijn mouw aan. In mijn neus drong een bekende geur van kamfer en poeder binnen. Ik dacht eraan hoe mijn moeder zou zijn geworden. De gerimpelde dametjes leken een afspraak te hebben gemaakt over hun parelkettingen, dezelfde die mijn moeder droeg op lila of blauwe truitjes, de broche op de revers van het jasje en de ceremoniële hoofdbedekking. Ik ben ze de duisternis van de kerk in gevolgd naar de voorste rij. De vlammetjes van tientallen votiefkaarsjes brandden onuitputtelijke gebeden. Ik heb een bankbiljet in de la van de donaties laten glijden en met behulp van een stompje was een kaarsje aangestoken. Om mij heen was het gezang begonnen van wie al lang gelooft. Ik had daar willen blijven, maar toen de priester binnenkwam, kreeg ik grote behoefte om weg te vluchten. Ik maakte iets wat leek op een buiging, een kniebuiging uit geconditioneerde reflex. Ik weet niet hoe ik met God moet praten en dat maakt me ongerust en geeft me een vaag schuldgevoel, alsof ik niet hard genoeg mijn best doe, alsof ik kansen uitsluit. In het donker van het plein werd mijn oog getroffen door een winkel als van een Victoriaanse ansichtkaart. Het naambord Romans&Romances, met de hand geschilderd in oranjegele letters op een nachtblauwe ondergrond, maakte me nieuwsgierig. In de etalage zag ik, uitgespreid als hoofddoeken, kostbare fotoboeken van hotels, omlijst met romans. Het Grand Hotel Quisiana in Capri en de brieven van Simone de Beauvoir aan Sartre, *Moord in de Oriënt-Express* van Agatha Christie naast het Pera Palas in Istanboel. Een biografie van Hotel Danieli in Venetië en een donkerblauw boekje met de briefwisseling tussen George Sand en Alfred de Musset. Ik heb de glazen deur opengeduwd en de bel heeft mijn aanwezigheid aangekondigd aan twee pelikaanpoten die onder een kilt uitstaken. In de twee ruimtes met de wijnrode muren en vooral in de derde en kleinste ruimte in een zachte abrikozenkleur, kon je de prettige geur van boeken inademen. De boekenkasten van gebeitst hout krabden aan het cassetteplafond en weken uiteen voor twee grote naaitafels van massief notenhout. Bij de ramen raakten dikke katoenen gordijnen de vloer. Uit de rieten manden staken tijdschriften en geïllustreerde weekbladen. Aan de muren hingen zwart-witfoto's met onderschriften die goed van pas komen voor iemand als ik, die niet weet wie al die mensen zijn: een vrouw met warrige haardos en woedende ogen (een zekere Colette) gooit rijstkorrels uit het raam naar duiven naast het grote paarse gezicht van Ernest Hemingway die knipoogt naar een Harold Pinter met een ingevallen gezicht. Huiselijk: dat is wat ik fijn vond aan die plek. Het zag er iets te veel uit als een appartement uit *Marie Claire Maison*, iets te vrouwelijk, maar gezellig. Knap. Wie jouw binnenhuisarchitect ook mag zijn. Ik ben naar de eerste verdieping gelopen en door de gang van boekenkasten gelopen, waar de 'Hopeloze liefdes' ingeklemd zaten tussen de afdelingen 'De taptoe van het leven' en 'Onmogelijke missies'. Aan het eind van het gangetje tafeltjes, twee fauteuils in beige met wijnrood geruite stof, een oude slagersbank waarop iemand met de geest van een perfectionistische huishoudster thermoskannen, theezakjes en oploskoffie had uitgestald. Ik dwaalde door de boekwinkel, toen ik je ineengedoken op een kruk zag zitten, verheven in een onaantastbare voorpost. In je handen een klein boekje met een leren omslag waar een lint uit hing. Je gezicht geconcentreerd op de bladzijden in een houding van extreme eenzaamheid, heeft me ontroerd. Ik voelde een absurde sensatie die het midden hield tussen paniek en angst, ik ben weer de trap op gelopen en opzij gaan staan in de hoop dat je me niet had gezien, maar de efficiënte Schotse wacht liep op me af. 'Kan ik u ergens mee helpen?' vroeg ze. 'Ik zoek een cadeau voor iemand. Ik zou graag dat boek daar in de etalage willen hebben. Het is voor een architect, begrijpt u?' Smoezen verzinnen is nog steeds een van mijn specialiteiten om mezelf uit lastige situaties te bevrijden. Het is geen toeval dat ik van boekwinkels houd waar je op de grond of op een bank kunt gaan zitten om tijdschriften door te bladeren zonder dat iemand er zelfs maar aan denkt om je te vragen of je ook van plan bent iets te kopen. Laat staan wat je behoeftes zijn. 'Zoekt u rustig verder, als u mij nodig hebt ben ik hier,' antwoordde ze. 'Ik kijk nog even rond, dank u.' Jij was daar. Geen vergissing mogelijk. Broek met hoge taille, veterlaarsjes, witte bloes en mannenbretels, oorbellen, het onmiskenbare halflange pagekopje en de uitstraling van iemand die alles serieus neemt. De lok op je voorhoofd bedekte je gezicht voor de helft, achter je hoofd waarschuwde een affiche in Times New Roman: 'Het enige advies over lezen dat men kan geven is je eigen verstand gebruiken en je eigen conclusies trekken'. Ik had bij die raad kunnen beginnen, een boek uitkiezen, naar de kassa lopen en kijken of je me herkende. Maar ik was geblokkeerd. Ik aarzelde, weifelde, toe, doe het maar, zei ik tegen mezelf, ze kan het hooguit weggooien en dan is er nog niets aan de hand. Ik heb mijn telefoonnummer opgeschreven en daar heb ik goed aan gedaan. De rest weet je. Voordat ik vertrek schrijf ik je deze brief met een voorstel. Ik heb via internet (neem mij deze technologische uitglijder niet kwalijk) een postbus in New York geopend. Ik zou het fijn vinden als je me wilt schrijven en al is deze list archaïsch en misschien ongemakkelijk, mij lijkt het ideaal om met elkaar in contact te blijven zonder dat jouw gewoontes erdoor verbroken worden. Een privéplek. De enige die toegankelijk is voor een ziel als de jouwe, die een aversie heeft tegen de moderne communicatiesystemen. '*Mail for your eyes only*' is de slogan die een geniaal reclamebureau heeft bedacht voor de Amerikaanse postbussen. Het zullen brieven zijn die voor anderen onzichtbaar zijn. Als je wilt (ik hoop zeer dat je wilt), schrijf me dan op dit adres.

Federico Virgili, Post Office Box 772 – New York, NY 10002

Trans-Atlantische kus,

Federico

Dat Federico een postbus opent wijst er wel op dat hij een grote behoefte heeft om met iemand te praten.

'Ik heb twee berichten voor je. Goed nieuws en slecht nieuws. Wat wil je eerst horen?' vroeg hij me gister bij de voordeur.

'Het slechte nieuws eerst,' antwoordde ik.

'Ze zijn toch hetzelfde,' zei hij teder en uitdagend: 'Er is meer dan dertig jaar voorbijgegaan.'

'En wat is het goede nieuws?'

'Er is meer dan dertig jaar voorbijgegaan, maar het is alsof er niet eens een dag voorbij is gegaan.'

Zou hij soms getrouwd zijn met een zwijgzame vrouw? Hij heeft me alleen verteld dat ze Anna heet.

Het postkantoor op Piazza Cordusia bevindt zich op een paar minuten afstand van de boekwinkel en om er te komen moet ik door een paar smalle straatjes waar de banden van mijn fiets, net als mijn hakken, blijven steken in het wegdek van porfier. Ik maak mijn kettingslot vast aan de paal van een donkerblauw verkeersbord met een witte pijl die naar de hemel wijst. Omdat ik geen rijbewijs heb – en daar trots op ben – zeggen verkeersborden mij niets, of beter: vertellen ze me wat ik zelf wil. De pijl wijst op iets daar boven dat ik me graag voorstel als vrolijk, met wolkjes en het hele democratische paradijs dat daar bij hoort. Behalve mijn broers en ouders zijn daarboven heel wat mensen van wie ik houd en ik vind het fijn te weten dat ze ergens zijn waar het prettig is.

De hal met het gele insigne is verlicht met neonlampen. Tientallen mensen staan klagend en jammerend, afhankelijk van hun leeftijd en karakter, in rijen voor de loketten te wachten op hun beurt. Anderen zitten op metalen stoeltjes en houden een nummertje in hun hand, net als bij de vleeswarenafdeling in de supermarkt. Iemand bladert door een tijdschrift, twee pubers geven elkaar zoentjes zonder zich te bekommeren om de afkeurende blikken van een oude man die zich goed ingestopt heeft in een loden jas, hoewel het helemaal niet koud is. Het is voorjaar en zes van de tien aanwezigen zijn aan het praten in een mobiele telefoon. Het postkantoor is een zekerheid. Hier worden enveloppen dichtgeplakt en gefrankeerd, overschrijvingen verstuurd, formulieren ingevuld, gedigitaliseerd op de computer, pensioengelden geïnd. In het postkantoor leeft een wereld die zichzelf vertelt aan de andere helft van de wereld en ik ben er al jaren niet binnen geweest. Ik schuif door een smal gangetje waarvan de muren helemaal bedekt zijn met genummerde postbussen van licht metaal. Het gedempte licht heeft een morbide amberkleurig effect op de metalen luikjes waarachter ik vergeten postpakketjes, heimelijke gesprekken, louche zaken vermoed. In een glazen kooi zit een meisje dat eruitziet alsof ze zich verveelt. Ze ziet me en gebaart met haar hand dat ik dichterbij moet komen. Ik moet denken aan *Schrijf me poste restante*, in de originele versie getiteld *The shop around the corner*, gearchiveerd in de sequenties van een nacht voor de tv; ik vraag me af die juffrouw er ooit van gehoord heeft.

'Ik wil graag een postbus openen,' zeg ik zo nonchalant mogelijk. In werkelijkheid schaam ik me, alsof ik iets onwettigs aan het doen ben. Onwetend van de storm die losbarst in mijn ziel, kijkt de juffrouw op van het tijdschrift dat op haar knieën ligt. 'Hebt u een identiteitsbewijs?'

'Natuurlijk heb ik een identiteitsbewijs. Hoezo?'

Postbussen zijn toch anoniem?

'Ik moet het formulier invullen. U moet vooruit betalen, elke postbus heeft een nummer en een veiligheidsslot. Er zijn verschillende maten beschikbaar, wij doen de post er 's ochtends in, u kunt het zelf op elk gewenst moment komen ophalen.' In een land waar het onmogelijk is om de godgezegende gewoonte van een continurooster in te voeren, lijkt dit mij een wonder van voortvarendheid. Haast alsof het lezen van een brief op elk willekeurig uur van de dag en de nacht urgenter is dan een liter melk, een krop sla, een pakje sigaretten. Alsof het de gewoonste zaak van de wereld is (maar voor haar ís het de gewoonste zaak van de wereld), overhandigt de juffrouw mij het sleuteltje van de Dienst Postadressen.

Terug in de boekwinkel, met een schuldgevoel omdat ik later ben vergeleken bij mijn gewoonte om met de precisie van een Zwitsers horloge op tijd te zijn, staat Alice te luisteren naar een klant, een kleine, dikke vrouw met peenrood haar die speurt in de kast 'Liefdes en misdrijven'. Peenhaartje heeft haar keus gemaakt: *Verloren zielen*, de vertaling van *The Drowning People*, een verhaal over iemand die, belust op wraak, zijn vrouw vermoordt. Ze betaalt en loopt weg in een beslist kalmere stemming, onkundig van het drama dat haar wacht.

'Ken jij *Schrijf me poste restante*, Alice?'

'Nooit van gehoord. Heb ik iets belangrijks gemist?'

'Het is een film van Ernst Lubitsch, ik geloof dat de oorspronkelijke titel *The shop around the corner* is. James Stewart werkt als verkoper in een soort warenhuis, de winkel om de hoek dus, en is smoorverliefd op een meisje dat hij nog nooit in levenden lijve heeft ontmoet, maar met wie hij een zeer regelmatige briefwisseling onderhoudt. In diezelfde winkel werkt ook Margaret Sullavan, de twee kunnen elkaar niet uitstaan, maar ze weten niet dat de liefde tussen hen al ontloken is, want zij is het meisje dat James Stewart nooit heeft ontmoet en op wie hij hoteldebotel is geworden... per brief.'

'Maar dat is het verhaal van *You've got m@il*! Meg Ryan heeft een boekwinkel en Tom Hanks is de arrogante eigenaar van een megaboekwinkel, zo een die jij het liefst met de grond gelijk wilt maken! Meg heeft van haar moeder een kleine kinderboekwinkel geërfd, door de opening van de megastore zal ze haar winkeltje moeten sluiten. Per e-mail lucht ze haar hart tegen de onbekende, die verliefd op haar wordt. Een ode aan de virtuele communicatie. Je zou de film moeten zien, dan begrijp je misschien dat internet niet de duivel zelf is.'

'Jij hebt het over de *remake*, Alice. Ik over de originele versie.'

‘Moet ik het boek aanschaffen?’

‘Ik geloof niet dat er een boek van is, ik moest er alleen maar aan denken.’

‘Als ik vanavond thuis ben, zal ik het even voor je opzoeken op internet.’

Dat zegt ze expres, ze laat geen kans voorbijgaan om mij het gemis van een computer in de winkel te laten voelen. Ik negeer haar provocatie en loop naar boven om koffie te zetten, ik leen het verhaal van Ennio Flaiano *Eén en één nacht* en denk na over de boeken voor in de etalage over liefdes op het eerste gezicht. ‘De beste liefdes,’ beweert mijn ex-echtgenoot, die het tweede afspraakje met een vrouw beschouwt als te verplichtend voor zijn karakter.

Milaan, 14 april 2001
Romans&Romances

Lieve Federico,

Ik ben niet meer gewend aan het geluid van een pen die over het papier krast en ik probeer niet te hard te drukken om geen gaten of vlekken te maken waardoor ik alles op een nieuw vel papier moet overschrijven. Ik ben het niet meer gewend om netjes te schrijven.

Het had een ramp kunnen zijn. We hadden afstand kunnen voelen, ik had weg kunnen rennen. Ik ben vergeetachtig. Jij vertelde over hoe we waren en ik luisterde naar een nooit gepubliceerd verhaal. Mensen veranderen, ontwikkelen zich of worden rimpelig: heb jij wel eens meegemaakt dat je een klasgenoot tegenkwam die in je herinnering beeldschoon was, maar die nu in jouw ogen onbetekenend en vooral zonder gespreksstof was? Welnu, dat is mij dus niet overkomen. Het was een heerlijke avond, daarin heb je gelijk. En nog ontroerender was jouw brief en je voorstel om een postbus te openen.

Sinds gisteravond word ik geplaagd door de 'esprit de l'escalier', die handicap – waarvan ik al jaren last heb – dat je pas achteraf de juiste woorden bedenkt voor een bepaalde situatie. Om die te overwinnen ben ik begonnen een lijstje te maken met vragen die ik je in een volgende brief wil stellen. Je hoeft natuurlijk niet te antwoorden, maar je antwoorden zouden de gaten in het web dichtmaken en ik zou duidelijker zien in welk kader ik jou moet plaatsen. 'Alle levende wezens vertellen elkaar de verhalen over hun eigen leven door te kiezen, een aantal herinneringen te kiezen en te versterken en andere naar de vergetelheid te verbannen. Alle menselijke wezens zijn geïnteresseerd in de toevalligheid.' Woorden van een van mijn favoriete schrijfsters, Antonia Byatt. Als je nog nooit een roman van haar hebt gelezen, doe dat dan alsjeblieft. Begin met *Obsessie*: als je dat hebt gelezen kun je de rest ook aan. Wanneer je mijn vragenlijstje krijgt, mag je op alle vragen antwoord geven, of op de helft ervan, maar minder dan een derde mag niet. Je zult er niet van doodgaan. Dit was een uitstekend idee van je. Mijn postbus wacht.

Emma

P.S. De 'esprit de l'escalier' treft je wanneer je weggaat en onder aan de trap realiseer je je dat je nog niet alles hebt gezegd wat je had willen zeggen. Het zijn de momenten waarop je je beste opmerkingen weet, je scherpste antwoorden bedenkt en... geen tijd meer hebt om ze uit te spreken.

New York, 25 april 2001
42 W 10th St

'Sneeuw, regen, hitte noch duisternis van de nacht zullen deze bodes verhinderen voort te snellen over de weg die hun is toevertrouwd.' Woorden van Herodotus die ik vanochtend las op het fronton van het General Post Office dat zich sinds 1913 tussen de 31st en de 33rd West bevindt. Denk je eens in, Emma, tientallen keren ben ik erlangs gelopen en nooit eerder is het me opgevallen. Een niet geringe nalatigheid voor een architect, want het gebouw is ontworpen door Charles Follen McKim, William Rutherford Mead en Stanford White, namen die jou waarschijnlijk niets zeggen maar die voor ons heilig zijn. De keuze van die uitspraak is van William Michell Kendall, een collega van hun bureau, die refereerde aan een fragment uit de *Historiën* van Herodotus waarin hij de expeditie van de Grieken tegen de Perzen tijdens de heerschappij van Xerxes rond 500 v.Chr. beschrijft. De Grieken hadden als eersten een systeem van postkoeriers of postbodes ingesteld, de voorlopers van de moderne postbodes. Toen ik de grote trap opliep, moest ik denken aan de postbus van Enrico. In de jaren zeventig had hij een obsessie om te reageren op contactadvertenties in kranten; ik heb hem nooit gevraagd of hij die postbus ooit gebruikt heeft, of hij ooit een van die onbekende vrouwen geantwoord heeft en of hij seks met ze heeft gehad.

Terwijl ik in de rij voor de check-in stond te wachten vroeg ik me af hoe je zou reageren. Voor mij stonden een gedistingeerd, glimlachend stel, een ouderpaar met een tweeling met allebei een beugel in een verschillende kleur (een manier om ze uit elkaar te houden?), en een elegant maar te mager meisje. Een model, dacht ik bij mezelf terwijl ik aan boord ging, opgelucht over mijn dochters passie voor natuurwetenschappen. Ik had vierentwintig uur niet geslapen, ik liet me leiden door de stewardess, ik heb mijn opgespaarde airmilespunten en rij A vlak achter de neus van het vliegtuig gezegend, terwijl de dame in groenblauw colbertje mij het eerste glas sinaasappelsap aanbood dat bestemd was voor de reizigers in de eerste klas. Ik keek door het raampje naar het beton van de piste en ben in slaap gevallen. Op J.F.K. werd ik weer wakker. Het profiel van Anna dat ik achter het glas van de douane zag verschijnen en verdwijnen, dicht tegen Sarah aan in de omarming die ik altijd heb beschouwd als de bevestiging van mijn geluk, luchtte me op. Daar waren mijn vrouwen en alles ging gewoon verder. Er gingen twee weken voorbij. Het Main Post Office binnengaan was als binnenvallen op een filmset. Ik gaf mijn paspoort af aan de beambte, die mij een sleutel van gebruineerd metaal van 37 euro per jaar overhandigde. 'Ontvang uw post wanneer het u schikt met een postbus'. Ik voelde me een schooljongetje op de eerste schooldag, wanneer de juf aan alle leerlingen die op het schoolplein verzameld staan het enige liefdevolle gezicht is in een jungle van onbekenden, zo volgde ik een vrouw met grijs haar dat in een vlecht geknoopt was en die zich wendde tot haar postbus alsof het een familielid was. 'Ze zijn op volgorde genummerd, 772 is daar aan het eind,' zei ze, terwijl ze haar postpakketje uit de bus pakte. En ik nog denken dat ik een origineel idee had gehad! In de Verenigde Staten verhuizen ze voortdurend, heel anders dan wij Italianen die in hetzelfde appartement geboren worden en sterven, en heel veel mensen hebben een postbus. Ik ben een beginneling, milady. Toen ik me omdraaide was ze er niet meer.

Mijn eerste keer. Een beetje net zoals het eerste schriftje, het eerste ontwerp voor een klant bij een grafische studio toen ik nog studeerde, de eerste reis alleen. De eerste en enige dochter. Ik stak de sleutel in het slot en voordat ik die omdraaide keek ik naar het kistje van mat koper met dezelfde onrust die ik zou hebben gevoeld wanneer ik over een grote schelp, verborgen in het zand, was gestruikeld. Toen ik klein was werd mij verteld (en ik geloofde het!) dat daar een parel in zat die mij later rijk zou maken. Ik maakte het kistje open. De lichtblauwe envelop van Smythson of Bond Street lag op een paar centimeter van mijn neus. Ik borg hem veilig weg in mijn jasje, stapte op mijn Vespa en voelde me net Gregory Peck, terwijl jij, mijn onzichtbare Audrey, je armen om het middel van je prins klemde. Als een uitgelaten puber reed ik door Manhattan, de putdeksels zagen eruit als medaillons in het beton en de patriciërshuizen van Madison Avenu leken abdissen, gereed voor de vesper. De envelop is tot de middag in mijn zak gebleven. Ik stel een belangrijke afspraak altijd uit: wat als jij me zou antwoorden dat ik je met rust moest laten, de groeten, het was leuk om oude herinneringen op te halen, enzovoort? In de brievenbus van John, een vriend van Renzo die ons het appartement heeft verhuurd vanwaar ik je nu schrijf, ontvang ik zijn rekeningen, zijn bekeuringen, zijn creditcardoverzichten, het Italiaanse tijdschrift *Abitare*, kilo's reclamefolders en andere weemoedige papieren rommel. De rest, al het andere, komt per e-mail. Alles, behalve jij. Jouw technofobie was een zegening, die mij heeft gebracht tot dit archaïsche communicatiemiddel, te schuiven in de blauwe metalen geeuw van de US Postal Service. Ik voeg de foto van mijn vijftigste verjaardag bij. Zoals je ziet lijk ik redelijk tevreden.

Ik wacht je vragenlijstje af.

Federico

P.S. Hoe lang is het geleden sinds ik voor het laatst een brief in een brievenbus heb gestopt?

Mijn hardnekkige onverschilligheid ten aanzien van mijn verleden is een beschermingsstrategie. Dankzij Federico kunnen stapels laf verwaarloosd puin van een jeugd waarvan ik niets heb bewaard en een puberteit riskant als alle puberteiten, een kans worden. Of een valkuil? Met mijn benen opgetrokken tussen de kussens op de bank lees ik zijn brief. Op tafel, boven op tijdschriften en stapels boeken, heb ik twee foto's neergelegd, die van de vakantie is verticaal lang en smal, rood gekleurd en de grotere daarnaast, horizontaal, portretteert zijn vijftigste verjaardag. Wie heeft dat bijschrift er in blokletters onder geschreven: WAT BEDOEL JE MET DAT MIJN LIPPEN DUNNER ZIJN GEWORDEN? De kloof tussen mannen en vrouwen is niet ideologisch, maar heel simpel cosmetisch. Ik heb hem waarschijnlijk gekwetst, zijn ijdelheid onderschattend, maar mannen missen ook het vermogen om onschuldige opmerkingen te snappen. Een vrouw weet heel goed dat met het verstrijken van de jaren de lippen zich terugtrekken. Zij niet. Vroeger was elke verjaardag een triomfantelijke stap in de richting van de emancipatie. Nu willen we onze verjaardagen liever wegmoffelen op de kalender, min of meer zoals we doen met andere onschuldige obsessies. Ik bekijk de twintigjarige met de volle lippen van dichterbij. Zijn lichaam straalt onverwoestbaar enthousiasme uit. Ik kom met moeite tot aan zijn schouders, Federico vormt met wijs- en middelvinger een V. Rechts van hem staan Gabriella en Renata, een klasgenootje met lang koperkleurig haar, drie knullen met krullen tot op de schouders en een ringbaardje. We zagen er mooi uit, met die gebruinde huid en rusteloze ogen. Als die kinderen in de toekomst hadden gekeken, wat hadden ze dan gezien?

Zijn vijftigste verjaardag op de andere foto is een feest-feest. Federico staat in het midden van een waterval van gele en rode bloemen en blaast de kaars uit op een taart van drie verdiepingen, type bruidstaart. Rechts van hem twee blondines die devoot naar hem opkijken in een mengeling van dankbaarheid en trots. De volwassen blondine heeft smalle lijntjes rondom haar ogen, te veel rouge op haar jukbeenderen en een schaduw die haar blik versluiert. De kleine blondine lijkt op hem, licht, luchtig, helder. Federico is getrouwd met een keurig meisje, zijn gezin is hecht en gelukkig. En toch is het alsof zijn lippen iets hebben moeten opgeven. Ik pak de spiegel en houd de foto met die andere ik in mijn linkerhand. Ik kan mezelf niet mooi noemen, veel te klein, borsten die met moeite een B-cup vullen, smalle polsen en haren gebleekt door zand en zeezout. Ik kan onmogelijk de gedachten terugvinden die zich achter die ogen verschuilen. Ook zij zijn vergeten. Audrey Hepburn en Gregory Peck, ik vind het een mooie vergelijking, het examen tussen verleden en heden lijkt gehaald, hoewel het mij steeds vaker gebeurt dat ik mensen die ik tegenkom en die mij zelfs hartelijk begroeten, niet herken. Ze stellen me privévragen, hebben het over Michele en Mattia, dus ze weten. Ik concentreer me op hun identiteit, riskeer dat ik een raar figuur sla, zoals die keer op het zoveeljarig huwelijksfeest van Gabriella. 'Misschien hebben wij datzelfde effect ook wel op anderen,' zei ik tegen haar toen ik de ex-vriendin van haar broer verwarde met een tante. 'Maar als een vrouw haar haren niet meer verft dan vraagt ze ook om zo'n opmerking,' probeerde ik me nog te rechtvaardigen, terwijl zij met haar vingers in mijn onderarm kneep. Ik weet dat ik me over een maand andere dingen, andere gezichten, andere verhalen die me zijn verteld, niet meer zal herinneren. Ik wis uit. Ik vergeet nieuwtjes, de goede en de slechte, ik vergeet ook de dingen die mooi zouden zijn om te onthouden. Mijn geheugen werkt intermitterend: het draait op volle toeren in de actualiteit of 's ochtends vroeg. Na het lezen van een boek kan ik me nog ongeveer een week de pagina herinneren waar ik een zin, een passage, soms zelfs een afzonderlijk woord dat me heeft geraakt, kan terugvinden. Geleidelijk aan verbleken de beelden en de gevoelens die door het lezen zijn ontstaan, om uiteindelijk te verdwijnen. Dat is heel lastig voor een boekverkoopster, ook al dwingen de klanten mij tot krachtige herlezingen. Advocaat Pedrini, een civiel jurist die pleit voor de rechtbank van Milaan en die één keer per week langskomt in de winkel, heeft zijn toevlucht genomen tot het systeem van de strofes. Hij kent twee-, drieduizend dichtregels en declameert die elke ochtend, inclusief zon- en feestdagen, tenminste tien minuten achtereen, alleen maar om in vorm te blijven. In mijn vorige baan vertaalde ik simultaan uit het Italiaans naar het Frans en het Engels, ik had een vocabulaire waar een puzzelaar jaloers op zou zijn, ik luisterde naar zinnen, woorden en concepten, en bewerkte die. In mijn nieuwe leven, voor deze spiegel, herken ik dat meisje. Voor vandaag is het genoeg. Oprakelen is niet mijn sterkste kant.

Milaan, 1 mei 2001
Via Londonio 8

Lieve Federico,

De vragenlijst werd te lang, dus die heb ik ingekort tot twee vragen, voor een breedsprakig persoon als ik is het een grote inspanning die je hopelijk weet te waarderen. Hoe waren wij? Wat deden wij? Weet je, ik leef in een soort geheugenverlies door narcose, ik heb in mijn hersens en in een deel van mijn hart een grote voorraad zinnen, visioenen, fragmenten opgeslagen en nooit de behoefte gehad die te reconstrueren; een verminkt archief van weken en maanden die zijn opgeslokt door het niets. Ik heb geprobeerd me te concentreren en de beelden die over jou gaan te verzamelen, als plaatjes. Genoteerd in willekeurige volgorde:

Klas 5B van het Alessandro Volta lyceum.

Een korte oranje trui (gruwelijk lelijk om eerlijk te zijn) met appelgroene en gele horizontale strepen. Dat wat mij betreft.

Jij in lichtblauwe coltrui en donkerblauwe pilo broek. Heel zacht (die trui).

Een Ciao die blijft steken in de tramrails.

Geschaafde knieën en schaamte om de klas binnen te gaan: we hadden die dag een proefvertaling van Latijn en ik had geen tijd om de schade te herstellen (zoals je ziet herinner ik me wel de details maar niet de algemene context).

Een grijze Vespa. De jouwe.

Een gang met linoleum dat gestreept is door de gymschoenen.

Haar op de schouders. Allebei.

Een biljarttafel in de bar in Via Lecco (hoe heette die?) waar jij met Enrico en alle anderen ging biljarten, keu in je hand en je blik geconcentreerd op het gekleurde balletje; je leek net een cowboy.

Darten op het terras bij jou thuis: nooit gelukt om in de roos te schieten (ik).

De voetbaltoernooitjes tussen 5A en 5B: ik zat op de tribune, ik begreep weinig van de regels en het spel, behalve dat degene die de bal het vaakst in het doel schoot, de winnaar was. In een referendum dat wij meisjes onderling hielden, waren de mooiste benen van het team die van jou.

Rockmuziek. Ik zal in mijn volgende brief een lijst opstellen van liedjes waarvan ik zelfs nu nog niet kan scheiden.

Op meer ga ik mij nu niet concentreren, ik frankeer deze en doe hem meteen op de bus.

Emma

New York, 8 mei 2001
42 W 10th St

Lieve Emma,

Het is drie uur in de nacht en ik kan niet slapen. Onder ons appartement is een delicatessenzaak en ik ben naar beneden gegaan om een pak melk te kopen. Ik ben bevriend geraakt met de verkoopster en blijf altijd even met haar praten als ik geen zin heb om na mijn werk of midden in de nacht, zoals nu, meteen weer naar huis te gaan. Ze is daar altijd. Je hebt geen idee hoeveel mensen hier voor 6 dollar per uur werken, soms wel tachtig uur per week, dag of nacht maakt niet uit, aangezien bijna alles hier '*24 hours operation*' is. De caissière van mijn deli is gevlucht uit Nicaragua, waar de sandinisten een slachting onder haar familie hebben aangericht. Ik drink een glas warme melk en schrijf je. Je vraagt hoe wij waren en ik vind het ongelooflijk dat jij de belangrijkste maanden van je vorming hebt gewist, namelijk de maanden die je samen met mij hebt doorgebracht (grapje, maar niet helemaal). Mijn leven is een relatief simpel spel geweest: voetbal, muziek en architectuur (niet per se in die volgorde) in de klassieke eerste generatie 'geïndustrialiseerde' boerenfamilie, met een afwezige vader die geld en werk verheerlijkte, een man die zich 's zomers veel liet zien, wanneer hij eiste dat ik minstens een maand aanwezig was in ons huis aan zee. Mijn moeder (kun je je haar nog wel herinneren?) is overleden in 1971. Op die dag begon de ellende. Mijn vader sloot zich nog meer in zichzelf op, werkte nog vaker en nog langer (ik zag hem nooit), was erg bezorgd over mijn schoolprestaties en nauwelijks over mijn stemmingen; hij begreep niet dat ik het hoe dan ook wel zou redden. Jij bent de breuk geweest met de wereld waarin ik was opgegroeid, jij was anders dan alle andere meisjes, en naar ik in alle bescheidenheid vermoed, ben je dat nog steeds. Ik heb een innerlijke bibliotheek die alleen maar over jou gaat en waar ik heel veel kan vinden.

Hoe ik je heb veroverd (nu zouden onze kinderen zeggen 'geritseld')? Ik zag je op je rug liggen op de tafel in de gang tijdens de pauze terwijl ik met enig succes, tenminste bij de meisjes, zat te pronken met mijn gitaar. Ik vroeg je iets, ik weet niet meer wat, jij hief je blik op uit je boek (obsessie? voorgevoel?) en keek me aan alsof ik een of ander meesterwerk had onderbroken. Je doorboorde me met die donkere koplampen en gaf me het gevoel dat ik een eikel was. Ik heb er een paar weken over gedaan om door je verdediging heen te breken, maar toen ben je ook in mijn armen gevallen. Gun mij de illusie van de veroveraar en herinner je het op die manier. Nog meer ansichtkaarten van een liefde: nachtelijk uitstapje naar Venetië en terug in de vroege uurtjes van de ochtend. Ik had net mijn rijbewijs gehaald en had de auto van mijn vader gepikt. Ik voelde me een hele gozer en voor jou een cappuccino bestellen bij het kraampje op de parkeerplaats van Piazza Roma was voor mij het summum van romantiek. Bezetting van de faculteit Architectuur waar wij, toen nog lyceumgroentjes, in terechtkwamen. Waarschijnlijk is de vlam in die aula's ontstaan, waar de studenten ons veel volwassener leken dan wijzelf. Vakantie in Calabrië. Ik geloof dat dat die foto is. Een concert van een volksliederengezelschap. Iemands achttiende verjaardag: jij hebt kiespijn, mijn vriend Daniele 'behekst je', ik ben gek van jaloezie, ook al neem ik je die onnadenkende ongevoeligheid niet kwalijk, meisje.

Schrijf me,

Federico

PS. Niet uit ijdelheid, maar ik vroeg me af wat het met jou heeft gedaan dat we elkaar weer zagen.

Een van de privileges van mijn boekwinkel is dat hij mij heeft bevrijd van een schuldgevoel, namelijk dat ik me niet alle boeken kan herinneren die ik heb gelezen. Ik ben hele intriges, beginstukken en eindes vergeten en heb het excuus dat ik sommige opnieuw lees alsof het de eerste keer was. Het zijn de klanten die mij titels suggereren en mij aansporen tot deze bodemloze activiteit. Vandaag kwam meneer Bianchi in de winkel en hij vroeg om een exemplaar van *Liefdesverhalen* van Guy de Maupassant, dat hij cadeau wilde geven aan een vriendin van zijn vrouw bij wie ze zouden gaan eten. Ik herinnerde me niet eens meer die bundel van vijfenzeventig, ongelogen vijfenzeventig, liefdesverhalen van een van de onvermoeibaarste vrouwenverleiders uit de literatuur. Alice vond hem in de kast 'Breedtegraden van de liefde'. Ze wilde alweer een preek gaan houden dat het absoluut nodig was om de boeken in een elektronisch archief te stoppen. Ik heb haar de mond gesnoerd, ben naar buiten gegaan om een cappuccino te drinken en ben gaan schrijven onder de blikken van de barkeeper, die zich waarschijnlijk afvroeg waarom ik daar zat terwijl ik toch de hele boekwinkel tot mijn beschikking had.

Milaan, 19 mei 2001
Bar Tabacchi op Piazza Sant'Alessandro

Lieve Federico,

Het duizelt me. Wat je me schrijft is een draaimolen van onthullingen. Ik kan me die nacht met jou in Venetië niet herinneren, maar dat van die bezetting is onmogelijk te vergeten. Mijn vader was woedend, ik zou voor het eerst buiten de deur slapen en hij was ervan overtuigd dat ik mijn maagdelijkheid zou verliezen in gedwongen groepsseks met buitenlanders. Hij is in 1976 overleden aan botkanker. Ik weet weinig over zijn ziekte, mijn moeder sprak er niet graag over, haast alsof het een kwestie was die vooral haar aanging. Ze was dolverliefd op hem en heeft nog tien jaar zonder hem verder geleefd. We hebben allebei ouders gehad die van elkaar hielden. Ik heb een vage herinnering aan die vakantie in Calabrië (die van de foto). Lief, die anekdote van in de gang. Ik vind het leuk om te bedenken dat ik verliefd ben geworden op jou en op de romans van die tijd, ook al was ik al verliefd op boeken toen ik een klein meisje was en ik me schrijvers (altijd mannen, ik weet ook niet waarom) voorstelde terwijl ze koortsachtig of kauwend op hun pen een blocnote die op hun knie lag vulden met zinnen. Wat mij altijd heeft gefascineerd, meer dan schilderijen of beelden (waaraan Gabriella haar leven heeft gewijd – zij is docente kunstgeschiedenis aan ons oude lyceum), is het niet-wiskundige van het woord, dat niet ontstaat uit een tubetje temperaverf of krijt, noch uit ontwerpen die veranderen in bruggen – en ik denk niet dat ik hiermee jouw gevoeligheid kwets. Het woord is immaterieel en heeft volgens mij toch meer macht dan welk fysiek gebaar dan ook. Het ontkiemt uit een idee, een gedachte, een willekeurige observatie over de natuur of over een straat of een gebouw, een gezicht, het komt boven uit de klap of uit een omhelzing en... paf!, je kunt de wereld veranderen. Of tenminste het perspectief. Hoewel Virginia Woolf heeft geschreven en uitgelegd dat 'de woorden een geringe roeping hebben om nuttig te zijn', kan ik niet zonder.

Wat het mij heeft gedaan dat we elkaar terugzagen? Het overheersende gevoel was nieuwsgierigheid, ik wilde weten wat voor man je was geworden. Ik vond je nog steeds mooi (ik bedoel, ik kreeg geen shock, je bent geen monster geworden, maar het risico dat zoiets gebeurt, laten we het maar toegeven, was er voor allebei) en de echte verrassing was het gevoel dat ik je ken zonder dat ik me de feiten over ons kon herinneren. Je was als nieuw en toch voelde ik tussen ons een intimiteit die mijn neiging om mezelf te beschermen, te verdedigen, te doen alsof, zoals ik zo vaak doe, uitwiste. Ik was meer dan op mijn gemak: ik vertrouwde. Toen ik daarna thuis was heb ik mezelf gekoesterd in de overtuiging (niet lachen alsjeblieft) dat onze zielen elkaar al die jaren hadden begrepen terwijl wij andere dingen deden en dat ze elkaar om een of andere rare reden hebben herkend toen ze elkaar weer terugzagen (onze zielen dus). Toen jij weg was had mijn traagheid meer tijd nodig, ik wilde weten of je alleen maar slagroom was, of wij die soap waren over twee mensen die elkaar na jaren terugzien enzovoort enzovoort. Toen kwam jouw brief en nu vervolg ik ons gesprek.

Dat is alles,

Emma

P.S. Ik ben geschokt over die Daniele. Wie was dat en hoe kon ik me van jou laten afleiden? Ik wacht op nadere details over mijn akelige gedrag.

Het is zaterdagavond, Mattia heeft waarschijnlijk een afspraak. Hij loopt al zevenendertig minuten lang de badkamer in en uit. Dan weer heeft hij zijn shirt uit zijn broek, vervolgens trekt hij een donker overhemd aan, dan verdwijnt hij en komt terug met het witte overhemd, strakker en met een strak stropdasje. De liefde, inclusief de onzekerheid die daar bij hoort, is op elke leeftijd hetzelfde. Precies hetzelfde.

'Kan ik je misschien ergens mee helpen, lieverd?'

'Ik kan niet kiezen, mama. Wat staat cooler: het overhemd of de sweater?'

'Doe ze allebei aan, de een over de ander heen. Dan kun je die sweater altijd nog uittrekken,' antwoordde ik, afgeleid door de brief van Federico die wacht in mijn tas. Ik heb hem nog niet gelezen. Het is een lange brief en ik wil er in alle rust van genieten als Mattia de deur uit is.

'Laat maar, mam, sweater en overhemd samen kan natuurlijk écht niet. Heb je misschien 10 euro voor me?'

New York, 7 juni 2001
University Café

Lieve Emma,

Ik zit aan een tafeltje van het café naast Beyer Blinder Belle, het bureau waar ik werk met een aantal bijzondere collega's, *friendly* zoals zij zeggen, met wie ik bevriend ben geraakt op onze eerste ontmoeting maanden geleden, toen de Boss het project voor de restauratie en de uitbreiding van de Morgan Library toelichtte. Beyer Blinder Belle Architecten en Planners LLP maakt sinds 1968 (profetisch jaartal, niet alleen voor de Europeanen) architectuur voor de mensen en predikt coherentie tussen gebouwen en individuen. Banaal, zal jij zeggen, maar niet voor iedereen is architectuur zo. Rechts van de ingang, waar we een ruimte voor onze groep hebben gecreëerd, pronken onze prijzen, ingelijste oorkondes en ontwerpen voor gebouwen in heel de Verenigde Staten naast de bipartisan lofuitingen die bij verschillende gelegenheden zijn ondertekend door Bill Clinton en George W. Op de rand van de scheidingswanden die de ruimte van het kantoor verdelen, staan kartonnen maquettes uitgestald die spreken van integratie tussen heden en verleden: het Immigratiemuseum op Ellis Island, dat in South Street Seaport hier in New York, het Muhammad Ali Center in Louisville, Kentucky, het Montclair Art Museum in New Jersey, het Red Star Line Memorial (Europese versie van Ellis Island) en vele andere. Bij BBB werken honderdzeventig architecten die ervan overtuigd zijn dat mensen behoefte hebben aan plaatsen waar ze samen kunnen komen, samen kunnen zijn en ontroerd kunnen zijn. Mijn bureaugenoot, Frank Prial Jr., is sympathiek en verliefd op zijn twee kinderen, zijn vrouw en ons project. Zijn passie gaat uit naar historische bouwwerken, die hij redt met de ziel van een Rode Kruismedewerker, waarbij hij koppig het verleden wil behouden om dat nieuw leven en nieuwe functies te geven. Je kunt je wel voorstellen hoe harmonieus onze samenwerking is in het project voor de uitbreiding van de Morgan Library, de kluis van een van de kostbaarste collecties handschriften, boeken, partituren en schilderijen ter wereld. Voor mij is dit de eerste opdracht met eigen verantwoordelijkheid, voor hem is het een terugkeer naar Europa waar hij een paar jaar met zijn gezin heeft gewoond. Het project van de Morgan Library is ons een jaar geleden toegekend. Ik was met Renzo Piano in Venetië op de motorboot die ons naar het station bracht, hij keek me aan en vroeg me tussen neus en lippen of ik me het voorstel kon herinneren: 'Ach, ze hebben teruggebeld en gevraagd of wij het wilden doen,' zei hij. De opdracht was unaniem toegekend aan de Renzo Piano Building Workshop. Het idee van de baas was om de bestaande gebouwen met elkaar te verbinden en tegelijkertijd het volume van de bibliotheek met de helft van de oorspronkelijke capaciteit te vergroten en al het overtollige weg te halen. Het was belangrijk vast te stellen wat er precies overtollig was, aangezien de Morgan al heel wat transformaties heeft ondergaan. Zo was het bijvoorbeeld in 1928 uitgebreid met een onbeduidend bijgebouw in klassieke stijl en was het met een sombere glazen passage verbonden aan het Brownstone van de zoon van John Pierpont Morgan, Jack. Ze hebben ons gevraagd bij ons ontwerp rekening te houden met een uitbreiding van het volume, maar een wolkenkrabber zou de harmonie van die lieflijke hoek van Madison Avenue verbreken. Wat te doen? 'Wanneer je niet omhoog kunt, moet je omlaag gaan,' suggereerde Renzo, die de gave heeft om ingewikkelde dingen te vereenvoudigen en eenvoudige dingen niet ingewikkeld te maken. 'De geest van het project is niet de groei, maar het herstel van evenwicht en herziening van de functie van het gebouw.' Als ik geen heteroseksuele man was geweest, was ik verliefd op hem geworden. Eigenlijk houd ik van hem sinds mijn sollicitatiegesprek met hem in Genua, toen ik aan het afstuderen was en hij mij mijn eerste echte baan aanbood en daarmee de kans om te vluchten. Met deze opdracht heeft hij mij gepromoveerd tot Partner in Charge van RPBW en de enige die niet blij was, was Sarah. Bij het bericht dat we moesten verhuizen uit Parijs ('het is niet definitief, lieverd, over een paar jaar gaan we weer naar huis,' zei ik tegen haar in een poging haar gerust te stellen), zou ze net naar de vierde klas van de middelbare school gaan. In plaats van blij te zijn, heeft ze wekenlang een zuur gezicht getrokken. Hoe kon ik haar ongelijk geven? Wat kon haar mijn promotie en New York schelen? 'Mijn klasgenoten schrijven zich in aan het Richelieu, in New York ken ik niemand, je kunt me niet dwingen om een heel ander leven te gaan leiden,' kermde ze, zodat ik me een rotzak voelde. Hoewel ze natuurlijk geen idee had wie kardinaal Richelieu was, trok ik haar los van de wortels van zekerheden die ze in de jaren daarvoor had opgebouwd tijdens het bestrijden van de verlammende crises van een verlegen, introvert karakter waarvoor ik mij toch zeker voor 60 procent verantwoordelijk voel (de rest schrijf ik toe aan het toeval). Het hele eerste semester hier in Manhattan heeft ze me aangekeken alsof ik een monster was dat haar jeugd verpestte, maar toen schoot Ricki mij te hulp, de vijftienjarige zoon van een collega die zich haar heimwee serieus ter harte nam. Ze werden onafscheidelijk en ik kan alleen maar hopen (ik ben erg jaloers) dat die puistige puber niet de grenzen van een schitterende, possessieve vriendschap overschrijdt. Ik heb je een uitgebreide beschrijving gegeven van de plaatsen van mijn leven. Die voor een architect alles zijn.

Tot spoedig, lieve boekhandelaarster,

Federico

Op 12 oktober 2000, 508 jaar na de ontdekking van Amerika, haalde ik het doek op voor mijn nieuwe continent. De avond ervoor was ik met de stofzuiger langs de onzichtbaarste hoekjes gegaan (zinloos, want het parket glom als een biljartbal), had ik de boeken gerangschikt per soort liefde, de ramen gezeemd met alcohol en krantenpapier, de deurkrukken gepoetst. Om twee uur 's nachts kwam ik thuis in een Milaan dat al kil was met de vaste bedoeling om te gaan slapen, maar ondanks de druppeltjes bleef ik wakker met een angst die mijn keel dichtkneep. Het gipskarton liet zich weer voelen ter hoogte van mijn maag en ik kon zelfs geen hulp vragen aan Gabriella, want die had het onzalige idee gehad om juist die dagen naar Avignon te gaan om een congres over middeleeuwse kunst bij te wonen. Trots weerhield me ervan Alberto in het holst van de nacht op te bellen. Mattia sliep bij zijn vader. Ik was alleen met mijn nachtmerries.

Zoals altijd lag de oplossing in het bad. Net als in de beste films en in tientallen romans, kent de liturgie van de ontspanning in bad haar eigen regels. Zittend op de rand, de blik gefixeerd op een innerlijke gedachte over de enige man die haar voor een moment, een week of een heel stuk leven gelukkig heeft gemaakt, opent zij de waterkraan en wanneer het water tot aan de rand komt, laat ze zich wegzakken in het schuim. Warmte en damp op de tegels, kaarsen met vanillegeur, twee wattenschijfjes met kamille op de oogleden. Zij denkt. Wie nog nooit zo'n scène in de bioscoop heeft gezien, mag zijn hand opsteken. Aldus heb ik gedaan, maar ik was zo moe dat ik in slaap ben gevallen, de was van de kaarsen smolt tot kleine sculpturen, de wattenschijfjes op mijn ogen waren gerimpeld als dorre bladeren. Ik schrok wakker. Het water was koud en ik wilde mezelf daar laten sterven, laten wegzuigen door de draaikolk van het putje. Ik ben in badjas in bed gaan liggen en in slaap gevallen. Een paar uur later heb ik me aangekleed als boekhandelaarster: vintage auberginekleurig mohair jurkje, enkellaarsjes met hoge hakken (cadeau van Michele, die nog steeds een van de weinigen is die mijn smaak op het gebied van schoenen kent), bakelieten oorbellen, lichte make-up. Na een bliksembezoekje aan de kapper heb ik mij bij de buren gemeld. Er zijn er niet veel op Piazza Sant'Alessandro, maar ze zeiden dat ze enthousiast waren over de winkel ('Alleen maar liefdesromans? Dan komen er zeker alleen maar vrouwen. Mannen houden niet van praten over de liefde,' luidde het enige verbaasde commentaar) en dat ze van tante Linda hadden gehouden. De sigarenboer, paarse kop en een antiroker die sigaretten verkoopt met een zweem van afkeuring op zijn lippen, de antiquair die zijn dagen doorbrengt tussen meubels en frutsels die met instabiele wanorde zijn uitgestald in een winkel met twee etalages, de eigenaar van de bar aan wie ik heb uitgelegd dat ik mijn cappuccino graag zonder schuim drink, de stoffenverfster Luisa en de slager op de hoek. Ik heb Emily, die op de winkel paste, gevraagd een rondje te maken tussen mijn boekenkasten en het eerste rolluik van mijn leven in werking gezet. De angst wilde maar niet verdwijnen. Ik liep rond. Ik ordende de stapels, ik checkte de telefoon TU-TU-TUUU. Je weet maar nooit, iemand kon toch hebben gebeld om te vragen naar een titel, want ik had visitekaartjes uitgedeeld in de hele wijk, zelfs bij de kassa's van de boeken- en cd-gigant FNAC, die op tweehonderd passen (geteld) afstand van mijn winkel is. De deurbel deed het. Om elf uur die ochtend heb ik me omgedraaid naar mijn magnifieke handelswaar en heb ik de verwezenlijking van een droom omarmd, ondanks de hordes ontraders en dankzij een paar genereuze mensen die het waardeerden en die hadden beloofd voor sluitingstijd even langs te komen. Uit bijgelovigheid had ik geen openingsborrel georganiseerd. Ik moest het alleen zien te redden en de markt met opgeheven hoofd betreden. Ik had een afspraak met mezelf gemaakt: als die eerste dag een fiasco werd, moest ik tenminste vijf dingen doen waar ik een hekel aan had.

Omdat er veel meer dingen zijn waar ik een hekel aan heb, heb ik mezelf gedwongen om te kiezen. Als er het eerste uur niemand zou binnenkomen, dan moest ik boodschappen doen in de supermarkt en zes literflessen water mee naar huis nemen; als het tweede uur voorbij was, mocht ik een week lang niet over de stoep fietsen; na drie uur zou ik twee weken lang niet naar de kapper gaan. En daarna steeds zwaardere offers en geloften, zoals een maand lang niet roken, alleen over de gelijke tegels lopen, drie onverteerbare telefoontjes per dag plegen en dat een week lang, elke ochtend een halfuur joggen, wat voor een liefhebster van simpele gymnastiek een belediging voor het gezond verstand is, naar de bank gaan zonder ruzie te maken met de meneer of mevrouw achter het loket, me niet ergeren aan de inefficiëntie van een willekeurige verkoper in een willekeurige winkel, ingeklemd in een overvolle tram staan en dan lezen, een glas wijn tot op de bodem leegdrinken in één slok, geen commentaar leveren op de bergen textiel – jeans, boxershorts, sweaters van Mattia – die als beeldhouwwerken op de grond liggen – en ook niet op de asbak met peukjes die slap over de rand hangen.

Een uur en zeven minuten na elf uur kwam zij binnen. Mijn eerste klant. De eerste van een heel leven. Ze droeg platte paarse elfenlaarzen, een broek met grote zakken op de bovenbenen, een nauwsluitend kastanjebruin fluwelen jasje, haar dat in laagjes op haar schouders viel, een stevige boezem (op het oog een ruime D-cup) en heel lichte huid en ogen. Verstomd van vreugde liet ik haar rondkijken. Ze streek met het puntje van haar vingers en met gretige pupillen over de boeken en was een en al complimenten en euforisch enthousiasme. De zang van de sirene vlijde zich neer op de tafels als een nieuwsgierige vlinder.

'Wat eeeeeeeeeeenig,' kwetterde ze, niet wetend dat ze in één keer mijn rugpijn door al het kruien had weggevaagd.

'Verkoopt u echt alleen maar liefdesromans? Maar dat is waanzinnig! En kan het ook in cadeauverpakking? U bent geniaal!'

Inderdaad.

'Ik kan er niet tegen als ze boeken in plastic zakjes stoppen, u weet wel, met een naam erop, ook niet als ze er panty's in doen trouwens! En als ik een boek voor mezelf koop wil ik ook dat het wordt ingepakt met een strik eromheen.'

Als een woeste bergstroom was dit precies wat ze zei: *wil ik*. En ik, die dacht dat ik mezelf voorgoed bevrijd had van bazen en bazinnen, begreep dat zij mijn nieuwe bazen en bazinnen zouden zijn: de lezers. Goed. Ik zou ze transformeren in handlangers, misschien zelfs in vrienden, dacht ik in het delirium van almacht van de beginneling.

'Ik werk in het gebouw hier tegenover, ik ben afgestudeerd in statistiek en nu doe ik marktonderzoek voor 1127 euro per maand,' informeerde zij me. Bondig, maar met oog voor details.

'Dan kunt u hier komen om even niet aan cijfers te hoeven denken,' antwoordde ik, de verlegenheid overwinnend die mij aan de toonbank vasthaakte.

De eerste klant, een truffelhond genaamd Cecilia, heeft me getroost met de aanschaf van drie boeken, *Jij bent mijn mes* van David Grossman, *De liefdesbrief* van Cathleen Schine en *Paper Kisses* van Reinhard Kaiser. Natuurlijk wilde ze er drie pakjes van gemaakt hebben. Ik heb erg mijn best gedaan, hoewel ik wist dat het voor haarzelf was en ze het mooie papier er nog diezelfde avond af zou halen. Sinds die eerste dag komt Cecilia regelmatig in de winkel, ze snuffelt, ze bladert, haar verzoeken om informatie zijn als verhoren, want ze argwaant bestsellers, advertenties, ze wantrouwt hyperbolen, overdrijvingen, uitspraken van beroemdheden (meestal schrijvers of vrienden van de schrijvers) die 'meesterwerk' en 'langverwachte roman' schreeuwen. Ze kiest ze met dat speciale instinct van de scherpe lezeres die zich niet laat misleiden door omslagen, die de eerste regels leest, vervolgens het boek op een willekeurige bladzijde openslaat en trefzeker haar vonnis velt. Kortom, of ze is op slag verliefd of ze legt het boek zonder wroeging terug op zijn plaats. Ze valt de winkel binnen tijdens de lunchpauze of tegen zessen, ook alleen maar om even te groeten en een kop thee te drinken. We praten over boeken en haar vluchtige verloofden. Ondanks de generatiekloof sluiten haar lezeressenneuroses goed aan bij de mijne, terwijl Alice, die toch een leeftijdgenoot van haar is, haar een beetje overdreven vindt.

Natuurlijk adoreer ik haar.

New York, 21 juni 2001
Barnes&Noble
Union Square

Lieve Emma,

Vergeleken bij jou ben ik een onbenul, onwillig om toenadering te zoeken tot romans. Om het minderwaardigheidsgevoel dat jij bij me hebt opgeroepen te overwinnen, heb ik vandaag een lijvige (798 bladzijden) biografie van John Pierpont Morgan gekocht, de man aan wie ik indirect mijn Amerikaanse avontuur te danken heb. JPM is mijn werkgever; dat ik hier ben komt door zijn intuïtie en het minste wat ik kan doen is mijzelf op de hoogte stellen van zijn leven. Afgezien van levens van architecten, heb ik al sinds mensenheugenis geen biografie meer gelezen. Boekhandel Barnes&Noble op Union Square is een van mijn lievelingsplaatsen geworden. De winkel strekt zich uit over vier verdiepingen, heeft een grote ruimte voor cd's, een *teenager corner* (sic) waar ik boeken voor Sarah zoek. Jij bent de enige boekhandelaarster die ik persoonlijk ken (maar ik ken helemaal geen andere) bij wie ook mensen die niet kopen worden ontvangen in de koffiehoek. Ik ben gaan zitten aan de tafel van het snelbuffet op de tweede verdieping, tafeltjes van donker hout en een vloer van zwarte en witte tegels. Ik heb een druivenmuffin en een kop slappe koffie genomen, ik heb een uur de tijd en heb geen haast. Aan de muur tegenover mij hangt een collage van auteurs, slecht geschilderd in felle kleuren: George Orwell, Vladimir Nabokov, James Joyce, Mary Shelley, Rudyard Kipling, George Eliot, en Henry James, heel elegant in wit overhemd en rokkostuum en rechts van hem, bijna liggend, Oscar Wilde in kamerjas met een lelie in zijn glas, Mark Twain in een nadenkende pose met duim en wijsvinger onder de kin, George Bernard Shaw, en als laatste, vastbesloten om zich te laten portretteren, kluizenares en dichteres Emily Dickinson. Drie vrouwen maar, wat alles zegt over de ruimte die voor hen gereserveerd is in het brein van de zondagsschilder die ze geportretteerd heeft. Iedereen zit hier aan de tafeltjes te lezen, of beter gezegd, iedereen heeft een boek of een tijdschrift in de hand en iedereen lijkt bezig te zijn met de eerste bladzijden die nog zo ongerept zijn dat ze leeg lijken. Een enkeling schrijft, een ander studeert, weer anderen zitten achter de pc. Het percentage zou je troosten: er staan vier computers aan, de rest is papier: jij zou je gelukkig voelen tussen al deze medelezers. Ik neem een slokje van het warme slootwater in de kartonnen beker, hoewel de kalender aangeeft dat het vandaag de eerste dag van de zomer is. Ik ben bezig aan de eerste bladzijden van het gepassioneerde levensverhaal van een man die niet de geijkte paden volgde. Ik vat samen. Belangrijke voorouders: James Pierpont, een van de oprichters van Yale University, en eerwaarde John Pierpont, abolitionist en dichter. JPM werd in 1837 geboren in Hartford, Connecticut, toen er in de Verenigde Staten 'een schrale esthetische wind' waaide (woorden uit de biografie): iedereen die zich wilde wijden aan kunstgeschiedenis of architectuur moest zich over het oude Europa buigen. Hij had al vroeg een passie voor papier en bestelde op veertienjarige leeftijd een aantal omslagen van een speciale uitgave van de *Illustrated London News*; zijn neef Jim adviseerde hij om hetzelfde te doen omdat, zo schreef hij, 'die beter waren gemaakt dan de gewone omslagen'. Zijn vader schreef hem brieven uit

Engeland waarin hij stomvervelende geschiedenislessen gaf. Zo moest hij na een bezoek aan het graf van de hertog van Wellington zijn zoon eraan herinneren dat 'de man Napoleon bij Waterloo versloeg'. Stel je voor: als wij onze kinderen brieven schreven over onze reiservaringen, dan zouden ze toch meewarig 'boeien!' puffen. In de biografie staat dat de gezondheid van JPM nooit heel sterk was geweest, dat hij als kind reuma kreeg en toen door zijn familie naar de Azoren werd gestuurd. Nadat zijn ouders zich bij hem hadden gevoegd maakten ze een Grand Tour door Engeland, Duitsland, België en Frankrijk. Tijdens die reis noteerde hij alles: de mensen die hij ontmoette, de toneelstukken die hij bijwoonde, de musea die hij bezocht, de toegangsprijs voor het kasteel van Versailles en het graf van Napoleon, het bezoek aan de Manufacture des Gobelins in Parijs, de École des Beaux Arts en het Louvre (Sarah maakt zelfs op school nooit aantekeningen, 'dat is niet nodig want ik kan toch alles vinden op internet'). Waarschijnlijk is JPM'S passie voor het verzamelen van kunst ontstaan tijdens die jeugdreizen, ook al was het kopen van geschiedenis voor de miljarden Amerikanen van eind negentiende eeuw een vrij algemeen tijdverdrijf. Morgan was niet de meest verlichte van die Amerikanen, noch de meest ontwikkelde, maar beslist wel de meest geniale. Op het evangelische 'klopt en gij zult binnengelaten worden' luidde zijn antwoord: 'als je erom moet vragen, zal je het nooit krijgen'. En inderdaad, hij vroeg niet. Hij kocht en stelde: 'Geen prijs is te hoog voor een object van indiscutabele schoonheid'. Kortom, JPM was een filantroop en jij bent mijn Pygmalion: als ik jou niet was tegengekomen in de mooiste boekwinkel van Milaan, zou ik nu de krant hebben gelezen. Mijn luchttijd is bijna om, tot snel.

Schrijf me.

Federico

Milaan, 9 juli 2001
Romans&Romances

Lieve Federico,

Ik ken Barnes&Noble, ik herinner me er een in de buurt van Astor Place geloof ik, ook al zijn die boekwinkels naar mijn smaak te groot. In New York houd ik meer van Strand op Broadway, een stijlvol tehuis voor gebruikte maar nog niet overleden boeken, dat ik een geologisch tijdperk geleden voor het eerst zag, toen ik daar een onvergetelijke vakantie doorbracht met Gabriella, Alberto en Michele. Het eerste wat ik in welke stad dan ook zoek, zijn boekwinkels. Die afwijking is niet van recente datum, als meisje babbelde ik in boekwinkels al met de verkopers en benijdde ik ze onbewust, ervan overtuigd dat ze de hele dag gratis stonden te lezen achter de toonbank. Maar nu heb ik ontdekt dat er helemaal geen tijd is te lezen achter de toonbank: ik heb nooit een seconde rust en ben altijd bezig met het afstoffen van de boeken, ze netjes neerzetten, hoekjes inrichten of nieuwe hoekjes bedenken. Ooit heb ik als een Japanse toerist boekwinkels gefotografeerd. Jouw brief deed me daaraan terugdenken. Om een uitvoerige verandering (van tijdschema's, gewoonten, zelfs van kleren) te vereenvoudigen, zou ik zeggen dat mijn reis naar Lapland een onschuldige jeugdgekte heeft veranderd in een beroep. Vertel me in je volgende brief alsjeblieft over de Morgan Library: want hoewel jij mij beschouwt als een oplettende reizigster, ben ik er nooit binnen geweest, wat mij dus dilettantische boekhandelaarster maakt.

Emma
P.S. Ik kan me onze eerste kus niet herinneren. Jij?

Elke verandering in de boekwinkel wordt uitvoerig besproken. Het lijkt wel alsof we terug zijn in de jaren zeventig, toen vergaderen de meest gangbare vorm van confrontatie was: op school, thuis, tijdens betogingen, samen met vriendinnen, in de garages van de flatgebouwen waar de eerste Italiaanse rockgroepen ontstonden, alles werd ter discussie gesteld, alleen om het plezier ervan. Maar als je de vergaderingen van collectieven van die tijd vergelijkt met het geschil dat zich al een week voortsleept in deze vochtige ruimtes, zijn het gezellige borrelpraatjes. Milaan wordt verstikt door een kap van stoffige hitte, waardoor mijn vermogen om conversaties te verdragen die de drempel van puur tafelgesprek overschrijden, ernstig wordt aangetast. Ik zou het liefst willen oreren over het verschil tussen een Coca-Cola met ijsklontjes en een granita met muntsmaak, tussen een uitgeperste sinaasappel en het geliefde glas mineraalwater met prik. Al het overige is bij deze temperatuur intellectueel te inspannend. Het onderwerp waarover wij het niet eens kunnen worden is de airconditioning. Alice blijft hameren op het voordeel (voor de klanten) om er tenminste één te installeren, ze bestudeert brochures, maakt lijsten van de speciale aanbiedingen, vergelijkt prijzen en modellen en herhaalt op angstige toon dat 'als we niet opschieten de voorraden zijn uitgeput'. De Trouwe Vijand is het er niet mee eens en heeft bij de zoveelste smeekbede van mijn assistente het onderwerp afgekapt door te zeggen dat wij het geld er niet voor hebben.

'Ik sta jullie hooguit plafondventilatoren toe. Die passen mooi bij de inrichting van de boekwinkel, ze hebben een romantische uitstraling en kosten weinig,' luidde zijn vonnis.

Een sluier van kalk vleide zich als talkpoeder neer op de toonbanken, hoewel ik de installateurs had gewaarschuwd en ik de boeken met plasticfolie had afgedekt. Ik begin te stofzuigen, het is halfnegen en ik geef toe dat de Trouwe Vijand gelijk heeft: die metalen stangen boven mijn hoofd sissen als entrecotes op de barbecue, maar werken verkoelend. Ik wacht op Alice, die de strijd zal aanbinden over het tweede onderwerp dat deze week als in een menuet is afgewisseld met dat van de noodzaak van verkoeling: de lijst van de beste boeken. Ook hierover zijn wij het gedeeltelijk oneens: voor mij is het opstellen van beste-boekenlijsten puur vermaak, maar Alice neemt het verschrikkelijk serieus. Ik stel zo'n lijst op aan de hand van gelezen of herlezen titels, titels die ik zou willen dat de klanten lezen of titels die door hen zijn aanbevolen. Ze hebben vrije toegang tot het schoolbord en kunnen kritiek leveren, recensies geven, commentaar achterlaten. Zij zegt dat we 'een objectievere en bredere kijk' moeten hebben en de keuze van de op de lijst te plaatsen romans niet te persoonlijk moeten maken. De Trouwe Vijand kan het niets schelen, die zegt alleen dat het schoolbord te veel ruimte inneemt en zou moeten worden vervangen door een magneetbord.

Dit is een boekwinkel met participatiedemocratie.

Die twee begrijpen niet dat die lijsten angsten bezweren, net als een partijtje Trivial Pursuit, Monopoly, rummy of jokeren: onschuldige tafelspelletjes die perfect zijn voor wie geen zin heeft om de handleiding te lezen alsof het een handboek voor de kwantumfysica is. Ik kan niet pokeren en ook niet dammen en aan schaken heb ik me nooit gewaagd: allemaal spelletjes voor slimmeriken en intellectuelen. Aangezien ik slim noch intellectueel ben en mij kan beroepen op heel wat overwinningen met jokeren, gebruik ik de beste-boekenlijsten als tegengif tegen verveling. Gewoonlijk begint de discussie met Alice op maandag op rustige toon, de bedoeling is dat ze op zaterdag met de definitieve lijst komt, die eerst op papier opschrijft en vervolgens met krijt overschrijft op het schoolbord dat ik op een veiling van de inboedel van een basisschool heb gekocht. Vandaag is het donderdag en we bevinden ons nog steeds in patstelling. Mijn lijst bevat de 'Best verkochte liefdes', ook al zet ik er eigenlijk op wat ik zelf wil. Zij blijft vasthouden aan de 'Liefdes onder de parasol'.

'Over een paar dagen gaan we dicht en vooral romans die de mensen kunnen meenemen naar het strand worden verkocht,' begon ze, terwijl haar neusje eigenwijs begon te krullen.

'En de mensen die naar de bergen gaan? En de klanten die naar een meer gaan, of gaan varen of een buitenlandse stad gaan bezoeken, hebben die geen recht op een roman? Ik zou wel eens willen weten wat de kenmerken zijn van een parasolboek.'

Ik zou hele lijsten kunnen opstellen voor mensen die hun vakantie doorbrengen in Parijs (Balzac, Zola, Maupassant, Proust), of, bijvoorbeeld Praag, die zou ik Kafka in handen drukken, die nooit een liefdesroman heeft geschreven maar die ik niet mag weglaten als ik denk aan de droefenis van zijn hart. En Kundera, *Onwetendheid*, *Afscheidswals*, *De ondraaglijke lichtheid van het bestaan*. Maar Kroatië, dat erg in trek is als vakantiebestemming, stelt mij voor problemen. Te specifiek gericht, te veel 'niche', zou het bezwaar luiden van Alberto, die zich niet met de beste-boekenlijsten bemoeit omdat ze niets kosten. Ik kan er niet tegen om te discussiëren met mijn koppige assistente, ook al zijn het niet echt ruzies maar eerder gekibbel, woordenwisselingen. De generatiekloof tussen haar en mij is in dit soort situaties bijna fysiek voelbaar: ik raak uitgeput door haar psychische uithoudingsvermogen en mijn onvermogen om conflicten te verdragen, zelfs conflicten met een intellectueel tintje. Nu wacht ik ongeduldig op haar. Ik wil graag voor twaalf uur vanmiddag de middenweg vinden tussen het naaldbos en de parasol, tussen Londen, Praag en de rijkelui op jachten, sporadische lezers maar ze geven royaal geld uit. Vrouwen of verloofdes gaan altijd met flinke voorraden varen met schipper en matroos in hun gevolg, en laten de boeken aan het eind van de vakantie in erbarmelijke toestand, met door zeezout omgekrulde bladzijden, achter. Om die reden adviseer ik voor op de boot pocketboeken, die kun je zonder al te veel wroeging aan boord achterlaten. Ik zou er ook boeken opzetten voor de mensen die helemaal niet op vakantie gaan. Echte lezers weten niet eens wat het is om vakantie te hebben van het boek.

En dit is het geworden.

LIEFDES VAN DE WEEK

1. Edward M. Forster, *Howards End* (vijfentwintig exemplaren: verdienste van een lyceumdocent die het als vakantieboek heeft aangeraden aan zijn leerlingen van de derde klas)
2. Dino Buzzati, *Een liefde* (voor wie de hele maand augustus in Milaan blijft)
3. Emily Brontë, *Woeste Hoogten* (ook al is Heathcliff iets te wraaklustig naar mijn smaak)
4. Charlotte Brontë, *Jane Eyre* (haar mag ik om diezelfde reden juist erg graag)
5. Marc Levy, *Was het maar waar* (er moet ook een schrijver met een knap gezicht bij staan)
6. Nadia Fusini, *Laffe liefde* (verhaal over een deserteur in de liefde, aan het eind van zijn leven gestraft door een zekere Lavinia)
7. Jeanne Ray, *Julie en Romeo* (voor onder de parasol. De Capuleti's en de Montechi's zijn respectievelijk veranderd in de Cacciamani's en de Rosemans, rivaliserende bloemisten in Boston)
8. William Shakespeare, *Romeo en Juliette* (als tegenwicht voor de vorige)
9. Louisa May Alcott, *Onder moeders vleugels* (die zet ik er altijd op)
10. Luis Sepúlveda, *De oude man die graag liefdesromans las* (niet gelezen maar op de lijst gezet vanwege de titel. Volgens een persoonlijke statistiek hebben mannelijke klanten meer vertrouwen in mannelijke dan in vrouwelijke auteurs).

New York, 17 juli 2001
BBB, 41 11th St

Lieve Emma,

Vergeet men de eerste kus nooit? Waar. Ik heb daarover documentatie gevonden in een essay op de (overvolle) afdeling Gezondheid van de Strand Bookstore waarover je me schreef, de achttien mijl boeken op Broadway. Uit schaamte om een handboek mee naar huis te nemen dat ieders achterdocht zou wekken, heb ik het in de winkel doorgebladerd. De schrijver, wiens naam ik niet heb overgeschreven, is neuroloog aan een Amerikaanse universiteit, ik weet niet welke, en beweert dat de eerste kus achter slot en grendel zit, samen met tientallen andere onuitwisbare eerste keren, in een hoekje van ons brein. Je zou hem moeten kunnen vinden tussen de cellen van je zenuwstelsel. Dokter Kweetnietwie schrijft dat ook jij je die eerste kus herinnert, want alle hersenen, ook die van jou, maken verschillende verbindingen aan tussen de neuronen die ervoor zorgen dat wij ons nu kunnen herinneren wat we gister, een week of jaren geleden hebben gedaan. De herinneringen blijven ons hele leven gebeiteld in ons brein. Overgeschreven in mijn Moleskine: 'Zich een gebeurtenis herinneren is het heractiveren van een groep neuronen die gekoppeld zijn aan klanken, geuren of beelden van een bepaald moment.' Ik heb ze gereactiveerd en ze teruggevonden, samen met de eerste kus, of beter gezegd, met het moment dat daaraan voorafging, het moment waarop 'het DNA van de neuronen van de hippocampus, het hersengebied waar geheugenprocessen worden geregistreerd, merkt dat er iets bijzonders gaat gebeuren en opdracht geeft aan zijn cellen om die herinnering vast te leggen tussen de juwelen die in de kluis horen. Het DNA is de regisseur en de eiwitten die het geheugen versterken zijn de acteurs.' De geschiedenis van ieder individu wordt, kort gezegd, ingeprent in zijn DNA, een landkaartje van de emoties dat geraadpleegd kan worden. En dit is ons landkaartje. Laat in de middag, het motregende, jij zat op het muurtje tegenover de ingang van het lyceum, je benen bungelden omlaag. Die houding was niet de allermooiste, de regen hielp niet mee, maar het kon je niets schelen. Ik had mijn armen om je middel geslagen. Ik bracht mijn lippen naar de jouwe. Je trok je niet terug. Ik weet niet meer precies hoe laat het was, maar wel het geluk van dat onuitgesproken (en oneindige)... dat wel. Hoe kun je dat alles zijn vergeten? Ik weet niet of ik je dit kan vergeven, ik moet daarover nadenken.

Federico

P.S. Vanavond na het eten rolde Sarah zich naast me op de bank op. Ik was de krant aan het lezen, keek haar aan en vroeg haar plompverloren, of ze 'al' gezoend had met een jongen. Ze antwoordde me met een wedervraag: 'Papa, ben je soms niet goed bij je hoofd?'

Milaan, 24 juli 2001
Romans&Romances

'Wat ben je vandaag vergeten? Een belangrijke afspraak, de betaling van een rekening, een belangrijk telefoonnummer, de naam van een klant, de bladzijden die je een paar dagen geleden hebt geleerd?' Alice heeft deze reclametekst, die zij op haar e-mailadres (thuis) heeft ontvangen, uitgeprint. Eerst dacht ik dat ze me voor de gek hield, maar toen begreep ik dat het echt was. Federico, ze verkopen cursussen om te onthouden wanneer je huwelijksdag is, wanneer een vriendin jarig is, welke bladzijden van een boek je gelezen hebt. En dat voor slechts 248 euro. Een astronomisch bedrag, minstens vijftien boeken met omslag bij elkaar – een spotprijsje, zal je denken, als die cursus mij inderdaad kon terugbrengen op dat muurtje. Ik had net op het postkantoor je brief opgehaald over het essay van dokter Kweetnietwie, en die absurde reclame leek mij een aansporing om de neuronen te trainen. In afwachting van je volgende brief heb ik besloten de etalage in te richten met romans waarin de eerste kus volgt op uitputtende hofmakerij, onoverbrugbare problemen, gruwelijke tegenslagen. De mooiste? Hier: '... en nu niet bewegen, totdat ik de vrucht van mijn smeekbeden heb geplukt. Zo heb jij met jouw lippen mijn zonde van mijn lippen genomen'. William Shakespeare. Romeo tegen de jonge, ondernemende Julia. Ik moet gaan: Alice heeft een tegenvoorstel ingediend voor een zomeretalage en zoekt banaliteiten zoals zon, witte stranden, betoverende decors, bloeiende planten, rozenperken, koelte, gebladerte, bloeiende borders, bossen, flirts en niet-liefdes en tuinen, tuinen, tuinen. Ik heb voorgesteld *De geheime tuin* van Frances Burnett, *Elizabeth en haar Duitse tuin* van Elizabeth von Arnim, *Natuurlijke verwantschap* van Goethe, *Een lied van Afrika* van Karen Blixen, *Hemelse muziek* van Niall Williams, gister binnengekomen, een paar uur geleden in begonnen. Kan niet meer stoppen. En groot verlangen om nu meteen naar Ierland te vertrekken.

Omhelzing van Emma, de vergeetachtige

P.S. En Morgan? Had die behalve geld verdienen en kunst kopen ook nog tijd voor de liefde?

New York, 30 juli 2001
Rapture Café
200 Avenue A

Lieve Emma,

Op de avond van 26 maart 1902, na een voor de zaken onbevredigende dag, zat John Pierpont Morgan in zijn studeerkamer. Alleen, zoals dikwijls het geval was. Toen het tijd was voor het diner, telefoneerde hij naar de architect Charles McKim en vroeg hem – of beter gezegd: beval hem – langs te komen: 'Ik verwacht u morgen om tien uur bij mij'. McKim, die op de hoek met 35th woonde, een paar blokken van het huis van de bankier, liet zich niet smeken en kwam op donderdag 27 maart naar 219 Madison Avenue. Bij een kopje thee informeerde JPM de architect dat hij de naburige grond had gekocht en gaf hij hem opdracht tot het ontwerpen van een huis voor zijn dochter Luisa en een gebouw voor zichzelf, te gebruiken als bibliotheek. 'Ik wil een parel waar ook de collectie van mijn huis in Londen in ondergebracht kan worden,' beval hij. McKim stelde Morgan een marmeren villa in Italiaanse stijl voor. Een paar maanden later ging de bouw van start onder het oplettend oog van de huiseigenaar, die persoonlijk elk detail controleerde: balustrades moesten verlaagd worden omdat ze 'de lijn van de achterste omlijsting verbreken', er moesten vijf stenen van de buitenzijde van de trap naar de voordeur worden verwijderd, hij stelde materialen en stoffen voor, tekende zonder blikken of blozen koopcontracten en stuurde zelfs McKim naar Rome alleen maar om een paar achttiende-eeuwse haardijzers te kopen. Het moet voor McKim een onderneming van hoog politiek niveau zijn geweest om zijn eigen visie van architect te rijmen met de eisen van de man met de bijnaam Lorenzo il Magnifico. Maar toch ontstond er tussen de twee een sterke empathische band. Toen

McKim in de zomer van 1905 ziek werd van zenuwuitputting en hem absolute rust werd voorgeschreven, suggereerde hij dat zijn compagnon Stanford White het werk zou kunnen afmaken. Maar daar wilde Morgan niet van weten. Hij zei tegen McKim dat hij vakantie moest nemen en de hele Morgan Library moest vergeten. 'De werkzaamheden zullen stilliggen totdat jij terugkomt. Niemand anders mag eraan komen.' Enorm bevredigend, lieve Emma, voor een architect om zich onmisbaar te weten voor een opdrachtgever. In november 1906 hield JPM zijn eerste zakenvergadering in de West Room van de bibliotheek, omringd door de wandbekleding van rood damast waarop het renaissancewapen van de familie Chigi stond afgebeeld. Sindsdien zou JPM nog maar zelden zijn kantoor op Wall Street gebruiken, want hij gaf de voorkeur aan wat zijn medewerkers noemden 'het hooggeplaatste filiaal'. Vanochtend ben ik daar met Frank geweest. Wij werden ontvangen door de directeur, Charles E. Pierce Jr., die elk hoekje van dit juweel kent. Hij heeft ons naar de kluis van de studeerkamer gebracht, een geblindeerde kast geopend, daar een met donkerblauwe stof beklede doos met de afmetingen van een routekaart (zo'n kaart die we in de auto hebben liggen) uit gehaald en ons alleen gelaten. 'Dit is een van de zeldzame exemplaren van de Bijbel in het Latijn, gedrukt door Johann Gutenberg. Geniet ervan,' zei hij met een kalme glimlach. Waarmee hij bedoelde dat het een van de zeldzame exemplaren op de hele wereld was, begrijp je? Ik was verdoofd, gehypnotiseerd, ik hield dat op perkament gedrukte monument in mijn handen (dat JPM in 1896 voor 2750 pond, ongeveer 13.500 dollar, had gekocht van een Engelse handelaar) en ik voelde me alsof ik was opgesloten in een monnikencel, in het hart van die speciale plek die ik nieuwe afmetingen moest geven, en ik de ziel van degene die het had voortgebracht inademde. Heel mooi, maar waarom had die rijke meneer zo'n enorme behoefte aan schoonheid? Misschien schuilt het antwoord in de neus. JPM had acne rosacea, een mysterieuze en verminkende ziekte die hem zijn leven lang kwelde en de oorzaak was van zijn befaamde lelijke grote neus. Ik zal daar nog eens navraag over doen, maar ik denk dat het een goed spoor is om de mythe te vermenselijken.

Federico

P.S. Over zijn liefdes zal ik je in een volgende brief schrijven, ook al interesseert de amoureuze kant van zijn leven mij het minst.

Milaan, 4 augustus 2001
Romans&Romances

Federico,

De zwaardvechter met de grote neus houdt heimelijk van de schone Roxane, die op haar beurt houdt van de knappe Christian. Maar om haar te veroveren is het niet voldoende om knap te zijn, je moet ook een groot dichter zijn. Christian is knap, Cyrano kan dichten. De krachten worden gebundeld en Roxane bezwijkt. Maar het vijfde wiel aan de wagen, de legeraanvoerder, is ook verliefd op Roxane en stuurt daarom zijn rivaal Christian naar het front, waar de dood hem wacht. Geheel volgens de beste tradities gaat de schone Roxane het klooster in. Pas op hoge leeftijd hoort ze van de liefde van Cyrano. Zij is nu bereid om die te beantwoorden, maar het is al te laat. Wie weet of JPM Rostand heeft gelezen en begrip heeft gevonden in de beroemdste neus uit de Franse literatuur?

Emma

P.S. Het is niet goed dat je je niet interesseert voor de amoureuze kant van zijn leven. Vroege jeugd en liefdeservaringen zijn de beste sporen om een individu te begrijpen.
P.S. bis. Ik ga twee weken weg met Gabriella, Alberto en een groep vrienden. We hebben een huis gehuurd in de buurt van Roussillon in de Provence. Mattia komt ook, met zijn nieuwe vriendinnetje, het eerste (!), van wie we allemaal hopen dat ze aardig, behulpzaam en vooral netjes is. Ik heb dan alle tijd om je te schrijven.

New York, 11 augustus 2001
Bankje op University Place

Lieve Emma,

New York is een openluchtoven. Sarah en Anna zijn in Maine, het land van de kreeften en de reuzenvenusschelpen. Ik voeg me later bij hen voor een vakantie die ons naar Canada zal brengen. Om je te schrijven heb ik een stil plekje gezocht in het park vlak bij ons bureau, waar studenten muziek maken onder de platanen. De thermometer wijst 98 graden Fahrenheit aan, het is zo vochtig dat mijn overhemd als een zweetdoek tegen mijn huid plakt, het lijkt wel alsof er een stofzuiger door de Hudson is gehaald, het asfalt staat op het punt te smelten en de airconditioning in de restaurants en de supermarkten is moordend. Ik heb een toeristische gids gekocht om mijn meisjes voor te bereiden op de schoonheid van Mount Desert Island, waar onze Morgan een van zijn villa's liet bouwen in het Acadia National Park, het punt waar je als eerste van het hele continent de zon kunt zien opkomen. Spannend. Terwijl ik door het boekje bladerde dacht ik aan jou; behalve de Morgans, de Vanderbilts en de Fords woonde (en stierf) in dat park een schrijfster die natuurlijk niet ontbreekt in jouw winkel:

Marguerite Yourcenar, die in haar houten cottage tussen esdoorns, eiken en berken *Herinneringen van Hadrianus* schreef (niet gelezen). Het schijnt dat de cottage nog steeds intact is: volgestouwd met boeken, en met de schommelstoel nog op de veranda. Ik zal Sarah meenemen om de walvissen te zien, eerlijk gezegd wil ik die zelf ook graag zien. Als een debutant. Ik wens je een fijne Provence, lieve vriendin,

Federico

P.S. Tot een paar maanden geleden zou ik het huis van een schrijfster niet op het lijstje van vakantiebezienswaardigheden zetten: jouw verdienste of die van Morgan?

Het vrolijkste plekje van dit gehucht is het café op het dorpsplein, waar ik ben neergeploft tussen tafeltjes van hout en gietijzer. Acht oudjes met gezichten die lijken gekerfd in de bast van een boom, spelen pétanque. De stilte vanochtend was verdacht: ze vermeden mij, zeker vanwege een overmaat aan sensibiliteit. Alleen Mattia kwam om halfnegen mijn kamer binnen. 'Ik heb de wekker gezet, mam. Waardeer mijn moeite en de ballen!' schreeuwde hij in mijn oor met een stem die nog dik was van de slaap en mij wakker schuddend met de gratie van een Duitse dog. Na het ontbijt hebben ze me beleefd het huis uit gezet: ze zijn van plan om een feest te organiseren en die gedachte vind ik angstaanjagend. Ik houd er niet van in het middelpunt van de belangstelling te staan, ik ben veel te bang dat ik niet voldoe aan de verwachtingen en het liefst zou ik elke vorm van viering mijden, maar op zo'n belangrijke dag zal het onmogelijk zijn korting te krijgen op emoties.

Roussillon, 20 augustus 2001
Café du Village

Lieve Federico,

Afgelopen nacht om tien over twaalf ben ik vijftig geworden. Mijn gemoedstoestand: ik ben niet depressief of van slag zoals ik had gedacht. Ik ben verbaasd. Ik ben de dag begonnen zonder een krimp te geven, ik heb geen plechtige beloften gedaan, was niet onderhevig aan ernstige stemmingswisselingen, geen spoor van euforie of depressie, geen genadeloze onderzoeken voor de spiegel, als je de armen buiten beschouwing laat. Het onderwerp is vrouwelijk, erg vrouwelijk, dus ik weet niet of je het kunt begrijpen, maar ik probeer het toch: ik voel me bij jou ongecensureerd vertrouwelijk en bovendien ben je toch ver weg en hoewel ik absoluut zeker ben dat de jaren ons onzeker maken, dan nog kan ik jouw reactie negeren. Welnu, vanochtend heb ik een spijkerbroek aangetrokken en een witte bloes. Zonder mouwen. Bij het hek heb ik mijn arm opgetild om mijn tirannen te groeten en toen ik mijn hoofd naar rechts draaide zag ik mijn magere triceps trillen als pudding, een pratende arm, ondanks drie keer per week gymnastiek – drie keer per week! Federico, sinds vanochtend ben ik officieel een vrouw van middelbare leeftijd en ik werd overmand door een paniek die ik alleen aan jou durf te bekennen: kan ik sterven zonder de onmetelijke catalogus van menselijke passies te hebben gelezen die ondertekend en met zweet bedekt is door Marcel Proust en *Oorlog en Vrede* (veertienhonderd pagina's), *De Pickwick Club*, *David Copperfield*? Hoe kan ik over mijn schuldgevoel heenkomen dat ik nooit *Bekentenissen van Zeno* heb opengeslagen, noch *Lord Jim*, dat ik niets van Kipling heb gelezen en dat ik nooit *De menselijke Komedie* van Balzac in handen heb gehad, noch *De Verloofden* van Manzoni? Op school hebben ze ervoor gezorgd dat wij dat boek gingen haten en toch vind ik mezelf onnozel, nonchalant, oppervlakkig en heb ik niet genoeg tijd om het goed te maken. Ik weet niet of 'daarginds', als ik alle tijd zal hebben om te lezen, een bibliotheek zal zijn. Een eeuwigheid aan tijd. Ik drink bier, voor een geheelonthoudster is dat genoeg om de contouren van de werkelijkheid te verliezen. Voordat Alice op 'vrouwenvakantie' ging, heeft ze op mijn bureau een pakje neergelegd met een onmiskenbare vorm, gewikkeld in mandarijnkleurig, geel en oranje vloeipapier en met een strik van bruin ripslint. Zoals beloofd heb ik het cadeau vandaag pas uitgepakt: het is *Mr Skeffington* van Elizabeth von Arnim (pseudoniem van Mary Annette Beauchamp, een Australische uit Sidney, de vrouw van graaf Henning August von Arnim Schlagenthin en nicht van Katherine Mansfield, eind negentiende eeuw geboren). Ik zal de aanhef voor je overschrijven om je te laten zien – mocht dat nodig zijn – hoe sterk de macht van bedrukt papier is om te versmelten met het echte leven en fungeert als een genadeloze spiegel van de vrouwelijke situatie: 'Haar vijftigste verjaardag kwam dichterbij en nu die mijlpaal naderde die zo belangrijk was, die zo aanmoedigde tot soberheid...' Soberheid, wat een smakeloos woord. Ik zit aan dit tafeltje als een vakantieganger uit vroeger tijden, ik nip aan mijn blonde bier, ik kijk naar de oude mannen en ik zou niet weten of ik zo'n behoefte heb aan soberheid. Misschien komt het door mijn verjaardag of door die rimpelige wolken die ik niet vind passen bij de mooie Provence, maar ik zie de schim van het rusthuis opdoemen: Emma als oud besje, humeurig en razend. Zo word ik ongetwijfeld. Ik vind die gedachte onverdraaglijk en ik begrijp niet het enthousiasme van mensen die blij zijn dat we steeds langer, langer, langer leven. Zou het werkelijk een voordeel zijn? Vandaag betreed ik officieel de geriatrische garde en als een bang kind zie ik het animatieteam met rode clownsneuzen voor me dat zich uitslooft om mijn dagen op te vrolijken. En toch, lieve Federico, is er een andere kant van de medaille, de positieve gedachte van vandaag: onze leeftijd heeft ook voordelen. We kunnen niet meer overal waar we komen seks hebben en we geven aan een comfortabel bed de voorkeur boven een grasveld, maar het is, althans voor mij, niet langer een verplichting om te verleiden. Vandaag ben ik onschadelijk geworden. Ik haal beslist 's nachts niet zo door als mijn zoon want ik ga vroeg naar bed, ik zal 's winters coltruien moeten dragen en 's zomers grote kettingen, ik zal niet meer in hotels onder de vier sterren slapen en ik zal campings ontwijken, het zal meer tijd kosten om me toonbaar te maken, mijn tred zal trager worden, maar... ik durf te wedden dat zich vanaf vandaag een decor van nieuwe kansen opent. Ik voel me gemachtigd om niet meer jong te hoeven lijken, zodat, wanneer ze dat tegen me zeggen (dat ze me jonger hadden geschat), de vreugde die ik zal voelen absoluut zal zijn. Ik trek de blauweregenkleurige omslagdoek om me heen, ik ga deze brief op de bus doen en dan terug naar huis, naar mijn vrolijke vriendenfamilie, en ik ben gemachtigd om niet deel te nemen aan de huishoudelijke taken, dronken van bier.

Ik denk aan je met nieuwe soberheid,

Je Emma

P.S. 'Ik zie de hazelnootkleurige struik terug die door de wind gewiegd werd en de beloftes waarvan mijn hart brandde toen ik keek naar deze goudmijn aan mijn voeten: een heel leven om te leven. De beloftes zijn ingelost. En toch, wanneer ik een ongelovige blik werp op die gelovige adolescent, kan ik mij verbaasd realiseren hoezeer ik ben beroofd.' Toen Simone de Beauvoir, de vrouw die mijn adolescentie heeft gevormd, deze zin schreef in *De druk der omstandigheden*, was zij vijfenvijftig.

New York, 30 augustus 2001
BBB, 41 E 11th St

Lieve Emma,

Over één ding wil ik je graag geruststellen: voor mij is hetzelfde aantal jaren voorbijgegaan, ik train elke ochtend met gewichten, mijn biceps zijn nog stevig maar ik ken het gevoel (van gelatine-armen), dat in mijn geval gericht is op mijn zwembandjes. Ik onderken het voordeel dat we nu hebben: als we twintig, dertig zijn kunnen we onszelf nog niet duidelijk voorstellen als oud mens. Boven de vijftig wel. Jij en ik kunnen nu al zonder al te veel verbazing min of meer zien hoe we over een jaar of tien zullen zijn. We hebben een verleden achter ons, in onze huid; onze voortplantingsorganen hebben de taak volbracht waarvoor ze bestemd waren. Jij en ik zijn twee continentale massa's die misschien het risico lopen tegen elkaar aan te botsen, maar we bevinden ons in een revolutie, die van de lange levensduur, die ons voorbereidt op de demografische tsunami die ons te wachten staat. Je weet dat ik van statistieken houd, die zijn nuttig om de verschijnselen te begrijpen en te rationaliseren. Ik geef je hierbij wat stof tot nadenken, terwijl ik mijzelf een postpauze gun. Demografen beweren dat de gemiddelde levensduur in de ontwikkelde landen rond het jaar 2050 negentig jaar zal zijn. Wij zullen die wereld niet meer zien, die bevolkt wordt door breekbare mensen die net niet en net wel afhankelijk zijn, maar niettemin spoort dit scenario ons aan om te trainen tot de laatste neuronen die we hebben. De boekwinkels van Manhattan lopen over van handboeken met titels als *Zestig dingen om te doen als je zestig wordt*. Zestig korte verhalen van schrijvers en futurologen die hun mening geven over onze komende verjaardagen. Wees niet bang: we hebben alle tijd om ons voor te bereiden.

Federico
P.S. Te lezen als een fluistering: van harte gefeliciteerd, lieve vriendin.

Er is een onwerkelijke stilte neergedaald over Piazza Sant'Alessandro, als tijdens een Wereldcupfinale. Je hoort alleen metalen geluiden en stemmen vol spanning en angstige verbijstering. De wereld hangt aan de tv.

Milaan, 12 september 2001
Romans&Romances

Lieve Federico,

De winkel is beschermend als een couveuse voor een pasgeborene, zo kunnen de dromen mij niet verwarren, niet kwellen, niet langer mijn zintuigen teisteren. Ik had geen voorspellende nachtmerries meer. Sinds gister zijn ze teruggekomen. Er wordt over niets anders gesproken en ik moet bekennen dat ik in angst zit over jou: in dit privéhoekje luister ik naar de radio, machteloos, naar de grootste tragedie voor ons die de oorlog niet anders hebben gekend dan uit de verhalen van onze ouders. Ik denk aan jou. Ik weersta de impuls om het telefoonnummer van je bureau in Parijs op te zoeken, al was het maar om te vragen waar je bent. Het is niet toegestaan om tijdens de wedstrijd de regels van het spel te veranderen en ik bel je niet, maar ik vraag je: schrijf me.

Emma

P.S. Een zin voor jou. Geschreven door de dichteres Marina Cvetaeva aan Boris Pasternak: 'Het soort relatie waaraan ik de voorkeur geef, is bovenaards: zien in dromen. Op de tweede plaats komt de correspondentie.'

New York, 20 september 2001
42 W 10th St

Lieve Emma,

Hier ben ik. Ik schrijf je vanuit huis, waar ik nu alleen ben. Renzo is terug naar Frankrijk en een poging doen je te vertellen over deze afgelopen negen dagen helpt me om te stoppen met trillen. Ik begin bij maandag 10 september, toen ik in de namiddag was geland op JFK na een saaie en onproductieve vlucht (ik kon niet slapen, niet lezen en zelfs niet werken) en bijzonder uit mijn humeur een paar telefoontjes had gepleegd, om vervolgens uitgeput weg te zakken op de achterbank van de *cab*. Vreemd genoeg sloeg de taxichauffeur niet de gebruikelijke tunnel in om mij naar huis te brengen, maar reed hij richting Queensboro Bridge. Renzo was al in New York voor een openbare ontmoeting met burgemeester Giuliani en andere New Yorkse autoriteiten over de nieuwe architectuur van Manhattan. Hij verwachtte me voor een vergadering met de board van de Morgan, die belegd was voor woensdag. Doel: snijden in de kosten. We waren klaar om de veranderingen in het project te illustreren: drie ondergrondse verdiepingen in plaats van vijf gaven ons ruimte om in te grijpen in het budget zonder afbreuk te doen aan het idee waarvan we uit waren gegaan. Sarah en Anna waren (en, zoals je begrijpt, zijn daar gebleven) bij vrienden buiten de stad. Ik zat in de taxi, ik weet nog dat de lucht loodgrijs was (maar dat is een detail dat ik me pas later herinnerde), ik keek naar buiten en kreeg een vreemd gevoel alsof er iets ging gebeuren, van afwachting, wat in het Engels zo mooi 'suspense' wordt genoemd, en terwijl we over de brug reden werd ik getroffen door het beeld van een bliksemschicht precies daar, tussen de twee torens. Egoïstisch hoopte ik dat ik thuis zou zijn voordat het ging regenen. Ik was moe, ik maakte twee eieren en sla voor mezelf en ging slapen. De afspraak met Renzo was in Midtown, vlak bij de Morgan, terwijl ik, zoals je weet, Downtown woon, niet ver van de BBB. Dinsdag, die vervloekte dinsdag, heb ik eerst thuis een paar telefoontjes gepleegd naar ons bureau in Parijs en ben daarna weggegaan. Om halfnegen was ik op straat om te ontbijten in mijn lievelingsbar onder ons appartement. Ik heb niets gezien en niets gehoord. Maar na een paar minuten was de hele wereld en mijn eigen wereld veranderd. Het was onmogelijk om te bellen, internetverbinding te krijgen, erachter te komen wat er aan de hand was. De geluiden, Emma. De geluiden van de sirenes van de ambulances en het tv-scherm, daar op de toonbank van de bar: ik zag hetzelfde wat jij en miljoenen anderen in diezelfde minuten zagen. Ik kon niet bellen, ik kon niet begrijpen, ik kon alleen maar naar dat scherm staren. Fysiek gesproken was ik op een paar blokken afstand van de hel. Ik voelde me alleen. Ik weet nog dat ik dacht, ik geloof voor het eerst, hoe, net zoals jij schrijft, het scenario van de oorlog ons bespaard was gebleven, dat scenario dat onze ouders en grootouders hebben gekend. Twee dagen lang wist ik niets anders dan wat de televisie vertelde. Anna en Sarah waren onbereikbaar. Renzo was een paar kilometer van mij en mijn angst vandaan. In de nacht van donderdag slaagde ik erin hem telefonisch te bereiken. Hij was ontdaan, hoewel hij de oorlog wel heeft gekend. We spraken af in de lobby van zijn hotel. Metro's en bussen reden niet meer en marcheren als een soldaat zonder leger deed de angst verslappen, die mij geen seconde losliet. Vrijdag 14 september, tien uur. Het is de verjaardag van de baas, die we gewoonlijk allemaal samen vieren, afhankelijk van de plek waar we zijn. Brian Regan en Charles wachtten op ons. De agenda was gewijzigd. Niet langer een budget waarin gesneden moest worden, maar een vraag die een antwoord vereiste: wat moeten we doen? We zaten tegenover enkele van de meest invloedrijke mensen van New York, die wij al hadden leren kennen bij de toewijzing van de opdracht, en alles was anders: hun gezicht, hun handen, de ontzetting die wij in elkaars ogen lazen. De board president was bondig: 'Wat het ook is, wij gaan verder,' zei hij. De energie was onveranderd, zo mogelijk nog sterker. Renzo tekent weinig lijnen, in een tekening van hem staat alles al en daar was de nieuwe Morgan, in een lijn die de ondergraving minder diep maakte. Het project was goedgekeurd in de nieuwe vorm, maar dat was een detail, snap je? We zijn naar buiten gegaan onder een asgrijze en veel te rustige lucht, als de mantel van de Vergine Annunciata van Antonello da Messina. We zijn gaan zitten op een trede van de trap voor het John Murray House, 220 Madison Avenue. De Day Spa was gesloten, de restaurants, de rolluiken voor de ramen, de bars: alles was dicht. We hielden onze blikken omlaag en staarden naar een rechthoek van asfalt omheind door gedachten. Twee zwervers in de schaduw van solide, luxueuze gebouwen. 'Gefeliciteerd met je verjaardag,' zei ik tegen hem. Hij glimlachte met die open, goedhartige blik die de kracht heeft mij gerust te stellen, hij streek met zijn vingers over zijn korte baard van moderne patriarch. 'Ik had sinds jaren niet meer gehuild,' vertrouwde hij me toe, 'maar gisteravond wel, Federico. Ik heb ze voor mijn ogen zien instorten.' Op dat moment hoorden we een gedreun, het klonk als donder waar een demper op was gezet. We sprongen overeind en liepen in de richting van dat geluid achter ons. Het kwam van Fifth Street. Het was ongelooflijk. Stel je voor, Emma, op een Avenue zo breed als de rijbaan van een snelweg denderden camouflagetanks Uptown, als reusachtige speelgoedtanks op de set van een film van Spielberg. Het was geen sciencefiction. Het was allemaal echt, beminde vriendin, echt waren ook de verdoving en het gevoel van zinloosheid en onmacht dat ik niet van me af kan en misschien ook niet wil schudden. Niets is herbegonnen hier. En alles is opnieuw begonnen. Passieve getuige van de geschiedenis zijn maakt me helemaal niet blij. Ik heb niet geleerd wat oorlog is en ik voel me een oudere vijftiger dan tien dagen geleden. Sarah en Anna komen vanavond terug. Wij moeten, net als iedereen, onze kleine, armzalige normaliteit terugvinden. Ik denk aan je en hoop dat je deze brief snel krijgt.

Federico

P.S. Op het postkantoor heb ik je brieven op volgorde opgeborgen in hun metalen schil, ze maken dat ik me minder alleen voel.

'Er is een jaar voorbij. De boekwinkel moet een internetsite hebben.'

'De boekwinkel maakt het uitstekend zoals hij nu is.'

'O, Emma, ik zou het allemaal zelf doen, jij zou je nergens zorgen over hoeven te maken.'

Wanneer zij in haar hoofd heeft gezet dat ze me moet overtuigen van iets waar zij lang over heeft lopen denken en net doet alsof de gedachte in haar opkomt op het moment dat ze haar lipgloss aanbrengt, is ze aanbiddelijk. Ze denkt dat ik het niet merk, maar ik ken haar inmiddels goed genoeg om uit haar lichaamstaal op te maken dat ze iets op het hart heeft. Ze buigt haar hoofd opzij, trekt haar wenkbrauw op als een verbaasde clown, krult haar neusje als de hoofdpersoon van *Bewitched* en praat met een mierzoet stemmetje.

Het is duidelijk dat ze zich op dit gesprek heeft voorbereid.

Dat verhaal dat je niemand bent als je geen site hebt, wordt een nachtmerrie. Internet dringt ons bestaan binnen zonder een greintje schaamte, pochend over de kracht antwoorden te geven op elke mogelijke vraag. Zelfs de meest impertinente.

Daarbinnen zijn wij geordend, gearchiveerd, staat ons leven ter beschikking van nieuwsgierigen en pottenkijkers. Internet leidt tot oppervlakkigheid, iets opzoeken in een encyclopedie is beslist leerzamer. Als je weet dat het menselijk weten in de doos van de computer zit, word je onvermijdelijk oppervlakkig en lui. Ik heb gezweet boven woordenboeken om vreemde talen te leren en op internet pretenderen ze simultane vertalers te hebben die de woorden dwingen in geforceerde metamorfosen. Willoos zwijgen de arme woorden, terwijl ze zouden moeten schreeuwen, zich verdedigen, hun veiligheid bewaken. Op internet heerst een verarmd Engels, met het gevolg dat Mattia, en met hem een hele generatie van onnozelen, zich gelegitimeerd voelt om anglicismen en acroniemen te vermengen. Een zacht, mooi woord wordt een vinnig en gehaast 'ff'; het woord 'keer', vier letters vol hoop, wordt afgeschaafd tot een 'x' voor analfabeten; 'ik houd van je', prachtig om volmondig uit te spreken, wordt verminkt tot een bits 'hvj'. Ze schrijven het aan willekeurig iedereen zonder te beseffen wat ze zich op de hals halen, met zoveel mensen.

Het heeft geen zin om me erover te beklagen, ik ben hierbinnen alleen in mijn legitieme verdediging tegen een wereld die ik niet meer kan begrijpen en die ik niet eens meer wil begrijpen. Ik ben inmiddels een etnische minderheid en niet van plan om me te gedragen als vijftigjarige die zich aanpast aan de angst van anderen dat ze niet meer meekomt. 'Mama, zit niet zo te mutsen,' zegt mijn *hvj*-jongen steeds. 'De wereld verandert en we moeten gewoon chillen.' Mattia gebruikt het woord 'chillen' voor allerlei begrippen waarvoor hij ook synoniemen zou kunnen gebruiken, zoals rustig aan doen, je goed voelen, je aanpassen. En een relatie die 'chill', fijn, lekker, goed is, betekent dat je je prettig voelt in het gezelschap van de ander, of banaler gezegd: dat je geen problemen hebt. Mattia zegt niet vrouw of meisje, maar 'ding'. Ik vind 'ding' bijna beledigend. Vandaag noemde hij mij een 'sjaalmams' en ik heb niet gereageerd, onzeker of ik het als compliment of als afkeuring moest opvatten. Ik dacht dat het 'moeder met sjaal' betekende, maar ik vergiste me. 'Sjaalmams' betekent een moeder die 'anders' is, spontaan, chaotisch, zowel in haar manier van kleden als in haar gedrag, dus dat moet, volgens mijn zoon en zijn leeftijdgenoten, niet worden opgevat als een belediging, maar als een oorkonde van verdienste, een eremedaille.

Ik moet een rem zetten op mijn nalatigheid en Alice haar zin geven. Het idee dat de boekwinkel een internetsite zou hebben bevalt me helemaal niet, maar ik wil ook niet doorgaan voor ouderwets. Ik heb haar uitnodiging om samen te eten in de pas geopende sushibar aangenomen. Ze heeft twee bonnen gekregen voor een complete maaltijd, die haar zijn aangeboden door de eigenaar, een echte Italiaan die getrouwd is met een Japanse. Ik hoopte dat ze me iets wilde toevertrouwen over haar gevoelsleven – Alice heeft geen vriendje en ik ben bang dat dat komt door de werktijden in de boekwinkel, waardoor haar sociale leven tot een minimum gereduceerd is. Bij de kleine hapjes in de vorm van legoblokjes, kwam ze ter zake.

'De klanten zouden kunnen schrijven naar de boekwinkel.'

'Waarom zouden ze dat moeten doen? De klanten komen bij ons binnen om boeken te kopen en als ze zin hebben om wat te praten gaan ze naar boven. Ik verafschuw computers en ik geloof dat die afschuw wederzijds is: zij houden ook niet van mij. Wij negeren elkaar keurig. Achter een computerscherm verstop je je, word je iemand anders, Alice, je kunt daar niet laten zien hoe je je voelt, kortom je doet alsof. De computer stoot alarmerende klanken uit en valt je lastig met idiote vragen zoals 'Zeker wissen?' 'Verbinding maken?' 'Verbinding verbreken?' 'Document bewaren?' Bewaren is een obsessie die de gedachtestroom onderbreekt.'

'Zoals gewoonlijk overdrijf je weer. Denk liever eens aan de voordelen: als we onze catalogus online zetten, kan de boekwinkel in heel Italië en zelfs in het buitenland bekendheid krijgen. Een virtuele winkel die er precies zo uitziet als de originele winkel kost niet veel. Alberto is er ook van overtuigd.'

‘Sinds wanneer spannen Alberto en jij samen tegen mij?’

‘We hadden het er gisteravond over, toen jij naar de sportschool was kwam hij even langs. Het is geen complot, hij is het gewoon met mij eens. We zouden de klantenkring kunnen uitbreiden, ze zouden ons schrijven en wij zouden antwoorden met dezelfde beleefdheid die jij in de winkel wilt. Het zou een teken van nog meer aandacht zijn...’

‘Zouden ze het raar vinden als ik om een vork vraag? Die stokjes werken op mijn zenuwen, Alice.’

Boeken lezen en al helemaal een boekwinkel beginnen is niet de snelste weg om rust te vinden, maar wel een onnavolgbaar middel om me te kunnen terugtrekken. En nu hebben die twee in mijn plaats besloten in welke parallelle wereld ik zou moeten leven.

‘Ik weet het niet, ik moet erover nadenken. Denk jij dat een geheelonthoudster dronken kan worden van saké?’

Ik heb rouw, scheidingen en meer in het algemeen veranderingen verwerkt door meubels te verschuiven en dat heeft altijd gefunctioneerd, maar het idee dat Romans&Romances terechtkomt in het computerscherm, bevalt me helemaal niet. Ik zou me te kijk gezet voelen. En zij, mijn boeken die online verkocht worden zoals die twee willen, zouden nep zijn, met protheses in plaats van armen. Kinderen van genetische manipulatie. Afschuwelijk.

New York, 25 oktober 2001
BBB, 41 E 11th St

Lieve Emma,

Het leven wordt hier met moeite hervat. Hier op het bureau praat niemand erover, maar Frank en de anderen denken aan niets anders, het lijkt alsof elke collega wel een verhaal te vertellen heeft dat verbonden is met de Twin Towers: vrienden en vrienden van vrienden die daaronder terecht zijn gekomen, de verhalen van toen ze als kind daar met hun vader zijn geweest en zij er met hun kinderen zijn geweest. Ik heb Sarah daar nooit mee naar toe genomen en het lukt me niet om me normaal te voelen. We werken soms wel tien uur per dag, alsof we opnieuw zin willen geven aan wat we doen. Maar nu jij. Ik geloof dat het succes van jouw boekwinkel te maken heeft met de architectuur en de planologie van de stad. Niet lachen en even naar deze gegevens kijken: in de twintigste eeuw zijn er gigantische metropolen uit de grond gestampt zoals Tokio (met ongeveer vijfendertig miljoen inwoners), San Paolo (ongeveer negentien miljoen), Mexico Stad (negentien miljoen); op dit moment woont 51 procent van de wereldbevolking in de stad, geconcentreerd op 2 procent van het aardoppervlak. Het zijn de stedenbouwkundige tegenprestaties van het gigantisme van de grote boekhandelketens die jou zo kwellen. Het nieuwe fenomeen van vandaag zijn daarentegen de steden die rondom de metropolen opreizen, ik denk aan Suzhou bij Sjanghai, aan het verrukkelijke Brighton dat beschouwd wordt als een klein Londen aan zee. Volgens de statistieken zal het aantal inwoners in steden met minder dan vijfhonderdduizend inwoners voor 2015 groeien met 23 procent. Dat is een behoefte-index. Zoiets als zeggen dat het overschrijden van een bepaalde hoeveelheid woningen vertaald wordt in een gevoel een onbehagen, in een afname van onze kwaliteit van leven. In deze metropolissen wordt zelfs de creativiteit van de afzonderlijke individuen op de proef gesteld, de immense steden kunnen niet langer tegemoetkomen aan de behoefte om je goed te voelen en het zal de esthetiek zijn die de relaties tussen de mensen verbreedt en verfijnt en de stedelijke eenzaamheid doorbreekt. Romans&Romances moet zich ontwikkelen om beschutting te bieden tegen de eenzaamheid van de stad. Voor zover ik het de laatste keer dat ik er was heb gezien en naar wat vrienden mij erover vertellen, is Milaan een treurige stad geworden en jouw winkel kan een eiland zijn dat binnen ieders handbereik ligt. Daarom moet je zo verdergaan, het is de juiste weg.

Je vertrouwenssocioloog denkt aan je,

Federico

Milaan, 20 november 2001
Romans&Romances

Lieve Federico,

We hebben een internetsite: www.boekwinkelromansenromances.it. We kunnen het &-teken er niet bij zetten, vraag me niet waarom. Ik weet het niet. De site is erg mooi, met veel afbeeldingen en vol informatie. Stel je voor, hij is binnen een paar weken gebouwd door een jongen van twintig, een vriend van Mattia, die er beslist niet uitziet als een hongerige lezer van romans. Toch lijkt de site in veel opzichten op de winkel, mijn boekenkasten zijn er, de romans zijn onderverdeeld in liefdesgenre; kortom, het lijkt wel alsof die jongen erin geslaagd is mijn geest en mijn ambities te vertalen en in die doos over te brengen. De site ís de boekwinkel, alleen dan – hoe zal ik het zeggen – nep. Hij wordt beheerd door Alice, die ook een community heeft opgericht (een soort kansel waar iedereen vrij is om zijn woordje te doen) en de mensen die schrijven sturen adviezen en vragen en geven suggesties. We verkopen boeken via internet, ik kan ze naar alle uithoeken van Italië opsturen, veel klanten vragen nu of we ze als cadeau ingepakt willen opsturen. Alice heeft door een bevriende grafisch ontwerper kaarten laten maken – zoals waarop ik jou nu schrijf – en ik heb met de Italiaanse posterijen een overeenkomst afgesloten voor de verzending van romans in hun gele dozen. Jou kan ik het wel bekennen: het idee dat de boekwinkel ook buiten deze muren bekend (en zelfs geliefd) kan worden, vind ik leuk. Mattia schrijft me (hij woont in de computer, hij is ermee vergroeid) soms alleen maar om te zeggen dat hij niet thuis komt eten of om iets te vragen over zijn Latijnse vertalingen, e-mails die doordrenkt zijn van afkortingen die mijn respect voor spelling kwetsen maar waar de liefde vanaf druipt, ook als de meest elementaire grammaticaregels worden overtreden. Alice drukt ze af en legt ze verlegen neer op mijn schrijftafel. Indien noodzakelijk dicteer ik mijn antwoorden, anders berg ik ze op in de ordner 'Mattia'. Je moet eens kijken op de site als je zin hebt, maar waag het niet om me een e-mail te sturen: aangezien een e-mailbericht geen brief is, heeft het een eigen taal nodig, misschien eigen manieren, maar het staat geen reflectie toe en het doodt de verbeelding. Ik zal het nooit toegeven aan de jongeren die in de winkel komen, lieve Federico, maar ik ben te zeer gesteld op de emotie die ik ervaar telkens wanneer ik het postkantoor binnenga om te kijken of er een brief van je is gekomen, en zelfs aan de teleurstelling die ik voel wanneer er geen nieuwe brieven zijn. Ik heb een vriendin, Cinzia, die een relatie heeft met een manager van haar bank, een loketliefde tussen twee bankafschriften door. Ze zijn allebei getrouwd. Voordat ze naar huis gaat, wist ze sms'jes en de lijst met ontvangen en verzonden oproepen van haar mobiel en de e-mails van haar bankier van haar computer. Ze doet er voorgoed afstand van, snap je? En wanneer ze ze wil overzetten (Mattia zegt 'laden' maar ik houd niet van die uitdrukking, die doet mij denken aan iets van vuilnismannen) op haar pc zodat ze ze kan overlezen zonder betrapt te worden, moet ze een wachtwoord gebruiken en als ze dat per ongeluk kwijtraakt... is de liefde verdwenen. Ik zou nooit een relatie met een bankier kunnen hebben, noch brieven kunnen 'laden' met de angst ze nooit meer terug te vinden. Onze postbus is een vluchtoord dat bestand is tegen indringers.

Laten we dat niet kwijtraken,

Emma

'Kijk eens hoe goed ze hier staan. Ze nemen weinig ruimte in beslag, ik zet het boek naast de dvd. Zijn ze niet prachtig samen?'

Ik ben gezwicht. Ik zwicht altijd wanneer ze aandringt, met haar hoofd opzij gebogen en haar neusje omhoog. Ik geef toe dat ze gelijk heeft. De kast met films 'naar' of 'geïnspireerd op' liefdesromans, al dan niet beroemd, functioneert geweldig. Aanvankelijk was ik stomverbaasd. Ondanks de goede bedoelingen en de pogingen van regisseurs om trouw te zijn aan het geschreven woord, vereenvoudigt en vernedert een film complexe verhalen en wonderbaarlijke liefdes. Ik heb *De Engelse patiënt* van Michael Ondaatje niet gelezen, maar weet wel dat het boek vooral goed verkocht werd nadat Ralph Fiennes en Kristin Scott Thomas dood waren gegaan en na de natte zakdoekjes tussen de handen van de toeschouwsters. In de etalage leg ik romans neer op de films die de fotograaf in Via Torino me heeft gegeven. Hij gaat sluiten. De huur is te hoog en hij redt het niet meer. Hij heeft me ook filmrolletjes en metalen filmblikken gegeven, familiefilmpjes die niemand ooit is komen afhalen. Het is mij niet duidelijk hoe het mogelijk is dat je bij een vreemde een doop of een verjaardag achterlaat, maar hij had er een doos vol van, bestemd voor de vuilnisbak.

'Ik ga terug naar het platteland, naar Romagna, ik laat u deze kleine erfenis achter, Emma. Ze zijn esthetisch mooi maar niemand behalve u weet ze te benutten. Ik zal u opbellen als ik boeken nodig heb: mijn Rosa en ik zullen nu meer tijd hebben om te lezen.'

In de plaats van de fotograaf komt een schoenengigant. Voeten en kuiten in plaats van ogen. Ik wil dat meneer Cremaschi de etalage ziet voordat hij vertrekt. Het is een kleedkamer met een spiegel, omlijst met lampjes en foto's van actrices, ansichtkaarten, toegangskaartjes. Op het toilettafeltje een parfumflesje, een rode roos, lege crèmepotjes, romans en de dvd's van Alice. Op de stoel heb ik nog meer boeken opgestapeld naast een beige zijden jurk die over de rugleuning hangt. Op het krukje naast de toilettafel een vaas met bloemen en tussen de bladeren een kaart van een bewonderaar. Rechts een metalen rek dat ik heb geleend van de stoffenverfster en aan de haken de filmkostuums. Op elk kledingstuk en accessoire is de titel van een film geprikt: het strakke zwarte jurkje uit *Breakfast at Tiffany's*, lange satijnen handschoenen, een hoed; een koloniaal jasje in de stijl van *Out of Africa*, een tulen rok en een bepoederde pruik die aan een lint is opgehangen; ik heb een A genaaid op het zwart fluwelen pak van *The Scarlet Letter* en het naast het bloemetjesschort gelegd dat lijkt op het schort dat Francesca draagt in *The Bridges of Madison County*; een hoedje met voile voor *The Age of Innocence*. Op de grond heb ik de schoenen neergezet, keurig op een rij onder de kleren, hakken van acht tot tien centimeter: afkomstig uit mijn eigen schoenenkast, modellen die ik niet meer draag maar niet kan weggooien.

Ik ben langs het postkantoor gegaan. De laatste brief van Federico heeft mij een angstig gespannen gevoel gegeven dat ik niet wil hebben.

New York, 30 november 2001
BBB, 41 E 11th St

Lieve Emma,

Ik schrijf je wat in me opkomt, alsof ik tegen je praat. Onder mijn raam de gouden bomen van een koude, heldere ochtend. De geur van Ground Zero is overal, komt uit het televisiescherm, uit de radio, van de vragen van Sarah en haar klasgenoten. Hiervoor heb ik ze nooit horen praten over hun toekomst, alleen over het heden, zoals het ook hoort op hun leeftijd. Maar nu is dat anders. Het voorrecht drukt op mijn borstbeen, het is een fysieke pijn, niet een simpele waarneming. Het is angst, het is latente woede. Woede kan nuttig zijn als de heftige fase van het begin goed gebruikt wordt, maar op een gegeven moment verandert het, dan wordt de ademhaling regelmatig en baart het oplossingen, individuele of voor de groep. Ik wacht op een bevriende journalist, ik moet hem materiaal geven voor een artikel over ons project. Ik lees Edgar Morin (cadeau van Frank). De filosoof schrijft: 'Zij die menselijke diversiteit zien, neigen ertoe de menselijke eenheid te bagatelliseren of te verhullen; zij die de menselijke eenheid zien neigen ertoe de diversiteit van de culturen te beschouwen als secundair. Het tegendeel is waar: het is wenselijk een cultuur te concipiëren die de diversiteit waarborgt en bevordert, een cultuur die deel uitmaakt van een eenheid.' Een mooie gedachte. Uitgebalanceerd, correct, pacifistisch, voor in de luie stoel. Er ontbreekt een bijzin die de waardigheid van de mens insluit in de cultuur van het leven, een waardigheid die niet alleen uit woorden en bedachte religies bestaat, maar ook uit voorwerpen. Buiten dit kantoor is de wereld voortdurend in beweging, net als de natuur, de seizoenen, de mens zelf. Ik ben bevoorrecht. Ik zal tot de kern komen, Emma. 62 procent van de wereldbevolking heeft geen telefoon en 40 procent heeft geen elektriciteit. Elke vijf seconden sterft er een baby. Er zijn meer dan veertig miljoen hongerslachtoffers per jaar. Meer dan zevenhonderdvijftig miljoen mensen leven van minder dan een dollar per dag. 12 procent van de bevolking van de ontwikkelde landen consumeert meer dan 80 procent van de beschikbare voedselbronnen. De aarde beschikt over miljarden kubieke meters water, genoeg voor miljarden individuen. Anderhalf miljard mensen hebben geen toegang tot dat water en daardoor sterven er dagelijks duizenden. Als 1 procent van het wereldbudget voor bewapening 15 jaar lang opzij zou worden gelegd, zou er water gebracht kunnen worden waar dat niet is. Is dat voldoende? Ik zou eraan toevoegen dat sommigen een pensioen krijgen van 40.000 euro per maand en anderen 420 euro per maand salaris krijgen. Heeft dat zin?Er kunnen oplossingen zijn, individuele of voor de groep, en beide wegen zijn goed. Onze focaccia's op het strand toen we kinderen waren, of politiek engagement? Hetzelfde. Mijn achttien jaar is een duidelijke herinnering en draagt jouw gezicht. Ik ben altijd een meegaand type geweest. Maar nu is het genoeg, nu zou ik willen veranderen ten gunste van anderen. Voor een dialoog zijn minstens twee good guys nodig. Ik zou willen proberen dat te zijn, iets nuttiger te zijn. Excuseer me mijn woordenstroom, maar ik zou niet weten aan wie ik het anders zou kunnen zeggen dan tegen jou. Mijn ontwerpen. Jouw romans.

En verder?

Federico

Milaan, 10 december 2001
Romans&Romances

Lieve Federico,

In het hoekje waar ik nu zit kan ik Alice bespieden zonder dat haar dat stoort. Je hebt haar gezien: ze is sierlijk, ze heeft kleine volmaakte borsten en nog een heel leven voor zich. Sinds een paar dagen irriteert ze me en ik weet nu waarom. Ik ben jaloers. Een gevoel dat heftiger is dan de antropologische belangstelling voor een generatie, die van de dertigers, die ik in wezen, ook zonder het toe te geven, altijd vervelend heb gevonden. Ik voel een kloof tussen hen en ons en ik realiseer me ons geluk, of misschien is elke generatie geneigd zichzelf absolutie te verlenen en zichzelf te verdedigen en op een of andere manier te verheerlijken wat toen heel gewoon was. Vergeleken bij ons hebben zij het geluk gehad dat ze middelbare scholieren waren in de jaren tachtig, toen het tijdperk van de grote politieke passies voorbij was. Het individualisme begon op te komen, dat geleid heeft tot dat van onze kinderen. De dertigers hebben cartoons in plaats van liedjes, die zingen 'Lady Oscar', wij 'Blowing in the Wind'. Wij hebben slogans geschreeuwd op de universiteiten, soms grote flauwekul om eerlijk te zijn, ik was dochter van een bescheiden winkelier, jij erfgenaam van een industrieel, en toch hebben we geprobeerd het lot te tarten, elkaars leven waartoe we waren voorbestemd te kruisen, hoewel jouw vader je naar het buitenland wilde sturen. Elke generatie heeft haar eigen codes en toch zou ik er alles voor over hebben om zo oud te zijn als Alice en een toekomst te kunnen kiezen. Ik stop nu, voordat ik stomvervelende zinnen moet doorstrepen in deze brief die geen antwoord is op de jouwe behalve wat de verbijstering en de angstgevoelens betreft, die ik begrijp en met je deel en die ik probeer te ontvluchten door weg te kruipen in de bladzijden van een roman. Onze kinderen, ten minste aan deze kant van de oceaan, lijken niet geschokt door wat er is gebeurd. Waarom niet?

Emma

Tot gister kon je op zondag alleen kopen in de zogenoemde megastores. Sinds vandaag kunnen de inwoners van Milaan twee zondagen per maand op mij rekenen. Een paar uur geleden hebben we de ruilmarkt geopend. Tussen de tafels dwalen allerlei soorten mensen, sommigen heel trouw, anderen die we niet kennen en die volgens die cynische Alberto alleen binnenkomen omdat het buiten zo koud is. Volgens mij zien ze er niet uit als uitvreters, het zijn eerder mensen die ervan houden mooie dingen te ruilen. Een blik, een knipoog, een boek, een film, een toneelstuk, een tentoonstelling waar ze net zijn geweest. Ze praten over hun dingen. Ik observeer ze vanuit mijn hoekje en vind het leuk me hun levens voor te stellen en ik geloof dat als ze erover vertellen, over iets willekeurigs uit hun leven, het een beetje van mij kan worden. Op de ruilmarkt van Romans&Romances kun je nieuwe romans kopen of liefdesverhalen ruilen die je van thuis hebt meegenomen. Een verhaal met een gelukkig einde is twee verhalen met een tragisch einde waard, een roman met een schofterige mannelijke hoofdpersoon kun je ruilen tegen twee romans met krengige vrouwelijke hoofdpersonen. De klanten stellen veel vragen waarmee ze me soms ernstig in verlegenheid brengen.

Zoek het zelf maar uit, denk ik bij mezelf. Waar staat geschreven dat een eigenares van een boekwinkel de intriges moet kennen van alle romans die ze verkoopt?

Tegen lunchtijd heeft het marktje al de eerste vruchten afgeworpen. Ik had vier exemplaren van *Anna Karenina*: er zijn er twee verdwenen van de tafel (legaal, ik heb de bonnetjes), wat een goed gemiddelde is als ik bedenk dat die tekst zichzelf al overleeft sinds de eerste publicatie (in delen) tussen 1873 en 1877.

'Ze is een zeurpiet.'

'Wie?'

'Die Karenina. Ze heeft zich onder een trein gegooid en dat was dan ook precies het einde dat ze verdiende.'

'Vindt u dat niet iets te vlug geoordeeld? En bovendien, hoezo zéúrt ze?'

'Sinds ze die arme Vronski kent, vanaf de eerste keer dat ze met elkaar naar bed gaan, huilt ze. Soms onderdrukt ze haar snikken, dan knijpt ze haar blanke handen om het natte zakdoekje en drukt het op haar lippen, en heel vaak snikt ze erin als een kappershulpje.'

'Neem me niet kwalijk, maar wat hebt u tegen kappershulpjes?' vraag Alice, die ongewoon gevoelig is voor de kapperscategorie.

'Ze wil dat hij zich een schurk voelt telkens wanneer hij naar haar kijkt. Anna heeft niet de statuur van een minnares. Een echte minnares weet vanaf het begin haar plaats. Zij is degene die getrouwd is, niet hij.'

'De liefde kijkt niet naar identiteitsbewijzen. Die is blind, zoals bekend.'

'Vronski is de ware held die verliefd is. En bovendien loopt het in romans altijd verkeerd af met overspelige vrouwen, ook dat is bekend.'

De stem achter mij heeft een mooi baritontimbre. Ik kan de verleiding niet weerstaan en draai me om.

'Ik geloof dat Anna gewoon een romantische vrouw is. Zoals de schrijver zegt heeft ze de passie in zich van een arme vrouw die haar spel verloren heeft. Dat overkomt veel vrouwen, gelooft u ook niet, meneer... meneer...'

'Carlo, Carlo Frontini, aangenaam. Begrijpt u me niet verkeerd, Emma. *Anna Karenina* is een meesterwerk om hoe het geschreven is, de plot en de moderne stijl. Maar zíj is onuitstaanbaar. Je kunt toch van een roman houden zonder dat je per se de hoofdpersonen hoeft te bewonderen? Geeft u mij er maar een exemplaar van, maar geen paperback, alstublieft, ik houd van harde kaften. Ik wil het graag cadeau doen aan een vriendin bij wie ik straks ga eten. Vronski is een heilige, dat moet u met me eens zijn. Overigens is het bekend dat Tolstoj een vrouwenhater was.'

Frontini is een mooie, grijzende heer, hij heeft zijn groene loden jas over zijn hazelnootbruine trui hangen, hij draagt een geruit houthakkershemd en een pilo broek. Hij is een groot boekenliefhebber en kan de boekwinkel kennelijk waarderen.

Een vrouw van in de veertig met gezwollen lippen en explosieve lichaamsvormen loopt zwoel op hem af. Misschien denkt ze dat hier ook echtgenoten worden geruild. Laten we haar maar in de waan laten.

'Een winkel als deze ontbrak nog hier op het plein. Nu moeten we de sigarenboer nog overhalen om op zondag open te zijn: in deze vijandige stad kunnen rokers zelfs in het centrum geen tabakswinkels vinden en die automaten met muntjes zijn afstotelijk en zó lastig in het gebruik.'

'Inderdaad,' praat ik over het adjectief 'afstotelijk' heen, dat je niet gebruikt voor een automaat. 'Wilt u misschien een kopje thee of koffie? Wat de vrouwenhaat van Tolstoj betreft, ik heb jaren geleden zijn *Kreutzersonate* gelezen, meneer Fontini, maar het zou interessant zijn dat in dit nieuwe licht nog eens te herzien. Het is een perfect overspelverhaal. Grote literatuur en grote muziek, voor een verhaal dat eindigt met dat ze vermoord wordt door haar jaloerse echtgenoot. Als Anna Karenina een zeurpiet is, tot welke categorie van mensen behoort Pozdnyšev dan volgens u?'

'Carlo, noem me toch Carlo. Hij vermoordt zijn vrouw, een onschuldige: teken van vrouwenhaat.'

De sector 'Driehoeken' floreert geweldig, misschien omdat zondag de treurigste dag is voor heimelijke geliefden, net als 25 december, de eerste dag van het nieuwe jaar en de vakantiemaand augustus. Drie exemplaren verkocht van *Anna Karenina*, een van *Madame Bovary*, twee van *Portret van een dame* en één van *Dona Flor en haar twee echtgenoten*. Onverkocht op dezelfde tafel: *Overspel in 33 variaties* van Juan José Millás en *De verandering* van Michel Butor, een onvolmaakte, wrede roman uit 1957 die ik niet kan waarderen zoals ik zou moeten.

'Isabel Archer is een van mijn favoriete overspelige personages. Zij verkeert steeds in tweestrijd over de liefde bedrijven en ervan dromen, wat overigens hetzelfde is,' suggereert meneer Carlo. 'Ook al lopen de meeste verhalen over overspel slecht af. Een gezond burgermanshuwelijk is beter.'

'Dan heb ik precies wat u zoekt: *Echtelijke liefde* van Alberto Moravia. Dat is kortgeleden opnieuw uitgegeven.'

'Ik heb het nog niet gelezen, Emma. Ik vertrouw op u, ik wil er graag een exemplaar van.'

'Silvio en Leda, hij intellectueel maar niet té, zij onnozel maar niet té. Hij bezet met zijn onvermogens van amateurestheet, zij is erg sensueel. Het buitenhuis waar Silvio het meesterwerk van zijn leven schrijft wordt bezocht door een afzichtelijke kapper die het gemunt heeft op mevrouw. De echtgenoot komt erachter maar doet alsof er niets aan de hand is, hij houdt van zijn vrouw en wanneer men echt van iemand houdt, houdt men van wat diegene is.'

'U hebt me een prachtige aanzet gegeven voor de kast "Huwelijken",' reageert Alice. 'Daar zou ik ook *Een burgerdrama* van Guido Morselli bij zetten, een ongelukkig verhaal. Postuum gepubliceerd, na de zelfmoord van de schrijver.' Bij het woord 'huwelijk' lichtte haar gezicht op, ze sperde haar ogen open en zag zichzelf al in een slagroomtaartjurk geperst. Ik loop weg, ik laat ze alleen met hun conversaties. Cecilia vindt Frontini ook leuk, ze droomt van oudere mannen met wie ze kan theedrinken voor de open haard met de alpaca deken, net als in films. Het zou me niet verbazen als ze hier straks allemaal samen weggaan om te gaan brunchen, de nieuwe obsessie van mijn jonge assistente. Ik heb het onderwerp voedsel van de baan geschoven: te veel nieuwe dingen verstoren zelfs een creatieve geest als de mijne. Alberto is binnengekomen, arm in arm met onze Gabriella, die haar Mondo aan de lijn bij zich heeft.

'Een uurtje maar, Emma. We gaan naar een tentoonstelling in het Palazzo Reale en hij mag er niet in.'

Mondo, die aan romans de voorkeur geeft boven schilderijen, trekt zich terug onder de kassa en zet zijn tanden in een pocketcatalogus die hij aanziet voor een bot. Het is leuk, een hond zoals hij in de winkel. Hij is een onderdeel van de sobere inrichting ervan. Dieren zijn hier welkom en ik moet schrijven.

Milaan, 12 december 2001
Romans&Romances

Lieve Federico,

Milaan is deze dagen getooid in stoffige feestverlichting, armzalige lampjes vergeleken bij wat jij daar ziet. Draden die hangen, schakelkastjes die wortel hebben geschoten aan boomstammen, engelenhoofden of cherubijnen die rondvliegen met een palmtak in de hand, kerstmannen en psychedelische schaapjes. Ik heb nooit gehouden van de buitenkant van Kerstmis en dit jaar zal het een minder vrolijk kerstfeest zijn. Mattia heeft besloten om naar Californië te gaan, een vakantie bij vrienden die daarheen verhuisd zijn. Hoe kun je in de Kerstman geloven als je in de warmte leeft? Je moet het koud hebben om te kunnen denken dat hij er is. Achttien jaar min een dag geleden was ik zo dik dat ik bijna niet kon lopen en had ik er genoeg van om dat mysterie als een kangoeroe in de buidel met me mee te dragen. Achttien jaar geleden, tweeënvijftig centimeter en een gewicht van drie kilo en tweehonderd gram veranderden mijn leven. Die jaren liggen nu in de kelder, verdeeld in grote dozen: donkerblauwe suède schoentjes, plastic transformermonstertjes, de eerste schoolwerkjes, de schriften, van de basisschool tot de middenschool, gebonden in Varese-papier, het paardje op wieltjes, tientallen dinosaurussen en autootjes. Waar was jij op 12 december achttien jaar geleden, Federico? We zijn afwezig geweest bij de verplichte oefeningen, zoals jij het noemt. En ik weet niet of het een goed idee is om jou te vertellen over het verleden. Ik moet je verlaten, ik ben alleen in de winkel, er is een klant binnengekomen. Straks ga ik langs het postkantoor, ik hoop dat er een vroege kerstbrief van je is.
Schrijf me in elk geval, alsjeblieft.

Emma

P.S. Vanavond offert Mattia zich op aan de affecties van zijn 'uitgebreide' familie: zijn grootmoeder. Heb ik je ooit verteld dat ik een genereuze, lieve schoonmoeder heb? En ze staat nu al achter de pannen.

Harbour Island, Bahama's, 20 december 2001

Lieve Emma,

Dit is een van de zeldzame momenten dat ik alleen ben in deze vakantie die net is begonnen en me nu al verveelt. Sarah is op het strand met Anna en de vrienden met wie we een groot houten huis met patio en directe toegang tot het strand hebben gehuurd. Ik heb een vlugge snack gegeten en hervat onze correspondentie, ondanks de alligators, een gebarsten vinger en de onverbeterlijke luiheid die in deze naar mijn smaak veel te exotische oase over mij heen is gevallen. Dit is niet jouw plek en evenmin de mijne. Het feit dat Sarah zich amuseert maakt zelfs de barbecues op het strand draaglijk. Je hebt gelijk, je kunt niet in de Kerstman geloven als je in de warmte leeft.

Een kus, ik hoop je later te schrijven met een iets hogere moraal dan vandaag.

Federico

Januari, de stad is verlaten, ik loop naar het postkantoor. Er zijn geen nieuwe brieven, maar ter compensatie heeft Alice een e-mail voor me uitgeprint die Mattia een week geleden vanuit Californië heeft geschreven:

mama ben na 31 uur aangekomen. dood. zeg tegen papa.

Diep in mijn hart hoop ik dat hij te moe was om zich uit te putten in een iets genuanceerder bericht en als we eenendertig uur later niet hadden getelefoneerd, had dit kortademige bericht – dat bovendien pas een week later gelezen werd – ons rustige nachten moeten bezorgen. Als troost wijd ik de etalage aan brievenboeken. In hun kast is geen vrij plaatsje meer over, ook al zijn het bijna allemaal boeken van een zekere leeftijd: ik ben in goed gezelschap en voel me daardoor een idioot. 'Een fatsoenlijke brief zou volgens mijn theorie een vlies van was moeten zijn waarop de uitsteeksels en de inkervingen van de geest getrouw worden weergegeven' (Virginia Woolf, 1907). 'De mens is een dier dat brieven schrijft,' stelde Lewis Carroll. Alice denkt daar anders over.

'Tegenwoordig worden er geen brieven meer geschreven,' schreeuwt ze vanuit het magazijn terwijl ze boeken ordent voor de inventaris. 'Daar moet je in berusten!'

'Sibilla Aleramo schreef brieven van wel honderdvijftig pagina's lang, de correspondentie van Voltaire telt meer dan twintigduizend pagina's, en om de brieven van Proust te verzamelen zijn negentien delen nodig. Het stikt van de voorbeelden, mijn lieve Alice.'

'Verliefden van tegenwoordig schrijven liefdesbrieven over die al eerder geschreven zijn, dan zijn ze sneller klaar, mijn lieve Emma. Of ze chatten via internet, lees maar *Norman en Monique: de geheime geschiedenis van een liefde die ontstaan is in cyberspace*, na vurige e-mailtjes die jaren duurden ontmoeten de twee elkaar en... hebben ze seks waarmee ze de liefde bezegelen. Ze vinden elkaar leuk, daar komt het op neer.'

'En als dát niet goed is, nadat ze elkaar zo lang hebben geschreven? Ik bedoel: wat gebeurt er als twee mensen elkaar prachtige mails schrijven en elkaar áls ze elkaar eindelijk zien, niet leuk vinden? Het is nogal gênant om te zeggen 'sorry maar ik heb me vergist, ik vind u fysiek niet aantrekkelijk, u ruikt niet lekker' en dat soort dingen. Te riskant.'

'Nou, dan is het afgelopen en misschien blijven ze elkaar toch nog schrijven zonder dat ze neuken. Dat is geen tragedie. Laten we het over iets anders hebben, virtuele seks is veel te ingewikkeld voor jou. Waarom maken we niet liever een etalage met "Rijpe Liefdes"? We zetter er Aleramo is die het hield met jonge jongens, en natuurlijk Colette. Joh, de winkel loopt over van laatbloeiende schrijfsters.'

'"Rijpe liefdes" is een afschuwelijke uitdrukking en wat zeg je trouwens van George Eliot, die nadat ze haar levensgezel had verloren op haar zestigste toch nog een veel jongere en bovendien schatrijke man het hoofd op hol bracht?'

'Er zal wel iets niet in orde zijn geweest met hem. Ik geloof niet in liefdes die niet in balans zijn. Het zou niet zo iets zijn als wanneer jij iets begon met een man van dertig. Je zou je de hele tijd afvragen hoe lang dat kon duren. Denk je eens in wat een stress.'

'Zoals die leraar zei, die op de televisie Italiaanse les gaf aan de Italianen: het is nooit te laat om te leren. Maar hoe dan ook zou ik de rijpe liefdes laten zitten, Alice. We zouden te veel dierbare klanten op hun ziel trappen.'

En op de mijne. Maar dat kan zij niet weten.

Milaan, 15 februari 2002
Romans&Romances

Lieve Federico,

Ik houd van beste-boekenlijsten, maar opiniepeilingen maken mij argwanend. Vandaag heb ik er een gelezen die ik je wil schrijven. Op de vraag 'wat is voor jou het mooiste woord in het Italiaans?' komt het woord 'liefde' op de eerste plaats, gevolgd door 'mama'. Ik ben een mama en ik verkoop liefde: ik kom overeen met de statistieken en mijn geweten is gerust.

Een kus uit kil Milaan,
Emma

New York, 4 maart 2002
BBB, 41 E 11th St

Lieve Emma,

Vandaag wil ik je schrijven over samenlopen van omstandigheden. Door een samenloop van omstandigheden (of door de welwillende profetie van een gevoelige ziel) hebben wij elkaar 10 april een jaar geleden ontmoet. Deze elf maanden van brieven hebben een aantal ontbrekende lapjes van het gescheurde doek (jouw woorden) van je geheugen toegevoegd en aan mij de behoefte gegeven (en je weet hoe dankbaar ik je daarvoor ben) mijzelf te vertellen met woorden in plaats van met de gebruikelijke autistische ontwerpen en tekeningen. 10 april is niet zomaar een datum. Op diezelfde dag, een woensdag in 1912, overkomt mijn werkgever iets wat de loop van zijn leven radicaal zou veranderen. Als gevolg van banale tegenslagen (volgens sommigen), of vanwege een juffrouw die hem in Frankrijk houdt, stapte Mister Morgan die dag niet aan boord van de Titanic, waarvan hij met zijn scheepvaartmaatschappij White Star reder was. De vervloekte oceaanstomer vertrok op een koude voorjaarsochtend om elf uur vanuit de haven van Southampton in Engeland op weg naar Cherbourg, Frankrijk, en daarna richting Queenstown, Ierland, met als eindbestemming New York. Kun je je voorstellen hoe opgelucht JPM vier dagen later was dat hij met twee voeten op het vasteland was blijven staan of in de armen van zijn geliefde in Aix-les-Bains was blijven liggen? Onze lotsbestemmingen zijn met hem verbonden en aan deze kleine, troostende ontdekking die mij de moed heeft geschonken je een voorstel te doen waarover ik al een paar weken nadenk: ik zou je graag willen terugzien. Kun jij weg van de boekwinkel en een paar dagen naar mij toe komen op Belle-île en mer, een betoverend eiland voor de kust van

Bretagne dat ik al jaren wil bezoeken? Ik vertrek de 2e naar Parijs, waar ik een paar dagen op het bureau moet werken. Ik wacht met enige ongerustheid op je antwoord. En hoop op vijf dagen voor ons alleen. Schrijf me alsjeblieft zodra je deze brief hebt ontvangen.

Federico

Milaan, 14 maart 2002
Romans&Romances

Lieve Federico,

Je kunt de geschiedenis herschrijven door het kielzog van boeken te volgen. Om die te vinden zijn er sporen in elke afspraak met het lot. Dit bijvoorbeeld. Een exemplaar van *De Rubáiyát* van Omar Khayyám, met illustraties van Eliku Vedder, in 1911 gebonden in het Londense atelier van Sangorsky&Sutcliffe, met een leren omslag ingelegd met robijnen, smaragden, topazen en turkooizen, werd voor een onvoorstelbaar bedrag gekocht door een Deense verzamelaar, meneer Gabriel Wells. Het kunstwerkje werd naar New York verstuurd, maar zonk in die vervloekte april van 1912 in de kluis van de Titanic. Nu ligt het op de bodem van de Atlantische Oceaan, in zijn eikenhouten foedraal. De boeken en wij tweeën. De boeken, Morgan en een datum die toevallig onze levens is binnengekomen. In deze elf maanden ben jij mijn rustplaats geworden, mijn eiland. Zijn wij belangrijk voor elkaar, of is het alleen omdat het ons troost biedt dat we iemand hebben tegen wie we vertrouwelijk kunnen zijn, dat wij elkaar schrijven en de behoefte voelen elkaar op de hoogte te houden? Dat weet ik nog niet. Daarom luidt mijn antwoord: ja, ik kom naar Belle-île en mer op 10 april a.s. Ik heb mijn huiswerk gedaan: Gustave Flaubert is er geweest, Colette, Jacques Prévert en Dumas heeft zich daar de dood van musketier Porthos voorgesteld op Point de l'Echelle.

Een eiland en vijf dagen voor ons alleen. Ik zal er zijn.

Emma

10 april 2002

'Ça va?'

'Où es-tu?'

Ook op de stoelen van de Boeing 737 is het informeren van de familieleden waar je bent en wat je doet het allerbelangrijkste. Bij elke lengtegraad is het een opeenvolging van 'waar ben je', 'ik ben goed aangekomen', 'ik kom thuis', 'hoe is het met je'. Ik heb kant-en-klare teksten van mobieltjes gelezen waar de leugen is ingebouwd: vliegveld als achtergrond ('ben net geland' of 'ik vertrek zo', afhankelijk van de situatie), supermarkt ('bel je zo terug', 'ik sta in de rij voor de kassa'), kabbelende golven, fluitende treinen, gesnotter en gesnik, een metalen stem ('ik ben in een tuuuuuuuuuunnel, ik hoor je niet'). En toch blijft iedereen die ene vraag stellen zodra de motoren van het vliegtuig zich overgeven aan de grond, de trein vermoeit uitpuft op het station, bij de tramhalte, na de heilige mis, terwijl je op het schoolplein op de kinderen staat te wachten, in parken. Overal. Een zegen voor controlerende echtgenotes, echtgenoten, minnaars en minnaressen, vrienden, kinderen. 'Waar ben je?' Ik reis incognito, niemand weet of ik geland ben, of ik op tijd aankom, of ik misselijk ben geworden tijdens de vlucht, of ik een draaglijk humeur heb. Ik kan tegen niemand zeggen dat de koffie alvast gezet kan worden. Ik heb vagelijk aangekondigd dat ik naar Parijs ging. De kleine boekenspeurster op ontdekkingsreis om ideeën te kopiëren en op adem te komen tijdens een heerlijke lenteweek. Alice leek opgelucht bij de gedachte dat ik haar een paar dagen niet voor de voeten zou lopen.

'Als je terugkomt is alles keurig in orde, Emma. Je kunt

gerust gaan,' zei ze toen ze me naar huis bracht in haar nieuwe Smart, een cadeau van haar ouders voor haar dertigste verjaardag. Ik geloof dat ze het een leuk vooruitzicht vindt om zichzelf op de proef te stellen en op eigen houtje de lijst van de week samen te stellen.

Het koortje van de *plings* van de veiligheidsriemen is een voorspel op het opgewonden gedrang van de passagiers. Iemand blaast een vlug 'ik hou van je' in een microfoon en lijkt te praten met de lucht of in zichzelf te bazelen. Zodra het rode lampje aankondigt dat iedereen vrij is, drukt ook mijn buurman, die een uur en vijftien minuten lang *La Gazzetta dello Sport* heeft gelezen, op het knopje van zijn mobiel dat zo plat is als een plakje kaas en begint zijn technologische liedje: de gemoedstoestand ('Alles goed, schat'), het tijdstip van vertrek, het totale aantal minuten vertraging (onzin, de vlucht is precies op schema), de weersomstandigheden. Door het raampje zijn vier aspirinevormige wolken te zien in een plak hemel, maar het is absoluut onmogelijk te zeggen wat voor weer het is. De piloot zal het wel verteld hebben, maar wanneer de gezagvoerder praat luistert niemand naar hem en dus blijft de buitentemperatuur een mysterie tot aan de trap. Mijn buurman kletst er nog steeds op los. Een blik vol onechte medeplichtigheid, terwijl hij zich met elleboogstoten een weg begint te banen door het gangpad van de vliegmachine (er zijn stokoude woorden waar ik dol op ben, zoals dit bijvoorbeeld). Hij heeft haast, ik niet. Ik loop kalm naar de rubberen band die mij mijn nieuwe wieltjeskoffer zal teruggeven, opgewonden over deze reis dat ik zelfs voor hem overloop van begrip. Ik stel me hem voor als trouwe echtgenoot, trotse vader van de drie kinderen, met wie hij om beurten heeft gepraat, een zin voor elk. Je moet lief zijn voor mama, goed je huiswerk doen, denk erom, krijgt papa nog een kusje. In zijn vrije hand houdt hij zijn koffertje van duifgrijs leer vast, dus hij zal niet heel lang van huis wegblijven. Dus hij heeft een minnares in Parijs. Dus al dat geruststellen komt voort uit schuldgevoel. Dus mijn buurman liegt. En ik heb de gevaarlijke neiging mijn neus in andermans zaken te steken en hun gedragingen te doorzien, zelfs in de onschuldigste mensen zie ik amoureuze drama's en intriges. Dat is niet netjes van mij.

In achtentwintig minuten brengt de RER mij naar het station van Montparnasse. Vandaar vertrekken de treinen naar Bretagne. Boven mijn hoofd zie ik het grijsblauw van een papieren Parijs: de steigers van de restauratie, zoals de borden keurig informeren. Over een paar maanden zal het als nieuw zijn, deze sarcofaag van ijzer, marmer en etalages vol prullen. In de hal nodigt een reclamebord ons uit Bretagne te kiezen als bestemming van een vakantie *die je nooit zult vergeten*. Het praat tegen mij en ik heb geen enkele behoefte om me te laten overtuigen. Ik heb een halfuur om over te stappen, ik kijk wat rond in de winkels. Ze verkopen kranten, tijdschriften, souvenirs, maar vooral sokken, onderbroeken model tanga met flosdraad en laatachttiende-eeuwse onderbroeken in kleurige lycra, boxershorts met ruitjes en pinguïns die juist daar, voorop, staan gedrukt. De boekwinkel heeft alleen titels die op de bestsellerslijsten voorkomen, afgezien van de snoepjes en de Eiffeltoren in het stolpje met synthetische sneeuw. Op spoor twintig wacht mij de stempelautomaat. Onzeker als ik ben, stempel ik altijd, ook wanneer dat niet echt nodig is. Ik zoek de automaat, draai me naar rechts en zie hem op de grond liggen als een metalen pop met afgehakt hoofd. Links van mij staat de tweelingstempelautomaat, die perfect functioneert. Ik kan het kaartje niet vinden, met de spanning die mij zoals gewoonlijk verlamt gooi ik de hele inhoud van mijn tas op de grond. Het is er niet. Waar kan een hersenloze boekhandelaarster haar treinkaartje hebben opgeborgen? In een boek. Inderdaad vind ik het terug tussen de pagina's van *Geheime teksten* van Marguerite Duras.

Parijs-Quiberon, een minuut voor tien. Carosse 3, place 56.

Ik steek het in het metalen gleufje, duw vastberaden, vervolgens luchtig, ik probeer het nonchalant, maar de stempelautomaat reageert niet. Het kaartje is inmiddels een vod geworden, betreedt en verlaat de gleuf brandschoon, terwijl vanaf een plasmascherm blonde kindjes met blauwe ogen mij toelachen en mama en papa, beiden bloedmooi en verliefd, een rondedansje uitvoeren om de nieuwe blij-dat-ik-rij-gezinswagen. Ik moet mijn kaartje laten stempelen en wil niet voor een televisie staan. Heel rustig schuif ik mijn kaartje er opnieuw in en jawel, het lukt. Het is gebeurd. Ik had nog nonchalanter moeten zijn. Het gezinnetje op het plasmascherm is in het nieuwste gezinsmodel van Renault gestapt en ik zoek een trein. De kruitgrijze TGV met de rode streep langs de zijkant is een sprinkhaan die zijn vleugels omlaag heeft hangen. Hij glijdt over de rails en puft zijn *psiiiiii* uit, net als een opblaasbootje dat aan het eind van de vakantie leegloopt voordat het wordt teruggelegd in de garage. Nog even schoonmaken en de restjes van onbeleefde passagiers opruimen en hij is klaar om te vertrekken naar de ruwe Bretonse kust. Mijn koffer is loodzwaar, ik kan moeilijk kiezen en om geen fouten te maken neem ik, net als een slak, alles mee. Ik kan geen koffers pakken en hoewel ik er gisteravond toch echt erg mijn best op heb gedaan, is dit nog steeds het resultaat. Ik heb de vochtinbrengende crèmes in kleine doorzichtige plastic zakjes ingepakt om geen peperdure vlekken op mijn jurken te krijgen, ik heb de boeken aan de zijkanten gelegd als beschermingsschild, mijn schoenen in enveloppen van witte stof gestopt en de jurken ingepakt in vloeipapier. Maar het heeft drie uur gekost om een resultaat te krijgen waarop ik trots kon zijn. Ik sleep de koffer de wagon in. Een knul met verwarde haren helpt me om hem op het metalen net te zetten en vlijt hem als een oude vrouw naast zijn jonge rugzak bedekt met etiketten. Ik denk aan Mattia en zijn zwerversbestaan en aan hoe enthousiast hij was dat ik wegging.

‘Goed zo, mama, je kunt niet je hele leven in de boekwinkel zitten. Rust jij maar eens lekker uit,’ zei hij tegen me, waarna hij de vreugdekreet ‘Het rijk alleen!’ uitslaakte en me verpletterde onder warme, liefdevolle kussen.

'Ik blijf maar vijf dagen weg, hoor,' wierp ik tegen, alsof ik een knieval deed voor zijn euforie. In werkelijkheid ben ik blij dat ik huis en winkel kan verlaten voor mijn vlucht naar Federico. We zijn zover. De trein glijdt het station uit, mijn buurman bijt in een baguette met ham en kaas. Terwijl hij zijn oren dichtdrukt met de oortjes van zijn iPod en op die manier elke mogelijkheid tot een gesprek vermijdt, komt uit zijn getatoeëerde pols de vleugel van een meeuw tevoorschijn.

Ik ben in Frankrijk. En de toekomst, verkleed als het verleden, wacht op me.

Na de eerste periferie van als doosjes naast elkaar gestapelde huizen en fabrieken, van hypermarkten versierd met optimistische reclameborden en bijenkasthotels met zwembaden van fiberglas, begint het platteland voorbij te komen, gekerfd in tempera in de kleuren van gekonfijte vruchten: het geel is het dichte geel van de bloemblaadjes van de zonnebloem, de hemel is een maalstroom van blauw, het groen van de bladeren beschut de takken als een glanzende paraplu. Ik trek mijn schoenen uit, leg mijn voeten op de stoel tegenover me. Ik heb Federico niet gevraagd wat de reden was van deze vreemde bestemming. Ik heb zonder iets te vragen ja geantwoord. Ik ben nog nooit in Bretagne geweest en ik hoop dat ik de juiste kleren bij me heb. In zijn laatste brief heeft hij het vaag over een passie voor 'reuzen van steen', de lieverd had me mee kunnen vragen naar het gotische, het neoklassieke, het contemporaine: ik weet goed hoe werk langzaam maar onverbiddelijk kan veranderen in manie, hij observeert de werkelijkheid met de lens van een architect, ik ben boekhandelaarster, ook hier, waar een onweerstaanbare kracht mij dwingt op te staan en tussen de stoelen door te lopen om te kijken wat er gelezen wordt. Ik observeer en classificeer. In rijtuig nummer 3 wordt gelezen en praat niemand in een mobieltje. Het jongetje met het korenblonde haar heeft een *Kuifje*-stripboek op schoot, zijn broertje drukt ijverig met zijn duimen op de toetsen van een blauw plastic apparaatje, hun moeder, blij met de rust tussen haar jongens, bladert door een tijdschrift. Een knul met puistenkop (Canadees of Amerikaans?) is verdiept in een essay waarvan ik de titel niet kan lezen. Terwijl ik verder loop om de restauratiewagon te zoeken, licht ik op wanneer ik de blik kruis van een jonge vrouw die met haar rechterelleboog tegen het raam leunt en in haar linkerhand een beduimeld exemplaar van *Bonjour, tristesse* vasthoudt.

Het was de zomer van 1953 en in Boulevard Malesherbes nummer 167 vulde een achttienjarig meisje heimelijk een schrift. Zes weken en de tekst was klaar. Op het omslag schrijft Françoise Quoirez haar adres en geboortedatum. Ze laat het lezen aan Flaurence Malraux die haar toeschreeuwt: 'Jij bent een schrijfster.' Punt uit. Zo werd Françoise Sagan geboren, tenminste volgens de legende. Ik herken haar in een oogopslag als dát soort lezeres: ze verslinden de regels, gulzig, gehuld in een nieuwe verliefdheid of in een nog verzengender amoureuze teleurstelling. Iemand die Sagan leest zou tegenwoordig een lerares in talen aan een meisjeslyceum kunnen zijn, of heeft een geheime liefdesrelatie en wordt volop gekweld door haar kwetsbare rol van minnares.

Drie uur, negenendertig minuten en heel wat hoofdstukken later vermindert de trein vaart. We rijden het kleine, met bloemen versierde station van Auray binnen. Mijn spieren doen pijn, mijn benen tintelen, mijn armen, gewrichten, pezen die ik me altijd heb voorgesteld als witte elastieken die mij bijeen houden, zelfs mijn hersenen zitten gevangen in een kluwen van draden. En daar, waar die extravagante rode spons zit die men hart noemt, hoor ik een hels kabaal en ik hoop met alles wat ik heb dat ik omringd ben door doven. Ik kijk om me heen: zij gaan hun eigen gang en niemand lijkt mijn opwinding op te merken.

Je gaat alleen maar met vakantie met een schoolvriendje van vroeger met wie je een liefde hebt beleefd die een jaar en zeventien dagen heeft geduurd. Je was even oud als die knul daar. En als je eigen zoon. Dus kalmeer nu een beetje.

De jongen helpt me mijn koffer naar beneden te trekken zonder zijn oortjes uit zijn oren te halen en ik zou het liefst het raampje omlaag schuiven en schreeuwen: 'Weten jullie met hoeveel wij hier op aarde zijn die zich precies op dit moment o-n-o-v-e-r-w-i-n-n-e-l-ij-k voelen?' Je leest wel eens dat 'precies op dit moment een stukje van de aarde verdwijnt van de landkaarten'; zou iemand op dezelfde manier kunnen berekenen hoeveel mensen precies op dit moment net zo blij zijn als ik? Ik stap over op een andere trein. In twintig minuten doorkruist de *tire-bouchon* (letterlijk de 'kurkentrekker') een landtong, het is een uitzicht als van een lagune, met links en rechts de zee en ik in het midden van een spoor van geuren. Het treintje zet me sierlijk af op 200 meter van het *station maritime*.

'Welkom, Emma,' fluisteren de feeën die bevriend zijn met Merlijn de Tovenaar.

De stakkers werden verdreven uit het woud van Brocéliande, waar zij al duizenden jaren dansten in hun witte tunieken en hun gouden haren dompelden in de heilige bronnen. Hun tranen waren zo overvloedig dat zij 'Mor-bihan' vormden en in deze wateren, gezwollen van planten, wierpen ze de bloemenkransen die ze op hun hoofd droegen en de bloemen vormden eilanden, evenveel als de dagen van een jaar. De blondste en liefste van de feeën wierp, met een laatste siddering van verdriet om die betoverende plek die zij voorgoed moest verlaten, de bloemen van haar krans op het water van haar tranen, mooie geurende bloemen, die, gestuwd door de wind, voortdreven naar de oceaan. De krans verdween, maar op een dag kwamen de rotsen om haar te beschermen. En zo verhief de schoonste van de schone feeën zich van de bodem van de zee en werd Belle-île en mer.

In Quiberon, een badplaats voor rijkelui, is het laagseizoen. Ik heb een paar minuten om een kaartje te kopen en te genieten van het geluid van de zee die draaikolkjes borduurt en de flanken streelt van de Locmaria 56 met de klank van een belofte die nagekomen kan worden. Zestig minuten heb ik om te wennen aan het idee dat ik een paar vakantiedagen zal doorbrengen met een welhaast onbekende met een makkelijke pen. We zijn met een stuk of twintig: een paar gelukspassagiers. De zon straalt kalm en in de hemel is geen wolk te zien.

En als er iets is tussengekomen en hij er niet kan zijn?

Ik houd niet van avontuurlijke vakanties, daarom ben ik ook nooit op safari gegaan. Ik kan de voorsteven niet van de achtersteven onderscheiden en zou op dit moment heel goed een mobiele telefoon kunnen gebruiken. Ik installeer me op de brug, verlamd door een lastige overtocht. De boot danst, schommelt, ik word misselijk, mijn hoofd draait. Ik daal af naar het dek. Ik ga zitten, ik weet niet hoe, ik wil graag netjes zitten, mijn handen gekruist in de schoot, zoals de erfgenamen van schatrijke families die vroeger, wanneer ze vastliepen in een akelige amoureuze situatie die hun ouders niet aanstond, met geweld aan boord werden gezet van zeilboten en naar het andere eind van de wereld werden gestuurd. Verlegen, bloedeloos en heel elegant, beladen met hutkoffers en tranen. Na vijftig minuten zie ik de vuurtoren van Sauzon. Witgeverfd met een groene muts op het hoofd, drijft de lange smalle cilinder met onderwaterwortels als een champagnekurk. De *longères*, de vissershuizen die als snoepjes strogeel, bruidssuikerroze, asblauw zijn geschilderd, omarmen de zee als in een kerststal. Op de pier ontwijken twee mannen in tomaatrode jacks, beladen met tassen, de schriele beentjes van twee jongetjes in korte broek die de lage vlucht van een meeuw volgen. De zee slaat tegen de lage stenen barrière van de haven en stoort de jongens die met een vishengel in afwachting van de buit in de leegte staren, niet.

En dan hij.

Niets is nu banaler dan al die bezorgdheden die mij hebben bestookt tot aan dit eiland waarvan ik het bestaan niet kende maar dat ik – daar ben ik absoluut zeker van – altijd al heb willen kennen. Niets is dommer dan de zorgen over mijn verwarde haar, mijn make-up die moet worden bijgewerkt, de mascara die drupt op de trillingen van de golven die me heen en weer slingeren tot in de haven. De Locmaria remt af en vlijt haar lompe lijf naast de kade neer. Colette bracht een zomer op dit eiland door als jonge bruid met vlechten van de slechte Willy. Federico is ingepakt in een geel rubberen jack waaruit een donkerblauwe coltrui steekt. Zijn handen in de zakken, rechtop op de kade, weet hij niet dat hij mijn privébaken is. De euforie, verdoezeld tussen al dan niet gevatte brieven, druipt als een druppel honing van mijn middenrif en blijft dan liggen in het midden van mijn lichaam. Ik zou over het water willen lopen om naar hem toe te gaan. Ik kan met moeite rechtop blijven staan. Federico tilt zijn armen op, wappert met zijn handen als welkomstvlaggetjes en glimlacht, hij glimlacht, natuurlijk, zoals alleen hij dat kan, met die speciale intensiteit van de lippen die via zijn wangen tot aan zijn ogen omhooggaan. Onweerstaanbaar. Als chronisch onzekere vrouw trek ik de mouwen van mijn trui naar beneden om mijn handen te bedekken, met mijn rechterhand houd ik de cloche van vergeet-me-nietjes-blauwe stof op mijn hoofd en mijn hart komt tot zwijgen, alsof iemand het voorzichtig heeft gemasseerd.

Het klopt nu regelmatig.

Boem, boem, boem. Metronoom van vlees, kompas van emoties, gevoelens en angsten. Al mijn onzekerheden klonteren samen tot één enkele klank. Boem, boem. Federico staat op een paar meter van me vandaan en ik weet niet hoe ik me moet gedragen. Boem, boem, boem, hartslag als van een levend wezen, zou Gabriella zeggen, die heel graag met mij mee had willen gaan naar Parijs als dat 'vervloekte lyceum' er niet was geweest.

Een aalscholver opent zijn vleugels en wordt opgeslokt door de hemel.

La Touline, op een paar passen van het haventje van Sauzon, is een achttiende-eeuws huis dat is omgebouwd tot hotel. Het heeft twee verdiepingen, vijf kamers en terrassen van keurig gemaaid gras waar ligstoelen met blauw-wit gestreepte kussens, rieten fauteuils en ijzeren tafeltjes op staan. De entree heeft dikke stenen muren en madame Annick Bertho, verlegen lichte ogen en blonde strepen in haar kortgeknipte kastanjekleurige haar, spreekt met een ronde r. Ik volg Federico de trap op, waarvan de treden gespikkeld zijn met zandkorrels die in de nerven van het hout zijn gekropen. Hij heeft een arm om mijn schouders geslagen, met de andere hand draagt hij mijn koffer en zijn tas over de schouder, en hij mompelt nog een keer in mijn oor 'Welkom'. Onze kamer, nummer 5, is op de tweede verdieping. Het is gezellig, huiselijk, alles staat op de goede plek alsof het eeuwen geleden keurig is achtergelaten. Een doorgestikte sprei, twee grote kussens bedrukt met gele en blauwe visgraten hangen aan de muur in plaats van een hoofdeinde: perfect om een boek te lezen. Een badkamer met bad, witte wandtegels en op de grond houten, matblauw gebeitste planken. Een leeg kooitje, bestemd voor de liefde of voor iets wat in elk geval in de buurt komt.

'Er is nog licht, ik wil je graag meenemen op verkenningsronde. Ik heb een jeep gehuurd.'

De wijze Federico, bezield door een zichtbaar zelfvertrouwen, doorbreekt de gêne en de verlegenheid.

'Geef me vijf minuten,' antwoord ik en ik ga de badkamer met de zichtbare plafondbalken in, die mij door een piepklein kobaltblauw raampje een stukje zee schenkt. Onze kordate houding is een vorm van zelfbescherming. We zijn blij om elkaar te zien. Blij en meer niet, en er is geen enkele reden om dat op te biechten. In de appelgroene Méhari, een speelgoedauto die bij het eerste zuchtje wind lijkt te zullen wegvliegen, zingt Billy Swan *I Can Help* uit de autoradio.

'Ik werd was pas rustig toen ik je hoedje zag,' zegt mijn favoriete architect.

'Je hebt gelijk, het is gekkenwerk om elkaar niet telefonisch te kunnen bereiken. Ik was ook gespannen. Maar dat is allemaal weg nu jij hier bent,' antwoord ik.

'Idem,' knikt hij beknopt, terwijl hij de cloche van mijn hoofd trekt, niet in staat meer te laten merken dan een algemeen toegeven van opluchting. 'Belle-île is jouw ideale eiland, Emma: een paradijs zonder landingsbaan. Het weerstaat de verleidingen van de vooruitgang, op verschillende plekken van het eiland heeft je mobiel geen bereik. We zijn onbereikbare telefoonnummers. Tevreden?'

Het lukt me niet om grappig te zijn, het is alsof een heel leger van woorden met de grond gelijk is gemaakt. Hem naast me hebben wist de vertrouwelijkheid uit waarvan onze brieven doordrenkt waren.

'Ik lijk wel de hoofdpersoon van een flutromannetje.'

'Daar weet jij wel raad mee, met flutromannetjes.'

'Pas maar op, ik ben lichtgeraakt, weet je nog?'

De jeep klimt omhoog over het bergpad langs de kust, tot het hoogste punt is bereikt en hij stilstaat voor de blauwe balk van de horizon. De rotswand, verzacht door groenige nerven, is loodrecht, van boven af zie je de wanden, merk je de hoogte alleen door te luisteren naar het gebulder van de golven die naar roest ruiken. De oceaan is een woeste vlakte van schuimende golftoppen. Federico remt zonder me te waarschuwen. We stappen uit.

'Kom,' zegt hij, terwijl hij mijn portier met een buiging opent. Hij strekt zijn arm naar me uit en kijkt hoofdschuddend naar mijn voeten: 'Je had makkelijkere schoenen moeten aantrekken.'

'Ik wandel altíjd op deze,' verweer ik me, terwijl ik mijn rechtervoet uitstrek die gehuld is in een kort veterlaarsje met ronde neus en inderdaad beslist geschikter voor het parket van de boekwinkel.

'En bovendien ben ik te klein. Om platte schoenen te dragen en om te slowen.'

'Jij bent niet klein, Emma, jij bent *tenger*, dat zei je zelf altijd.'

'Echt waar? Moet je je toch indenken dat Marguerite Duras altijd dezelfde kleren droeg zodat het niet opviel hoe klein ze was. Een soort uniform, en wee degene die er iets over zei.'

Hij pakt mijn hand, gooit een steen naar het wit van de schuimende golven, de steen lijkt even te aarzelen, botst tegen de takken van een brem, glijdt naar het water, breekt in kleine scherven. En verdwijnt.

'We zijn in Port Coton, Claude Monet zat min of meer hier, hij opende zijn verfdoos, legde het doek op de ezel. En dacht niet aan zijn zorgen.'

'Hoezo? Wat voor zorgen had Monet?'

'O, Emma, dat zei ik zomaar. Iedereen heeft toch wel eens zorgen. In het najaar van 1886 bracht Monet een paar weken door op Belle-île in een huis in Kervilahouen. Het regende onophoudelijk, de hemel was donker en de zee razend. Denk je eens in wat hij boos moet zijn geweest. 's Winters in je eentje moet deze plek ongelooflijk triest zijn. Ze bezuipen zich dan ook vaak hier en wanneer de alcohol niet genoeg is... Het zelfmoordgehalte is hier hoog.'

'Hoe doen ze dat dan? Storten ze zich in zee?'

'De arme Monet bracht zijn dagen zwervend langs de branding van deze woeste kust door samen met een zekere Hippolyte Guillaume, ook wel Poly genoemd. Vanaf dit punt heeft hij negenendertig doeken geschilderd. Vijfendertig daarvan stellen deze rotsen voor, alsof hij zijn ezel dus maar vier keer naar het land had gedraaid. De zee loste op op zijn doeken, niets anders dan de zee met zijn nuances.'

'Misschien is zijn slechte humeur vier keer weggegaan. Iris Murdoch slaagt erin om in een enkele roman tientallen nuances van het zeewater te schilderen. En zonder zichzelf ooit te herhalen,' zeg ik, terwijl ik knijp in de pols van mijn erudiete gids.

'Conrad niet?'

'Schat, ik heb *Voorbij de schaduwlijn* al sinds de derde klas middelbare school niet meer gelezen. Het zal heus een groot schrijver zijn, maar te veel avonturen gaan na verloop van tijd vervelen.'

We stappen weer in de speelgoedauto. Om ons heen koolzaadvelden die glanzen van de regen, die in fijne druppeltjes begint neer te vallen uit een hemel die doormidden gebarsten is: de rechterhelft is loodgrijs, de linkerkant zachtblauw. We zijn alleen, tussen lage stenen huizen met leistenen daken en dubbele nokken. Federico houdt de auto stil voor een miniatuurstrandje. Het water trekt zich terug in poeltjes, wordt opgedronken door het zand en verkleurt van geel naar hazelnootbruin. Van onderaf gezien lijken de rotsen onschuldige asymmetrische cyclopen.

'Als je niet te moe bent laat ik je iets zien.'

'Ik moe? Waarom zou ik moe zijn? Ik heb alleen maar een taxi, een vliegtuig, de metro, een trein, nog een taxi en een boot genomen. Een wandeling is precies wat ik nodig heb om mijn benen een beetje te strekken. Hoe komt het dat je dit eiland zo goed kent?'

'Mijn moeder vertelde er altijd over. Jarenlang heb ik me er een voorstelling van gemaakt en ik dacht dat het misschien een goed idee was om het samen met jou te ontdekken.'

'Mis je haar?'

'Af en toe.'

Bij vertrouwelijkheden trekt Federico zich terug, sluit hij zich op, wordt hij kortaf, onbeleefd bijna. Alsof hij wil zeggen: meer moet je niet vragen. Hij gebruikt de chronologie waar ik de volgorde van indrukken volg. Hij volgt een rechte lijn, ik dwaal af met tussen haakjes – vierkante of ronde haakjes, accolades. Federico heeft een warm maar behoedzaam hart. Hij volgt premissen en consequenties, gaat uit van het verleden en daalt af tot in het heden: ik heb zus gedaan, zo gezegd, ik denk dat. Zijn brieven zijn verhalen, nu hij hier is en mijn hand vasthoudt en mijn vingers samenknijpt, sluit hij zich op in zichzelf als een jongetje dat zijn oren dichtdrukt om de wind niet te horen.

'Kom, dan gaan we, we zijn er zo met de auto.'

We rijden over een weg die snijdt door een vlakte van kale

akkers die over een paar weken bedekt zullen zijn met het goud van de korenaren. De witgekalkte *chaumières* zijn borduurwerkjes. Slechts een paar hebben de aantrekkingskracht behouden van de originele versies in steen, boerenhuizen met daken van geperst riet en slib, met alleen een begane grond en daarboven een graanzolder zonder ramen. Federico parkeert de jeep voor een smal stenen paadje. We stappen uit.

'Emma,' begint hij op de toon van iemand die een jeugdvriend voorstelt. 'Dit is Jean.'

'Volgens mij is dit gewoon een steen. Megalieten zijn hier net als kerken in Italië: zelfs het meest afgelegen dorp heeft zijn eigen officiële menhir.'

'Je veronachtzaamt de gevoelswaarde van deze architectonische vormen, Emma. Elke menhir is de gestileerde beeltenis van een mens. Er waren er heel veel op Belle-île, maar het merendeel van deze giganten is ontmanteld om er huizen van te bouwen zoals die daarginds. Architecten, Emma, waren architecten uit noodzaak. De reden waarom de mens bouwt, is de behoefte om te herinneren, logisch dat ze een vergeetachtige zoals jij niet veel zeggen. Dat daar is Jeanne, de vrouw van wie hij hield,' voegt hij toe terwijl hij wijst naar een iets lompere menhir.

'Jean was een bard, hij zong over de zee, de legenden van de valleien, de triomfen van de oorlog. Jeanne looide de huiden die haar ouders moesten beschermen in de winter. Ze was arm maar zo mooi en zo goed dat Jean verliefd op haar werd zodra hij haar zag.'

'Mooi en goed als Sneeuwwitje! Tegenwoordig noemen we dat soort onuitstaanbare vrouwen "dode katten". Met alle respect, ik denk dat alleen een architect opgewonden kan worden van een steen. En bovendien is Bretagne een voorraadschuur van stenen met magische krachten. Voor alles is wel een steen: stenen voor rijkdom, stenen die de toekomst voorspellen, stenen die het zicht bevorderen en de koorts doen zakken, stenen die je kunt aanroepen als je wilt trouwen, sterren die op kerstnacht, wanneer de kerkklok middernacht slaat, de zee opzuigen.'

'Vergeetachtig maar kundig! Maar laat me uitspreken, ongelovige vrouw! De druïden besloten dat de liefde tussen Jean en Jeanne onwaardig en onmogelijk was en gaven de heksen het bevel hen te veranderen in stenen. Maar de goede feeën lieten de twee geliefden één enkele nacht per jaar samenkomen. Het is een legende die in jouw boekwinkel niet zou misstaan. Ik stel voor in de kast "Onmogelijke liefdes... met mogelijkheden".'

'Als ze onmogelijk zijn dan blijven ze dat ook. Anders zou de plot nergens op slaan.'

Hij trekt me naar zich toen en kust me zachtjes in mijn hals, op mijn wangen, op mijn ogen, op mijn mond met een tederheid die elf minuten duurt. Ik klamp me vast aan zijn schouders terwijl het wantrouwen van me af valt als een oude, nutteloze huid. De zee, ver weg en kalm nu als die van een globe, ligt achter een man en een vrouw die elkaar kussen met kussen die te veel jaren achterwege gelaten zijn. Kussen die de richting kwijt waren geraakt, pelgrims die het eiland hebben gevonden dat ze zochten.

'En als het nou eens onzin is?' mompel ik, terwijl ik mijn neus tegen het rubberen jack wrijf. Iedereen die verlegen is spreekt op ongemakkelijke momenten over dingen die nergens op slaan en op momenten die het minst gepast zijn.

'Wat?' vraagt hij, terwijl hij zijn ogen in de mijne laat wegzakken.

'De legende. Jean en Jeanne.'

'Ik vind het leuk om te denken dat het waar is. De menhirs bewaren hun geheim, alleen degene die ze hier heeft neergezet zou dat geheim kunnen onthullen. Dat waren niet de Galliërs en ook niet de Kelten, maar machtige mannen uit het Neolithicum die uit Mesopotamië afkomstig waren. Ze velden bomen, groeven grond weg, hakten deze stenen uit de rotsen.'

Ik hang aan Federico en wat kunnen mij die menhirs schelen. De stilte tussen ons heeft niets ongemakkelijks. Alles is normaal. Zelfs de kus.

Terug in hotel La Touline komen we Madame Bertho tegen op de trap. Federico doet de deur van de kamer met de kobaltblauwe ramen open en sluit die achter zich. Ik begraaf mijn gezicht in zijn borst, wrijf mijn neus in zijn trui die vochtig is van de zee. Hij houdt niet op met me te kussen, terwijl hij de boorden van zijn overhemd losknoopt, mijn rok uittrekt en toestaat dat mijn handen hem uitkleden. Ik kijk naar het gezicht van de man die ik al duizend jaar ken, maak de gesp van zijn riem los, leg mijn wangen op zijn buik, we voelen onze lichamen. Vol spanning. Je denkt dat de jaren je seksueel geraffineerd maken. Maar dat is niet zo. Niet wat mij betreft. Hij ruikt naar zout, de aderen in zijn arm kloppen. Een gedempt licht bedekt onze handelingen met een absurde heiligheid. Ik zit op de rand van het bed, haast alsof ik de perfectie van de gladgestreken lakens niet wil verstoren. Federico staat voor me, tussen mijn benen. Hij buigt zich voorover om mijn omhelzing in ontvangst te nemen, ik sla mijn armen om zijn nek, strek mijn gezicht uit naar het zijne. De zachte huid achter zijn oor, ja, dat herinner ik me. En de holte van zijn nek, de oogleden, de benen van de kampioen op het voetbalveld. De kwetsbaarheid brokkelt af, de verlegenheid verbleekt, de angst is overwonnen door een energie die los van ons staat. Het puin en de scherven verdwijnen tussen de vingers van zekere handen. We hebben elf maanden en tweehonderdeenenzeventigduizendzeshonderd uur op dit moment gewacht. Onze eerste keer. Nu heb ik geen tijd om dat te denken, maar ik heb er de hele reis aan gedacht: *Federico is een man met wie je nooit naar bed bent geweest, Emma.* We kunnen niet glimlachen, alles is verschrikkelijk ernstig, alleen de strelingen maken de spieren los en de zielen minder streng. De twee stenen beginnen weer te ademen omdat de feeën, koppelaarsters, dat willen. We vrijen zonder heftigheid, haast als om de spanning die onbedoeld is opgewekt door de onschuldige zeestrook die onze levens sinds een jaar scheidt, tot bedaren te brengen.

Finistère, *finis terrae*: tegenover ons, op het vasteland, is het einde van onze aarde. Hier, op het grootste eiland van Morbihan, het einde van onze zoektocht.

Ik zou op het natte gras willen gaan liggen en naar de wolken kijken. Zij die alles gezien hebben, zouden een naam kunnen geven aan mijn toestand. Ik kan het beslist geen kwelling noemen, noch zorg, laat staan smart. Ik moet een synoniem vinden. Smartelijk verlangen is te overdreven, zelfs hier bij deze kade die doorkliefd wordt door een boot die de haven in vaart terwijl er een wit zeil gehesen wordt en het licht van de vuurtoren trilt tussen wervelingen van geurende lucht. Mijn prognose klopte niet. Ik was bang voor het onaangename gevoel wakker te worden met een vreemde man in bed en dagenlang te moeten doorbrengen met een innerlijke taximeter die mij eraan zou herinneren dat ik maar vijf dagen de tijd had. Federico was geen vreemde man en evenmin heb ik gespannen de tijdmeter in de gaten gehouden. In deze ochtendschemering aan zee, in de onzekerheid die overgaat van de nacht op de dag alsof ook het licht niet goed weet aan welke kant het moet staan, wacht ik. Schaduw en licht. Naar hem kijken terwijl hij slaapt geeft me het gevoel alsof ik de situatie meester ben. Hij heeft sterke schouders en een zachte buik, zijn armen zijn een gobelin van onderhuids krioelende aderen, zijn geslacht rust slap op zijn linkerlies. Een ontmantelde pop met het hoofd op het kussen. Het laken bedekt zijn benen, die unaniem waren verkozen tot de mooiste van het hele team. Zijn gezicht straalt vertrouwen en kwetsbaarheid uit tussen de lichte plooien die zijn ogen omlijsten. Het lichaam van een man op het middelpunt van zijn leven. Of misschien voorbij dat punt. Op zijn rechterschouder een litteken. Tederheid. Dat lijkt mij nu de dringende noodzaak. We hebben onszelf met onze brieven verteld, we hebben elkaar en onszelf er daarbij niet aan herinnerd dat wat het onuitgesprokene vulde, die liefde was tussen kinderen die niet meer wisten hoe lieflijk en irritant en angstaanjagend tederheid was. Er is niets om bang voor te zijn.

Je kunt verliefd worden op een man die slaapt.

En op de *normaliteit*. Op deze kalmte, die mij laat zijn wat ik ben zonder nog schaamte of duizelingen te hoeven hebben, of de behoefte om te vluchten. Ik wil hier blijven en hoe ik eruitzie, de gymnastieklessen en de crème die wonderen belooft en lonkt op de commode, interesseren me niet. Ik heb de liefde bedreven met een man zonder me zorgen te maken of ik er qua figuur wel tegen op gewassen was, of ik er wel groot genoeg voor was, ik die zich nooit ergens groot genoeg voor voel en om die reden liefde heb weggegooid. Ik kan de woorden voor deze zachtheid niet vinden, ik gebruik ze al te veel jaren niet meer en ik ben arm geboren. Ik zou me ertegen willen verzetten dat ze verdwijnen, maar het is alsof een dief de syntaxis in de war heeft gestuurd en mij onervaren en sprakeloos achterlaat.

Een waterwitte vlieger doorkruist het postzegeltje hemel. In Bretagne zijn de wolken ongeduldig en nerveus, humeurig en wispelturig, ze veranderen steeds van vorm, net als mensen die je niet goed kunt inschatten omdat je steeds denkt dat ze je voor de gek houden. Ik loop op blote voeten, als een dievegge die bang is ontdekt te worden. Ik heb niet het gevoel dat ik belachelijk ben, maar er is niets belachelijker dan een vrouw die gelooft dat ze ontdekt dat ze verliefd is. Of alleen betoverd, of gewoon verkikkerd. En wat is het verschil, hier en nu? Ik weet niet in welke kast dit verhaal hoort. Ik weet alleen dat ik voor altijd in dit kamertje zou willen blijven. Of tenminste voor even. Genieten van deze nieuwe tevredenheid, overgaan van een dieet van beheersing op het gulzig opslorpen van de begeerte die zonder enig gewicht in mij druipt.

Ik trek de gordijnen open.

Iemand heeft besloten om het hek open te zetten. *Dat iets*, dat iets dat wij met een algemene term 'liefde' noemen zonder dat we ook maar bij benadering de grenzen ervan kunnen benoemen behalve met behulp van metaforen of uit de literatuur geleende voorbeelden, ligt voor mij tussen verkreukelde lakens. Het is afgezaagd: wij vrouwen willen alleen maar liefde.

De zang van de oceaan is natuurlijk en razend, volgt me terwijl ik de vochtinbrengende crème uitsmeer over mijn nu rimpelloze voorhoofd. De zon wordt warm als een bord polenta.

Ik strek me uit naast de man die slaapt.

'Heb je zin in een wandeling naar een speciale plek?'

Met hem heb ik overal zin in. Ik heb mijn schoentjes met de hoge hakken in het hotel gelaten en ben gezwicht voor die goede oude bordeauxrode All Stars met afgesleten neuzen, die ik in de kelder had gevonden en als een trofee in mijn koffer heb meegedragen. Aan de weg zie ik niets speciaals, de akkers hebben nog steeds lage stenen muurtjes bedekt met scherven van schist. We dalen af naar Port Skeul, het punt waar uitgeholde valleien samenkomen tussen de zeedennen die omringd worden door grote, donkere varens. Het is eb, we wandelen over een afgegraven pad, de loodrechte ravijnen zijn diep maar minder dreigend dan die van gisteravond, bosjes affodil, de bloem die symbool is van de dood, prikken in onze enkels. Federico gaat vooroplopen over een bergpad.

'Kom, Emma. Van hier heb je een spectaculair uitzicht.'

Aan weerszijden wordt het smalle pad beschermd door een muurtje van gestapelde stenen van weinig meer dan vijftig centimeter hoog. Federico houdt mijn hand vast tot we bij het einddoel zijn, dat een overhangend asymmetrisch dak heeft en anders is dan alle andere huizen op het eiland. Niet een gril van een kunstenaar, maar een schoongepoetst juweel, een voorsteven met raampjes op de zeezijde. Op de gevel die oprijst uit een tapijt van klimop die het recht heeft genomen om vrijelijk te groeien, zijn drie ijzeren letters op de muur bevestigd. MTH.

'Marine Travaux Hydrographiques,' vertaalt hij.

'Het lijkt verlaten,' zeg ik, bezorgd over de tekenen van naderend onweer dat knettert in de hemel. Hij lijkt het niet te horen, opgewonden door de architectonische vondst.

'Het is een semafoor, een seintoren. Het eiland had er vier, bij Er-Hastélic, Taillefer, Le Taluc en hier op Pointe d'Arzic. Die van Er-Hastélic is een ruïne, de andere twee hebben een transformatie ondergaan die elke aantrekkingskracht ervan heeft ontnomen. In de negentiende en twintigste eeuw waakten zij over de schepen door signalen uit te zenden waarmee de weersveranderingen werden aangegeven. De seinwachter ontving signalen van schepen in nood, die eerlijk gezegd ook oorlogsschepen konden zijn of schepen van een bepaalde grootte geleid door deskundige zeelieden, terwijl de vissers van Belle-île de taal van de seinen niet kenden. Hun zware boten waren stevig genoeg om de aanvallen van de golven te weerstaan, maar de plompe vorm beperkte hen in de bewegingen.'

'Zonken ze?'

'Veel vissers konden niet zwemmen. Wie in het water viel had weinig kans om te overleven.'

De hemel is nu blauw, gedompeld in een oogverblindend licht. We staan op het puntje van een uitgestorven vlakte, op de grens tussen water en land.

Barrières. Verdedigingen.

De oceaanmens heeft eigenhandig armzalige muurtjes gebouwd om de razernij van de oceaan af te slaan. Het huis, of beter gezegd de semafoor, is half vervallen, blootgesteld aan het oordeel zonder heining. Om dichterbij te komen en door de vuile raampjes naar binnen te gluren, lopen we over een pad dat langs de rand van het ravijn voert. De ramen hebben geen kozijnen, een batterij kanondragers duidt op verschillende landingspogingen. Het is een fier, onbewoond huis. De voorsteven van een schip met de borst vooruit. We gaan naar binnen. Op de benedenverdieping is de vloer half hout en half verharde grond. De haard is intact. De meeste ramen zijn kapot en de weinige die nog heel zijn, zijn vuil van stof en zeezout. Federico lijkt ergens op te wachten. Ik heb nooit de passie voor restauraties gehad, afgezien van mijn boekwinkel dan, en deze overhellende muur is niet geruststellend. '*Woeste hoogten*, dat is het.'

'Ik zocht en vond meteen de drie grafstenen op de helling naast de hei: de middelste was grijs en bijna begraven onder de klimop; die van Linton eenvoudig en in harmonie met het tapijt van gras en het mos begon aan zijn voeten te groeien; dat van Heathcliff was nog onbedekt. Ik draalde eromheen onder die welwillende hemel, ik keek hoe de nachtvlinders fladderden tussen de klimop en de winde; ik luisterde naar de lieflijke wind die floot door het gras en ik vroeg me af wie kon denken aan gekwelde rust voor degenen die sliepen in die rustige aarde.'

Wanneer hij over huizen praat raakt hij net zo geëmotioneerd als wanneer ik het over boeken heb.

'Ik geloof echt dat het verlaten is, Emma, en waar gaat *Woeste hoogten* over?' vraagt hij, terwijl hij me in zijn armen klemt en doet alsof hij belangstelling heeft voor liefdesromans.

De branding ademt in en uit met de cadans van een metronoom. Het zand verandert als een glas bier van de tap van blond naar donker, het blauw is nu nog intenser, het is diepblauw, roze, bedekt met oranje. Bij de gedachte dat we over een paar uur wegvliegen ben ik kleurenblind en nerveus geworden. Belle-île-Quiberon, Quiberon-Auray-Parijs. Liefde kan verteld worden op basis van de tabel van een spoorboekje. We zullen samen in de trein zitten, met de angst opnieuw te beginnen. Ik vlieg vanaf Orly en haat Milaan. Ze gunnen ons niet eens hetzelfde vliegveld, de rotzakken. Het losmaken is begonnen.

Federico slaapt, ik probeer zijn dromen door zijn lange donkere wimpers heen te lezen, zonder te letten op de barst die zich opent onder mijn gedachten. 'Je moet altijd zorgen dat je gevaarlijke dingen niet binnen handbereik hebt,' schreef Duras. Maar zij had het over alcohol, niet over liefde. Of misschien wel over allebei. De linkerkant van het bed is onbeslapen. Niet gebruikt. Zodra ik me probeerde los te maken van zijn omarming merkte hij dat en trok hij me naar zich toe. Hij wordt wakker. Hij kijkt me aan en glimlacht, alsof hij in een soort limbo verkeert. We babbelen wat, ja. Van die frivole banale babbeltjes waar ik erg van houd. Alledaagse babbeltjes. Hij kijkt op zijn horloge, het is vijf voor negen.

'We moeten gaan.'

De ontbijtzaal is leeg. Geur van koffie en geroosterd brood. We lijken een man en een vrouw die elkaar niets nieuws te vertellen hebben. Niet eens een nare droom. Federico smeert kaas en marmelade op sneden brood met boter. Hij brengt de beker melk naar zijn lippen. Het enige wat mij interesseert is dat ik de kruimels die op zijn smaller geworden bovenlip zijn blijven plakken, eraf wil likken. Zelfs die kruimels benijd ik. We zijn niet in staat een conversatie te voeren, over koetjes en kalfjes te praten, desnoods over het weer. Of over hoe we ons voelen. Madame Bertho heeft midden op tafel een karaf beschilderd met gele bloemen neergezet, het mandje van de toast is een visgraat van riet. Alles is volmaakt. Behalve wij, die ondanks het gedempte licht niet in staat zijn tot een opmerking, een oordeel, een overweging over hoe de vakantie is gegaan. Je maakt altijd een balans op. Hij drinkt zijn koffie met melk met kleine slokjes, hij kijkt me aan en streelt met zijn andere hand mijn pols.

'Als klein meisje schrokte ik het ontbijt altijd in een paar minuten naar binnen, alleen maar om zo snel mogelijk weg te kunnen gaan.'

'Ik zou liever niet opstaan, ik heb geen zin om terug te gaan.'

Een hotelgast heeft zich uitgestrekt op een houten chaise

longue op het grasveld. Ze heeft een boek in haar handen en bijt op een potlood. Ik weersta de verleiding om haar te vragen wat ze leest en of ze de zinnen onderstreept, ik weerhoud mezelf ervan mij ermee te bemoeien en haar te rubriceren in mijn woordenboek van lezers, ik signaleer dat iets in mij deze dagen is veranderd. De werkelijkheid heeft de overhand gekregen over mijn literaire boeltje. Hiervandaan weggaan is als het kwijtraken van het witte licht van deze 'hemel met lange route', zoals Duras schreef over haar Trouville, niet zo heel ver hier vandaan. Vanuit het haventje van Sauzon worden de roze huizen met de lichtblauwe ramen achter ons steeds kleiner, om uiteindelijk te verdwijnen. De zon is lauw, ik heb een volle maag van de *tarte tatin* en voel me overspoeld door een soort vrede. Ik wil hem iets vragen, maar hij brengt me kussend tot zwijgen. De zachte golf van zijn adem komt tot in mijn hals. Federico antwoordt zonder verdriet in zijn stem. Hij aarzelt niet zoals hij had moeten doen.

'Mag ik je een domme vraag stellen?'

'Jij mag elk soort vraag stellen.'

'Waarom ben je teruggekomen?'

'Ik denk dat het met het lot te maken heeft, ook al heb ik nooit gedacht dat ik er een had.'

'Niet te geloven! Je hebt een jaar lang niets verteld. Aan mij! We spreken elkaar elke dag, we vragen elkaar advies over elk wissewasje, en jij vertelt me niet dat je een minnaar hebt? Je bent... je bent echt... een trut, dat ben je. Een grote stomme trut.'

'Je hebt helemaal gelijk, maar het is niet waar dat ik een minnaar heb.'

Ik probeer een mooi antwoord op berouwvolle toon te formuleren, maar het lukt niet. Gabriella is echt gekwetst. Zij is mijn beste vriendin. Een zeldzame vriendin en precies onvolmaakt genoeg om niet jaloers te hoeven worden. Behalve dat ze een van de mensen is om wie ik het meeste geef, is zij mijn getuige, zou zij mijn geautoriseerde biografie kunnen schrijven, weet ze (op dit moment min of meer) alles van mij, mijn humeuren, verdriet, euforie, Michele, de zwangerschapscursus, het ritme van de weeën, de mijne want zij heeft nooit kinderen kunnen krijgen en ze is nooit jaloers geweest vanwege Mattia. Onze vriendschap vraagt nooit om samenvattingen, wat heel comfortabel is. We hebben dezelfde leraren, gynaecologen en priesters (op het lyceum hebben we naar believen mystieke crises gehad), fouten en vakanties gedeeld, twijfels en tragedies, geboorten, nachtenlang studeren, veranderingen van werk, echtelijke ruzies, echtelijke crises, echtelijke bijleggingen, eindeloos veel lessen van elk soort gymnastiek en al even eindeloos veel bezoeken aan de kapper, we hebben samen musea bezocht, onze eerste reizen samen gemaakt, we zijn samen tijdens een onvergetelijke zomer in Londen verkoopster geweest. Ik in een luxe lederwarenwinkel in Knightsbridge, zij bij Galt Toys, speelgoedgigant voor ecologisch correcte ouders. En 's avonds, na de hele dag te hebben gezwoegd bij de grillen van Arabische klanten (ik stond op de afdeling tassen en sjaals, ik was efficiënt en vriendelijk en kreeg daarom veel fooien), stonden we geduldig in eindeloze rijen voor Covent Garden, op jacht naar goedkope kaartjes voor opera en ballet op het schellinkje. We voelden ons supertoffe bohemiennes, twee jonge vrouwen met de toekomst binnen handbereik. 's Ochtends in het ijskoude appartement van Miss Peate overdreven we met de zoute boter op het geroosterde brood om calorieën te verzamelen en het te kunnen uithouden tot het avondeten zonder te hoeven lunchen. Op zondag brandden onze voeten door wandelingen langs de Theems en in musea, waar zij mij een voor een de schilderijen en beelden kon uitleggen, slachtoffer van een eeuwig syndroom van Stendhal. Met haar heb ik mijn eerste Parijs vanaf de Eiffeltoren en op de top van de heuvel van Belleville gezien. Tegen haar heb ik altijd alles verteld. Zij, die even beheerst is als ik impulsief ben.

We zitten in het restaurant, zoals we al tientallen jaren doen in delicate situaties. Meestal storten we ons na onze film op woensdag op een pizza en dan vroeg naar bed, maar de bekentenis die ik haar moest doen verdiende een officiële uitnodiging in een heel officieel restaurant in het centrum. Dezelfde trattoria als waar ik met Federico heb gegeten, dat bevredigt mijn hang naar automutilatie en verlevendigt het gevoelsrefrein van de herinnering: zijn gezicht, zijn handen, zijn stem en zijn Eau Sauvage. Ik houd van het masochistische genot van oprakelen, bewust en weloverwogen steek ik het mes in de verse wonden. Ik loop het risico mijn beste vriendin kwijt te raken. En omdat ik geen zin meer heb om te verlaten of verlaten te worden, heb ik besloten mijn zakken te legen. Hoektafeltje. Vanwege het onderwerp. Onwelvoeglijk.

'Hij is niet mijn minnaar.'

'En wat is hij dan wel?'

'Hij is niet de gebruikelijke man tegen wie ik mezelf in bescherming moet nemen.'

‘Kijk, dat is wat de liefde doet. Die verandert je in een goedgelovige trut.’

‘En wie had het over liefde?’

Dat scherpe onderscheid is een poging om de kwetsuur te sussen die veroorzaakt is door een jaar en elf dagen zwijgen.

‘Je bent een vrouw van vijftig die de kriebels heeft voor een man van vijftig die aan de andere kant van de wereld woont. En hoe is hij nu? Vroeger was hij wel leuk, een beetje ijdeltuit, maar wel een stuk.’

‘Hij heeft borstelige wenkbrauwen en hij schrijft prachtige brieven.’

Ik doe mijn best om hem te beschrijven en het is alsof hij hier voor me staat, in een drukke menigte van spookbeelden. Ik word afgeleid door Federico’s lichaam, ik zou als een slaapwandelaarster mijn armen willen uitstrekken en zijn gezicht willen strelen, terwijl zij me aanstaart. Gewond en bedrogen.

‘Wil je details? Wil je weten hoe we het gedaan hebben? O, Gabriella, kom op, trek het je niet zo aan. Ik heb je niets verteld omdat ik dacht dat het niets zou worden. Dat hij zou teruggaan naar waar hij vandaan was gekomen, dat hij zou verdwijnen.’

‘Niet van onderwerp veranderen. En je moet trouwens ophouden met dat gedoe over verdwijnen. Jij was het zelf ook eens met de scheiding met Michele. En uiteindelijk had je er vrede mee en was je zeker van jezelf. Borstelige wenkbrauwen heeft hij trouwens altijd al gehad.’

‘Luister eens, Federico heeft mij in de steek gelaten, ik hem niet.’

‘Ja, maar jij hebt hem wel aanleiding gegeven, hoewel je daarna als een kaarsje opbrandde en maandenlang hebt gehuild. Ik begrijp niet hoe jij alles vergeten kunt zijn.’

‘Het was heel lang geleden en het is niet nodig om nu alles op te rakelen; toen waren we kinderen.’

‘En toch zeg ik het nog een keer: hij komt op de proppen, getrouwd en wel, heel erg getrouwd zelfs, en jij trapt er meteen weer in.’

'Het is niet waar dat hij *op de proppen kwam*. Hij kwam gewoon toevallig de boekwinkel binnen. Bretagne is betoverend, je zou daar ook eens met Alberto naar toe moeten gaan. Maar goed, als je het echt weten wilt, we hebben over alles gepraat behalve over zijn huwelijk.'

'Die getrouwde kerels praten nooit met hun minnares over hun huwelijk. Zwijgen verandert zijn burgerlijke staat niet, Emma.'

'Sinds wanneer ben jij zo'n moraalridder? We hebben heel veel getrouwde vriendinnen die een vriendje hebben. De rol van de bedrogen echtgenote is trouwens banaal, ook in romans.'

'Hou op met je romans, Emma. Jij bent niet het type om een relatie te hebben zonder dat je verliefd bent. Hoe zijn jullie nu?'

'We zijn niet nu.'

'Na vijf dagen neuken hebben jullie elkaar op het vliegveld met een kusje op de wang gegroet, doei, bedankt, het was leuk, tot nooit weer? Ik neem aan dat jullie doorgaan met elkaar schrijven. Vurige liefdesbrieven... Als het binnen die grenzen blijft kan het, maar bij de eerste zucht die ik jou hoor slaken hebben wij het er weer over, sterker nog, dan wil ik zijn telefoonnummer hebben.'

'Je bent cynisch en volgens mij ben je jaloers, maar dat vind ik fijn want dat betekent dat je van me houdt. En ik heb zijn telefoonnummer in Amerika niet.'

'Ik ben niet cynisch, ik ben realistisch. Wat neem je? Ik toost met een glas wijn. Jij je gebruikelijke biertje?'

'Een bier en een glas witte mousserende wijn voor mijn vriendin, dank u.'

Ze heeft gelijk. Een vrouw gaat niet met een man naar bed als ze niet ten minste een beetje verliefd is. Federico is ver weg, het probleem van de toekomst doet zich niet voor.

'Op jou, Emma.'

Daarna babbelden we wat. Ik heb drie biertjes gedronken. Ik heb een vriendin teruggevonden. Het nieuwe leven begint vanavond. Federico is het onderwerp van een intrige geworden. We zijn niet langer met z'n tweeën verborgen: we hebben nu een eerlijke getuige. Een hypocriete bovendien.

New York, 2 mei 2002
14 1st Avenue

Lieve Emma,

Ik ben in East Village, waar tussen verkopers van snoep per kilo en stoffenwinkeltjes, aftandse volkshuizen, bohemien kunstenaars en verloederde drugstores, boetieks opreizen met shirtjes en jurkjes die in mijn ogen vodden zijn maar honderden dollars kosten. Sarah is natuurlijk zeer op de hoogte van de duizelingwekkende veranderingen van de naamborden boven de etalages. Lucien Bahaj is een meneer met grijs haar dat hij draagt op de schouders als een nostalgische hippie. Hij is vanuit Frankrijk hierheen geëmigreerd, heeft vijfentwintig jaar als kok gewerkt en in 1998 dit stukje Parijs geopend waar ik nu zit, waar ik foie gras eet en verse oesters of frites maison (niet uit de diepvries) met heerlijke biefstukken en de wijnlijst op brasseriespiegels staat geschreven. Ik heb hallucinaties, of ik zal moeten gaan geloven in synchroniciteit: ik ben in New York en op de muur tegenover mij hangt een foto van jouw geliefde Simone de Beauvoir, en bovendien heeft de *New York Review of Books*, die hier aan een haak bungelt, besloten juist in dit nummer een artikel over Sarah Bernhardt te publiceren. Het lijkt wel of oude Lucien het expres heeft gedaan: alles hier praat over jou. Hij brengt me een glas witte wijn en vraagt hoe het met me is. Of de droefheid staat op mijn gezicht geschreven, of hij kan mijn gedachten lezen. Ik wacht op Anna en vrienden, terwijl Paolo Conte het mes in de wond zet en zingt '*J'ai besoin d'une p'tite tendresse, m'n intéresse*'. Het kost me moeite om met een objectieve blik te blijven kijken naar deze stad en naar mezelf, ook al begin ik de wijn te voelen. Het is de eerste keer in twintig jaar huwelijk dat ik een vrouw heb aangeraakt die niet Anna was. Het is de eerste keer dat ik verlang naar een andere vrouw. Ik denk aan je ogen die me verward aankijken terwijl je je tegen me aan drukt, ik denk aan jou zodra ik 's ochtends mijn ogen open, terwijl ik mijn tanden poets, terwijl ik op de Vespa stap om naar kantoor te gaan. Ik lijk wel dat lied van Lucio Battisti, '*E penso a te*' – En denk aan jou. Zonder de poëzie ervan te hebben.

Ik werk en denk aan jou. Ik ga naar huis en denk aan jou. Ik bel haar op en denk aan jouououou. Hoe is het met je? En denk aan jou. Waar zullen we heen gaan en ik denk aan jou...

Op straat, als in een eenkleurige caleidoscoop, zie ik je, voel ik je strelingen en doe ik niets om ze van me af te schudden. Ik ben geïrriteerd door mijn onvermogen om datgene wat ik zo sterk heb gewild, in bedwang te houden. En een wip is nooit 'alleen maar' een wip. Zelfs niet voor een man. Of in elk geval niet voor mij. Met jou was het een belofte. Ik ben niet nostalgisch van karakter en ik verafschuw doemdenken, maar ik heb het gevoel alsof ik op de rand van een Bretonse klif sta, en me vastklampen aan dit papier is als binnengaan in een sanatorium voor een tuberculosepatiënt. Ik mis de intimiteit. Die van drie weken geleden. Je bent bij me. Op elk moment.

Federico

P.S. Excuses voor de toon van deze brief. Hij drukt slechts een honderdste uit van de gedachten die in mijn hersenen rond gaan sinds ik je door het metaaldetectiepoortje zag weglopen en ik ben blijven staren in het niets.

Milaan, 2 mei 2002
Via Londonio 8

Lieve Federico,

De nacht is voorbij. Ik heb alle tijd genomen om weer wakker te worden, net als na een griep, wanneer je botten hun taak hervatten: jou rechtop te laten staan. Stevig. De afgelopen weken heeft jouw luie Emma afleiding gezocht, uitnodigingen aangenomen en zichzelf afgemat in de boekwinkel. Het enige wat ik geweigerd heb is mee gaan naar een film die ik volgens Gabriella moest zien. *Far from Heaven* is het verhaal over een perfecte echtgenote die altijd een appeltaart in de oven heeft klaarstaan, een man die het haar aan niets doet ontbreken en keurige kinderen. Al haar zekerheden storten in wanneer ze hem toevallig op een avond ziet flirten met een man. Te veel voor mijn ziel die vast van plan is zich niet te laten afleiden door onoplosbare liefdeskwesties. Ik ben onhandelbaar. Alice heeft me bestookt met vragen over boekwinkels in Parijs en is beledigd omdat ik geen enthousiasme toonde voor de omzet en ook niet heb gezien hoe keurig het in de winkel was noch de nieuwe kast 'Liefdes in het kort', gewijd aan korte verhalen. Ze heeft daar ook de korte verhalen *Je was geweldig* van Dorothy Parker bij gezet, je weet hoeveel ik van haar houd, maar deze dagen zou ik het onderwerp het liefst vermijden als ik kon. Ik probeer mijn geestelijke vermogens weer onder controle te krijgen. Ik heb haast opgelucht een tête-à-tête van twee uur verdragen met Alberto, die mij de boekhouding liet zien, ik ben de werkplaats van elektrische auto-onderdelen tegenover mijn huis opnieuw gaan waarderen, ik heb de babbeltjes met Emily hervat, ik heb vertalingen gemaakt met Mattia, ik heb het verplichte rondje langs zijn docenten gemaakt en me ingeschreven voor Pilates, een soort gymnastiek die je rug een beetje op orde zou kunnen brengen. In New York is het erg in trek, je kunt daar makkelijk sportscholen vinden waar ze het geven. Je krijgt de groeten van Gabriella. Sinds ik haar heb verteld over ons – ik MOEST haar over ons vertellen – lijkt ze minder star ten aanzien van jou. We hebben een bondgenoot. Ik wil je iets vragen. Ik schrijf je de vraag. Ik weet dat ik het niet zou moeten doen, dat het niets literairs heeft en dat het een vrouwenvraag is, maar ik doe het toch: wat zal er van ons worden?

Een kus vanaf jouw eiland van papier.

P.S. De eerste weken zijn de ergste, net als bij waterpokken, maar met het verstrijken van de dagen wordt de jeuk minder. Misschien gebeurt dat ook wel met ons.

New York, 15 mei 2002
Mid Central Park, The Running Path

Lieve Emma,

Ik ben omringd door puberstelletjes die elkaar liggen te zoenen op het gras in Central Park, vanwaar ik je schrijf onder een appelboom die doorbuigt van de bloesem. Een dog-sitter schiet voor me langs, voortgetrokken door een speurhond en een brak, jongens met knuppels, ballen en baseballhandschoenen bereiden zich voor op een wedstrijd. De werper is klein, heeft een sluwe, geconcentreerde blik. Een paar centimeter van mij vandaan zie ik aardbeien in mandjes, die zouden wij eten terwijl we schrijlings op het muurtje zitten. Was je maar hier. Ik probeer je de gemoedstoestand te schetsen waarin ik al dagen verdrink maar waarbij ik elke vorm van medelijden wil vermijden: dat heb je geëist en ik houd me aan de instructies. Sinds ik voet in NY heb gezet voel ik een soort kloof tussen mijn innerlijke energie en mijn lichaam: ik heb de 'fysieke' perceptie van een tijd die mij wacht. Ben jij, Emma, de oorsprong en de oorzaak van de onsamenhangende gedachten die mijn rationele wereld van meetkundige die zich leent voor de architectuur, verstoren? Ik zit op het gras en ik verlang naar nieuwe ervaringen. Ik kijk naar deze kinderen en voel me buiten de grenzen van de tijd. Denk jij dat als Marcus Tullius Cicero op eenenvijftigjarige leeftijd zijn jeugdliefde was tegengekomen, hij zijn *De senectute* op dezelfde manier had geschreven? Ik ben een egoïst geweest en nu voel ik mij niet staat een verstandig antwoord te geven op jouw vraag die geen 'vrouwenvraag' is, want ik hem mezelf ook gesteld maar hem meteen weer verjaagd, zoals je een insect met je hand wegslaat. Je vraagt me wat er van ons zal worden. Ik kan je geen antwoord geven, om de simpele reden dat ik, sinds ik weer thuis ben, niet meer weet waar ik ben. Het paradoxale is dat ik me geen bedrieger voel, ook al is dit voor het eerst dat ik haar ontwijk.

Geen sentimenteel gedoe, dat heb ik beloofd. Maar toch mis ik je.

Federico

P.S. Ik denk aan je. Bij elke regel.

Milaan, 27 mei 2002
Romans&Romances

Lieve Federico,

Nieuwe inkt met jasmijnolie, gevonden in de kantoorboekhandel op de Corso Garibaldi: ruik je het? Ik heb *De senectute* gekocht voor het kolossale bedrag van vijf euro bij de kiosk van tweedehands boeken op Piazza Missori, vlak bij de winkel. Telkens wanneer ik daar langskom, heb ik zin om aan de verkoper achter het kraampje te vragen of hij het redt, hoeveel boeken hij per dag verkoopt, wie zijn klanten zijn, of hij de boekwinkel kent, maar dan houd ik me in omdat ik me rijk voel en uit de hoogte omdat ik een echt dak boven mijn hoofd heb. Ik heb er een paar bladzijden in gelezen, hier en daar wat geknabbeld aan de tekst, en ik heb me verschrikkelijk verveeld: te plechtig proza en te veel vage, onverteerde schoolherinneringen. Ik vond hem geen pessimist, integendeel, zijn uitnodiging om de ouderdom te begieten alsof het een plant is vind ik grappig, ook al weet ik niet in welke plant ik zou willen incarneren. Jij zou een tulp zijn. Geel. Onze afstand tot hem is enorm en ik weet niet of en in hoeverre hij zou zijn veranderd als hij op vijftigjarige, of nee, eenenvijftigjarige leeftijd zijn jeugdliefde was tegengekomen. Zij waren op onze leeftijd al stokoud. Wij nog niet. En bovendien zijn grootmoeders tegenwoordig heel belangrijk, op voorwaarde dat ze glad gepolijst en geestig zijn, regelmatig een sportschool bezoeken en op de hoogte zijn van de wereldfeiten. Wij zijn een potentiële oma en opa, we moeten voorbereid zijn.

Ik mis jou ook. Maar ik negeer het.

Emma

P.S. Ik heb niets meer gehoord over meneer Morgan.

Michele is journalist, hij is een liefdevolle, aanwezige vader, hij heeft kilo's luiers verschoond, hij heeft Mattia kinderliedjes, spreekwoorden, kaartspellen en ingewikkelde luciferspelletjes en een paar gezonde gedragsregels geleerd. Hij is niet de slechtst denkbare echtgenoot geweest. Ik heb zielsveel en zonder enige hoop van hem gehouden. Zijn onoverkomelijke tekortkoming? Hij voelde zich onweerstaanbaar aangetrokken tot vrouwen. Niet tot alle vrouwen, maar wel tot veel vrouwen, en toen ik me realiseerde dat ik het vervelend vond om te worden buitengesloten van de groep, heb ik een ander slot op de voordeur laten zetten. Hij was bijna teleurgesteld. Zijn houdbaarheidsdatum was verstreken op de dag van Mattia's vierde verjaardag. Ik had Mattia's vriendjes en hun moeders thuis uitgenodigd voor taart met kaarsjes en de beslist al te veelzeggende blik tussen de geblondeerde moeder van Savannah (de naam van het kleine meisje alleen al had mijn argwaan moeten wekken) en mijn mooie echtgenoot deed me in een flits van vooruitziende blik inzien waarom hij Mattia steeds zo ijverig naar de kleuterschool bracht. Ons enige en onherhaalbare huwelijk heeft nog net lang genoeg geduurd om aan onze zoon te kunnen uitleggen dat zijn ouders dikke vrienden waren, net als hij en Patrizia, het blonde meisje uit de parallelklas, en dat ze altijd van hem zouden blijven houden. Ik weet niet of we erin geslaagd zijn hem uit te leggen wat het verschil is tussen liefde en vriendschap, maar we hebben ons gehouden aan de belofte 'voor jou zal er niets veranderen'. Michele en ik zijn niet zo goed in staat om vertrouwelijk te zijn over intieme zaken, maar sinds ons onoplosbare onvermogen tot echtelijke samenleving geformaliseerd is voor de rechter, delen wij elke beslissing die onze zoon betreft. Het doorgronden van zijn liefdesproblemen is mijn taak en vereist langdurige gesprekken van moeder tot zoon. Dat onderwerp verveelt mij nooit, in tegenstelling tot gesprekken over sport, het merk scooter dat hij moet kopen, zijn vakantiebestemmingen, geld, politiek. Over belangrijke keuzes wordt overlegd alvorens te beslissen, de bedoeling is het ventje te pantseren. Unaniem.

Mattia noemt het ultimatums.

Het ritueel is al jaren hetzelfde: broodjes met kip en tonijn, bier en Coca-Cola, de ouders op de witte bank, hij onderuitgezakt op de eigele bank daar tegenover. Het onderwerp dat vandaag op de agenda staat is even vaag als belangrijk: zijn toekomst. Over een paar weken beginnen de eindexamens en Mattia staat onvoldoende voor drie vakken, die hij denkt te kunnen ophalen door een paar nachten te besteden aan het overschrijven van wiskundeformules op microscopische briefjes die hij oprolt in de manchetten van zijn overhemd. Biologie, scheikunde en wiskunde. Eitje, volgens hem. Mijlpalen, denk ik bij mezelf. Hij maakt zenuwslopende debet- en creditberekeningen waarbij het aantal punten dat hij tekort komt op wonderbaarlijke wijze gelijk is aan wat hij claimt als credit. In onze tijd was het eindexamen een nachtmerrie, ze konden je aan de tand voelen over allerlei onderwerpen, maar de supermarktdecimalen bleven ons bespaard en het oordeel of je al dan niet geslaagd was, was een adjectief en niet een cijfertje: voldoende, goed, zeer goed, uitmuntend. We praten in een a-capellakoor, ook al is Michele minder lichtgeraakt, wordt hij niet ongeduldig en volhardt hij in hardnekkige kalmte. Mattia hapt in zijn derde broodje en staart ons aan. Hij heeft de klassieke berouwvolle uitdrukking van iemand die boter op zijn hoofd heeft, hij voelt zich schuldig over die vakken waar zelfs zijn vader gek genoeg overheen stapt.

'Dat jij slaagt voor je eindexamen staat buiten kijf, geen herexamens, jij gaat nu aan het werk en haalt als eindgemiddelde ten minste een 7. We willen je een voorstel doen voor de eindsprint.'

'Wat voor voorstel?' vraagt hij, terwijl hij zijn ogen uitwrijft en een sigaret opsteekt onder de afkeurende blik van Michele, die in zijn hele leven nog nooit rook heeft ingeademd, zelfs niet toen iedereen de gekste dingen rookte.

'Aangezien je nog niet hebt besloten of je naar de universiteit wilt of gaat werken, en wij geen zoon willen die op zijn dertigste nog steeds als een dweil op de bank ligt, bieden wij je een jaar studeren in het buitenland aan. Dan kun je in elk geval je ideeën in het Engels op een rijtje zetten.'

'Studeren in welke zin?' stamelt hij argwanend.

Mattia, die goed onderbouwde preken had verwacht over hoe belangrijk het was dat hij naar de universiteit zou gaan, blijft ons aanstaren, onzeker of hij ons moet beschouwen als beulen die hem het huis uit jagen of als democratische weldoeners. Wij bieden hem een ticket aan voor de heenreis naar een internationale opleiding. Het is voor ons een zeer kostbare levenservaring.

'Als je ons voorstel aanneemt, stel ik één enkele voorwaarde: niet Londen of New York waar wij te veel vrienden hebben en je de hele dag Italiaans zou praten. Ik dacht aan Sydney. Die stad heeft zee en wolkenkrabbers, natuur en beschaving. Het zou een unieke ervaring voor je zijn. En bovendien schijnt de zon daar altijd.'

Ik heb ze er allebei mee verrast, maar ik heb er weken over nagedacht.

'Tering, lieve paps en mams, dat is een fantastisch voorstel. Geef me tenminste twee dagen om erover na te denken.'

Twee dagen. Hadden ze mij dertig jaar geleden hetzelfde voorstel gedaan, dan zou ik van pure vreugde een gat in de lucht hebben gesprongen, alleen al bij de gedachte dat ik vrij en heel ver weg zou zijn en geld zou hebben om te eten. Hij moet erover nadenken. Wat betekent: erover praten met Emanuela, zijn 'vaste' vriendin sinds een paar maanden, die al heeft besloten dat ze rechten gaat studeren en een geëffend pad tussen thuis en de universiteit zal bewandelen. Een jaar lang zonder haar betekent risico en op liefdesgebied lijkt Mattia op mij. Hij is doodsbang om niet bemind te worden. Te worden vergeten, zegt hij. Alsof het mogelijk is om zo'n knappe, sympathieke jongen te vergeten. Maar ik redeneer als moeder en dat telt niet. Als ook de tonijnsandwiches naar binnen zijn gewerkt gaan de mannen van mijn leven weer weg. Ik trek me terug met Federico. Wat zou ik zonder zijn handschrift moeten?

New York, 30 mei 2002
42 W 10th St

Lieve Emma,

Doe je ogen dicht.

Stel je voor dat je mijn stem hoort en mijn emoties voelt. Stel je voor dat je samen met mij bent opgesloten in het marmer van Charles Follen McKim, dat je gevangene bent van zijn eerbetuiging aan de architectuur van de Renaissance, dat je verstomd bent door de stijl van een man in wie discipline en weelderigheid zich verenigen in een sensuele omhelzing. Daal met me de trap af tot aan de bronzen deur van deze bibliotheek, onder de goedkeurende blikken van de twee leeuwinnen van beeldhouwer Edward Clark, die als zwijgende tamme sfinxen aan weerzijden van de trap zitten. Blijf met me in de werkkamer van Morgan, deze paradijselijke plek, intiem en toch overvol, en houd mijn hand vast. We zijn alleen, zoals hij ook zou zijn geweest, patience spelend om de depressie te overleven die hem nu en dan bekroop. Laten we de ruimte ontheiligen waar op 24 oktober 1907 een man de Verenigde Staten van Amerika redde van het bankroet. De Beurs was ingestort, de spaarders bestormden de banken om hun geld terug te krijgen. In een land dat ziek was van 'kredietanorexia' hield één man het hoofd koel: John Pierpont Morgan. Tientallen pelgrims klopten bij dit gebouw aan voor een lening. JPM vroeg ze binnen te komen, luisterde naar ze, begon cheques te ondertekenen voor de brokers van de Beurs, telegrafeerde naar zijn partners in de City of Londen en vanuit Engeland vertrok de Lusitania met een kostbare vracht: goudstaven. Amerika was gered. Bijna negentig jaar later ruiken jij en ik in deze kamer alleen de geur van hout en papier, de geur van oude boeken en het stof dat ze doet uitdrogen. De met fresco's beschilderde koepels van het plafond doen denken aan een privékapel van een rijkaard; op het behang van rood damast het olieverfportret van JPM, stevig en groot, ingepakt in rokkostuum, borstelige wenkbrauwen, ogen als houtskooltjes en de neus een bultige aardappel, geschilderd in een delicaat vleesroze door het mededogen van een omkoopbare en milde kunstenaar. We zijn in de East Room, een van de drie kamers die tijdens de werkzaamheden gesloten blijven. Honderden boeken staan hier opgesloten als slotzusters achter dunne traliewerken van metaal. Laten we het houten trappetje oplopen naar de derde galerij: het is alsof je op de reling van een oceaanstomer staat en wij hebben alleen maar de taak om aan de bezoekers van de nieuwe eeuw datgene aan te bieden wat die man zag met de ogen van een cynisch kind. Een schip of een achttiende-eeuws Italiaans theater, met loges die verlicht worden door de druppels van de grandioze kroonluchter. Ik denk aan de Scala en Piermarini, aan de passie die tot dit alles heeft geleid en aan de duurzaamheid van de materialen die vorm hebben gegeven aan de droom. Marmer, hout, metaal, gips. En daar is ze. Voor onze ogen, midden in de kamer, omhult een zwaarlijvige nimf van wit doek als verband om een wond duizenden boeken die op de plankieren staan opgestapeld. Tientallen dozen van donkerblauwe stof, gecatalogiseerd door de curatoren van de Morgan Library. Mummies. Mummies van manuscripten, omwikkeld door de cocon van een vlinder, die spookbeelden beschermt als een door Christo ingepakte ruimte. De houten mozaïekvloer moet het gewicht dragen van al deze kennis, de collecties mogen niet uiteenvallen door toedoen van ons, architecten; ze hebben ze hier opgestapeld, voor de marmeren haard van JPM, de machtige, melancholieke man met een veel te grote neus. Laten we de wenteltrap aflopen die Morgan wanneer hij behoefte had, niet om te lezen (het schijnt dat hij zich alleen interesseerde voor financiële dagbladen die zijn ondernemingen bejubelden), maar om deze schat aan te raken of er alleen maar naar te kijken. We zijn in een kluis van leer en perkament, papier en inkt. De cocon die nooit is opgehouden te groeien, is hier om zich te laten omarmen door een architect die nooit de ware aantrekkingskracht van boeken heeft gekend, totdat hij een boekhandelaarster ontmoette.

Voel je mijn kus op je rechterschouder?

Federico

P.S. Achter het hekwerk, rechts van het bureau, heb ik gesnuffeld tussen andere boeken die zullen worden ingepakt: de eerste naam die ik tegenkwam op de rug van een boek met leren kaft, was *Emma* van een zekere Jane Austen.

Een gulzige ochtend, vandaag. Ik ben rechtstreeks vanuit het postkantoor naar de winkel gegaan, de papieren buit veilig in mijn tas, en de brief haastig gelezen terwijl ik een brioche naar binnen werkte, in afwachting van een rustiger moment later. Ik ben met hem in de Morgan Library geweest, ik heb de gigantische nimf bewonderd die codices en kostbare boeken beschermt als schatten (ach, wat begrijp ik die oude JPM toch goed), zonder zelfs aanstoot te nemen aan dat 'een zekere' Jane Austen: de macht van het geschreven woord, wat maar weer aantoont hoe onbelangrijk de virtualiteit is waartoe Alice mij wil bekeren. Ik nestel mij in de Engelse bergère, leg mijn voeten op de poef en ga de spitse bergtoppen tegemoet van mijn naam die met nauwkeurig handschrift gekrast is op de saffraankleurige envelop die onmiddellijk opvalt tussen de rekeningen.

Geachte mevrouw Emma,

Inmiddels ben ik te oud om te kunnen zorgen voor mijn bibliotheek thuis. Een paar dagen geleden las ik een artikel over uw boekwinkel en toen ik de foto's zag, werd ik getroffen door de elegantie waarmee uw ruimte is ingericht. Toen dacht ik aan u. De schrijfster Liala heeft mij tientallen jaren doen dromen, ik weet dat velen haar boeken flutromannetjes vinden, maar zelfs nu er zoveel jaren verstreken zijn sinds ik voor het laatst middagen lang droomde tussen de bladzijden van haar boeken, ben ik haar dankbaar. Het stemt me bedroefd als ik me voorstel dat haar romans ergens op een rommelmarkt op de grond liggen, en daarom dacht ik dat Romans&Romances er misschien de juiste opvang voor was. Vanzelfsprekend schenk ik ze u, waarbij ik u alleen vraag of u zo vriendelijk zou willen zijn iemand te sturen om ze op te halen. Ik ga zelden de deur uit en zie geen kans ze u persoonlijk te komen bezorgen, zodat ik tot mijn spijt een bezoek aan uw boekwinkel zal moeten ontberen.

Bij voorbaat dank voor uw reactie,

Angela Donati

'Niemand koopt ze tegenwoordig nog, die boeken van Liala. En waar moeten we ze neerzetten? De winkel barst uit zijn voegen.'

'We zouden een "vintage"-ruimte kunnen inrichten, waar de collectie van mevrouw Donati een hoofdrol zou spelen. Een boek dat tweemaal gekozen is, is tweemaal geliefd, hoe kunnen we nee zegen tegen zo'n beleefd en vriendelijk voorstel?'

'En dan zetten we zeker in het hoekje "Oude Vrouwtjes" ook Carolina Invernizio: twee vriendelijke oudjes die geloofden in eeuwige liefde.'

Vriendelijk oudje? *De kus van een dode vrouw* is een bloemlezing van menselijke hartstochten, necrofilie en roomsoesjestederheden, een kluwen van 'zinderende' ontmoetingen en intriges waar je hoofdpijn van krijgt. Ze praten omdat ze een mond hebben, die meisjes, maar ze weten niet wat ze zeggen.

'Laten we mevrouw Donati opbellen en haar zeggen dat haar Liala onderdak heeft gevonden.'

'Laten we liever aan seks denken.'

'Hoe bedoel je?'

Alice trekt haar kruk naar zich toe en gaat tegenover me zitten terwijl ze haar wimpers met donkerblauwe mascara neerslaat als dreigende waaiers. Waarschijnlijk zit het onderwerp haar al lang dwars. Nu het onweerstaanbaar rustig is in de winkel grijpt ze haar kans. Ik heb niet veel zin om te praten, ik probeer al twee dagen *La lettre dans un taxi* van Louise de Vilmorin te lezen, dat een fijngevoelige uitgever in het Italiaans heeft laten vertalen. Mijn klanten kenden haar niet en de twintig exemplaren die ik verkocht heb van haar *Madame de...* zijn voor mij een bron van trots.

'Ze zeggen dat de boekwinkel te vrouwelijk is. Te seksistisch.'

'Ach, het is toch geen schande om vrouwelijk te zijn, het is nu eenmaal zo dat vrouwen meer lezen dan mannen, we volgen de markt consequent. Wat is het probleem?'

'We zouden ruimte moeten maken voor erotische literatuur.'

'Juist.'

'Juist en meer niet?'

Ze had zich voorbereid op verzet. Misschien was ze bang om in mij verdrongen herinneringen op te rakelen of dat het onderwerp mij op een of andere manier in verwarring zou brengen. Nu aarzelt ze. Ik heb haar op het verkeerde been gezet.

'De moderne erotische literatuur is dodelijk saai en heeft nauwelijks enige literaire waarde, Alice. Je hebt obsceen en obsceen; praten, laat staan schrijven over seks is een ingewikkelde kwestie, zelfs voor verfijnde pennen. Laten we de taken verdelen: ik houd me bezig met de klassiekers, jij met de bijslapen van Almudena Grandes en soortgenoten. Dunne verhaaltjes en een pornografisch jargon dat ik heel graag aan jou overlaat. Mannen zijn veel beter in het beschrijven van handelingen die, hoe je het ook bekijkt, repetitief zijn. Ze hebben de eenvoud van de fallische arrogantie. Wij zijn veel complexer.'

Verbijsterd over mijn toegeeflijkheid begint Alice op internet te zoeken naar platvloerse verwijzingen. Ze heeft met me te doen wanneer ik voor haar de intrige probeer samen te vatten van *Gevaarlijke liefdes* van Choderlos de Laclos. In werkelijkheid heb ik het niet meer gelezen sinds het lyceum, toen ik er uit pure provocatie van de lerares Frans, een dikke, gefrustreerde oude vrijster die ons zelfs verbood *La princesse de Clèves* te lezen, een scriptie over geschreven heb waarin ik aantoonde dat zelfs de meest cynische mensen besmet kunnen worden met liefde.

En dat liefde rampzalige gevolgen kan hebben.

'Goed, laten we beginnen bij de etalage.'

Ik zet een exemplaar van *Les liaisons dangereuses* in het Frans en een nieuwe vertaling die net in pocket is verschenen midden in de etalage, terwijl het gebruikelijke brutale innerlijke stemmetje mij eraan herinnert hoe onverstandig het kan zijn om brieven in huis te laten slingeren. De gedachte aan mijn kostbare kluis van aluminium kan ik uit mijn hoofd zetten doordat Gabriella de winkel binnenkomt, voortgesleept door een nerveuze, druk trippelende Mondo. De grote pup kronkelt als een reuzenhaas naar me toe en zet zijn tanden in het karmozijnrode kaft van Schnitzlers *Casanova's thuisreis*.

'Wat is er met hem aan de hand? Hij doet zo gek.'

'Niet op letten, hij is heel opgewonden, hij springt tegen me op, gromt en wil bovendien niet eten, hij loopt naar zijn bak, kijkt ernaar en loopt weer weg. Hij eet al niet meer sinds hij verliefd is op Smirne, de teckel van de buurvrouw, hij snuffelt aan haar zonder zich te realiseren dat hij haar in een hap zou kunnen opeten. Hij heeft geen gevoel voor verhoudingen, deze hond. Ik zou hem graag een paar uurtjes hier willen laten, als je het niet erg vindt.'

'Kom maar bij tante Emma, Mondo. Als dat hondje binnenkomt zal ik je niet tegenhouden.' Het is ons noodlot. Gabriella begrijpt niet dat de pijl, wanneer die wordt afgeschoten, geen onderscheid maakt in ras. Noch in formaat.

'Ik heb de nieuwe McEwan voor je apart gehouden, die je een paar maanden geleden in de trein had laten liggen. Je verwaarloost je auteur. *Boetekleed* is een perfecte titel voor een vrouw zoals jij, die altijd iets heeft om voor te boeten. Ik zorg wel voor dit arme dier.'

'Je hebt gelijk. Ik ben hem aan het bedriegen met artikelen over kunstgeschiedenis, ik heb geen tijd voor literatuur. Maar sinds wanneer heeft McEwan zich bekeerd? Meestal schrijft hij over kinderen die verdwijnen, huwelijken die verrotten, onbelangrijke gebeurtenissen die rustige levens overhoopgooien. Eigenlijk is *Ziek van liefde* een liefdesverhaal.'

'*Boetekleed* is een historische roman, maar ook een tragisch verhaal over gevoelens. Vertrouw me, lieverd, er komt een seksscène in een bibliotheek in voor die de aanschaf waard is. Ach, ik zou er goud voor over hebben om zo'n scène te beleven hier tussen de boekenplanken. Geintje! Ik heb een interview voor je apart gehouden dat vandaag is uitgekomen: "De extreme wreedheid," zo verklaart jouw cultschrijver, "is het falen van de verbeelding", dus daarom ga jij nu lekker winkelen en kom je om zeven uur terug. Dan nodig ik je uit voor een drankje bij Zucca.'

'Hebben we iets te vieren of heb je je overgegeven aan de alcohol?'

'Ik heb zin om even samen met je te zijn, bij Zucca is de tomatensap subliem en zijn de chips krokant. En nu wegwezen, laat ons met rust.'

We hebben het al te veel weken niet over Federico. Ze gebruikt bitse stembuigingen om mij te beschuldigen van het achterhouden van informatie. Ik moet het goedmaken met een samenvatting, maar ik heb niet veel nieuws te vertellen. En zij laat zich zeker niet beïnvloeden door meneer Morgan.

'Kom, Mondo, zeg maar dag tegen je mopperige vrouwtje.'

Milaan, 12 juni 2002
Romans&Romances

Lieve Federico,

Alice is er waarschijnlijk van overtuigd dat seks en ik lichtjaren van elkaar verwijderd zijn. Terwijl zij mij probeerde uit te leggen wat de romans zijn met een seksuele ondergrond of de interessante pagina's die haar leeftijdgenoten opzuigen, had ik het beeld van jou voor me, naakt, naast me in het grote bed van hotel La Touline. We zouden iedereen verbazen, als ze het wisten. Ik hoop dat het onderwerp haar wat afleidt, ik vind haar de laatste tijd wat terneergeslagen, ze trekt zich met vochtige ogen terug in het magazijn en ik weet niet hoe ik haar kan troosten. Haar affaire met een zekere Maurizio, beurshandelaar (vertel me: wat hebben een mooi, ontwikkeld meisje en een man die de hele dag in hemdsmouwen aan de telefoon en voor lichtgevende grafieken op een scherm in de weer is, elkaar te melden?) is waarschijnlijk voorij nog voordat het ook maar zweemde naar een serieuze relatie. Die dertigers lijken wel zo geëmancipeerd, maar diep in hun hart dromen ze van een witte jurk met stroken en strikken, bruidsmeisjes, ontroerde moeders en jaloerse vaders, breed gerande hoeden en geglaceerde taarten met een plastic bruid en bruidegom erbovenop. 'De verbeeldingskracht van vrouwen is heel snel: hij springt in een oogwenk van bewondering naar liefde, van liefde naar huwelijk,' schreef een zekere Jane Austen (ik heb je vergeven, het is niets voor jou). Alice zou het citaat niet leuk vinden omdat het een gevoelig punt van haar zou raken; we praten veel, zij en ik, maar over de 'core business' van de boekwinkel (zoals Alberto de hartszaken noemt) accepteert ze geen inmenging. Dat zij in de war is vanwege een of andere sufferd die alleen aan de cijfertjes van Nasdaq denkt, heeft op zich iets immoreels. Maar een vrouw, elke vrouw, overtuigen van de inconsistentie van het object van haar liefde, is een wezenlijk onmogelijke onderneming. Zelfs de verschrikkelijkste pummel ziet eruit als een prins, als wij op hem verliefd zijn. Ondanks haar liefdesverdriet heeft Alice haar creativiteit niet verloren: ze heeft de boekenkast voor erotica 'Così van tutti' genoemd – zo doen alle mannen, met een verfijnde verwijzing naar Mozarts opera *Così fan tutte* – zo doen alle vrouwen.

Ik denk aan je. En je kunt je wel voorstellen hoe...

Emma

P.S. Ik heb gemerkt dat romans overlopen van seks. Verhuld, allusief, expliciet, imaginair, solitair: ik geloof dat deze herontdekking met mijzelf te maken heeft. Maar word daar vooral niet te trots van.

New York, 27 juni 2002
42 W 10th St

Lieve Emma,

Vanochtend is de laatste balk van een hoek van de zuidelijke toren van het World Trade Center die nog was blijven staan tussen het puin, met een plechtige ceremonie verwijderd. De taak om het profiel van Lower Manhattan en de ondergrondse transporten daarvan opnieuw te ontwerpen, is toegewezen aan de architecten van BBB, en dus ben ik er met de jongens van het bureau heen gegaan. Vanmiddag had ik een afspraak in de Morgan en ik heb van de gelegenheid gebruikgemaakt om nog een keer door de kamers van

JPM te lopen. Ik had er een overgeslagen, de middelste, ongeveer twintig vierkante meter, donker en streng, luguber en een beetje poenig, vol voorwerpen, kandelabers, bronzen beelden en een foto uit 1914 van baron Adolf de Meijer, een van de beroemdste modefotografen van de twintigste eeuw. Dit ontwikkelde detail komt niet uit mijn eigen koker, maar is mij verteld door Frank, die, gehypnotiseerd als een jongetje in een speelgoedwinkel, van de gelegenheid gebruikmaakte om mij te vertellen over de eigenaar van dat kantoor en zijn (zeker voor die tijd) ongelooflijke geschiedenis. Ik begin bij het begin en probeer het samen te vatten omdat ik weet dat jouw symbolische voorouder, Belle uit Costa Greene, je zal bevallen: klein en smal, donker haar en olijfkleurige huid, verlicht door prachtige ogen, was net als jij verliefd op boeken. Maar laat ik het in de juiste volgorde vertellen. Het verzamelen en opslaan van kunstwerken zonder aan dat vermogen een logische samenhang te geven dreigde een probleem te worden voor de oude man, en Junius, de twintigjarige kleinzoon van JPM, herinnerde zich een medewerkster van de bibliotheek van Princeton University en sprak er met Morgan over. Morgan nodigde haar uit op zijn kantoor voor een sollicitatiegesprek. De details van het gesprek zullen we nooit weten, maar de mysterieuze juffrouw werd aangenomen en in januari 1906 kreeg ze de baan van bibliothecaresse van de Morgan Library voor een maandsalaris van 75 dollar. Morgan vroeg niet om referenties en zo ontstond het meritocratische beeld waarover fabeltjes de ronde deden. Natuurlijk vermoedden de roddelaars dat zij zijn minnares was, maar toen haar daar na jaren naar gevraagd werd, antwoordde zij dat het 'zinloos was om te proberen'. In een van de zeldzame interviews waarvan ik in zijn biografie sporen van heb gevonden, zegt JPM dat 'zij al op vijftienjarige leeftijd wist dat zij met zeldzame boeken wilde werken. Toen al voelde zij het verbluffende genot ze aan te raken en de opwinding dat ze zo speciaal waren.' (Teken van de tijd: Sarah, gister vijftien geworden, stelt zich op maandag voor als architect en heeft vervolgens op vrijdag al besloten dat haar toekomst op de podia van Broadway ligt.) De juffrouw met de vooruitziende blik was echter een leugenares en alle informatie die zij over haar leven openbaar heeft gemaakt, bleek vals te zijn. Er werd gezegd dat ze haar geboortedatum net zo makkelijk verplaatste als een plant in haar appartement, maar ik geloof dat ze, een paar jaar na het einde van de Civil War, goede redenen had om een aantal feiten die haar betroffen te verhullen. Haar echte naam was Belle Marion Greener, dochter van Richard Theodore Greener, advocaat, academicus en republikeins activist, de eerste zwarte die afstudeerde aan Harvard. Toen aan het eind van de eeuw de Greeners gingen scheiden, verloren mevrouw Greener en de kinderen de r in hun achternaam en verzonnen de herkomst 'da Costa' om hun donkere lichaamskenmerken te rechtvaardigen. Bij het sollicitatiegesprek met Morgan verklaarde Belle dat haar eerste achternaam en haar exotische uiterlijk afkomstig waren van grootmoeder van moeders zijde en verzon ze ter plekke dat haar ouders 'gescheiden waren toen ze nog heel klein was' en dat haar moeder, 'geboren te Richmond, Virginia, met de kinderen verhuisd was naar Princeton, New Jersey, waar ze muzieklessen gaf'. Geniaal. En onwaar. Op de geboorteakte van Belle staat dat zij dochter is van Genevieve en Richard Theodore; geboorteplaats Washington D.C., geboortedatum 26 november 1879. Kanttekening: gekleurd. Onmogelijk om niet aan jou te denken, kleine Emma, toen ik met Frank door het kantoor van die vrouw liep die uiteindelijk directrice van de Morgan Library werd en die functie drieënveertig jaar bekleedde, waarin ze het zich werkelijk aan niets liet ontbreken. Toen de baas haar naar Europa stuurde op jacht naar meesterwerken, logeerde ze in het Ritz in Parijs en het Claridge's in Londen en had ze haar eigen paard meegenomen om te kunnen rijden in Hyde Park, terwijl ze bovendien miljoenen dollars uitgaf om als een hofbibliothecaris zeldzame manuscripten, boeken en kunst te kopen. Met de jaren maakte ze zich steeds onmisbaarder. Het was alsof ze deel uitmaakte van de familie, Morgan vertrouwde blindelings op haar die, sensueel en intelligent als ze was, mannen en vrouwen betoverde, dol was op parels, rondliep met als een tulband opgerolde doeken op haar hoofd, haar haar tooide met veren of voor de afwisseling gekleed ging als man. Toen een journalist haar vroeg waarom ze zo elegant gekleed was, antwoordde ze: 'Dat ik in boeken handel wil nog niet zeggen dat ik mij moet kleden als iemand die in boeken handelt'. Ik schenk je dit briljante antwoord.

Ach, kon ik maar aan jouw Alice vertellen hoe fantastisch je bent in bed.

Kus,

Je trotse Federico

P.S. Hierbij alvast het antwoord op jouw vragen: Belle trouwde niet, had talloze vriendjes en één speciale geliefde, een ontwikkeld en ook voor ons Italianen beroemd persoon. Hij was getrouwd. Het was geen avontuurtje. En het duurde tientallen jaren lang.

Alice zet op de traprede een terracotta dwerg van twijfelachtige herkomst, met een stukje uit zijn muts, een kruising tussen Grumpie en Dommel. Ik begrijp niet wat dat prul te maken heeft met de stijl van de boekwinkel, maar dit is niet het geschikte moment om er iets over te zeggen. Mijn assistente is prikkelbaar, dat merk ik aan hoe ze loopt. Borst vooruit en kin omhoog, als om de wereld te vertellen 'ik kan het heus wel alleen af'. Ik heb haar opslag gegeven, maar het geld vult niet de leegte die wordt achtergelaten door de intellectuele armoede van een vriendje. Soms gedraag ik me als een moeder, ik ben zorgzaam, maar ik kan haar geen verstandige en eerlijke adviezen geven. Op haar leeftijd had ik al een kind en heel wat ellende, maar in mijn tijd was een vaste vriend niet zo'n zeldzaam goed: je vond ze op feestjes, op de universiteit, een keer klampte een jongen me aan in de tram omdat hij, zo zei hij, 'op slag verliefd was op mijn ogen als stralende sterren'. Na een korte flirt die geconsumeerd werd tussen de halte van lijn 12 tot aan zijn huis, zijn we nu nog steeds bevriend. Waarom worden deze afgestudeerde vrouwelijke dertigers die zo geëmancipeerd en economisch onafhankelijk zijn, gedwongen tot de situatie van oude vrijster, 'single' zeggen zij, wat minder kwetsend lijkt maar in feite hetzelfde is? Ik zou er graag dieper op ingaan, maar Alice zou zich gekwetst voelen en daarom laat ik het voor wat het is en vertrouw ik op het lot. Het gunstige lot.

Voor de winkel staat een kerel met een naargeestig gezicht dat uitsteekt uit een massa donkere krullen, in lichtblauw overhemd met een stropdas met beige en bordeauxrode strepen. Hij kijkt naar de boeken en beweegt met zijn lippen, deinst terug, zwijgt terwijl hij lijkt te luisteren naar een geheimzinnige stem, om vervolgens met lipbewegingen als van een dovenacteur weer te praten. Nu staat hij gebaren te maken, hij lijkt zenuwachtig te worden, trekt grimassen als van een makaak in een kooi, wappert met een papiertje, leest het. Misschien zoekt hij een boektitel of misschien is hij alleen maar onzeker, moet hij een cadeau kopen en overlegt hij met zichzelf.

'Lieverd, kijk die man eens: die praat in zichzelf.'

'Nee, Emma, die praat met iemand. Op zijn mobiel.'

'Hij heeft helemaal geen mobiel, Alice. Hij zal wel een gek zijn. Gekken praten in hun eentje, die hebben niemand nodig die naar ze luistert.'

'Hij praat in een microfoontje en krijgt antwoord in zijn oortje. Kijk maar goed, het zit in zijn oor. Dat is heel handig, ik gebruik het tijdens het autorijden.'

Het lijkt mij onzinnig om jezelf uit te putten met al die gezichtsenergie, maar voor Alice is dit soort conversatie een punt om toe te voegen aan haar telraam van excentrieke moderniteiten. Achter een geduldige stem veinst ze verdraagzaamheid ten aanzien van mij, maar in werkelijkheid vindt ze, net als Mattia, dat ik *out* ben. Letterlijk: uit. Ik ben buitengesloten en klamp mij vast aan de onvervangbare groene inkt van Federico. Ik mis zijn stem niet, ook al kom ik hem door een of andere vreemde tovenarij sinds een paar weken overal tegen. Alle romans gaan over ons: ik hoef er maar een te pakken, op een willekeurige bladzijde open te slaan, en Federico verschijnt in de trekken van de hoofdpersoon, van een huisgenoot, van een dokter, van een nonchalante passant aan wie de schrijver een paar regels wijdt. Hoeveel is er nodig om zijn lichaam, zijn stem, een pluk haar tussen mijn vingers op te roepen? Wat voor wereld zou de onze zijn zonder romans?

Om mezelf af te leiden van de tussen papier genestelde verlokkingen, harten en inktsporen, leef ik mijn frustratie uit met intensieve lichamelijke inspanning in de boekwinkel. Dat sust de weemoed beter dan Pilates. En bovendien heb ik vandaag nog een goede reden om al mijn energie in de inrichting van de etalage te steken: het weekblad *Panorama* wil een artikel plaatsen over Romans&Romances en vanmiddag komt de fotograaf langs om wat plaatjes te schieten. Thema van het artikel: het verdwijnen van de kleine winkels. Voor de journalist die mij uit mijn schuilplaats wil jagen moet ik het prototype van een overlevende zijn: grijs kasjmier truitje, rode rok met een op popart geïnspireerde applicatie en zwarte lakpumps.

Dat ik in boeken handel wil nog niet zeggen dat ik me moet kleden als iemand die in boeken handelt.

Ik heb van huis twee versleten koffers meegenomen die geloof ik nog van mijn oma zijn geweest. Ik open ze en op de versleten voering van saliegroen katoen leg ik de boeken in de vorm van een bloemkroon neer, elk boek is een bloemblaadje en steekt uit tussen de witdooraderde grijze kiezelsteentjes die ik gevonden heb op Mattia's kamer, souvenir van ik weet niet welk uitstapje naar het strand. Als kaartspelen strooi ik op de vloer zwart-witfoto's die ik gekocht heb op de rommelmarkt van het antiquariaat: vakantiebestemmingen en door de tijd verbleekte reizen. In romans reizen stellen voortdurend, om te beginnen bij die onzinnige Aleramo Sibilla en haar *De reis die liefde heet* met die andere razende dwaas, Dino Campana: nooit zoveel overdrijving gezien. Gevonden bij een kraampje nog in het cellofaan verpakt: *Zelda en Francis Scott Fitzgerald* van Kyra Stromberg; *Friedrich Nietzsche en Cosima Wagner* van Joachim Köhler; *Marilyn Monroe en Arthur Miller* van Christa Maerker. Binnen een halfuur schittert de etalage van liefdesreizen.

Federico zou het begrijpen. De rest van de wereld niet.

Milaan, 5 juli 2002
Via Londonio 8

Lieve Federico,

Ik heb informatie verzameld. Het was warm, die dag in 1910, hoewel de zomer op de kalender doorgekruist was en de bladeren van de kastanjebomen van Villa Suardi al hadden toegegeven aan het oker dat de herfst aankondigde. De automobiel reed traag en moeizaam over de kiezels van de weg die van het nabije Bergamo voerde naar Valle Cavallina. Trescore Balneario was de laatste stopplaats tijdens hun reis door Italië, waar zij elkaar hadden bemind en op zoek waren geweest naar schatten en heimelijke afzondering, twee jaar na hun eerste ontmoeting. Hij is Bernhard Berenson, vijfenveertig jaar, excentrieke galante kunstcriticus, getrouwd met Mary. Zij is Belle da Costa Greene, de bibliothecaresse. Bernhard schreef over kunst, Belle kocht kunst, zocht het in de beelden, de boeken, de schilderijen voor rekening van haar Boss, zoals zij Morgan noemde. 'Je moet die fresco's beslist zien,' had Bernhard tegen haar gezegd met de luchtige drammerigheid van iemand die de schatten en de verrukkingen van de Italiaanse kunst kent. En zij, die minder door schilderkunst dan door een manuscript ontroerd raakte, was door de knieën gegaan voor de passie van haar geliefde voor Lorenzo en had zijn voorstel aanvaard. Hij sprak erover als over een vriend en noemde hem zelfs bij de voornaam. 'Een criticus begrijpt altijd die kunstenaar het best die wat temperament hemzelf het dichtst benadert, mijn lief,' zei hij. 'En als ik een kunstenaar was, zou ik op Lotto lijken.' Bij de houten voordeur werden zij opgewacht door graaf Gianforte Suardi, even streng en imposant als de cederboom die de weg versperde. De graaf was trots dat Berenson, ontdekker en kenner van Lorenzo Lotto, eer wilde bewijzen aan het oratorium, voorheen de privékapel van zijn familie. Een plaats van gebed met een dubbele rij banken waar al eeuwenlang missen, trouwerijen, dopen en diensten werden gehouden en die zich die dag opende voor de wereld van de 'vreemdelingen' die uit het Nieuwe Continent waren gekomen. De rozen, de cipressen en de kastanjebomen weken opzij om het paar binnen te laten. Een zwak licht sijpelde door de ramen de kapel binnen en verschafte het bezoek iets mysterieus. Belle maakte een grapje, lachte om de trots van Bernhard die haar bij de hand nam en haar binnenvoerde in de ziel van de schilder die hij het meest bewonderde. Maar zij straalde van verwondering bij de lieflijke kleuren en de moderniteit van die kleine figuurtjes, op de wand geschilderd in 1524, een herfst, een winter, een voorjaar en een zomer, door de kunstenaar die eindelijk bevrijd was van kerkelijke opdrachtgevers die de regels bepaalden. Het enige waarmee hij hier rekening moest houden was het oordeel van de neven Giovan Battista en Maffeo Suardi: er bestond een risico van besmetting door de protestantse hervorming, de kapel moest de overwinning roemen van Christus over het kwaad, aangekondigd door de profeten en de sibillen en gewaarborgd door het leven van de heiligen. De rest was vrijheid. Zo is de martelgang van Sint-Barbara, vervolgd en gedood door haar vader, beslist verschrikkelijk en wreed, de afgeranselde naaktheid van de heilige, die het linkerdeel beslaat, doet het hart bevriezen, maar een wit konijntje naast haar vrolijkt alles heel even op; en aan de rechterkant de mirakels van Sint-Brigida van Ierland, Sint-Caterina en de heilige Maria Magdalena, en de echo van sibillen en profeten die de komst van Maria aankondigen, ademen licht uit, terwijl op het schuine plafond geen engelen vliegen maar ondeugende ronde putti. Naakt en stralend. Zo wilde de kunstenaar ze. Zo legde Bernhard ze uit aan Belle, in Trescore Balneario, provincie Bergamo, op een dag aan het eind van de zomer, de laatste rustplaats van de liefdesreis van een heimelijk paar aan het begin van de twintigste eeuw, gezegend door de blik van graaf Gianforte en het onsterfelijke talent van de *pictor celeberrimus*.

Waren ze niet allerliefst?

Emma

P.S. Berenson had buiten zijn tolerante huwelijk veel ontmoetingen, maar volgens zijn biograaf Ernest Samuels was de affaire met Belle 'een unieke relatie vergeleken bij alle overige, qua diepgang en intensiteit'. Zijn trans-Atlantische vuur duurde jaren. Berenson heeft de brieven die Belle hem had gestuurd, bewaard; zij heeft de honderden brieven van hem vernietigd. Ik zou jouw brieven nooit kunnen verbranden, wees gerust.

Boeken verplaatsen van de ene liefde naar de andere is toegestaan en kan een louterende werking hebben. Net als het verplaatsen van meubels in een kamer leidt het ertoe dat voorwerpen in een vergeten la worden opgeruimd: sleutels geordend op grootte, paperclips op kleur, vlakgummetjes op mate van slijtage, ballpoints en vulpennen, huidverzorgingscrèmes en agenda's. Ook Alice verplaatst boeken van de ene kast naar de andere, de oorzaak van haar dorst naar vernieuwing is nog steeds de beursbemiddelaar, daar ben ik – bijna – zeker van. Ze heeft in haar hoofd gezet dat de romans geen vaste verblijfplaats mogen hebben en dat blijkt uit de nieuwe geheimzinnige plank 'Staande oefeningen'. Ik vraag niet wat dat betekent en welke romans er in die kast komen te staan.

'O, Emma, sorry, ik ben de laatste dagen zo chaotisch. Ik ben het pakje helemaal vergeten. Emily bracht het vanochtend, ik wist niet dat je boeken in Amerika had besteld.'

'Ik heb helemaal geen boeken in Amerika besteld. Waar is het?'

'Ik heb het in het magazijn laten leggen.'

Ik heb een nieuwe brief van Federico uit mijn postbus gehaald én er komt een pakketje uit de Verenigde Staten: deze dag kan niet meer stuk. Het handschrift op het etiket van het anonieme pakket is onmiskenbaar: ik ken maar één persoon op de hele wereld die groene inkt gebruikt. Alice komt snuffelend als een hondje achter me staan. Ik veins kalmte, onverschilligheid bijna, alsof het heel normaal is om volumineuze pakketten uit Amerika te ontvangen.

'Leuke jurk, Emma. Heb je de kast van je moeder geplunderd?'

'God hebbe haar ziel, maar nee, deze is van mijn tante, haar zuster die met een rijke man getrouwd was. Ik heb er nog veel meer en ik vind het leuk om ze een tweede leven te geven, het probleem van wat trek ik aan is voor mij legendarisch. Dit leek me een geschikte jurk voor het feest van vanavond. Vintage is genadeloos: of het zit je als gegoten, of je vindt de goede maat niet, maar je zou naar een winkel moeten gaan die jouw naam draagt, Boetiek Alice. Als je goed zoekt ga je naar huis met een colbertje van Chanel voor honderd euro.'

'Maak je het niet open?'

'Wat?'

'Het pakketje.'

'Laten we het mee naar boven nemen. Geef me even de koperen briefopener, alsjeblieft? Ze hebben zoveel tape gebruikt dat eindelijk ook dát ding van tante Linda van pas komt.'

Ik mag niets laten merken, ze hoeft maar naar mijn gezicht te kijken of ze weet dat ik de afzender ken. In het pakket zit een pakket. Het ruikt naar Eau Sauvage. Een matroesjka van wit papier met een blauwe wikkel en een adelaarskop. 'Express Mail United Postal Service. Extremely Urgent' staat erop gestempeld. Ik maak het open. De tweede matroesjka is gehuld in olijfgroen papier en draag het onmiskenbare gouden insigne van Barnes&Noble. Gewikkeld in vloeipapier vind ik twaalf witte koffiekopjes met een welsprekende aanmaning: SHHH... I'M READING.

Ssst... ik ben aan het lezen.

Ook viceboekverkoopsters hebben een privéleven, dat wil zeggen een gecompliceerd leven; het leven van Alice is gecompliceerd maar dat neemt niets weg van haar enthousiasme, ze denkt waarschijnlijk dat alles in het leven mogelijk is en dat er dus op een dag een vriendje als een pakketje in de winkel bezorgd kan worden.

'Wie zou zo iets aardigs hebben gedaan?'

'Misschien een klant die in New York was en aan ons dacht. We komen er wel achter. Laten we ze nu boven neerzetten en dan moeten we opschieten, het feest is om zes uur, heb jij met mevrouw afgesproken dat je haar ophaalt?'

Angela Donati heeft ingestemd om te fungeren als peetmoeder voor het nieuwe vintagehoekje dat vernoemd is naar een zeer productieve schrijfster van stichtelijk sentimentalisme, Amalia Liana Cambiasi Negretti Odescalchi, alias Liala, van wie wij sinds vandaag een origineel exemplaar uit 1931 van *Jawel, meneer* bezitten, de roman waarmee zij beroemd werd.

New York, 17 juli 2002
Plaats van vredige rust nummer 1, Bryant Park

Lieve Emma,

Ik ben in de tuin achter de New York Public Library. Een man en een vrouw dansen zonder zich iets aan te trekken van de blikken die op hun veel te dikke lichamen worden geworpen. Een mooie dame van onze leeftijd (denk ik) wuift zich koelte toe met een waaier. Een oude man die naast mij zit verorbert een stuk pizza met kaas. 'Dan voel ik me jong,' mompelt hij terwijl hij met zijn hand de mozzarella die op zijn vinger druipt, probeert te stoppen. 'Dansen?' vraag ik. 'Nee, op deze manier pizza eten.' Het is hier een openluchtleeszaal. Meters bladzijden op de knieën van eenzame lezers die geconcentreerd bezig zijn met hun zomerse nietsdoen. Ik word toegelachen door een meisje met haar tot over haar schouders. Ze glimlacht zoals je verwacht dat een verpleegster glimlacht, of de juf van de basisschool, of een Lolita. Ik ben in haar ogen een suffe single, en ook in de mijne, ik voel me overweldigd door een nostalgie die me het gevoel geeft dat ik indecent en improductief ben. Ik adem moeizaam vanwege de allergie die me al dagenlang achtervolgt, de nostalgie druipt uit mijn neus en tranende ogen. Ik kijk naar het dansende paar, ze stralen en zijn gelukkig. Je hebt gelijk, Emma: liefdesallergieën zijn op elke leeftijd gelijk. Dat kan twee dingen betekenen: of ik ben blijven stilstaan in mijn puberteit, of mijn verkoudheid, die het kritieke voorjaar heeft overleefd maar me niet verlaat, wijst op het onvermijdelijke. Op onze leeftijd zouden wij ook wanneer er niets te lachen valt, meester moeten zijn over ons gevoel voor humor. Wij verplichten onszelf tot glimlachen ook wanneer wij het liefst van verdriet zouden huilen. Lang, heel lang, onstuitbaar. Als een wolkbreuk die de straten schoonspoelt. Ik stel het uit, vermijd het natuurlijk, dan houd ik mijn pas in, zet tergend langzaam stappen alsof er kauwgum onder mijn zolen zit geplakt, stort me op mijn werk en kan de avond halen door het moment uit te stellen waarop ik mij een wrak voel en geen rust vind. Mijn buurman heeft zijn stuk pizza op en veegt zijn vette vingers af aan een witte katoenen zakdoek. Een dameszakdoek.

Ik ga terug naar kantoor, maar eerst doe ik deze bejaardenhuistuinbrief op de bus. Schrijf me alsjeblieft, ik heb het nodig.

Federico

P.S. Ik heb je een exemplaar van de biografie van JPM gestuurd. Ik ben egocentrisch want ik weet dat jij aan mij zult denken wanneer je die leest.

Milaan, 30 juli 2002
Romans&Romances

Lieve Federico,

Waar ik zo van houd van jou – behalve je mond en de hele rest – is je evenwichtskunst, je vermogen om met gespreide armen en schommelend lichaam te lopen op de draad die gespannen is tussen verstand en gevoel. Dat heb je gemeen met Pierpont. Dank voor de biografie, ik distilleer er elke dag een paar bladzijden uit. Over hem lezen is als me voorstellen dat ik het met jou doe. Omdat de geschiedenis van jouw Morgan verdeeld is in onderwerpen, heb ik besloten de chronologische volgorde over te slaan en heb ik die bladzijden uitgekozen die jij hebt verzuimd samen te vatten, namelijk de bladzijden die de lezer iets vertellen over zijn liefdesleven. Welnu, op basis van de informatie die daaruit te halen is, heb ik een stelling uitgewerkt: JPM is een van de grootste kunstverzamelaars geworden... dankzij de leegte die de dood van zijn eerste vrouw heeft achtergelaten. Ik zie de plooi van je lippen voor me, je spottende grimas en je betoverende glimlach, maar de eerste liefde is de liefde die sporen achterlaat die wij niet kunnen verteren, die wij in ons meedragen en die dieper worden, ook al denken wij dat we ze hebben opgeborgen. Denk je in: JPM is drieëntwintig jaar, ontmoet de jonge Amelia Sturges, Memie genoemd, die vanzelfsprekend behoort tot een van de rijkste families van New York. Romantisch en impulsief als hij is, wordt hij verliefd op haar, maar een paar maanden later, in het voorjaar van 1861, wordt bij Memie de meest gevreesde ziekte vastgesteld: tuberculose. Morgan trouwt toch met haar, neemt haar mee op huwelijksreis naar Algerije en vervolgens naar de Franse zuidkust, omdat hij zeker weet dat het klimaat van Nice haar zal genezen. Vier maanden later, op 4 februari 1862, sterft Memie. Morgan is vierentwintig en weduwnaar. Hij is ontroostbaar. Hij stort zich op zijn zaken, volgt de voorschriften van zijn vader, neemt die nare pijn op zich en transformeert die in geld en macht. 's Nachts vindt hij Memie terug in de lege schil van hun bed. Hoe had, na de oorlog, Morgans tweede vrouw Frances Louisa Tracy, Fanny voor haar vrienden, dochter van een rijke advocaat in New York, kunnen zijn? Lang, stevig, star en beslist heel saai. Morgan krijgt met haar vier kinderen (drie meisjes en een jongen die was voorbestemd om zijn vader op te volgen in de zaken), maar Fanny is niet Memie, ze leven langs elkaar heen in een 'solide en sereen' huwelijk, bijvoeglijke naamwoorden die wijzen op een ogenschijnlijke eenheid die nuttig is voor de voortplanting. Passie komt het herenhuis in Murray Hill niet binnen. Midden in het boek is een foto: Fanny poseert dik en gereserveerd voor de onaangedane lens. Morgan verspilt de rest van zijn leven met al dan niet gepassioneerde minnaressen, jonge intellectuelen, chique prostituees en eenvoudige dienstertjes, maar hij blijft alleen maar houden van Memie en de zaken, terwijl hij voor zijn bibliotheek een verslindende honger naar schoonheid bewaart. Voor hem is kunst een geschenk van het verleden. En het verleden heeft het gezicht van Memie, zijn eerste en enige grote liefde. Waarom prefereert hij de oudheid boven de hedendaagse kunst? Omdat hij leeft in 'zijn' verleden. Ik weet, jij denkt dat ik de levens die ik tegenkom meteen verander in stripverhalen, maar toch weet ik zeker dat de eerste jaren van het leven de sporen zijn vanwaar we vertrekken om alles wat daarna komt de definiëren. Ik ben in de winkel. Alleen. Alice heeft een dag vrij genomen. Van mij, van de boeken, van de rekeningen. De zomer kookt, de schoepen aan het plafond verkoelen de bladzijden die anders zouden zweten. De Milanese zon verkleurt bleek en broeierig in mijn kamers.

Ik denk aan je, zoals je weet.

Emma

P.S. De kopjes drukken de nostalgie uit waarover je schrijft. Zou je ooit 'Ssst... ik ben aan het lezen' zeggen op een kribbige toon? Nee, het is een beleefd verzoek: laat me alsjeblieft rustig lezen.

Liever dan ze teruggeven en voordat de bijl van de Trouwe Vijand neervalt op de voormalige bomen die nu 'mijn' boeken zijn geworden, werk ik zijn plannen tegen met een nieuwe etalage. Alice vindt het idee van een zomeruitverkoop iets uit de Steentijd, iets voor bejaardenmarketing. Ik leg me niet neer bij het feit dat een boek na een leven van slechts een paar maanden nog maar de helft waard is. Als het aan hen lag, aan de uitgevers, zouden boeken maar heel kort leven. Gesmoord in de wieg, de arme stakkers. Veertig dagen op de tafels van de nieuwste uitgaven en dan weg, hup, snel een beetje, om plaats te maken voor de nieuwelingen, kilometers titels die hun oudere broertjes verslinden in een gigantische, onomkeerbare orgie van kannibalisme. En na het rendement volgt de capitulatie: het oud papier. Woorden op de vuilnisbelt, in een massagraf. Net als de beenderen van Wolfgang Amadeus Mozart. De enigen die eraan verdienen zijn de vervoerders: degene die de boeken bezorgen en degenen die ze komen ophalen. Duizenden boeken worden elk jaar uit de catalogi geschrapt om in het niets te verdwijnen. Elke dag worden er honderdvijftig nieuwe titels gepubliceerd – en als een klant van mij nu eens urgente behoefte heeft, zó urgent dat niets je meer kan tegenhouden, om een boek te lezen dat al jammerlijk gestorven en begraven is? Vermist, verdwenen? Geen sprake van: binnen twee dagen vind ik een exemplaar.

Ik leg de liefde die in de opruiming moet op een verhoogd plateau op een ondergrond van flessengroene linoleum waar ik een kleine supermarkt heb nagebootst met speelgoedartikelen waarmee ik vroeger als kind speelde. Aan de zijkanten metalen stellingkasten van Ikea met doosjes cornflakes, conservenblikjes en flesjes afwasmiddel. In de hoek rechts drie rieten manden: in de eerste rode plastic paprika's; in de tweede rode plastic aardbeien; in de derde rode plastic harten. De prijzen staan met krijt geschreven op kleine zwarte schoolbordjes. De boeken in de uitverkoop staan op de planken samen met de namaakproducten en in het midden zet ik een echte supermarktkar neer, gestolen goed dat ik terugvond in de kelder gevuld met dozen, flessen, blikken, plastic groenten en fruit. Een verhaal met een gelukkig einde is twee keer zoveel waard als een roman met een tragisch einde, een roman met een schofterige mannelijke hoofdpersoon gaat weg voor twee romans met krengige vrouwelijke hoofdpersonen. Net als op de zondagmarkt.

'Terecht,' stelt Alice. 'Verhalen met een gelukkig einde zijn minder waarschijnlijk dan die met een tragisch einde, tussen tegenspoed en een schop voor je kont wint altijd de eerste. We zouden ongelukkige plots eigenlijk moeten verkopen met een symbolische korting. Daarmee zou je een soort solidariteit uitdrukken met de slachtoffers, je bij het kamp van de verliezers scharen.' Uiteindelijk hebben we ons kostelijk vermaakt met het vermengen van eeuwen en genres, dames en heren, krijtstreeppakken en jeans, hoepelrokken en minirokjes, korsetten en push-up bh's.

De multi-etnische etalage is een uitdaging: Alice is ervan overtuigd dat sommige titels onverkoopbaar zijn. Ik probeer het toch en vertel haar verhalen die ze niet kent, terwijl zij mij uitlegt over haar nieuwe heldinnen die ik niet ken, te weten Carrie Bradshaw, Miranda Hobbes, Charlotte York en Samantha Jones, New Yorkse leeftijdgenotes van haar en de hoofdpersonen van verwoestende liefdesgeschiedenissen en onwaarschijnlijke dialogen, vermakelijk, dat wel, maar allemaal gecentreerd rondom het onderwerp seks. De vier dames praten over kleren, schoenen, vriendjes en... vagina's. Ik heb nog nooit met Gabriella over mijn vagina gepraat en ook niet over mijn seksleven. Het kost mij moeite me een voorstelling te maken van mijn accountant die hartstochtelijk mijn beste vriendin bezit. Voor hen, de dertigers, is het normaal. *Sex and the City* zit in de mand van de plastic harten, waar Alice naast de prijs op het bordje epische zinnen heeft overgeschreven zoals 'Als je nooit iemands vriendin bent, zal je nooit iemands ex-vriendin zijn', 'Als ze niet getrouwd zijn, zijn ze gay of geruïneerd door de scheiding of gewoon niet geschikt om een relatie te hebben' – haar persoonlijke wraak op een collega van Cecilia die, nadat hij wel vier keer in de winkel was geweest, haar mee uit eten heeft gevraagd zonder ook maar één roman te kopen en vooral zonder zich te verwaardigen haar daarna nog eens te bellen om afscheid te nemen. Ze vond hem leuk, ze was er zelfs somber van en heeft de hele week voor het computerscherm gezeten in de hoop dat er een e-mail van hem zou opflikkeren. Tussen de blikken gepelde tomaten staan de achttiende eeuw van Goethes *Werther* en de negentiende eeuw met *Het rood en het zwart* van Stendhal goed. En Sibyl Vane, die nog steeds de liefde niet kent en de rollen leeft die ze zou moeten spelen. *Het portret van Dorian Gray* van Oscar Wilde is niet bepaald wat je noemt een liefdesroman, maar ik heb er drie exemplaren van en ik zou die wel graag voor de vakantie verkocht willen hebben. In het boodschappenkarretje leg ik een toefje Spanje met *De geliefden van Teruel*, een legende die vergelijkbaar is met de verschillende versies van Romeo en Juliet en Abélard en Heloïse.

In de dertiende eeuw leefden in Teruel twee jonge mensen, Diego de Marcilla en Isabella de Segura, die elkaar al vanaf hun vroege jeugd kenden. Ze werden verliefd en Diego vroeg Isabella's vader om haar hand. Maar haar vader weigerde. Diego was de tweede zoon en zou niet erven, en hij moest zich dus eerst een positie verwerven. Diego koos een carrière in het leger en kwam met Isabella's vader overeen dat hij vijf jaar de tijd zou krijgen om rijk te worden. Toen die periode van vijf jaar verstreken was, kwam Diego schatrijk terug, precies op de dag waarop Isabella volgens de wil van haar vader in het ongewenste huwelijksbootje stapte met een andere edelman, die al heel lang rijk was. Diego stierf aan een gebroken hart. De volgende dag was alles in gereedheid gebracht voor de begrafenis: maar toen zag men een gesluierde dame naar het dode lichaam lopen en hem op de lippen kussen. De lieflijke Isabella stortte op haar beurt ook neer, tot grote vreugde van de doodgraver die zijn omzet onverhoopt zag verdubbelen.

Andere liefdes in de opruiming: *Almanak van de liefde. 365 dagen vol lezen en hartstocht*, een perfecte bloemlezing van Guido Davico Bonino voor de vakantie; *Lust* van Susan Minot, verrukkelijk, maar korte verhalen verkopen niet goed in Italië; *Vier liefdesbrieven* van mijn Ier, Niall Williams. Alice kiest *Verliefd gesprek* van Alice Ferney, een verhaal over modern overspel, ze strooit er aardbeien overheen en bij mij rijst de verdenking: ze zal toch niet verliefd aan het worden zijn op een getrouwde man? Een snufje seks in de mand met de paprika's, restanten van de kast 'Così van tutti' (ik blijf het een briljante woordspeling vinden), literaire intersecties en dat niet alleen: Henry Miller en de schrijfster Anaïs Nin, die heel wat erotische verhalen heeft geschreven zonder dat ze om die reden daardoor werd als een 'tweederangs' schrijfster. Ik laat mijn ogen dwalen over de bladzijden van *Erotica* en *Kreeftskeerkring*, dit laatste werk een hommage aan de relatie van Anaïs met Henry Miller (en met diens echtgenote), en we zetten er twee exemplaren bij van *Lady Chatterley's Lover*, waarvan iedereen beweert het gelezen te hebben (ik ook), maar niet heus. Tien dagen opruiming en dan weg: vakantie in de Provence. Zon, eten, boeken en de brieven van Federico. Ik ben langs het postkantoor gegaan om ze op te halen. Op de plek van de bekende juffrouw zat, opgevouwen achter het glas, een jongen met een verkreukeld gezichtje en spleetogen. Zou hij van lezen houden?

Milaan, 1 september 2002
Via Londonio 8

Lieve Federico,

Dank dat je mijn verjaardag genegeerd hebt, dank dat je me niet hebt gefeliciteerd, dat je mijn postbus niet hebt gevuld met cadeaus. Dank voor je zomerbrieven. Terug op honk is mijn enige duidelijke gevoel dat ik het jammer vind dat de vakantie te kort duurde. Het is alsof er een schot is neergelaten in de rivier, dat herinner ik me van een reis in de Elzas, toen Mattia nog klein was. We huurden een *péniche* om over de kanalen te varen. Het moment waarop ik met de grootste opwinding op wachtte, was wanneer we stillagen voor de sluizen, staalplaten die neerdaalden om als sponzen het water te doen opdrogen. Nu ik vijftig ben vind ik dat ik mij zonder enig schuldgevoel mag overgeven aan het rouwen over verlies. Ik heb een fase bereikt die mij aanspoort tot wijsheid. Het probleem is alleen dat ik niet weet wat dat is, wijsheid. En jij, mijn lief? Wat gebeurt er op Madison?

Emma

P.S. Mijn vrienden hadden een feest georganiseerd op het dorpsplein van Roussillon. Iedereen danste, dorpelingen en vakantiegangers. De wals waarbij Mattia mij ten dans vroeg, had iets incestueus, maar ik was blij dat ik hem tussen mijn armen kon drukken. Ik miste je niet: soms is de relatie moeder-kind alles vervullend.

New York, 20 september 2002
470 Café Café, Broome St

Lieve Emma,

Cappuccinopauze in Soho. Ik wacht op Sarah, ik ben zo onverstandig geweest (voor mijn portemonnee) om haar te beloven wat rond te kijken in de nieuwe Apple Store. Elk land, elke Europese stad kent zijn eigen 'Hét Café': Florian in Venetië, Caffè Greco in Rome, Sacher in Wenen, Angéline of Café de Flore in Parijs, Giubbe Rosse in Florence. Beroemde, representatieve cafés vind je in Oost-Europa (in bijna alle voormalige hoofdsteden van Oostenrijk-Hongarije), en Noord-Europa, in Rusland. In cafés praat je over het dagelijks leven, over sport, politiek, literatuur, kunst, er worden zaken gedaan, intriges en liefdes beklonken. Er worden liefdesbrieven geschreven. Ach, ik heb geschreven wat ik elke dag denk. Sarah steekt nu de straat over om zich bij haar lievelingsvader te voegen: ik moet de envelop dichtmaken voordat ik betrapt word. Ik weet niet hoe ze het zou opvatten. Of nee, ik weet het wel: ze zou boos worden. Niet vanwege haar moeder, met wie ze om elk wissewasje ruziemaakt, maar vanwege mij. Ze duldt geen andere liefdes in mijn leven dan zijzelf.

I miss you,

Federico

P.S. Een korte brief, ik zal heel binnenkort een langere schrijven die vol, beter nog overvol is van tederheid.

Ik ben met Michele op het vliegveld. Mattia vertrekt. Aan het ritueel ontbreekt alleen nog het fototoestel, dat ik in mijn tas laat. Als ik het zou wagen om iemand aan te klampen en te vragen 'pardon, zou u een foto van ons willen maken?', zou onze zoon door de grond zakken van schaamte, net als toen ik bij toneelvoorstellingen van de kleuterschool zijn kunsten vastlegde met een videocameraatje. Ik doe het niet en leg alles vast op de lens van mijn hart. Ik heb de verkeerde echtgenoot gekozen, maar niet wat lengte betreft: Mattia is nu een meter vijfentachtig moederlijke trots. Bij de check-in van Qantas Airlines is de rij mager; ik had gehoopt op een lange slingerende rij zodat het loslaten gefaseerd kon gebeuren.

'Heb je een boek bij je? En extra sokken in je rugzak? Je voeten worden ijskoud en de vlucht duurt lang.'

'Rustig maar, ma, ik heb alles, ook het boek. *De jonge Holden*, dat heb ik vorig jaar met Kerstmis van jou gekregen.'

Hij zal acht maanden in Sydney blijven en het is niet zeker of het ons lukt hem daar te komen opzoeken.

'Er is daar altijd zon, ma. Jij hebt een obsessie voor een blanke huid, die plek is niet geschikt voor jou.'

Vierentwintig uur vliegen, drie tussenstops en duizenden kilometers van mij vandaan.

'Nou, dag jongens,' mompelt hij alsof hij zich schaamt. Hij buigt zich voorover voor een laatste kus op mijn wang. Ik voel in die kus ongeduld en angst en durf hem niet terug te kussen. Michele zwijgt, maar het is duidelijk dat hij ontroerd zou raken zodra hij iets zei.

'Ik mail jullie, hoor. Dan móét mama wel een e-mailadres nemen.'

'Mail maar naar de boekwinkel, net als altijd. Alice print je e-mails wel voor me uit.'

Hij sleept een grote rode koffer achter zich aan die hij voor twintig euro heeft gekocht in de Chinese wijk en gaat in de rij staan achter een draadvormig meisje in skinny jeans, T-shirt net boven haar navel, trui om haar heupen geknoopt, schildpaddiadeem in haar rode krullende haar dat tot op haar billen komt. Mattia laat zijn hoofd hangen, gluurt naar ons en ik vind hem prachtig, met zijn sweater en de sneakers met losse veters die als sloffen om zijn voeten zitten. Zonder sokken. 'Als ze een Australische is, is dat een goed begin,' zeg ik quasi-sportief, terwijl er een druppel uit mijn linkeroog valt en ik niet inzie hoe imbeciel dat grapje is. Michele doet zijn best om me af te leiden. We lopen langzaam terug naar de auto. Dat Mattia ver weg is wil nog niet zeggen dat wij ver weg van elkaar zijn. Nu ook hij de vijftig gepasseerd is, is hij rustiger en hij heeft een vriendin van zevenendertig die van hem houdt. Het is oktober en toch is er nog geen teken van echte herfst op de bomen, van die mooie oranje kleuren, besluiteloos en kwijnend, de blaadjes die aan een vezeltje hangen, klaar om te vallen. Weg, bomen en hemel zijn kangoeroegrijs. Michele zet me bij mijn voordeur af.

'En ga je nu niet als een monnik thuis opsluiten,' gebiedt hij.

'Ik vraag me af of hij het zal redden.'

'Hij heeft genoeg geld om meer dan aangenaam te overleven. Als hij dat te snel opmaakt, zal hij er heus wel iets op verzinnen. Die Australiërs laten studenten niet zwart werken. Ga nu niet de Italiaanse mamma uithangen. We moeten trots op hem zijn. Denk eens aan al die mensen die kinderen hebben die doen alsof ze druk bezig zijn met het uitkiezen van een universitaire studie en ondertussen alleen maar voor de Playstation hangen. Wij hebben gedaan wat goed is, misschien ontdekt hij wel zijn roeping.'

Hoe zal mijn leven zijn zonder overhemden en boxershorts die overal door het huis slingeren als de kruimels van Kleinduimpje? Ik zal niemand meer hebben tegen wie ik tot in den treure kan herhalen 'er-staat-een-wasmand-zou-je-die-af-en-toe-willen-gebruiken'. Hoe zal mijn leven zijn zonder flesjes bier die staan te verschalen op de entresol van zijn kamer? Zonder diepvriespizza in de vriezer? En zonder dat hij op zondag om twaalf uur wakker wordt en meteen roept 'Mama, wat is er te eten?' Ik weet niet hoe ik het zal doen en ik wil niet de Italiaanse mamma uithangen.

Ik wijd *De blinde huurmoordenaar* van Margaret Atwood in: 'Tien dagen na het einde van de oorlog reed mijn zus Laura met de auto van de brug af'. Degene die tegen me praat heeft op tweeëntachtigjarige leeftijd besloten mij te vertellen over de getormenteerde wederwaardigheden van haar familie in een tijdspanne van bijna een eeuw, en over de gewaagde liefdesgeschiedenis die geschreven is door haar zuster, die tragisch om het leven komt, en na haar dood met enorm succes gepubliceerd is. De boekenlegger is de laatste brief van Federico, die mijn op de bank opgerolde lichaam mist als een donzen kussen.

New York, 12 oktober 2002
Plaats van vredige rust nummer 2, Paley Park

Lieve Emma,

Ik ben net op Sarahs school geweest omdat Sarah Anna heeft verboden met de leraren te praten. Ze is in een fase van verzet tegen haar moeder en vindt dat die haar voor schut zet, terwijl Anna in feite alleen maar alert is op de inhoud van de lessen en een gesprek heeft gehad met de docente kunstgeschiedenis, een vak waar ze wel verstand van heeft. Ik neem met vreugde de rol van vredestichter op me, het lukt me zelfs de lerares wiskunde te verleiden die zo lijkt weggelopen uit een film van Tim Burton: broodmager gezicht en een paars pruilmondje, nul gevoel voor esthetiek, nauwelijks opgewekt. De jacht naar nieuwe plaatsen van vredige rust is mijn nieuwe passie. Paley Park is een kleine metrocanyon, met tafeltjes voor een haastige hap voor wie werkt in Midtown en geen zin, tijd of geld heeft om naar een restaurant te gaan. Ingeklemd tussen de wolkenkrabbers heeft het een waterval die een paradox is in het verkeerslawaai. Ik zit op de stenen rand onder de waterval, ik eet kippensoep (niet gruwelen, hij is heerlijk) en drink Coca-Cola en ik schrijf jou. Om hier te komen heb ik over Madison gelopen en een hotel ontdekt dat ik aan jou opdraag. Ik zou je er meteen mee naar toe nemen, om andere redenen dan boeken, maar het verdient een verhaal. Het Library Hotel is gebouwd in een negentiende-eeuws gebouw, tussen de New York Public Library en de Morgan in, en is ingericht als een bibliotheek. Twaalf verdiepingen gewijd aan boeken, onderverdeeld in genre. Ik heb me gepresenteerd als de architect van de Morgan Library (wat waar is) en heb ze overgehaald om mij een rondleiding te geven tussen dikke houten boekenkasten die beladen zijn met nieuwe en oude boeken, in de Tuin van de Poëzie, in de Reader's Room, en op een schitterend terras. Op elke kamerdeur hangt hier het veel prozaïscher LET ME READ (waar ik het klassieke DO NOT DISTURB zou hangen). Jij zou romantische fictie kiezen terwijl ik zou gaan voor fantasy, maar ik moet erbij vertellen dat de Dramatic Room die jij mooi zou vinden een single bed heeft, terwijl er in de Technology Room, die jij zou overslaan, een zeer comfortabel double king size bed staat. Iets om over na te denken. Curieus is ook de nummering van de kamers, die, zo hebben ze me uitgelegd, de Dewey-classificatie volgt, een van de bekendste systemen van bibliotheekclassificatie. Een utopiehotel à la Borges, die het zeer gewaardeerd zou hebben. Vanmiddag wacht mij de receptie waarbij wij voor het publiek de tentoonstelling over het project zullen openen, die tot eind mei bezocht kan worden. Ik zag dat de baas rustig was: hij is een van de weinige mensen op de wereld door wie ik me beschermd voel, ook wanneer ik stommiteiten bega. Hetzelfde heb ik bij jou, jouw verre aanwezigheid (maar eigenlijk helemaal niet ver) geeft me vertrouwen. Grappig dat dit zeldzame gevoel mij per brief bereikt, maar toch is het zo: telkens wanneer ik naar het Post Office ga en daar een lichtblauwe envelop aantref, voel ik mij een veilig man. Het ontroert me te weten dat er iemand is die op mij wacht zoals ik op haar wacht. Het is kinderlijk, ik weet het, maar bij jou schaam ik me zelfs hier niet voor; het zijn geen schimmen, alleen episodes die wij elkaar nog niet hebben verteld, omdat we geen tijd of geen zin hadden. Ik denk vaak dat het belachelijk is om je niet te bellen, een idiote vorm van zelfbescherming, ik zou maar op een knop hoeven te drukken (je staat in het geheugen, wist je dat?) en ik zou je stem horen en we zouden elkaar vertellen wat we aan het doen zijn. Ik bel je niet op, de afspraak tussen ons is van staal, met bijgeloof beladen, haast alsof onze stemmen door de kabel de afstand zouden vergroten. De woorden die je schrijft niet, die hebben gewicht, die blijven bij me. Altijd.

Je Federico

P.S. Het is 12 oktober: kun je een boekwinkel feliciteren met zijn verjaardag?

Wanneer een liefde eindigt zijn er twee mogelijkheden. Sommige mensen vragen troostende romans en anderen storten zich op horror, detectives, sciencefiction, thrillers die druipen van het bloed. Camillo behoort tot de eerste categorie. Hij komt de winkel binnen en vraagt: 'Waar zijn de "Gebroken harten" gebleven?' Drie klanten die in het koffiehoekje zitten, strekken hun halzen over de balustrade, zichtbaar bezorgd over de hartenkreet van smart van die man in camel jas en strogele sjaal die als een slappe strop om zijn nek is gewikkeld.

'Ik heb ze naar boven verplaatst, in de rechterkast. Wat een vreemd tijdstip voor jou om hier te komen!'

Camillo is tweeënvijftig en ziet er vijf jaar jonger uit, is vader van twee puberknullen met blond haar tot op de schouders en had tot een paar weken al zevenentwintig jaar een echtgenote. Toen Laura's psychoanalytische parcours vorige maand beëindigd was, is ze thuisgekomen, heeft gekookt en hem vervolgens meegedeeld dat hun huwelijk voorbij was. Een minimaliste. Hij was verbijsterd. Een wereld van zekerheden en gewoontes brokkelde onder zijn voeten af en het stuk sachertaart dat hij aan het eten was schoot hem in het verkeerde keelgat. Omdat hij een onoplettend type is, was hij totaal niet voorbereid op een mededeling van dergelijke draagwijdte, een beetje zoals wanneer je een telefoonrekening krijgt met vier nullen omdat je niet hebt gemerkt dat je zoon er lol in heeft om als een idioot grappen uit te halen met erotische callcenters. Laura was een zekerheid, net als de secretaire van oma die al jaren in de gang staat en niemand zou het in zijn hoofd halen om die ergens anders neer te zetten of erin te kijken.

Camillo is een vriend van mij van de universiteit en komt in de winkel voor boeken en troost. Hij heeft een verkeerde opvatting van mijn werk als verkoopster van liefdesverhalen en schrijft mij de gaven toe van een expert, terwijl ik me hoogstens Lucy van de Peanuts voel, wanneer die haar dubieuze 'psychiatric help' aanbiedt voor vijftig cent, en ik uitsluit dat ik iemand iets kan leren over traumatische echtscheidingen.

'Geef me iets te lezen, Emma. Ik heb *Gloed* uit, ik moet de stand van zaken met jou doornemen want mijn echte psychotherapeut komt pas over tien dagen terug. 50 milligram Zolof per dag helpt me om te overleven. Het was sadistisch van je om mij een boek aan te raden dat over bedrog gaat, maar het onderwerp heeft me wel gevoeliger gemaakt. Dat boek is een juweeltje.'

'Het is niet gezegd dat Laura jou bedriegt, misschien heeft ze alleen genoeg van het huwelijk.'

'Zou je misschien iets minder direct kunnen zijn? Elk woord is een dolksteek. En schiet nu alsjeblieft een beetje op. Ik neem jou en Margherita mee naar Bumbun de San Marc. Dat is heel trendy geworden, houten betimmeringen en dergelijke, met een beetje fantasie waan je je in een Engelse pub, maar daar kunnen we tenminste rustig praten.'

Margherita is lang, heeft kort jongensachtig haar en is zo precies dat het bijna pedant is. Ze zou een uitstekend chirurg zijn geweest, maar die opleiding was overbevolkt door mannen, zij verloor de competitiestrijd en heeft gekozen voor dermatologie. Om zich te revancheren is ze een paar jaar en heel veel getuigschriften later afgestudeerd in farmacologie en nu test ze sinds enkele jaren goedkope crèmes. Ook haar ken ik nog van mijn studietijd en nu is ze een gevestigde dermatologe met een agenda vol afspraken, een voorbeeld van een consequent doorschijnende gelaatsteint en ze heeft me er tien jaar geleden van overtuigd af te zien van bruin worden.

Margherita is in dezelfde periode hetzelfde overkomen als Camillo, maar zij doet het zonder psychotherapie: Margherita en Giovanni hebben geen kinderen, zij is elf jaar ouder dan hij, die net eenenveertig is geworden en kort maar krachtig heeft gezegd dat hij zich 'onder druk gezet' voelde. Onder druk gezet. Een vernederende uitdrukking en bovendien onaangenaam en lelijk.

Margherita en Camillo zijn collega's in het San Carlo-ziekenhuis. Hij is de knapste kinderarts van Milaan en heeft Mattia en alle kinderen van mijn vriendinnen vanaf de dag van hun geboorte gevolgd. Hij is een genereuze idealist: behalve dat hij in het ziekenhuis werkt, staat hij ook klaar voor kinderen van illegalen, hij streelt ze en geeft ze medicijnen, glimlachjes en recepten zonder dat ze een cent hoeven te betalen.

Met die twee net-in-de-vijftigers aan diggelen ga ik uit eten en ik moet hun geweeklaag serieus nemen. Bij de karbonade met friet begint de litanie met een voorproefje van de aller onguurste grenzen: 'Het probleem is het huis, Emma. Laura slaapt ergens anders, maar dat is een tijdelijke oplossing. De kinderen hebben recht op hun kamers, we kunnen hun leven niet ruïneren omdat hun moeder last heeft hormonale oprispingen. Ik stel me haar al voor in een armzalig eenkamerappartement met formica meubels, een lege koelkast en kale muren. Ik kan niet wennen aan het idee en wat me irriteert is dat ze, zodra ze besloten had te scheiden, het overal is gaan rondbazuinen alsof ze de lotto had gewonnen. Is dat nou nodig, om het te vertellen aan de conciërge, de bakker, de agent die je een bekeuring geeft?'

'Ze bazuint het tegen zichzelf, ze wil zichzelf ervan overtuigen dat ze de juiste beslissing heeft genomen.'

'Of ze heeft gewoon een ander,' suggereert Margherita sadistisch en Camillo verslikt zich in een frietje.

'Alleen al het idee dat iemand anders haar zou penetreren maakt me gek. Ik heb alles doorzocht. En geen spoor van een man gevonden.'

'Maar, Camillo, hoor je hoe je praat? Je bent echt gênant grof. Je zou je beter zorgen kunnen maken of ze verliefd is op iemand anders. Voor jullie telt alleen het bezit. Het is de liefde – voor iemand anders – die het perspectief verandert, niet het feit dat een vrouw op haar vijftigste zichzelf enige bevrediging gunt. Hoe dan ook, een vrouw kan een man verlaten ook als ze er niet iets voor in de plaats krijgt. Jullie zouden dat nooit doen.'

'Ik slaap in het echtelijk bed, maar het legenestsyndroom is ondraaglijk.'

'Het eerste wat ik aan Giovanni vroeg was of die "druk" een gezicht had. Hij antwoordde dat hij niemand heeft. Hij houdt gewoon niet meer van me. Je kunt je niet wapenen tegen iemand die niet meer van je houdt.'

'Nou, zeg maar dat hij kan ophoepelen, Margherita. De ballen en opzouten en van de kou omkomen onder een brug. Stop al zijn mooie pakken in een vuilniszak en zet een nieuw slot op de voordeur. Het is afgelopen, Marg. Begrepen?'

'Zodra je weet dat iets definitief vaststaat, verandert alles op slag. Straks is het Kerstmis, dan word ik depressief: ik moet een vastomlijnde horizon voor me zien. Laten we een vakantie organiseren, we zouden met z'n allen naar Caterina in Saint Moritz kunnen gaan, een groep single vijftigers zou het op de piste goed doen. Laat me alsjeblieft niet alleen. Laura heeft al gezegd dat ze naar Kenia gaat. Zevenentwintig jaar lang heeft ze beweerd dat ze het idee van jagen gruwelijk vond en nu gaat ze op safari. Wat een trut.'

'Wanneer je besluit tot een ander leven en misschien zelfs tot een andere echtgenoot, moet je om te beginnen afrekenen met de spookbeelden van het verleden. Je moet dingen doen die je nooit eerder gedaan hebt, dat geldt ook voor de vakanties.'

'Ze neemt de kinderen mee, waar maak je je zorgen over?'

'Heb jij enig idee, lieve boekenwurm, wat een safari in Kenia voor drie personen kost?'

'Rustig, jongens. We hebben alle tijd om een verdedigingsstrategie uit te denken. Vriendschap is cement. En niet naar de fles grijpen, jij. Van bier word je dik en langs de piste zijn de magere dames in trek.'

'Jij hebt makkelijk praten, Emma, jij bent gescheiden zonder trauma's. Nu pluk je de vruchten, je hebt je winkel en je hebt je zaakjes op orde. Wat ik alleen niet begrijp is hoe jij kunt leven zonder seks.'

'De liefde bedrijven is niet uitsluitend een fysieke handeling. Als ik niet van een man houd, mis ik de seks ook niet, dan kan ik heel goed zonder, ook zonder vervangende hormoontherapie. Ik ben seksueel neutraal en ik voel me prima. Elisabeth I verklaarde dat ze maagd zou blijven om geen meesters te hoeven dienen. Kuisheid heeft voordelen.'

'Het wachten is op de eerste de beste klant die er goed uitziet en wanhopig is, Emma. Die klampt zich aan je vast als een mossel. Vroeg of laat gaat het gebeuren: boekverkoopsters zijn erg in trek, geef je goede vriend Camillo nou maar gelijk.'

'Draai er niet zo omheen. Je bent heus niet de eerste man die gaat scheiden. Edith Wharton is gescheiden in 1902 en heeft er ook geen drama van gemaakt.'

'Edith wie?'

'Een van de beste schrijfsters van de vorige eeuw, onbenul. Er moet nodig gewerkt worden aan jouw gevoelsopvoeding. Hoe kun jij nu al die moeders begrijpen die glunderend om je heen dartelen en je hun bloedjes van kinderen toevertrouwen? Het probleem is opvoeding. Jij kent de vrouwen niet, dat is het punt.'

'Wij zijn zelf ook niet het summum van competentie wat mannen betreft,' glimlacht Margherita, terwijl ze me nog een glas bier inschenkt.

Ik luister naar ze, ik ben dol op ze en ik denk aan Federico als lafaard die de realiteit onderschat, sterker nog: ontkent. De realiteit van zijn huwelijk.

New York, 9 november 2002
Plaats van vredige rust nummer 3, Barnes&Noble
Union Square

Lieve Emma,

Het is zaterdagmiddag. Ik heb Sarah afgezet voor de tapdansschool; ze heeft mij verboden daar binnen te komen. Voordat ik me zou terugtrekken in onze boekwinkel vlak bij de dansschool, keek ik omhoog: achter het raam zag ik een groepje kinderen dansen, draaien, benen in de lucht op de klank van trommels en een aanhoudend gefluit. Ik vond ze prachtig en bedacht me dat wij nooit samen gedanst hebben. Als volwassenen, bedoel ik. We zullen aan Madame Bertho wat cd's vragen en dan slowen à la Touline. Beloofd. De monitors die aan de zuil van Union Square hangen, zijn uit, vanuit dit raam zie ik, onder een in oker en gebrand bruin gedoopte deken van de New Yorkse herfst, de dekzeilen van de kraampjes van de biologische markt, waar Anna boodschappen doet omdat ze zich te goed voelt voor de gewone supermarkten. Ze heeft ons bekeerd tot de – peperdure – heerlijkheden die geoogst zijn op boerderijen in de omgeving van Manhattan, producten die 'rechtstreeks uit de grond' komen, tomaten die naar tomaten smaken en geitenkaas uit de Hudsonvallei die de koelkast nog dagen doet stinken. Gezondheidsfreaks die zich in rijen opstellen voor de *farmers' market* van de lokale boeren, Amish van de rechtstreekse teelt. Ik schrijf je weinig – ik weet het – over mijn huwelijk: ik stuur scherven van het dagelijkse leven, maar kom niet to the point. Dat is niets nieuws. Maar jij lijkt er geen last van te hebben, lieve Emma. Onze brieven blijven ondoordringbaar voor de werkelijkheid die wij niet willen zien.

Of vergis ik me?

Federico

P.S. Ik zal even langs het Post Office gaan, ik hoop op nieuwe woorden. Je mag je schuldig voelen als ik ze niet aantref.

Milaan, 17 november 2002
Romans&Romances

Lieve Federico,

Mattia schrijft me per e-mail vanuit Sydney, een stad die volgens zijn hoogdravende beschrijvingen 'voor hem de poorten naar de volwassenheid zal openen'. Eigenlijk heb ik zelf minder ambitieuze plannen voor hem. Ik hoop dat hij leert zich te redden in zijn eentje, dat hij een minder schools Engels leert, de natuur leert waarderen in een minder volgestouwd land dan het onze. Dit is voor hem een ervaring die ik nooit heb gehad, als je dat jaar in Freiburg niet meetelt, mijn post-lyceale en post-wij nachtmerrie waarover ik je nog wel een keer zal vertellen. Op dit moment lijd ik niet onder zijn afwezigheid en voelt het eerder als een extra vakantie. Michele is ervan overtuigd dat ik me zonder Mattia alleen zal voelen, maar hij is conventioneel, hij weet niet dat je je ook in een huwelijk heel erg alleen kunt voelen.

Ik zal meer tijd hebben om je te schrijven, 's avonds ga ik zelden uit.

Emma

P.S. Elke verwijzing naar bestaande personen of zaken berust op zuiver toeval.

New York, 23 november 2002
11th Street and 6th Avenue

Lieve Emma,

Als gevolg van een onbedwingbare behoefte aan Frankrijk eet ik een hapje bij French Roast in een quasi-Franse sfeer: omelet met champignons en spinazie, een glas wijn, een folder van Maison de France die reclame maakt voor Bretagne en ons eiland. Het is niet echt een bistro, maar het ruikt ernaar en het is naast mijn favoriete tijdschriftenwinkeltje, een lange smalle en heel hoge ruimte, net een gang, waar Mister Smith ineengedoken op een heel hoge kruk zit in een ruimte die niet veel groter is dan een douchecabine. Zoek een tijdschrift uit een willekeurig land en hij heeft het voor je.

Ik moet je een nieuw syndroom bekennen: ik zie overal harten. De afgelopen week heb ik er vijf geteld: een regenplas op het asfalt, het verroeste slot van een hek aan Broadway, een wolk, de lampionnen van rijstpapier in het Chinese restaurant op Fourteenth, het blad van een cactus op kantoor. Ik ben begonnen ze te noteren in mijn Moleskine die ik altijd in mijn zak heb. Het mooie is dat ik ze niet zoek, maar dat zij mij vinden. Ik dacht even dat ik psychisch niet in orde was, maar nu vind ik het juist wel leuk om verzamelaar van harten te zijn. De laatste, in volgorde van tijd en van belangrijkheid, was een zonnestraal die vorige week tijdens de presentatie van de ontwerpen en de houten maquette van het project kwaadaardig binnendrong door de ramen van de Morgan Library en op het parket een hart van licht vormde.

De vergaderingen met de diverse verenigingen en met Monumentenzorg, aan wie wij ons werk uitleggen, gaan nog steeds door. Ik weet zeker dat JPM blij zou zijn met de kubusvormige structuur in de ruimte tussen de oorspronkelijke bibliotheek en het hoofdgebouw, de uitbreiding van de tentoonstellingsruimte, het nieuwe auditorium, de leeszaal, de ondergrondse kelderkluizen.

Ik omhels je, met open hart

Federico

P.S. Ik stel het onderwerp huwelijk uit tot de volgende brief. Ik blijf ervan overtuigd dat het, het huwelijk bedoel ik, niets te maken heeft met ons tweeën.

Zondag is de grote dag voor Romans&Romances. En bovendien is het vandaag een zondag van massamediasucces: de bijlage van de *Corriere della Sera* heeft de beste-boekenlijst van Romans&Romances gepubliceerd in de rubriek *Woord van de boekhandelaar* en op de zondagsmarkt hebben veel boekenruilers de bijlage in hun hand. Alice had de redactie maandenlang achtervolgd: elke maand stuurde ze vriendelijke briefjes met onze lijst van bestverkochte liefdes en eindelijk heeft ze de vruchten van haar stijfkoppigheid kunnen plukken. Daar heb je boekhandelaarster Emma Valentini (portret, redelijk, van ondergetekende) en daarnaast twee kolommen: *Wat ze verkoopt* en *Wat ze aanraadt*. In het midden van de pagina de biografie van de winkel en een foto van de etalage: het nieuwe thema 'Harten', door Alice bekritiseerd als 'iets voor de Baci Perugina-chocolaatjes', werd luid geprezen. Ik heb ontdekt dat Federico niet de enige is die aan het syndroom lijdt, maar dat de fotograaf, Fabrizio Ferri, echtgenoot van de beroemde ballerina Alessandra, er ook aan lijdt sinds hij verliefd is op haar. Hij heeft er een klein boekje aan overgehouden dat ik op de toonbank heb liggen en hij heeft me vijf grote kleurenfoto's van harten geleend die hij tijdens zijn reizen ontdekt had. Gister is hij langsgekomen om ze op te hangen en hij werd enthousiast over Romans&Romances. Resultaat: twee grote foto's cadeau en vier romans verkocht. Ben ik een gelukkige boekhandelaarster of niet? De etalage met als thema 'Suikerhart' is een hommage aan Dorothy en haar gelijknamige verhaal, dat ik in het midden leg omringd door foto's: een stuk tufsteen, de lippen van een liggend fotomodel, de waterval in Patagonië waar het water een schuimend hart vormt, de steek van een mug die verliefd is op haar prooi, een hoopje afval, thuis in de keuken verzameld. En daaromheen allemaal hartachtige boeken, inclusief de beststeller van Susanna Tamaro die nog steeds lezeressen van alle leeftijden weet te ontroeren.

New York, 30 november 2002
42 W 10th St

Lieve Emma,

Op de dankdag zijn we naar de Macy's Thanksgiving Day Parade in de Upper West Side gegaan met twee vrienden die kleine kinderen hebben en op wie Sarah vaak past, trots dat ze een paar dollars verdient. Er trokken opblaaspoppen van cartoonfiguren voorbij, ik was ontroerd bij de kar van Peanuts, absolute onverschilligheid bij een reusachtige Spider Man die daarentegen luid werd toegejuicht door de kleine kinderen. Elke generatie heeft haar eigen culturele referentiepunten, de nieuwe kinderen kennen Charlie Brown en zijn drama's niet, realiseer je je dat? Bij het eten gevulde kalkoen, zoete aardappels, pompoentaart en een aanval van tomeloze nostalgie.

Jouw – misschien romantische – masochist

Federico

P.S. Het lukt me niet om aan het verleden te denken. Ik denk niet aan de toekomst. Ben ik oppervlakkig?

Het moment is aangebroken om de waarheid onder ogen te zien, een eind te maken aan deze kwelling die ik al maanden tolereer vanwege mijn onvermogen om datgene wat ik verkoop te zien als handelswaar. Ik ben afgedwaald van mijn verleden, mijn blik is vertroebeld door een schuldgevoel dat ik sinds mijn puberteit als een last met mij meedraag. Ik heb een klant die regelmatig steelt en ik weet niet wat ik moet doen. Ik stal zelf ook boeken als jong meisje. Ik was in Freiburg, een cursus van een jaar om mijn Duits bij te spijkeren. 1970-1971. Het lukte me om een boek met foto's van een ballet dat een beroemde choreograaf had gemaakt van *De dame met de camelia's*, onder mijn trui te verstoppen. Toen ik de winkel uit liep was ik doodsbang dat er iemand achter me aankwam, stelde ik me al voor dat de politie mijn ouders zou bellen, zag ik de cel waarin ik zou worden opgesloten en hoe ik het land zou worden uitgezet al voor me, de schaamte om terug te komen van die cursus die me had moeten helpen om Federico te vergeten en op te houden hem overal te zien, bij elk kruispunt, in elke bar, in de bus en tijdens de colleges op de universiteit. Ik studeerde Duitse literatuur, woog 41 kilo en zat voortdurend in de bar brieven te schrijven aan Gabriella. Ik heb mijn reputatie en de rouwverwerking van een hart dat er door oppervlakkigheid slecht aan toe was, ernstig op het spel gezet. Marguerite Gautier was mijn heldin. Een droeve verliefde hoer die ik mooi vond in het decor van het platteland, wanneer ze met hem wegvlucht uit Parijs. Het waren de jaren van de bevlieging voor verbroken liefdes en onmogelijke relaties. Aan het eind gaat zij dood en was mijn genot maximaal, een gevoel van bevrijding. *De dame met de camelia's* was mijn spiegel. Niets kon mij tegenhouden en dat fotoboek, 380 pagina's dik, is een trofee in mijn boekenkast thuis.

Mijn dief, gemiddelde lengte, wijkende kin en diepliggende ogen, steelt schaamteloos, maar het is melancholie die ik in zijn ogen zie, die mij tegenhoudt. Het is niet dat hij helemaal niets koopt: hij koopt een boek en steelt er een ander boek bij, voor een exemplaar met harde kaft doet hij een pocket in zijn jas. Te oordelen naar zijn kleding geloof ik niet dat het een kwestie van geld is. Maar ook niet van dwangmatige behoefte aan spanning. Het is alleen maar behoefte aan aandacht. Meer uit antropologische nieuwsgierigheid dan om mijn recht op het kassabonnetje op te eisen, heb ik besloten met hem te gaan praten, ook al zijn dat de momenten dat ik de toverkrachten zou willen terug hebben die ik als klein kind bezat: onzichtbaar worden. Ik zal hem niet vaderlijk toespreken over hoe arm een boekhandelaar is, noch een morele preek afsteken. Ik zou wel in zijn hoofd willen kijken om te zien wat hem beweegt. Wat zijn ouders met hem gedaan hebben. Misschien droomde hij er als klein jongetje ook van om onzichtbaar te zijn. Wat hij steelt weet ik. Alleen maar mannelijke auteurs. De tactiek is altijd dezelfde. Hij loopt met rustige bewegingen naar het boek toe. Het gebaar zelf is snel en heimelijk. Met een hand houdt hij het boek vast, met de andere bladert hij erin alsof het een pak speelkaarten is. Hij leest de flaptekst en terwijl hij leest brengt hij zijn neus met kleine bewegingen naar de pagina's toe. Hij ademt wellustig in. Hij is een snuiver, een kleptomaan van geuren. Maar hij steelt. En hij begaat een misdrijf.

Ik ga naast hem staan.

Ik probeer resoluut te kijken, kijk, zo doe je dat, ik sta voor hem, ik wil mijn hand op zijn mouw leggen. 'Meneer, alstublieft' zou ik willen fluisteren om hem niet bloot te stellen aan het oordeel van de andere klanten. En aan het genadeloze moralisme van Alice. De woorden blijven steken in mijn mond. Hij merkt het, hij opent zijn mond waaruit een slecht gebit naar voren komt. Zelfs zijn adem is niet aangenaam, zijn handen wel: die zijn lang en smal, met lange vingers, als van een pianist. Camillo komt binnen en ik heb een goed excuus om naar hem toe te lopen. Alberto moet het maar doen, praten met de dief is voor mij veel te moeilijk.

'Ik neem je mee uit lunchen. Ik moet met je praten. Alice, ik bevrijd je een paar uur van je werkschuwe bazin.'

'Alstublieft, meneer. U mag haar helemaal hebben.'

Onstuimige kinderarts, hij weet niet dat hij me redt van de onmacht.

In Via San Maurilio is een gemoedelijke trattoria. Camillo bestelt pasta met kikkererwten en praat me bij. Het gaat beter met hem, hij wordt met succes gesteund door 50 milligram antidepressivum per dag en hij ziet zijn psychotherapeut twee keer per week.

'Het tweede deel is net begonnen, net als in de beste films van

Tarantino, maar dan met minder bloed, allerliefste coach. Laura is minder agressief. Ze heeft de eerste ronde gewonnen: we leven gescheiden "in huis". Een compromis dat minder pijnlijk is dan gescheiden zijn "buitenshuis".'

'Maar was is dan technisch gezien het verschil?'

'Zij slaapt in de werkkamer, je weet wel, dat eenkamerappartementje dat ze gebruikte om te schilderen. En 's ochtends komt ze thuis om te ontbijten met de kinderen voordat die naar school gaan. Beter iets dan niets, ik kan de gedachte niet verdragen dat ze helemaal uit mijn leven verdwijnt. Leven zonder seks is een nachtmerrie, ik heb al maanden niet geneukt, zelfs een tachtigjarige zou die ontbering niet volhouden. Mijn gevoel van eigenwaarde is gezakt tot nul.'

'Jullie meten alles in centimeters en hoeveelheden seksuele relaties, jullie. Heb je het boek uit?'

'Emma, seks is een noodzaak, masturberen is op mijn leeftijd een indecente treurigheid. Ik zal net zo eindigen als die vent daar, kijk, hij zit in zijn eentje te eten en leest de krant. De Márai-genezing is iets voor masochisten, *Kentering van een huwelijk* is deprimerend, maar ik moet toegeven dat die man prachtig schrijft. Hij moet een waardeloos leven hebben gehad.'

'Hij heeft zelfmoord gepleegd. Maar ik heb deze boeken voor je meegenomen.'

'Calvino? Nooit gelezen.'

'*De moeilijke liefdes*: er is er één die jou op het lijf is geschreven.'

'Aantrekkelijke kinderarts op zoek naar zekerheden en iemand met wie hij een beetje fatsoenlijke seks kan hebben?'

'Niet helemaal, maar in *Het avontuur van een lezer* ligt de hoofdpersoon op het strand te lezen. Hij wordt verleid door een vrouw die hem het lezen belemmert en uiteindelijk gaat hij met haar naar bed in een poging te onthouden waar hij gebleven was.'

'Het spijt me als ik je beledig, lieve vriendin, maar ik zou geen moment twijfelen tussen een boek en een wip. Heb jij nog iets gehoord van Margherita? Ik kwam haar tegen in de kantine maar ik had geen zin om te vragen...'

'We gaan vanavond samen naar de film. Giovanni is thuisgekomen. Hij ging op de bank zitten, keek haar aan en barstte in snikken uit.'

'Wauw! En waarom?'

'Hij had een ander, lieverd.'

'Had?'

'Inderdaad. Na het eerste afspraakje kwam die ander erachter dat ze zich had vergist en dat heeft ze hem gezegd. Ze was dus gewoon niet geïnteresseerd.'

'Hij huilt om een ander en gaat naar zijn echtgenote om zich te laten troosten? Wat een egoïst, wat een zak. Arme Marg...'

'Giovanni wil weer thuiskomen, Camillo. En zij houdt van hem, daarom moeten we het respecteren. Dank voor de lunch, ga je mee naar de boekwinkel? Ik moet Alice aflossen.'

'Ik breng je, ik heb vannacht dienst. In elk geval heb je gelijk, we moeten maar beter ophouden met die affaires. Op onze leeftijd. Wij hebben vriendschappen. En kinderen. We missen niets, toch?'

Ik mis Federico. Dat hij me schrijft en dat hij niet te veel twijfels heeft. Ik zou hem eens moeten vragen over seks met zijn vrouw, maar dat durf ik niet. Het zou mij pijn doen en dus gedraag ik me als een discrete democraat.

New York, 8 december 2002
Plaats van vredige rust nummer 4, Greenacre Park

Lieve Emma,

Plantsoentje in zakformaat, dit hoekje dat ik gevonden heb in het hart van East Midtown. Het is een grauwe dag en nog even en het gaat regenen, die aanhoudende, heel fijne New Yorkse motregen die deze plek nog geïsoleerder en eenzamer maakt. Het water van de fontein druipt van blokken graniet en valt in de stenen bakken waarin bladeren drijven. Ik voel je naast me, ik ben uitgeput en licht. Wat jij er ook over zegt, de tijd doet de herinneringen niet vervagen. Integendeel, de tijd vergroot ze uit. Ik genees mijn verlangen door naar boekwinkels te gaan. Ik ben in jouw Strand geweest – 18 mijl boeken. De boeken staan daar gerangschikt op onderwerp, de mensen zitten op de grond, tussen tweedehands boeken waar de schrijvers hun handtekening in hebben gezet. Wat ik geniaal vind, is de service 'Books by the foot', oftewel 'Boeken per meter'. Denk je eens in, Emma, architecten of binnenhuisarchitecten hebben een decoratrice tot hun beschikking die adviezen geeft over de boeken die thuis bij mensen die niet lezen in de bibliotheek moeten komen te staan, of in de kartonnen boekenkasten van een filmset. Boeken per meter zijn vaak boeken die anders niet meer verkocht zouden worden en dit helpt de magazijnen opruimen. Je zou het idee kunnen kopiëren, ook al zijn, naar wat je vertelt, klanten en romans voor jou onaantastbaar en zou jij het immoreel vinden om boeken voor een spotprijs te verkopen om gaten in boekenkasten van domme mensen te vullen.

In het souterrain hangt tussen de boten en de sporten en de boeken in vreemde talen een bord dat zegt 'ALL BOOK THIEVES WILL BE ARRESTED'.

Misschien zou je dat kunnen kopen voor jouw dief.

Kus,

Federico

P.S. De middelvinger van mijn rechterhand is gevlekt: mijn vulpen lekt, ik stuur je de inktvlek als een persoonlijke revanche tegen de keurige studiebollen van vroeger.

Vrije dag in het centrum. De hemel is donzig, zoals in de liedjes die we als kleine kinderen zongen tijdens de uitvoering op school. De winkels lijken niet erg vol, het winkelpersoneel ziet er diepbedroefd uit, ze hebben te weinig klanten. De bars daarentegen puilen uit. De mensen staan naast de tapkast waar nerveuze obers vliegensvlug bedienen, steeds vlugger, overeenkomstig de drie *e*'s van de metropool: efficiëntie, excessen en ergernissen. We gaan zitten in de luxe bar, in de zijvleugel van de passage die uitkomt op Piazza del Duomo is een veranda van glas en staal opgezet met chromen 'paddenstoelen' die verwarmen. Een jongeman en een meisje kijken elkaar in de ogen terwijl ze langzaam een broodje tonijn, tomaat en blaadje sla peuzelen: stiekeme sandwich, de bofkonten.

Ik heb Gabriella twee weken niet gezien, het gesprek kabbelt voort: nieuws over Mattia, hoe gaat het op je werk, wat bof jij toch dat je lesgeeft en drie weken vakantie hebt, en schrijft je Amerikaanse vriend je nog? Het ene woord leidt tot het volgende, net als de micromozzarella's die in mijn salade bloedeloze tomaten en op het bord gezaaide maïskorrels gezelschap houden. Gabriella heeft gekozen voor een 'bordje' (zo staat het echt geschreven, *bordje*) inktkleurige wortels met gekookte bloemkool, die er verlept uitziet. De bediende is gewurgd in een vlinderdasje en maakt een bedaarde indruk, ondanks de menigte die duwt en dringt in legergroene loden jassen en grijze pakken met aktetassen. Ik moet denken aan rechtbanken en kantoren die wachten op papierstapels, *dossiers* om precies te zijn, en wellicht effectenhandel voor de brokers die steeds alert zijn op de zaak van hun leven. Kerstmis staat voor de deur, kop op, er is weinig sneeuw maar volgens het weerbericht zal het komen. Ik vind een vriendin terug en jammer van de maïs. Er is al een halfuur voorbij, het 'bordje' houdt de tel van de calorieën bij maar niet van de minuten die ons hier gegund zijn. We bestellen koffie en drinken die langzaam op. Wat telt is dat we elkaar hebben teruggevonden, Mister Papillon brengt ons de rekening, we hebben nog niet besloten wie er zal betalen of hij is al terug en kijkt ons met een schuin hoofd aan, trommelt op zijn opschrijfboekje, 'houd de rest maar,' zeggen wij terwijl we een glimlach toveren. Hij niet. Hij kijkt ons strak aan. En niet om ons te verleiden, welnee, hij wil heel, heel graag dat wij opstaan, weggaan en plaatsmaken. Ze is mijn beste vriendin, zonder haar ben ik verloren, ik moet met haar praten over Federico, ik probeer het hem met mijn blik duidelijk te maken. Papillon negeert me en ruimt het tafeltje af terwijl wij praten. Consumeren is waar het om gaat. Smakeloze mozzarellaatjes en bedorven worteltjes, omgekrulde broodjes en koude cappuccino's. De tijd niet, die is geteld. Papillon wordt nu razend, zijn verontwaardiging wervelt nu dreigend en heel zichtbaar rond. Zijn ogen zeggen: we moeten opkrassen. Geen kortingen, geen tijd voor babbeltjes. In Milaan ga je met de taximeter naar het café. Ik heb zin in het New York van Federico, in de plaatsen van vredige rust waarover hij me schrijft. In de boekenlezers in Central Park. Wij barpraters zijn legioenen en worden behandeld als indringers.

New York, 15 december 2002
42 W 10th St

Lieve Emma,

Het is zondagochtend, het licht dat door het raam van de woonkamer binnenkomt is pure melk, een teken dat het gaat sneeuwen. Het huis is heel gezellig, ik voel me goed in dit vooroorlogse gebouw van donkere steen. New York ruikt naar Kerstmis en was het niet voor Sarah die van de ene party naar de andere fladdert, dan zou ik in een depressie wegglijden. Ik werk als een gek en wanneer ik niet op kantoor ben, dwaal ik graag in mijn eentje rond terwijl iedereen om mij heen zich lijkt te vermaken in een stad waar het nooit stil is. Manhattan wordt overspoeld door toeristen, vooral de Bermuda Driehoek zoals wij de ruimte tussen het warenhuis Sacks, het beroemde Tiffany en het Rockefeller noemen: gezang, lichtjes en consumptiedwang die reikt tot aan de sterren. Gewoonlijk vermijden wij plekken met kilometers lange rijen en zoeken wij alternatieve oases: de wijsheid gebiedt ons de straten tussen de 31st en de 60th te vermijden, maar Sarah heeft aangedrongen en dus, lieve Emma, je zult het niet geloven, maar jouw favoriete ietsmeerdaneenenvijftigjarige heeft met een evenwichtskunstenaar waardige capriolen geschaatst op de ijsbaan van Rockefeller Plaza.

Vanochtend vroeg las ik in een online dagblad de resultaten van een onderzoek dat was gehouden onder ongeveer duizend Italianen, mannen en vrouwen, je weet wel, van die idiote statistieken die ervoor dienen dat jij je in goed gezelschap voelt (wat in mijn geval niet opgaat). Ik heb het uitgeprint en ik schrijf je een paar cijfers: een op de drie gevallen van overspel vindt plaats tijdens de lunchpauze tussen halfeen en halfdrie. Twee uur is niet genoeg tijd om naar huis te gaan of een hotel te vinden, een halfuur is voor mij genoeg om jou een brief te schrijven. Dus – volgens de ruwe opsomming van de onderzoekers, die, let wel Emma, voornamelijk over seks praten – wordt overspel vlugvlug geconsumeerd in de auto of in een leeg kantoor na werktijd. Bedrog plegen is nog steeds eng, wie het niet doet heeft later spijt dat hij of zij niet van de gelegenheid gebruik heeft gemaakt, en slechts een op de tien overspelplegers voelt zich schuldig. De verleidingen: bijna iedereen zou er slachtoffer van zijn. Sommigen vaak (29 procent), anderen behoorlijk frequent (43 procent), sommigen nu en dan (17 procent) en anderen zelden (9 procent). Het gebeurt telkens wanneer je iemand tegenkomt die aantrekkelijk is (32 procent), na een ruzie met je eigen partner (24 procent) of wanneer je voor werk of vakantie ver van huis bent (8 procent). Degenen die de meeste aanleiding geven om te zwichten zijn collega's van het werk (29 procent), onbekenden (26 procent) of de klassieke beste vriend of vriendin van de partner (18 procent). Niettemin is bedrog nog steeds beangstigend voor bijna de helft van de Italianen (48 procent). Waarom? De gevolgen voor het dagelijks leven (28 procent), schuldgevoel (24 procent), angst om te beginnen aan een nieuwe relatie (15 procent) en de angst om te worden betrapt (13 procent). Slechts 6 procent ziet ervan af omdat hij of zij trouw wil blijven. Mijn lieve Emma, aangezien jij liefdesverhalen verkoopt heeft dit onderzoek – idioot, zoals ik al zei – mij onvoorzichtig aan ons doen denken. En dat wij, omdat er boekverkoopsters noch architecten in worden genoemd, buiten elke statistiek vallen.

Een kus, die niet op de lijsten voorkomt.

Federico

Alice staart met een onnozele blik naar het computerscherm. Hoogstens een uur per dag, had ik tegen haar gezegd. Maar het is het eerste wat ze doet als ze 's ochtends binnenkomt. Als een robot drukt ze op het knopje om de pc aan te zetten, controleert ze de mail en verdrijft de tijd in haar virtuele winkel om bestellingen te verwerken. Zij maakt de pakketjes klaar en ik breng ze naar het postkantoor. Ik ben chef-verzendingen. Bij het geluid van de bel die aankondigt dat er een menselijk wezen in de winkel komt, maakt Alice zich met tegenzin los van haar plaats. Als iemand mij 's ochtends zou durven wegsleuren van mijn kop koffie en krantje, zou ik heel nijdig worden, dus gedeeltelijk begrijp ik haar wel. Alice maakt haar handen niet vuil met inkt en voert haar liturgie uit voor het scherm. Ze poetst het zelfs, spuit samengeperste lucht op de toetsen, heeft haar eigen forum met klanten en vrienden zonder gezicht die net als zij vastgekleefd zijn aan de pc en boeken bestellen, of, vaker nog, met elkaar babbelen, afspraakjes maken, romans bespreken, meningen vragen. Verzoeken om boeken die ze niet in de winkel vindt, de opvallendste e-mails en de mails die Mattia met een zekere regelmaat schrijft vanuit Sydney, print Alice voor me uit. Maar als ik goed naar haar kijk lijkt ze te leven in een schaduwkegel. Ze kan geen jongen vinden die haar begrijpt, bij de derde afspraak stort al haar hoop in: of de heren gaan ervandoor (ze vinden haar te ingewikkeld voor hun kleine hersentjes), of zij neemt zelf de benen. Veeleisend als ze is, kan ze domheid en gebrek aan fantasie niet verdragen. Het lichtje knippert, er is een e-mail binnengekomen.

Alice,

Heb jij in de winkel *Rebecca* van Daphne du Maurier? Een rijke weduwnaar hertrouwt maar zowel hij als zijn huishoudster leeft in de herinnering van de eerste vrouw, die op een gegeven moment als lijk uit zee komt; de weduwnaar zegt dat hij haar heeft vermoord omdat ze zwanger was van een ander, maar dan blijkt dat dat niet waar is, zij heeft zelfmoord gepleegd, ze had kanker. Maar de huishoudster steekt het huis in brand en zo leefden de rijkaard en zijn tweede vrouw nog lang en gelukkig.
Bij voorbaat dank voor je reactie,

Manuele

'Emma, wie was Daphne du Maurier? *Rebecca* doet me denken aan de titel van een film. Er is een klant die ernaar vraagt.'

'Daphnes carrière was een geëffend pad. Ze was de dochter van de acteur Sir Gerald du Maurier en kleindochter van de schrijver George du Maurier, een goede vriend van Henry James. Ze had stevige kruiwagens.'

Het gedetailleerde antwoord komt van de flageoletstem van

een toverfee op leeftijd, mevrouw Lucilla, die net de winkel is binnengekomen. Ze is lerares Engels aan het meest gelauwerde lyceum van de stad, fanatiek aanhangster van de *obituaries* van de *Times*, die, zo stelt zij, 'je de taal beter leren dan welke andere tekst ook', is een heel trouwe klant van Romans&Romances en groot liefhebster van jasmijnthee. Lucilla legt haar handtas op mijn toonbank, trekt haar jas uit en brengt haar gezicht bij mijn oor voor een onverwachte urgente confidentie: 'Ik ben doodsbang, Emma.'

'Voor Rebecca?'

'Voor mijn man, Ernesto.'

'Alice, zoek eens in de kast "Van hier tot in de eeuwigheid". Eigenlijk is het een thriller. Van een ander verhaal van Daphne heeft Hitchcock de film *Birds* gemaakt. Weten jullie nog die scène waarin de hoofdpersoon omringd is door vogels in een telefooncel? Ik kon er niet van slapen. De samenvatting die jouw Manuele geeft van *Rebecca* is erg grof. Een kopje thee, Lucilla?'

'Een kopje kamillethee zou heerlijk zijn.'

'Wat is er gebeurd dat je man je zo bang maakt?'

'Over een maand gaat hij met pensioen.'

'Leuk, dan kunnen jullie allerlei dingen gaan doen: wandelen, lezen, vrienden bezoeken die je al heel lang niet hebt gezien, vrijwilligerswerk, 's ochtends lang uitslapen. Fantastisch, pensioen.'

'Ziet u het voor zich? De hele dag in pyjama voor de televisie of gedeprimeerd rondhangen in plantsoentjes. Ernesto heeft nog nooit boodschappen gedaan, nog nooit een rekening betaald, ik koop zelfs zijn overhemden en sokken voor hem. Zijn leven was uitsluitend natuurkunde en studenten.'

Pensioen. Herfsttij.

'Hoezo míjn Manuele? Goedemorgen, Lucilla,' onderbreekt Alice ons, terwijl ze bukt om de handschoen van de angstige dame op te rapen die onder de toonbank was gegleden.

'Manuele de pulpschrijver, die jongen die waarschijnlijk werkeloos is en de winkel bestookt met e-mails. Inmiddels schrijft hij alleen aan jou. Eerst begon hij de mails met 'Lieve Emma'. Hij heeft blijkbaar begrepen dat ik geen smakelijke prooi ben. *Rebecca* zou ook bij de 'Driehoeken' kunnen staan, anders moet je het bestellen. Of wacht, bestel meteen wat extra exemplaren.'

Toevallige samenloop van omstandigheden. Waarom moet de nietsnut juist denken aan die roman die al tientallen jaren verbannen is naar het niemandsland van de boeken die niet meer in de catalogus staan? Ik laat het rusten, niets kan mij afhouden van mijn pas verworven luchtigheid.

'Die Manuele vindt het leuk om romans te suggereren; moet je dit lezen.'

Lieve Alice,

Ik kan je *Metamorfosen* (of *De gouden ezel*) van Apuleius aanraden, dat is niet alleen een van twee enige overgebleven romans in Latijn (de andere is *Satyricon* van Petronius), maar daarin wordt ook het beroemde sprookje van Amor en Psyche beschreven, dat God weet hoeveel kunst, beeldhouwkunst, schilderkunst, enz. heeft geïnspireerd. Ken je het? Psyche is zo'n mooi meisje dat Venus hoogstpersoonlijk jaloers op haar wordt. Dus stuurt ze haar zoon (Eros, Amor of Cupido, noem hem maar zoals je wilt) met de opdracht de fatale pijl af te schieten waardoor ze verliefd zal worden op de lelijkste man van de hele wereld. Maar Amor wordt verliefd op Psyche. 's Nachts komt hij haar bezoeken en laat haar de belofte verbreken dat ze nooit zal proberen hem in het gezicht te kijken, wat punctueel niet wordt uitgevoerd, met de daaruit voortvloeiende straf. Maar eind goed al goed en Psyche wordt een godin en trouwt met Eros. Dat betekent dus dat Eros (de zintuiglijke liefde) zich met Psyche (de ziel) heeft verenigd in een volmaakte eenheid. Dat is heel kort samengevat de allegorie van de mythe. Onvoorstelbaar dat een liefdesboekwinkel dat boek niet heeft. En excuses dat ik er iets van zeg.

Manuele

Wie denkt hij wel niet dat hij is?

'Kom, Lucilla, dan maak ik een kopje bosbessenthee, dat is een panacee voor als je van streek bent. Geef toe, het zal heel goed gaan met Ernesto als hij met pensioen is.'

Het is druk in het postkantoor: de dertiende maand die opgenomen moet worden, natuurlijk, maar het is alsof de mensen deze dagen voortdurend schrijven en de medewerkers achter de loketten met nog meer energie stempelen. Ik houd van de lichamelijkheid achter die kleine handeling: het stempel, de bekrachtiging, alsof ze zeggen: 'Zo, klaar'. In de hal van mijn Milanese postkantoor wordt veel getelefoneerd. Twee jongens vertellen schreeuwend hun wederwaardigheden, hun wenkbrauwen zijn gefronst, hun lippen bewegen, krullen op, gulzig naar woorden. Van een mobieltje krijg je rimpels, heb ik besloten. Een grootvader houdt een klein meisje op de arm, drukt haar tegen zich aan alsof hij haar wil beschermen. Zijn dochter moet het meisje zijn dat in de rij staat voor loket 19. Ze zijn mooi, de grootvader en het kindje, hij is bijna onhandig in zijn omarming. Ik houd van oude mensen omdat ik mijn eigen grootouders nooit gekend heb. Ze concurreren hier met me: er is in het postkantoor een winkel geopend. Ze verkopen daar van alles, van afgeprijsde boeken tot huishoudelijke apparaten, alsof iemand opeens zou besluiten een stofzuiger te kopen terwijl hij staat de wachten om zijn onroerendzaakbelasting te betalen. Alleen in de geheime helle-omgang voor verloren zielen, de gang van de postbussen, kom ik geen levende ziel tegen.

Ik heb een roman bij me die ik wil geven aan de onkreukbare dame achter het glas, ze kent me inmiddels en zal zich zeker nieuwsgierig hebben afgevraagd wie mij schrijft en waarom ik brieven bewaar in een van de genummerde boxen. Of misschien verzin ik wel weer een roman en is zij niet anders gewend. Ze heeft me verteld dat ze in Garbagnate woont, in de provincie, en dat ze er met de trein een uur over doet om hier te komen. 'Wat is er fijner dan lezen in de trein?' zei ik tegen haar toen ik haar uitnodigde om eens in de winkel te komen kijken. En zo werd ze vertrouwelijk tegen me. Franca heeft een vriend die in Brescia woont en maar niet over de brug komt. Zij lijdt onder de traagheid van haar garagehouder en ik heb het hart niet haar de voordelen van de vrijheid op te noemen. Zij wil trouwen en een sluier dragen en niets kan haar van die overtuiging afhouden. Ik heb een gedachte voor haar meegebracht.

'Fijne kerstdagen, Franca.'

'Dank u, mevrouw Emma. Weet u dat u mij geluk brengt?'

'Nee, dat wist ik niet. Hoezo?'

'Weet u nog dat boek dat u mij had aangeraden, *Een Venetiaanse liefde*? Ik heb er niet veel van begrepen, maar u zult het niet geloven: twee dagen nadat ik het uit had en nadat ik jaren had gewacht heeft Guglielmo eindelijk een besluit genomen. Hij knielde voor me neer, sloeg zijn handen ineen zoals wanneer je gaat bidden en vroeg me of ik zijn vrouw wilde worden. Vindt u dat niet een fantastisch toeval? Noteert u maar alvast de datum: 6 september om twaalf uur.'

'Wat een goed nieuws, Franca. Maar waarom wachten jullie nog zo lang?'

'Ik moet alles nog organiseren, de uitnodigingen, de jurk, de bruidssuikers, en dan nog de kerk: daar is een wachtlijst, in het voorjaar is alles al vol.'

Franca gekleed als slagroomtaart, hij met glimmend haar van de brillantine, en heel veel tantes, vriendinnen, nichten, schoonzusters. En een pafferige priester, streng ondanks de rondingen. En die belofte van eeuwigheid, die bijna altijd wordt verbroken. Het is Kerstmis en ik heb een horrorbeeld van het huwelijk. Het is dat áltijd dat mij niet overtuigt. Áltijd is een verplichting die je onmogelijk kunt nakomen.

'Het wordt vast een prachtig feest. Ik zal er zeker bij zijn, ik ben dol op trouwerijen. Doe Guglielmo de Veroveraar mijn hartelijke groeten. We zien elkaar over een paar dagen, na de feestdagen: dan zijn jullie toch open?'

'Natuurlijk, Emma, we krijgen de post binnen op de 27ste. Ik zal hem wel een keer aan u voorstellen, Guglielmo. Ik vertel hem altijd over de boekverkoopster van de postbus.'

Ik stop de brieven van Federico in mijn tas, bij de e-mails van Mattia die Alice op mijn schrijftafel had neergelegd. Ik heb me voorgenomen om ze deze kerstdagen alle negenentachtig over te lezen. Dat zijn er heel wat. Mijn privébriefroman. Nog eens wat anders dan Sibilla Aleramo. Ik loop naar buiten. Ik stap op de fiets en rijd weg. Trots op mijn nieuwe rol van uitdeler van trouwerijen. En op die van moeder die niet let op spelfouten.

Van: Mattia Gentili
Verzonden: dinsdag 22 december 2002 11.27
Aan: mama
Onderwerp: paar dagen weg

hoi mam dit is wrschnlk mn laatste mail tussen nu en 12 dagen... ik ga 10 dagen weg met 2 vrienden in de auto de Australische woestijn in... tentje houtvuur wild life... er is niks in de woestijn dus ik kan niet schrijven... dus je moet het niet erg vinden als ik je niet schrijf of bel... hier alles ok... huis is leuk mijn huisgenoten zijn dol op me... ze zijn aardig en behulpzaam... we waren al na 5 dagen vrienden en nu al heel wat mooie dagen samen beleefd... ik doe de was, ik kook en ik ben een beetje de baas in huis omdat die meisjes, angela en jade (27 december komt de derde, kaia), heel erg slordig zijn en ik vind het leuk om het huis schoon te

maken, gezellig... muziekje erbij, lekker poetsen... wat het werk betreft naja... ik heb geïnformeerd en ze zeiden dat alle baantjes die ik wilde met Kerstmis niet kunnen omdat ze dan vol zitten en een beginneling als ik die het voor het eerst doet kan niet werken in een vol restaurant met al die bestellingen... ik moet eerst ervaring opdoen dus daarom ga ik deze reis maken om wat afstand te nemen en plaatsen te zien die ik waarschijnlijk nooit meer zal zien... gister was de laatste schooldag en eerlijk gezegd vind ik dat best wel een beetje jammer... nu zie ik veel vrienden niet meer... mn humeur is ok... ik stuur mn nieuwe adres voor t geval je me iets wilt opsturen... cadeautjes en pakjes zijn welkom.
Ridge Street 27, Surry Hills, Sydney NSW postal code 2010.

Mattia

Maar leren de kinderen op de middelbare school tegenwoordig geen interpunctie meer?

De traditie wil dat het jaar begint met iets nieuws. Het nieuws van 2003 is in rouw gedompeld: de beheerder van ons appartementengebouw, een uil met een rond metalen brilletje op een rond gezicht en met uitdrukkingsloze ogen als knikkers, heeft ons per aangetekende brief laten weten dat de portiersfunctie zal worden opgeheven. Vergulde intercoms in plaats van de amandelvormige ogen van Emily, die haar nagellakjes, het Bialetti-espressopotje dat ik haar heb gegeven waarmee ik haar heb laten ontdekken dat dat de enige koffie is die het waard is koffie genoemd te worden, en haar toverlantaarns al aan het inpakken is. Ze zegt dat ze niet verdrietig is: de genereuze beheerder van het gebouw heeft een andere baan voor haar gevonden, gezelschapsdame van de weduwe van advocaat Oldrini in Via Nidrone, niet ver van hier.

'Ik kom je opzoeken in de boekwinkel, Emma,' zegt ze, terwijl ik zoek naar de juiste woorden om haar en mijzelf te troosten. Alles draait om geld. Een portier is volgens die vetbal, die boekhouder die onze levens controleert als een agent van de Stasi, een luxe geworden die, nog steeds volgens hem, wij ons niet kunnen veroorloven. Alsof het salaris van Emily zijn zaak is.

Ik heb Albert gevraagd om naar de winkel te komen en hem uitgenodigd om samen te eten. Ik moet hem overtuigen. Ik zou een nee niet kunnen verdragen. Om kort te gaan: onze portierskamer, vijfenveertig vierkante meter, komt uit op de binnenplaats en grenst muur aan muur met Romans&Romances. Er is een kacheltje dat het niet doet maar als je het wit schildert en vult met boeken en decoreert, zou het een fotoreportage in *Elle Maison* waardig zijn. Ik heb de afgelopen nachten gebladerd in glanzende tijdschriften over woninginrichting en met luchtige artikelen met jubelende titels zoals *Alles op 20 meter, Kleiner is mooier, De hemel in je kamer, Richt een eenkamerwoning in met een beperkt budget*. Volgens de deskundigen is vijfenveertig vierkante meter een exercitieplein voor een stel met kind, dus al helemaal voor mij. Ik heb ontwerpen geschetst (niet veel meer dan gekrabbel op ruitjespapier) en op mijn plan gebroed zonder er tegen iemand een woord over te reppen, een pijnlijke opgave voor iemand als ik, die – als je het bestaan van Federico niet meetelt – nooit ergens haar mond over kan houden. Het probleem is dat Milaan niets doet voor cafélezers en ik wil daar verandering in brengen. De landen in Noord-Europa hebben bars met grote ramen waar je kunt eten en boeken en kranten kunt lezen, de zuidelijke landen hebben binnentuinen en plaatsjes met rieten stoelen en tafeltjes waar de kinderen hun fotokopieën kunnen bestuderen terwijl ze een biertje drinken en managers hun businessplannen schrijven op hun draagbare computers.

Nu ben ik bang. Wanneer de droom langzaam uiteenvalt, weet ik opeens zeker dat er iemand is die klaarstaat om de hinderlijke helderheid van de logica van mijn plan stukje bij beetje af te breken. Dromen blijven dromen zolang er niemand is die ze kapotmaakt. Het heeft geen enkele zin om die ruimte leeg te laten staan. Het is halfvier, buiten valt al de winterse duisternis en dit is mijn droom: de portierskamer van Emily huren. De muur doorbreken die onze fysieke levens maar niet onze harten heeft gescheiden, en een 'echte' theesalon maken met een erker die uitkomt op de rust van de binnenplaats. Mijn persoonlijke Morgan Library is tussen de neuronen van mijn brein van boekhandelaarster al gereed om te worden voorgesteld aan het publiek. Ik kan een leegte opvullen, denk ik. Een gat in de markt vullen, zou Alberto zeggen. Het struikelblok is hij: de Trouwe Vijand. Ik heb Gabriella ook uitgenodigd om naar het restaurant te komen, want die kan als geen ander haar echtgenoot tegenspreken. Camillo duwt onstuimig de deur open, gaat voor de kassa staan en trekt het gezicht van een acteur die in zijn hoofd een grap oefent.

'Dag, Camillo, wat doe jij hier op dit uur?'

'Ik heb vandaag vrij. Ik moet je spreken, zullen we ergens koffie drinken?'

'Laten we boven gaan zitten, ik heb vier soorten koffie, ook decafé, de beste koffie van de wijk en nog gratis ook. Wat is er? Is het de kou of lijkt dat maar zo? Je huid glimt. Je bent toch niet bij een schoonheidsspecialiste geweest?'

'Wat nou schoonheidsspecialiste. Ik ben nog geen flikker. Integendeel...'

'Maar dat doen heel veel mannen, hoor. Heteroseksuele mannen. En bovendien moet je niet flikker zeggen, zeg maar liever gay of homo.'

'Emma, alsjeblieft, nu geen ideologische discussies. Ik ben veel te gelukkig.'

'Ik preciseer alleen maar, Camillo. Clichés kunnen worden overwonnen door te preciseren.'

Hij gaat in de fauteuil zitten, slaat zijn benen over elkaar en wacht tot ik hem een decafé inschenk in een SHHH... I'M READING-kopje.

'Ik heb een dame ontmoet. Arts. Op de afdeling.'

'Specialisatie?'

'Wat doet dat er nou toe?'

'Het is iets anders of je verliefd wordt op een cardiologe of op een tandarts, de specialisatie doet er heel veel toe.'

'Ze is de nieuwe infectiologe van het onderzoekslaboratorium.'

'In deze tijd kan een infectiologe goed van pas komen, met al die geheimzinnige virussen die rondvliegen, luchtvervuiling, dat soort dingen...'

'Ze stuurt me waanzinnige sms'jes, hier, moet je lezen.'

'Vroeger flirtten we aan de telefoon. Nu sturen we elkaar afatische sms'jes, weinig meer dan serieslogans, allemaal hetzelfde en te versturen naar iedereen. Hoe dan ook lijkt de infectiologe me geweldig nieuws.'

'Er is wel een probleem.'

'Wat voor probleem?'

'Ze is getrouwd, ze is schatrijk en ze heeft in het verleden veel minnaars gehad.'

'Een expert dus. Camillo, ga nou niet meteen een anamnese afnemen. Luister naar jezelf, kijk naar jezelf, kijk hoe je je voelt wanneer je haar ziet, nadat je haar hebt gezien, voordat je haar ziet. Analyseer de symptomen: mis je haar? Heb je zin om haar weer te zien? Wat voel je nadat je haar hebt gezien? Dat soort dingen.'

'Het is voor het eerst dat me dit overkomt. Ik ben tweeënvijftig en heb nog nooit een minnares gehad. Ik ben een amateur.'

'Je moet niet redeneren alsof je met een telraam werkt: eerst de gele, dan de blauwe, dan de groene. Je bent aardig, ziet er leuk uit, bent tamelijk ontwikkeld, kortom je bent geen kliekje. Je bent nog steeds aangeslagen door de streek die Laura je geleverd heeft. Je houdt van je vrouw en je hoopt dat alles weer wordt als vroeger. Intussen kan de dokter van pas komen, die versterkt je gevoel van eigenwaarde. Zij is degene die getrouwd is, niet jij, jij bent in de steek gelaten.'

'Ik ben bang.'

'Jij onderschat angst. De angst van de ziel, onze psyche – ziel en brein – is veel gecompliceerder dan jij vertelt. Je kunt geen angst hebben alleen maar omdat je iemand leuk vindt. En bovendien is het maar goed ook dat ze rijk is, dan is er ook geen sprake van chantage. Liefde in zijn zuiverste vorm.'

'Niet één keer ben ik gevallen voor een arme of behoeftige verpleegster. Ik weet waarom ik Valeria leuk vind. Mooie naam, hè?'

'Gewoonlijk weten wij nooit waarom we iemand leuk vinden. Ik zie daarin nog steeds geen reden voor angst.'

'Verdorie, Emma, mannen laten jou helemaal koud. Jij hebt je afgekeerd van de vleselijke liefde. Maar ik betreed met haar de kamer van de koningin, de slaapkamer van de koningin, snap je?'

'Is ze van adel? Een infectiologe met blauw bloed, het summum van snobisme.'

'Houd op met plagen, Emma. Niet doen.'

'Goed dan, ik ben serieus. De kasten-infectiologe is het koninginnetje van het ontoegankelijke bal en jij voelt je een dombo. Dat is normaal. Op het lyceum ben ik wel eens in de steek gelaten met de woorden: "Ik kan geen vriendinnetje hebben dat vieze woorden zegt en niet in God gelooft". Begrijp je zo iets?'

'En wie was die racist?'

'Iemand zoals jij, min of meer. Je moet het zo zien. Als je de plot van een film of een boek in de eerste twintig minuten begrijpt en je voelt niet de enigszins obsessieve behoefte om te weten hoe het afloopt, dan werkt het verhaal niet. We hebben de fase van de voorplanting achter de rug, we zijn klaar om een stuk leven met iemand anders door te brengen: jouw huwelijk is te lang en te belangrijk om nu al in de fase te kunnen zijn van het echte zoeken. Je bent niet het type om te klooien, je bent gewoon aan het oefenen. Je bent pas op de eerste bladzijden, in het eerste kwartier, laat je meevoeren naar het vervolg, lees niet wat er niet staat. Wees kalm en doe geen domme dingen. Drink je koffie rustig op. Ik moet naar beneden.'

'Het is fijn om een vriendin zoals jij te hebben die haar tijd verdoet met mij coachen. Ik zal iets kopen, ik moet bijdragen aan de daginkomsten. Kies jij maar, ik ben in de war.'

Camillo vindt het het heerlijkste wat er is als hij verzorgd wordt. Zijn erotisch-affectieve verbeeldingswereld bestaat uit vrouwelijke dokters in witte jassen en stethoscoop om de hals, kindermeisjes, babysitters en psychologes. Na zevenentwintig jaar monogaam te hebben geleefd en een paar kleurloze herinneringen aan studentenavontuurtjes, heeft hij ontdekt dat er onder de jas van zijn vrouwelijke dokter een lichaam is dat niets heeft waar dat van zijn vrouw jaloers op kan zijn. Hij is Laura niet vergeten en zou willen dat ze terugkwam. Maar op het display van zijn mobiel lezen 'ik mis je vreselijk' of 'je bent goddelijk' kietelt zijn narcisme dat al maandenlang gefrustreerd is door berichten van tegengestelde strekking. Hij is niet in staat om de minnaar voor een paar uur te zijn, het lukt hem beter om de ware allesomvattende verliefde jongen te zijn. Vrienden en klanten zijn mijn persoonlijke bestsellerslijsten. Ik heb hem voor een totaalbedrag van 175 euro aan romans geleverd, diep in mijn hart hopend dat Federico niet naar zijn vriendinnen gaat om te vertellen over zijn fascinatie voor boekhandelaarsters.

'Lees *Fragmenten uit de taal van een verliefde* van Barthes nog eens over, zijn uitspraken zijn ideaal voor jouw sms-neigingen: "De noodzaak van dit boek blijkt uit de volgende beschouwing: de taal van een verliefde is tegenwoordig van een eeuwige eenzaamheid". Die gebruikten we om te begrijpen in welke narigheid we ons hadden gestort met Jan en Alleman. Het functioneerde als spiegel, weet je niet meer?'

'Nooit gelezen, volgens mij was het in de mode bij de meisjes. Dat is reden van onze onwetendheid in liefdeszaken, wij hebben niet de juiste boeken gelezen.'

'Ik geef je ook *Dagen van verlating* van Elena Ferrante mee. Daarin verlaat de echtgenoot zijn vrouw om het aan te leggen met een jong meisje. Het is een aangrijpend verhaal over een ontvreemding en een wedergeboorte: het zal je veel dingen over vrouwen doen begrijpen.'

'Hè toe, Emma, je mag me niet straffen alleen maar omdat ik een vrouw heb ontmoet. Geef me iets vrolijks, een verhaal dat goed afloopt, dat me troost en een paar lichtpuntjes geeft.'

Ik zoek zo iets, maar kan zo snel niets bedenken. En *Het dagboek van Bridget Jones* dat Alice in duizelingwekkend tempo verkoopt, is beslist niet het juiste boek voor een ietsmeerdanvijftigjarige die gevoelsmatig in de war is.

Alberto hapt als een Texaanse cowboy in het puntje van de worst en slokt het bier rechtstreeks uit de fles naar binnen. Hij heeft naar me geluisterd zonder me in de rede te vallen. Hij verandert met de jaren. Hij heeft besloten zijn menselijkheid niet langer te maskeren achter de efficiëntie van de harteloze accountant, of misschien heb ik dit keer een idee gehad dat commercieel levensvatbaar is.

'Het zou een polifunctionele locatie kunnen zijn, waar je je romans verkoopt maar ook gadgets, Emma. We zouden de markt eens een beetje moeten bestuderen om te kijken wat de mogelijkheden zijn. Weet je, jij denkt niet als een boekhandelaarster, maar als een bibliothecaresse.'

'Er zijn bibliothecaressen die fortuin hebben gemaakt bij hun bazen. Belle da Costa bijvoorbeeld, een legendarische figuur uit de negentiende eeuw.'

'Nooit van gehoord. Wie is dat?'

'Laat maar, dat is een lang verhaal. Ik heb geen zin om marktonderzoeken te lezen om te weten wat mijn klanten willen, maar ik heb een ander idee: ik wil de ruimte vergroten voor de boeken, ik wil een bar openen.'

'Je hebt al een bar, ze drinken daar op jouw kosten, waarom zouden ze er nu aan moeten wennen om te betalen alleen omdat jij de boekwinkel uitbreidt?'

'Ik wil een echte bar, een ruimte die is ingericht als een huiskamer, waar je kunt drinken, een stuk taart eten, rustig lezen. Tegenwoordig gaat niemand meer naar huis om te lunchen, ze schrokken wat kartonnen broodjes met kleurloze salades naar binnen, drinken een koffie en weg, terug naar het werk. Ik dacht aan Herberg van de romans, wat vinden jullie ervan?'

'Herberg is synoniem van taveerne met logies. Waarom niet Koffiehuis van de romans? Of beter nog: Novels tea room, dat klinkt internationaal.'

'Ik geef logies aan vermoeide zielen en voeten. Ik vind Herberg prima, maar dan in het Italiaans: *Locanda*.'

'Ik vind "locanda" een mooi woord, Alberto, het roept het beeld op van gezelligheid,' redt Gabriella mij.

'Ik geloof dat het moment is gekomen om de merknaam Romans&Romances te deponeren, je weet maar nooit, iemand zou je idee kunnen kopiëren. Ik zal bellen om te onderhandelen over de huur.'

'De beheerder verwacht je morgen. Om vier uur.'

'Kalm aan, Emma, we moeten eerst de balans opmaken, kijken wat het kost, een minimum aan opknapwerkzaamheden zal nodig zijn. Maar koekjes, gebakjes en verse sapjes leveren wel wat op. In tegenstelling tot boeken is dat een zekere bron van inkomsten.'

'Is er een speciale vergunning voor nodig?'

'Ik geloof dat de gemeente de vergunning moet afgegeven.'

'*Less is more*, Emma. Jouw ruimte zal de waarde van de eenvoud moeten bejubelen, daarom weinig snuisterijen, alleen noodzakelijke meubels, een simpele menukaart, ik zal je wel helpen,' voegt Gabriella toe terwijl ze haar glas heft om te toosten.

'Neem je geen Ikea-meubels?'

'Nee, ik wil een vintage inrichting, gebruikte gedecapeerde meubels en verder sfeer, emotie: kaarsen, zachte stoffen... de locanda wordt een romantische bar maar niet aanstellerig en de overheersende kleur wordt wit.'

'Maagdelijk wit, heel goed. Laten we het concept zuiverheid in ere herstellen.'

'Heb jij enig idee hoeveel tinten wit er zijn?'

'Nee, hoeveel?'

'Meer dan twintig.'

Gabriella is mijn redding. Haar doctoraalstudie kunstgeschiedenis komt mij eindelijk van pas.

IJswit. Ivoorwit. Parelwit. Antarcticawit. Ik val in slaap in een poollandschap. Gelukkig met mijn nieuwe onderneming.

Milaan, 25 februari 2003
Via Londonio 8

Lieve Federico,

Het is nacht, ik ben uitgeput maar te opgewonden om je niet te schrijven vanuit mijn bed, in een pyjama die Mattia had afgedankt en met badstofsokken aan mijn voeten. De prettige kant van alleen wonen: onder de dekens kunnen kruipen met een vochtinbrengend masker van 70 euro op je gezicht zonder dat iemand er ook maar iets over kan zeggen. Ik ben niet toonbaar, maar intens tevreden: sinds vanavond ben ik eigenares van de Locanda van de Romans, een literair café, of een boekwinkel-brasserie zo je wilt. Grandioze opening, afgeladen met de gebruikelijke journalisten en nieuwsgierige voorbijgangers die zagen dat het licht brandde en nieuwsgierig binnenkwamen. En de vaste klanten. Cecilia kwam met een jongen van in de dertig, donkerblauwe loden jas en streepjesstropdas: ik had geen tijd om te vragen of dat haar nieuwe vriend was. Meneer Frontini kwam om acht uur binnen met een groep vrienden en een bos lichtgele roosjes, Gabriella had haar collega's opgetrommeld, Alberto straalde, je kon het euroteken in zijn ogen zien glinsteren, en zelfs Camillo was er met zijn infectiologe die hem goed heeft opgepept (en de knoopjes van zijn overhemd wat verder los heeft gedaan), een goed geconserveerd donker vrouwtje en – nieuws! – groot lezeres van romans. Lief, ik kreeg een overvloed aan complimenten voor het zoete en hartige buffet: we hebben dezelfde heerlijkheden opgedist als die op het dagmenu zullen staan, een compendium van literaire fantasieën, verrukkelijke sandwiches van melkbrood en met zielenrust verschaffende titels. 's Avonds willen we de locanda daarentegen veranderen in een bar met non-alcoholische drankjes. Als het mooi weer is kunnen we profiteren van de binnenplaats, waar klimplanten en bloemen zullen groeien. Ik ben aan het uitbreiden maar je weet dat mijn fantasie, vooral op dit soort dagen, geen muren kent (naar het beroemde liedje). Alice heeft een nieuw bordje opgehangen: GUN JEZELF EEN PAUZE, ZET JE GSM UIT, naast het verzoek aan de dieven dat ik aan jou dank. Er was geen gerinkel van mobieltjes te horen, maar een gekakel van menselijke stemmen.

Ik kus je en ga slapen, gelukkig,

Emma

Een ochtend aan het einde van de winter van 2003, voorbestemd om 'de' ochtend te worden. Een jongen van in de dertig, maar hij zou de vijfendertig gepasseerd kunnen zijn, met een pilo jack en ribfluwelen broek, loopt tussen de boeken alsof het de bomen in een bos zijn waar je verstoppertje kunt spelen. Lang, slank gebouwd, kastanjekleurige krullen, een lichte baardgroei, versleten overhemdmanchetten, Shetlandtrui, oranje wollen sjaal en een blik die wars lijkt te zijn van enige competitiedrang. Hij blijft staan voor de tafel van de 'Onherstelbare liefdes' en leest de omslag van *De groep* van Mary McCarthy. Hij heeft lange vingers en ronde nagels met rode afgebeten velletjes. Een zwart plastic horloge om zijn pols. In harmonie met de rest. Het is niet mijn gewoonte om klanten te storen, meestal knik ik ze bemoedigend toe, welkom, doe alsof u thuis bent, roep maar als u iets nodig hebt, en dan krijg ik glimlachjes terug (niet altijd). De jongen heeft een ontwapenende glimlach, naïef, zachtmoedig en toch pienter. Ik weet zeker dat ik hem nog nooit heb gezien, maar hij heeft iets vertrouwds. Ik zou hem kunnen aanspreken en zeggen dat dat een vrouwenroman is en bovendien uit de jaren zestig, gecensureerd, toen hij beslist nog niet geboren was, en dat ik me niet kan herinneren hoe het afloopt. Hij zou kunnen denken dat ik pedant ben en daarbij bestaan er geen vrouwenromans en mannenromans en moet ik eens ophouden met mij te bemoeien met andermans zaken. Hij leunt nadenkend tegen de muur en heft zijn blik omhoog. Naar hoe hij zich beweegt lijkt hij de indeling van de titels te kennen, hij dwaalt tussen de kasten met het oog van een paddenstoelenzoeker, kijkt naar het bordje met het opschrift 'DIEREN ZIJN HIER TOEGESTAAN' en glimlacht opnieuw mooi. Hij is het type handlanger-klant, de broer-klant, de 'sterke lezer' die het gemiddelde opkrikt in de moedeloos makende ranglijsten van de Italianen die vergeleken bij andere Europeanen de allerdomsten zijn, zodat ik, wanneer hij naast me komt staan, niet lang hoef te wachten voordat hij begint te praten.

'Goedemorgen, Emma, hoe is het met u?' zegt hij, terwijl hij zijn hand uitsteekt.

'Kennen wij elkaar?'

Ik beantwoord zijn handdruk, kijk hem aan met de absolute zekerheid dat ik zoals gewoonlijk weer een onvergetelijk slecht figuur heb geslagen. Misschien is hij wel de zoon van een vriendin en heb ik hem niet herkend.

'Iedereen kent Romans&Romances. Ik ben Manuele, aangenaam. Ik ben gekomen om een boek op te halen dat ik een week geleden besteld heb.'

'Ach, Manuele. Natuurlijk. Het is beslist al binnen, gewoonlijk leveren de uitgevers binnen drie dagen. Aliiiiiice, je hebt bezoek.'

De deur van het magazijn gaat open met een plotselinge windvlaag van frisse lucht. Zij loopt als in slow motion langs de kastwand. Hij gaat haar tegemoet. Nog een laatste windvlaag en dan is het als wanneer in een film op een gegeven moment een ontknoping plaatsvindt die bijna onopgemerkt voorbij lijkt te gaan maar waarin dat ene personage, dát personage opkomt, en jij daar in het donker heel goed begrijpt dat de plot vanaf dat moment is voorbestemd om een onverbiddelijke wending te nemen. En je gaat rustig de rest afwachten. De dertig-misschien-vijfendertigjarige Manuele begroet Alice met een handgebaar een paar passen voordat hij bij haar is, terwijl ik zedig achteruitloop en mij verwijder. Net als voor de koningin van Engeland. Het scenario schrijft elkaar kruisende blikken voor en dat er alsjeblieft niemand binnenkomt om de betovering te verbreken.

'Goedemorgen, Alice. Is mijn Hesse al binnengekomen?' zegt hij.

Mijn Hesse? Hij zal toch niet zijn blijven steken bij Siddharta?

'"Hij had gelezen, de bladzijden omgeslagen, papier verslonden en daarachter, achter de vuige muur van boeken, was het leven geweest, hadden harten gebrand, waren passies losgebarsten, had bloed en wijn gevloeid, was liefde bedreven en misdaad begaan." *De man met veel boeken*. Ik neem het,' reciteert hij op de geïnspireerde toon van diva van de stomme film, alsof dat citaat, dat bij lange na niet de waarheid zei, daar had gewacht op de juiste gelegenheid. Alsof die explosie van cultuur de kracht had het draaiboek van de dag te veranderen. Er gebeurt iets. En ik vermaak me als in de bioscoop. *Die twee tutoyeerden elkaar toch in die e-mails die ze zo veelvuldig hebben uitgewisseld in de afgelopen maanden?* Nu is de jongeman fysiek hier, klaar om lieflijk te worden verscheurd door dat onbescheiden en ietwat wijsneuzige meisje. Ik heb het voorgevoel dat haar avonden buiten de winkel een bruuske en acute wending zullen nemen.

Voor de zonde van het afluisteren word ik behoed door een stel dat de winkel in komt. Hij lijkt een acteur, draagt een jas van onberispelijke snit over zijn iets afhangende schouders, zijn witte haar is dik en naar achteren gekamd. Zij is een miniatuurvrouwtje met hangende oogleden, ze hangt aan zijn arm en drukt haar tasje tegen haar borst. Een paar van geblazen glas, om zo op de bruidstaart te zetten. De man en de vrouw die een leven lang samen zijn en houden van hun gewoontes lopen naar de tafel van de 'Dagverse liefdes' waar de nieuwste aanwinsten opgestapeld liggen te wachten op onderdak. Ze zoeken een cadeau en vinden het in het geïllustreerde werk van 72 euro. Ik pak het netjes in en vanaf deze observatiepost kun je goed gluren zonder voor spion door te gaan: Alice en de e-mailjongen staan samen te smoezen, je zou zeggen op hun gemak, als er iemand langskwam zou die geneigd zijn te denken dat ze elkaar al van jongs af aan kennen. Elkaar vertrouwd. De volwassen jongeman, blank, middle class, leunt met zijn rug tegen de boekenkast, terwijl zij met haar bovenlichaam als een metronoom heen en weer deint, haar gewicht verplaatsend van de ene voet op de andere, het boek in haar handen draait, iets over de omslag zegt, glimlacht, lacht, sterker nog: nu lachen ze allebei. Hij kijkt haar recht in het gezicht aan en ik weet zeker dat zij het gevoel heeft dat ze alleen zijn ogen ziet en dat ze alles wat hij zegt interessant, gewaagd, intelligent en origineel vindt. Met de tijd gaat deze staat van genade voorbij, de verwondering blijft gegrift in de herinnering aan de eerste ontmoeting. Het paar van porselein gaat naar buiten, het poppetje houdt het pakje vast als een dienblad vol zondagse gebakjes. Alice loopt naar de deur met Manuele Scartabelli, drie dagen per week docent filosofie aan een lyceum in Monza, lezer van essays en nauwkeurig e-mailer. Hij is op sollicitatiegesprek bij zijn toekomst zonder het te weten, want Alice is altijd attent voor haar klanten, maar laat ze nooit uit. Ze schudt hem de hand en wenst hem een 'goede dag'.

Ik heb het sterke vermoeden dat dat voor haar al zo is.

New York, 2 maart 2003

Lieve Emma,

Met een cappuccino met dubbele portie slagroom vier ik de honderdste verjaardag van het Flatiron Building, tweeëntwintig verdiepingen ontworpen door de architect Daniel Burnham. Ik stuur je deze kaart: vind je het niet geniaal?

Federico

Milaan, 8 maart 2003
Via Londonio 8

Lieve Federico,

Ik heb zojuist ontbeten met koffie, geroosterd brood met boter en marmelade, uitgeperste sinaasappel en een onwelvoeglijke ochtendsigaret gerookt. Vandaag is het 8 maart en mijn eerste gedachte ben jij. Ik zal geen bosje mimosa kopen om in mijn haar te steken en ik hoop dat niemand op de gedachte komt het mij te geven. Ik vind het eerlijk gezegd heerlijk om bloemen te krijgen, maar zo'n schriel voorverpakt bosje dat een of andere attente afdelingschef neerlegt op de bureaus van de vrouwelijke werknemers in het bedrijf waar statistisch gezien de mannen het voor het zeggen hebben, is oneerbiedig. Sterker nog, een belediging. Vandaag zou ik liever geen betogingen voorbij zien komen, ik zou het voldoende vinden als ze de straten schoonveegden en meer trams lieten rijden. Hordes vrouwen zitten opeengepakt in de tram: blanke, oosterse, zwarte, Chinese, Marokkaanse, Egyptische en Milanese vrouwen. Kantoormedewerksters, verkoopsters, boekhandelaarsters, vrouwelijke arbeiders, vrouwen achter het loket bij de bank, op het postkantoor, van het belastingkantoor, schoonheidsspecialistes, kapsters, manicures, boekhoudsters, persmedewerksters, studentes, werkloze vrouwen, artsen, tandartsen, huisvrouwen, journalistes, verpleegsters, kindermeisjes, brandweervrouwen, politievrouwen, caissières, barmeisjes, accountants, publiciteitsmedewerksters, regieassistentes, reclameontwerpsters, leraressen, crècheleidsters. Vrouwen, moeders, dochters, grootmoeders, zusters, schoonzusters, schoondochters. Ik zou willen dat ze vandaag de poep van de honden (reutjes) uit de plantsoenen schepten met een schep en rubberhandschoenen, dat ze ons vredig lieten wandelen in het park tussen de bomen die voorzichtig beginnen te bloeien, zonder het risico dat we gevaarlijk uitglijden over de stank. Ik zou willen dat ze de gaten in de gehavende trottoirs dichtmaakten, ik zou willen dat de scooters van de mannen verdwenen die als vliegen geparkeerd staan en die onze fietsen (vrouwelijk) dwingen ons weerloos en gefrustreerd terug te trekken. Ik zou willen dat ze boeken en berichten over geweld tegen vrouwen censureerden en ons voor één dag vrij gaven van stedelijk en huiselijk geweld. Ik zou glimlachen en vriendelijkheden willen zonder bijbedoelingen. Wat mij betreft, ik zal mijn vrouwelijke klanten korting geven en de etalage te hunner ere inrichten: boeken die gaan over vrouwen zijn er in overvloed. Vrouwen die zittend, liggend, keurig rechtop, onderuitgezakt lezen, afgesloten van hun omgeving tussen de bladzijden van een boek. Vrouwen die graag lezen en dus gevaarlijk zijn.

Ik ben dol op je, al ben je een man,

Emma

New York, 8 maart 2003

Lieve Emma,

Hier zie je een New York aan het begin van de vorige eeuw. Een vrouw.

'In 1908 staken de arbeidsters in de stoffenfabriek Cotton in New York om te protesteren tegen de verschrikkelijke omstandigheden waarin zij gedwongen worden te werken. De staking duurt enkele dagen, totdat de eigenaar, Mr. Johnson, op 8 maart de fabriekspoort blokkeert om de arbeidsters te beletten naar buiten te gaan. Bij het gebouw wordt brand gesticht en de honderdnegenentwintig gevangen gehouden vrouwen komen in de vlammen om. Rosa Luxemburg stelt voor om 8 maart uit te roepen tot de dag van de internationale strijd voor de vrouwen.' Op kantoor zijn er tweeëntwintig, ik heb bosjes violen voor ze gekocht, ze hebben me stomverbaasd aangekeken: hier wordt 8 maart niet gevierd.

F.

Alice is aan het veranderen. Er moet iets gebeurd zijn. Sterker nog, *het* moet gebeurd zijn. De aanwijzingen zijn overduidelijk. Ze komt de winkel binnen in een kort jurkje tot boven de knieen, donkerblauwe maillot, en pumps met hoge hakken. Zo'n drastische verandering is niets voor haar. Alice is een verstandige hervormster en nooit een revolutionair geweest. Wat betekent die korte ragebol met pony? Audrey Hepburn. Ook zij. Ik bereid me voor. Ze loopt op me af met een kop groene appelthee in haar hand en kondigt met een ondeugende blik aan: 'Ik heb een idee.'

'Bedankt voor de thee. Als het idee maar weinig kost, je kent Alberto. Wat heb je met je haar gedaan?'

'Ik had een gelofte afgelegd.'

'Dat doe je in de kerk of in speciaal daarvoor bestemde heiligdommen.'

'Ken je dat, dat je denkt als me dit overkomt dan zweer ik dat ik dat doe? Nou, dat is gebeurd. En wat ik op het spel had gezet was mijn haar, dus daarom heb ik het afgeknipt. Tak, ik voel me iemand anders. Het groeit toch wel weer aan.'

'Het staat je prachtig, lieverd. Maar je had een idee.'

'We hebben een hulpje nodig, althans 's middags. Met de locanda erbij kan ik niet overal achterheen zitten. Ik dacht dat we hier wel een verkoper kunnen gebruiken.'

Verkoper zegt ze, mannelijk dus. Je hoeft geen helderziende te zijn om het nieuwe kapsel van 52 euro in verband te brengen met haar ideale verkoper.

'Het is belangrijk dat hij jong en slim is, dat hij stijl heeft maar niet gekunsteld is, en dat hij een efficiënte intellectueel is. Een geweldig idee, Alice, wij missen een man hier. Maar ik ben bang dat we het eerst moeten bespreken met Alberto.'

Ik geef mezelf vandaag een halve dag verlof. Kapper, harsen, gezichtsreiniging, nieuwe jurk. En nieuwe schoenen. Ik groet Alice zonder bijzondere aanwijzingen te geven over de nieuwe boeken die zijn binnengekomen, ik moet mijn opwinding verbergen over de korte vakantie die mij wacht. Zij lijkt nog blijer dan ik dat ze een paar dagen het rijk alleen heeft.

'Je verdient een zee vol knuffels in Normandië. Met alle thermale baden die er in Italië zijn lijkt deze reis voor de thalassotherapie mij overdreven, maar je zult in een proustiaans decor zijn. Amuseer je, rust uit en neem voor mij alsjeblieft madeleines mee.'

Proust is de laatste aan wie ik denk, maar het doel heiligt de middelen. Ik kan niet elk jaar zeggen dat ik naar Parijs ga voor mijn collectie boekwinkels. Gezondheid is een onschendbaar argument.

New York, 31 maart 2003
42 W 10th St

Lieve Emma,

In 1913 ging JPM naar Egypte in het kielzog van een expeditie georganiseerd door het Metropolitan Museum of Art, dat er miljoenen dollars in stak. Daar, voor die ruïnes, werd hij ziek. Hij keerde terug naar Rome, naar het Grand Hotel, waar zijn dokter zich bij hem voegde, die de familie ontraadde hem mee naar New York te nemen. Er was geen hoop meer, JPM ijlde en de koorts tastte zijn geestelijke vermogens aan: 'Ik moet terug de heuvel op,' zei hij alsmaar, terwijl hij met zijn vinger naar het plafond van de suite wees. Op 29 maart verloor hij het bewustzijn en op 31 maart om halfeen stierf hij. Voor de bekendmaking van zijn dood werd gewacht tot de Amerikaanse Beurs gesloten zou zijn, vervolgens werd in Wall Street de vlag halfstok gehesen. De familie ontving telegrammen van paus Pius XII, keizers, koningen, bankiers, industriëlen, handelaren en museumdirecteuren, die ontroerd het hoofd bogen voor 'die grote en goede man'. Belle da Costa zond wanhopig een telegram naar Berenson: 'Mijn hart en mijn leven zijn gebroken.' Het schip France zou in New York aankomen met de kist van haar Boss. Belle, die de man was verloren die haar gemaakt had, overspoelde de Morgan Library met rode en witte rozen en gerbera's, richtte de rouwkamer in in de West Room, waar ze als een familielid over hem waakte... Morgan bedankte haar in zijn testament met 50.000 dollar, waarvan ze kon rentenieren, maar zij was geïnteresseerd in de toekomst van de bibliotheek. De collectie telde inmiddels meer dan zeshonderd boeken en was de kostbaarste verzameling ter wereld van middeleeuwse en renaissancemanuscripten, de toekomst ervan hing af van Jack, aan wie de vader de collectie had nagelaten met de aantekening dat zij 'altijd beschikbaar voor onderwijs en genot van het Amerikaanse volk' moest blijven. De zoon moest een deel ervan verkopen om de successierechten te kunnen betalen, stelde de collectie een jaar later tentoon in het Metropolitan en dat was de enige keer dat de collectie in zijn geheel te zien was. Belle bleef nog twintig jaar op haar post als bibliothecaresse. Er zijn nu negentig jaar voorbij en wij zijn hier bezig met de onschuldige obsessie van een man die nu in alle Amerikaanse kranten met lange artikelen wordt gememoreerd, waarbij ook Renzo en ons bureau worden genoemd. Ik vond het leuk om je dit te vertellen, negen dagen verwijderd van onze afspraak.

Ontroerde Federico

P.S. Vandaag ben ik heel tevreden.

10 april 2003

Het schemerde gister al toen ik naar buiten kwam na de eindeloze marteling van de kapper. Zíj fladderde onschuldig rond. Ze gleed over mijn jas, glipte over de ruiten van de auto's, zakte als een zilveren baard op de stoepranden. Vervolgens loste ze op in regen. Er zijn elf uur en zeventien minuten voorbij en mijn haar valt als lood, perfect, over mijn koude nek. Ik zet koffie en smeer me in met een dubbele laag vochtinbrengend masker met aloë-olie. Het prikt. Ik schuif de gordijnen open, ik leg mijn handen om het kopje, kacheltje voor mijn vingers. De scène is suggestief, de ogen dwalen van boven naar beneden over het glas van het raam, de gebouwen van Via Londonio zijn scheve plastic huisjes in de glazen bol: ik draai de bol om, de bloem simuleert de storm, de daken zijn koepels die door het wit gestreeld worden. Mijn persoonlijke vijandin wervelt langzaam rond, vertrapt mijn plannen zonder enig excuus te mompelen, daagt ze uit tot een ongelijk duel, net als tussen Pierre en Nesvitski in het bos bij Sokolniki. De secondanten meten de passen, hun voetzolen laten afdrukken achter in de sneeuw vanaf het punt waar ze staan tot aan de sabels die de barrière aangeven. Na veertig passen is er niets te zien en zwijgt iedereen. Tot de kreet van Pierre, de rustige man, de wijze van het verhaal, minder ijdel dan prins Andrej, de nachtbraker, verloofde van de indrukwekkende Natasja. Mijn ongeduld en deze vlokken zijn onverenigbaar. Ze raken de grond, sommige lossen wijselijk op, andere, treiteriger, nestelen zich in een kinderwagendeken en ik, die ze altijd beschouwd heeft als de zwachtel van een eenzame kindertijd op de binnenplaats van het appartementencomplex, verafschuw ze nu. De radio kraakt berichten als 'Al bij zonsopkomst draaide de geoliede machine van de sneeuwopruimingsdienst met meer dan driehonderd voertuigen op volle toeren om zout te strooien en waar nodig hulp te verlenen'. Om negen uur heb ik een taxi besteld. Nog honderdachtenzeventig minuten. Mijn taxichauffeur slaapt nog of is net met zijn dienst begonnen. Zou hij er zijn? De stem van de omroeper slaat mijn hoop aan diggelen: 'Milaan wordt geteisterd door een uitzonderlijke sneeuwstorm: we moeten vijftien jaar terug in de tijd om een soortgelijke situatie te vinden. Code rood voor de begaanbaarheid van de wegen, het gebruik van sneeuwkettingen is verplicht. Het meteorologisch instituut raadt het af te gaan reizen, tenzij dat noodzakelijk is.' Naar Belle-île gaan kun je beschouwen als noodzakelijk en ik rijd niet. De omroeper is kort van memorie. Wees eens iets nauwkeuriger, alstublieft. Het wonder van de sneeuw van 1985, die januari van achttien jaar geleden. Weet u niet meer hoeveel sneeuwkinderen er in dat jaar in Milaan zijn geboren?

'In de stad is het een chaos. De telefooncentrales van de verschillende taxibedrijven zijn overbelast.'

Geen woord over het luchtvaartverkeer.

'Heel Europa zit in de kou. De sneeuwstorm van 10 april 2003 krijgt het karakter van een uitzonderlijke gebeurtenis in heel het land.'

En in het leven van een boekhandelaarster. Ik kijk naar de koffer, of eigenlijk kijkt de koffer naar mij. Hij staat rustig te wachten in de hoek bij de voordeur. Hij vraagt me: 'En wat nu?' Ik zoek een andere zender, nu is het een nieuwslezeres die praat en zich om onduidelijke reden opwindt bij het met onbegrijpelijk enthousiasme opsommen van de records: Genua is sinds 1986 niet zo wit wakker geworden en nu, zo vertelt de nieuwslezeres met rubberlaarzen (die zie je niet, maar die zijn er beslist, aardbeiroze), verplaatst het alarm zich naar het midden en zuiden van het land. De telefoon rinkelt, het is de stem van een optimistische, hartelijke persoon: 'Milaan zit vast, mevrouw. Wilt u annuleren?'

'Nee, nee, ik annuleer helemaal niets. Ik hoef alleeeeen maar naar het vliegveld, als u zo vrieieieiendelijk wilt zijn mij daarheen te brengen.' Ik heb geen ander instrument dan een mierzoet stemmetje.

'Linate of Malpensa?'

'Linate, Linate. Het is dichtbij.'

'Dit is niet het goede moment, mevrouw, u moet annuleren, geloof me.'

Ik leg aan de stem uit dat ik moet vertrekken. Voor een uitzonderlijke ontmoeting. Een verplichte reis.

'Zoals u wilt, mevrouw, ik houd wel van sneeuw.'

Ik rijd door het Milaan van fluweel gezeten op de achterbank van de Audi van een optimistische en hartelijke taxichauffeur. Ik probeer iets met boeken maar dat werkt niet: hij praat liever over het weer. Dat is ook inderdaad het nieuws van de dag en als ik niet hier was zou ik eindelijk de boeken in de kast 'Vrouwen die lezen' op alfabetische volgorde zetten, een project dat ik al maanden van plan ben maar waar ik maar niet toe kom. De romans zijn vol bibliotheken, lezeressen en boekverkoopsters. Ik zal er een noemen naar de sneeuw. Als ik terug ben.

Daar is Linate. Het is niet eens zo koud, mijn suède laarsjes zijn nat, maar dat was een gebaar van welwillendheid. Het sneeuwt met tientallen, honderden, duizenden vlokken die uitgeput van hun korte reis, op het asfalt neervallen. Bij de ingang van de internationale vluchten zien een paar passagiers er kalm uit. De anderen, alle anderen, vormen een heksenketel van witte koffers en voeten en handen en haren, en drommen samen voor de incheckbalies om inlichtingen te vragen en hoop te krijgen. In mijn vorige leven ben ik geland in Goose Bay, Canada, Lapland, Samara, Rusland, Kushiro, een stadje op Hokkaido, waar ze me een fortuin betaalden voor een congres over biotechnologie. De vliegtuigen slipten vrolijk over glibberige landingsbanen en de passagiers waren volkomen onverschillig. In Milaan niet. Hier hoeven maar vier- of vijfduizend sneeuwvlokken te vallen of de hele machinerie loopt vast, de watten doen de vleugels van de weerloze reuzeninsecten neerhangen. In de wachtruimte voor het boarden wordt een orkestmuziekje verspreid en ik zou wel willen weten wie dat uitkiest, die muziek op luchthavens en in liften. Het voorjaar is twintig dagen geleden begonnen en mijn hart gloeit van koppige hoop: vanaf geluidloze schermen mimen de meteorologen dat er mogelijk al vanaf morgen een 'duidelijke weersverbetering' optreedt. Daar zal ik op wachten. De juffrouw achter de balie schudt haar hoofd: 'De vluchten naar Parijs zijn gecanceld, mevrouw. Het is een extreem en beslist abnormaal verschijnsel qua duur en intensiteit,' voegt ze toe, alsof ze een handboek voor de juffen van de basisschool voorleest. Europa is getroffen door een kern van ijskoude lucht. In Moskou worden minimumtemperaturen van -31 graden bereikt en ook Scandinavië wordt niet gespaard door de kou die afkomstig is uit Siberië, met temperaturen van 23, 24 graden onder nul in Helsinki en een georganiseerd bataljon van min zoveel in Warschau, Berlijn en Hamburg. Parijs wordt niet genoemd en Federico wacht op me op de pier van Bell-île. Die, wit besneeuwd, prachtig moet zijn. Ik ga zitten op de benauwende stoel met harde armleuningen die de vliegtuigmaatschappij ter beschikking stelt en wacht alsof er niets aan de hand is en niets hoeft te gebeuren. De startbaan ziet er mooi uit, bedekt met een laagje ijs ontvangt zij moederlijk de vliegtuigen die rusten in de witte poolvlakte van Milaan, oostelijke periferie. Ze staan daar met hun gespreide vleugels als de armen van een team professionele gymnasten. De motoren zwijgen. Ik zou kunnen gaan bidden, maar ik herinner me niet de woorden die Maria mij 's avonds voor het slapengaan liet opzeggen. Dom van me, ik had moeten luisteren naar Don Maurizio toen die mij vroeg om naar de mis te komen en ik hem uitlegde dat ik alleen van kerken houd wanneer ze leeg zijn omdat ik de indruk heb dat Hij dan pas naar me luistert. Met mijn adresboekje in de hand kan ik een beroep doen op een psychiater, een dermatoloog, een kinderarts, een schoonheidsspecialiste, een cardioloog, een osteopaat, een kapper, een tandarts, een loodgieter, zelfs de timmerman heb ik genoteerd sinds die keer dat ik buitengesloten was en moest wachten op Mattia die *ongemerkt* een stuk sleutel in het slot van de voordeur had laten zitten. Mijn leven is een lijst van specialisaties. Maar geen meteoroloog, en nu pas begrijp ik waarom er speciale televisiekanalen zijn voor de weersvoorspellingen. Ze dempen de ongerustheid en geven antwoord op de prangende vragen van een moment als dit, wanneer het weer de agenda dicteert. Naast de woorden MILAAN en PARIJS hebben ze een sneeuwvlokje getekend. 'Je hebt geen weerman nodig om te weten waar vandaan de wind waait' zingt Bob Dylan en ik weet alleen maar hoeveel behoefte ik daar nu aan heb, aan iemand die me geruststelt. Ik leg me er niet bij neer, ik blijf positief denken, ik weet zeker dat mijn concentratie de barrière zal doorbreken die tussen mij en mijn plannen is geplaatst. Bovendien heb ik boeken bij me. Ik heb altijd een roman bij me, maar na tweeënzeventig minuten *De Rottersclub* geef ik me over. Mijn hart bevriest voor het bord met de vertrektijden dat het vonnis toont: CANCELLED. De bladzijden van Coe vliegen zonder betekenis voort, terwijl de schrijver zich afvraagt 'of er momenten zijn in het leven die niet alleen zo de moeite waard zijn om kapitalen uit te geven om ze te kopen, maar ook zo vol emotie zijn dat ze uitdijen en momenten zonder tijd worden'. Dit is een moment in het leven dat de moeite waard zou zijn om te onderbreken. Korte metten maken met al deze overdrijving, in een vliegtuig stappen en vertrekken. Waarom eigenlijk niet? Piloten worden toch getraind om tegenslagen het hoofd te bieden?

Ik loop naar buiten. Ik vind een taxi, er staat een hele rij met draaiende motor klaar om de dappere utopisten op hun achterbanken te ontvangen, de rijpe dromers met kringen onder hun ogen, donker als blauwe plekken onder bedroefde, desperate ogen. Meestal neem ik geen taxi vanaf het vliegveld: bus 73 doet er precies even lang over, rijdt dezelfde route en kost een euro. Maar de taxichauffeur heeft het portier al geopend alsof hij niets anders heeft gedaan dan wachten op mij en mijn beslissing om terug te gaan naar huis, gebogen maar niet geknakt, tussen windvlagen van natte sneeuw. En ik weet niet waarom ik opeens aan Anna Karenina moet denken en het gezicht van meneer Frontini voor me zie, die zich rot zou lachen als hij zijn favoriete boekverkoopster nu in deze erbarmelijke omstandigheden zou zien. Is dit misschien de meest smartelijke scène van heel dit verzwakte en gedempte Milaan, met auto's die voetstaps voortglijden, met een nieuwe vriendelijkheid? Niemand heeft eraan gedacht om zout te strooien. De taxichauffeur zet me af bij het Centraal Station, waar sneeuwscheppers in lichtgevende jacks glimlachen naar de kinderen die met hun rubberlaarsjes in de sneeuw schoppen.

'Zet u me hier maar af, dank u. Ik ga kijken of er treinen rijden.'

De Eurostars zijn geschrapt, gecanceld, geannuleerd, zowel naar het noorden als naar het zuiden. Het gaat voorbij, zeg ik tegen mezelf, en ik vul in de stationsbar een plastic beker met cappuccino. Het is vijf uur 's middags. Ik geef het op. Ik ga terug naar huis. Ik zet mijn trots opzij en bel Alice.

'Je hoeft niets te zeggen maar kijk even op internet of er iets anders te vinden is dan de oorlogsberichten op het journaal.'

'O Emma, ik vind het zo jammer voor je, er is ook niemand in de winkel. Zal ik je terugbellen of blijf je wachten?'

'Ik blijf wel aan de lijn, dank je.'

'De site van Air France zegt dan er geen aankomsten en vertrekken zijn tot morgenochtend zes uur. Als de weersomstandigheden het toelaten zijn er misschien vanaf zeven uur een paar vluchten mogelijk en sowieso met vertraging: zal ik een beautyfarm voor je zoeken in Milaan?'

'Nee, dank je. Maar misschien wil je mevrouw Elettra in

Montegrotto bellen, de thermen van Colli Euagnaei zijn fantastisch, ook als het sneeuwt. Ik heb het nummer.'

Ik ga toch, ik wil in het eerste vliegtuig stappen dat naar Parijs gaat. Om zes uur, zei ze. Ik zal er zijn. De radio kraakt berichten die ik al gehoord heb.

'Voor de passagiers van de Eurostar was de reis Parijs-Milaan een ware odyssee die zesentwintig uur heeft geduurd. De pechvogels hadden gisteravond om acht uur moeten aankomen in Milaan, maar om tien over drie 's nachts reden ze het station binnen.'

Gebeurt er dan niets anders in de wereld? Waar hebben jullie de gebruikelijke berovingen, processen, burenruzies en politieke rellen verstopt?

'Het Centraal Station van Berlijn is geëvacueerd nadat een stalen steunbalk was neergestort als gevolg van de harde wind. Een klant in een bar werd bedolven onder een muur die bezweek. Een vrouw in een auto kon op tijd remmen toen er een boom omviel, maar toen ze probeerde achteruit te rijden werd ze getroffen door een andere vallende boom.' Dat is nou wat je noemt domme pech. Of noodlot. In de rechtstreekse televisie-uitzendingen kunnen de verslaggevers met moeite blijven staan vanwege de rukwinden die hen teisteren. Zo leren ze helden te zijn. Er komen berichten over de rest van Europa: in het Kanaal is een containerschip in moeilijkheden, de zesentwintig bemanningseden in de reddingsboten zijn opgepikt door helikopters. De TGV Londen-Parijs-Brussel is gecanceld. In Parijs heeft het gemeentebestuur besloten de toegang tot parken, plantsoenen en begraafplaatsen te verbieden vanwege het te grote risico van vallende bomen. In de buurt van Birmingham en in het noorden van Groot-Brittannië bereikt de wind snelheden van honderdvijftig kilometer per uur. In de weinige vliegtuigen die nog in de lucht waren was de reis dramatisch en de landing riskant: mensen flauwgevallen, panisch geschreeuw, gehuil, overgeven. Op het vliegveld Charles De Gaulle zijn honderdtien vluchten afgelast.

En Federico?

'De Franse spoorwegen hebben alle intercitytreinen en een groot deel van de regionale treinen geblokkeerd. Vanaf vijf uur vanmiddag staat het treinverkeer volledig stil, veel lijnen zijn verbroken door bomen die op het spoor zijn gevallen. Duizenden passagiers zijn met bussen verder gereisd.'

Dank u. Ze hebben mijn gedachten gelezen. Heeft iemand er ooit aan gedacht om een roman te schrijven waarvan de plot wordt beheerst door het weer? Ik slik de pil door en het kruidenvrouwtje kan barsten; ik laat me tussen de brandende kaarsen in het rimpelende schuim van het bad glijden. Ik moet denken aan Meryl Streep, wanneer Clint Eastwood beneden in de keuken op haar wacht en zij bier drinkt uit een champagneflûte en denkt (stem onder het beeld): 'Ik zat in het bad waarin het water over zijn lichaam was gegleden en ik vond dat erg erotisch'. Ik hap in de kraag van mijn biertje en ik verlang hartstochtelijk naar de schrijver van de post-it in de map met de visitekaartjes genaamd 'Diversen' in een la van het bureau. Een verstopplaats die ik altijd beschouwd heb als veilig en die alleen nu de waarde heeft die het verdient. Namelijk iets luchtigs te zijn. Ik zet de wekker. Ik kruip onder de dekens en stel me Federico voor die slaapt terwijl hij over de oceaan vliegt.

Romans&Romances, Romans&Romances, Romans&Romances, Romans&Romances, Romans&Romances, Romans&Romances, Romans&Romances, Romans&Romances, Romans&Romances, Romans&Romances, Romans&Romances, Romans&Romances, Romans&Romances, Romans&Romances, Romans&Romances: meestal werkt mijn mantra, tijdens het tandenpoetsen, wanneer de tram net voor me wegrijdt bij de halte en de bestuurder sadistisch dag-dag doet met zijn handje, maar dan springt het stoplicht op rood en is hij toch genoodzaakt de deur voor me open te doen; de mantra werkt wanneer ik tot tien moet tellen voordat ik op neutrale toon aan Mattia vraag wat de redelijke reden is van het afval dat zich in zijn kamer ophoopt. De heroïsche taxichauffeur zet me af bij Linate. De startbaan wacht bezorgd op me.

Ik voel hem.

Ik wil hem.

Ik weet het.

Radio aan, in het donker van de ochtend van 11 april: 'Nagenoeg alle vluchten van en naar Milaan zijn afgelast wegens sneeuwoverlast op de landingsbanen en harde windstoten.' Nagenoeg alle. Er gaat een lampje branden: het neonlampje van de hoop. Maar nee. Er staan geen vliegtuigen met opwarmende motoren, de vlucht van zeven uur, van acht uur, van tien voor twaalf zijn gecanceld. Ik zal afwachten wat er vanmiddag gebeurt. Ik verplaats me met mijn tegenstribbelende koffer naar de lounge van Air France, een soort privésalon met koffie en kranten die je gratis kunt lezen. *Madame Figaro*, *Elle*, *Libération*, alsof je er al bent. Ik bel naar Alice. De telefooncabines van vroeger zijn er niet meer, nu heb je zilverkleurige telefoons met toetsen die aan de muur hangen. 'Ik zal je advies opvolgen, ik heb een beautyfarm gevonden aan het Gardameer, ik heb gereserveerd. Ik heb te veel behoefte aan een vakantie,' lieg ik met gemak.

'Heel goed idee, Emma. Ik ben bezig met een verrassing voor je, je kunt gerust vertrekken. Ik heb gister niet veel verkocht, maar Milaan is angstaanjagend fascinerend.'

Angstaanjagend fascinerend. Ik vind het alleen maar angstaanjagend. Ik overhandig mijn Flying Blue-pasje aan de hostess, die gesteven in haar donkerblauwe colbertje, witte bloes en driekleurige sjaaltje mijn uitstapje op onbekend terrein blokkeert.

'De Silver geeft geen recht om u hier te bevinden, madame. U hebt Gold of Platinum nodig, *je suis désolée*.'

Ik maak haar erop attent, in een Frans à la Balzac, dat we al twee dagen wachten om te kunnen vertrekken en dat er geen passagiers in de lounge zijn, maar zij is onvermurwbaar. Als je geen Gold Card hebt ben je niemand, alsof ik een klant zou behandelen naar het aantal romans dat hij of zij koopt, of alsof ik klassenonderscheid zou maken tussen kopers van romans met een harde kaft of van pockets. Er komt een Indiaas paar binnen, ze hebben het zachte uiterlijk van wie wel erger heeft meegemaakt en verstand heeft van het kastensysteem, en ik herinner me dat ik nog nooit in India ben geweest en dat – weg met Morgan, de Titanic en 10 april – als Federico op een willekeurige dag in juni de boekwinkel was binnengestapt, ik een bloemetjesjurk had gedragen en teenslippers met hakken en meteen in zijn armen had gelegen. Ik loop terug naar mijn stoel. Ik ga een lijstje maken, dat werkt altijd. Als kind was ik al een lopend lijstje. Van voorgevoelens, dingen die ik niet meer zou doen, plannen, verlangens. Dromen.

Lijstje van vandaag, 11 april 2003.

Titel: Wat zou je ervoor over hebben om een vliegtuig te zien opstijgen?

Ruwe schatting: alles.

Meer realistisch, anders werkt het niet:

- Stoppen met roken (dat is een constante). Het is me al twee keer gelukt, de eerste keer heeft negen maanden geduurd, de tweede acht maanden. Ik weet niet waarom ik weer ben begonnen. Maar het zal niet meer gebeuren.

- VOORGOED stoppen met roken.

- Sciencefictionromans lezen.

- Elke dag een brief schrijven aan iemand die ik al jaren niet heb gezien.

- Beginnen met het leren van een willekeurige oosterse taal.

- Geen koffie, thee, bier, sinaasappelsap meer drinken.

- Heel bewust tenminste tien onbekenden per dag op straat groeten.

- Alcohol leren drinken.

- Rijbewijs halen.

- Geen jurken en schoenen en tassen kopen in de uitverkoop.

- Bidden en dan geloven dat er iemand naar luistert.
- Ophouden met geen aandacht besteden aan het graf van mijn moeder en daarmee te doen alsof ze niet dood is.

Het is íétsje minder hard gaan sneeuwen. Het lijstje werpt zijn eerste vruchten af. De juffrouw achter de incheckbalie, haar opgerold in een knot, slaat haar koeienogen op. Het zijn de dominante, onverschillige ogen van een vrouw die nooit de weldaad van een betovering heeft ervaren. En inderdaad, ze schudt haar hoofd, waarbij de blonde lok die ondeugend over haar oor glijdt en de geometrie van haar kostschoolkapsel verpest, heen en weer danst. Straks is ze klaar met werken en haar vervangster zal niet begrijpen waarom ik hier nog steeds zit. Een groepje jongeren speelt Monopoly om de tijd te doden: ze zijn ongetwijfeld computerslaven maar het blijft altijd spannend om plastic huizen en hotels te kopen en A-Kerkhof, Grote Markt en Algemeen Fonds en Kans. Het algemeen fonds is de sneeuw. De kans dat ik vertrek is zo goed als nul. Mademoiselle Air France beweegt haar hoofd op en neer, ze is de nieuwe die nu dienst heeft, maar waarschijnlijk is ze ingelicht want ze lijkt het te begrijpen, of misschien heeft ze een tic. Het is zeven uur. Buiten is het donker.

'Mevrouw, het heeft geen zin dat u blijft wachten, we sluiten voor vanavond.'

'Ik geloof dat ik van hem houd.'

'Pardon?'

'Ik moet, ik móét écht naar Parijs, mevrouw. Ik moet tegen een man zeggen dat ik, nou ja, dat ik geloof dat ik echt van hem houd.'

'Ik begrijp het,' zucht ze. Onecht.

'Dus ik neem de eerste vlucht die vertrekt, ongeacht het tijdstip en ongeacht de dag.'

'Morgen zal de situatie wel verbeterd zijn, er is een vliegtuig bezig te vertrekken van Charles de Gaulle.'

'Wilt u alstublieft mijn ticket veranderen? Dan weet ik zeker dat ik een plaats heb. Mijn trouw aan uw luchtvaartmaatschappij moet worden beloond, vindt u ook niet?'

'*Ça va, madame*. Ik zal uw instapkaart in orde maken. Het mag eigenlijk niet...'

Ik heb een biertje gedronken op een lege maag, ik heb leeuwenmoed en misschien ga ik morgen stoppen met roken.

Vlucht AF 1913 landt volgens schema op zaterdag 12 april 2003 op vliegveld Parijs-Charles De Gaulle, Frankrijk. Daar ben ik dan, in double-breasted kort winterjasje met organza kraag, strak jurkje van gemêleerde wol met mosgroen geborduurd lijfje, zwarte wollen maillot, veterlaarsjes, cloche: die brengt ons geluk. Ik zou licht als de organza willen zijn, de gepaste oppervlakkigheid willen voelen die een liefde verdient die gemaakt is van woorden en waarover in mijn hoofd de irreële absurditeit van de toevalligheden moet triomferen.

Is een liefdesroman nog mogelijk?

Ja, daar ben ik van overtuigd, die is mogelijk, op voorwaarde dat die gaat over de onmogelijkheid. Of over wereldlijke mirakels. De zwarte tunnel spuugt de ene wieltjeskoffer na de andere uit, in een rij opgesteld als soldaatjes van een leger dat na de capitulatie uiteen is gevallen. Ik loop naar buiten. De Parijse dame die voor mij loopt, een chocolaatje in een goudkleurig doosje, rent op haar naaldhakken op een blond jongetje af, *maman, maman*.

Mijn persoonlijke mirakel is hier. Ik heb altijd gedacht dat als je iets echt heel graag wilt, wanneer je van meerdere opties er een en uitsluitend een uitkiest, wanneer je resoluut loopt en je vastberadenheid sterker is dan welke logica, dan welke noodlottige prognose ook, wanneer je gelooft dat het verleden geen bedreiging is en je je niet laat bang maken door de toekomst, dat dan mirakels of hoe je ze ook wilt noemen, gebeuren. Robert Musil schreef: 'De taal van de liefde is een geheime taal en de hoogste uitdrukking ervan is een zwijgende omhelzing.' Wanneer het geschreven woord aansluit bij datgene wat er werkelijk gebeurt, is de magie van een roman voltooid. En zoals men weet hebben woorden heel veel geduld en kunnen zij wachten. Federico is op een paar meter van me vandaan. Geschoren, dus onmiddellijk te kussen. Hij ziet er niet uit als de eindstreep maar als het startpunt van iets dat te maken heeft met het woord Liefde. Onder zijn dikke wenkbrauwen zijn zijn ogen donkere poelen. Hij loopt zelfverzekerd, bestudeert vanaf zijn een meter tachtig en nog wat de poppetjes met wieltjeskoffers die voor hem uit dartelen. Maman loopt weg, het kind huppelt naast opa naar het appartement in het VIIième Arrondissement. De glimlach van de man die wacht is warm, stralend, onbeschaamd. Antivries. 'Welkom,' zegt hij en hij wiegt me op zijn trui. Hij gebruikt geen anti-esthetisch vuur, maar de kalmte van wie weet en altijd heeft geweten dat er veel meer nodig is dan een sneeuwstorm om ons uit elkaar te houden. Ik heb zelfs geen behoefte om hem dankbaar te zijn dat hij mij vijf uur in de trein heeft bespaard. Ik sta op het punt om te huilen. Maar ik had kunnen weten dat hij mijn gedachten kan lezen. We lopen door de luchthaven, de reizigers staan in rijen voor de balies. Hij loopt met grote stappen, net als iedereen met lange benen. Ik vergeef hem. Bij de receptie van hotel Radisson lijken ze ons te verwachten als in een reclame, waar de receptioniste je de sleutel in de vorm van een creditkaart geeft alsof ze niet anders verwacht had dan jouw komst, de liftboy net zo'n stuk is als een acteur met een bijrolletje in een televisiefilm en je weet meteen dat hij in de vervolgfilm een hoofdrol zal krijgen en de vloerbedekking is opgeborsteld als een getijgerde kat en iedereen is gelukkig en overal staan uitbundige boeketten verse bloemen. Federico heeft de sleutel van een kamer van de bijenkorf in zijn hand. Ik ben nooit goed geweest in strategieën en ik heb ze ook niet nodig. Hij heeft veel meer te maken met het vertrouwen. Wanneer je weet, helemaal zeker weet in je hart, dat er niets anders had kunnen gebeuren dan dit.

De antiquair staat aan mijn kant. Verfijnde homoseksueel en in het reine met zichzelf na een huwelijk op zijn twintigste en een scheiding op zijn vijfentwintigste. Nu heeft hij een vaste relatie met Gastone, een veertiger met een Disney-voornaam. Hij zegt dat hij zich bij zijn manier van kleden laat inspireren door Marcel Proust, die in werkelijkheid dol was op haute couture, terwijl hij, jonkheer Filippo Borghetti, de verstelde jasjes en broeken draagt die hij van zijn vader geërfd heeft en opschept over een collectie vlinderdasjes en sjaaltjes die hij om zijn nek kan knopen. Elke dag een ander vlinderdasje, afhankelijk van zijn humeur en het jaargetijde. Filippo en Gastone voelen zich thuis tussen de voorbije dingen, de een is intuïtief en neemt emoties waar, de ander kent woede en verering, dus toen ik mijn zorgen uitlegde, begrepen ze wat ik bedoelde.

'Wij handelen alleen in kleine stukken, Emma. We gebruiken geen vrachtwagens en bestelbussen, maar we zijn het met u eens. Laten we elkaar vanavond spreken, een bespreking van een kwartiertje met aperitief is spannend.'

Het is avond, ik maak een spannende karaf tomatensap met citroen, zout, tabasco en peperkorrels; ik laat het rolluik neer terwijl Alice en Manuele ervandoor gaan. Jongelui zijn egoistisch, zoals bekend, en die twee zijn nog in de fase dat ze smoorverliefd zijn, ze zijn geboren met het verkeer en begrijpen niet dat hoge hakken het probleem zijn.

'Zorg jij nou eerst maar dat je je bekeert tot sneakers of misschien kun je je Superga's uit de kast halen,' vonniste Alice vanochtend toen ik haar uitnodigde voor het geheime overleg van vanavond. Op Piazza Sant'Alessandro, voor Romans&-Romances, kun je namelijk niet meer lopen. Je moet er slalommen, bent genoodzaakt om in frustrerende zwenkingen heen en weer te zwalken. Ik, die nog niet als ik dood ben uit mijn hakken stap, heb een complex over mijn lengte maar ik ben niet de enige en mijn vrouwelijke klanten zijn geen uitzondering op de regel. Om de boekwinkel te bereiken moeten ze zeer ongeriefelijke gymkana's uitvoeren, de stoep is smal, je moet steeds vragen 'pardon, mag ik even passeren?' en als je geen ankerplaats vindt, blijft je hak steken. Midden op dit weggemoffelde plein staan scooters en auto's geparkeerd als een litteken in de openlucht, resten gekleurd blik die zijn achtergelaten om weg te kwijnen in een visgraat die zo vriendelijk is ook nog een paar fietsen te herbergen. Op dit pleintje, dat een aan voetgangers opgedragen eilandje zou moeten zijn, heb ik vanochtend zevenennegentig brommers en zes auto's geteld.

Het is tijd dat daar een einde aan komt.

De strijd tegen de motorvoertuigen kan niet langer wachten. De vijand is de nalatigheid, op zichzelf een algemeen voorkomend verschijnsel, maar dwars gaan liggen voor auto's en scooters is niet voldoende. Je moet dromen. Je kunt je, zonder toe te geven aan het ansichtkaartachtige pittoreske of de ijdele zoektocht naar een verloren tijd, voorstellen hoe het pleintje is als het leeg is, met twee cafeetjes (die geen concurrentie voor mij zijn) met mauverode gordijnen, de tabakswinkel, het vlees van slager Piero en de verlichte etalages van Borghetti.

Maria, derde generatie stoffenverfster, komt de locanda binnen met een dienblad vol gebakjes. De eigenaar van de tabakswinkel, Bruno, heeft zijn dochter in een wit wollen jurkje met pofmouwen meegenomen. Don Maurizio, hoeder van de zielen van de wijk, laat zich snel overhalen. Hij woont hier pal boven de Heer, maar is gehecht aan de gelovigen over wie hij al dertig jaar waakt en voor wie hij altijd een vriendelijk woord heeft.

'Als ik het goed begrijp, Emma, wil je een verzoek voor een parkeerverbod indienen,' zegt hij en heft zijn verbaasde blik op.

'Min of meer. Het punt is dat ik geen idee heb hoe dat moet en ik kan niet in mijn eentje een kruistocht tegen het verkeer beginnen.'

'Wij moeten het goede voorbeeld geven.'

'Ik parkeer niet op het plein, ik parkeer mijn fiets in het fietsenrek.'

'Als ieder van ons zijn best doet om de ruimte voor zijn eigen winkel schoon te houden, ziet het er al meteen beter uit. Dan oogt het naar krachtige burgerzin.'

'Ja, maar de brommers? De kinderen die in de locanda komen om wat te drinken zetten hun scooters overal neer. Wil je soms klanten kwijtraken?'

'Het merendeel van de voertuigen wordt gebruikt door mensen alleen, het zijn meer mannen dan vrouwen, ze laten hun voertuig 's ochtends achter en gaan om zeven uur 's avonds weer weg, ze werken in de gebouwen van de verzekering, het reclamebureau en geen van hen woont hier. Om negen uur 's avonds is het plein leeg.'

'Je naaste bespioneren is een misdrijf, en je bent geen wethouder van verkeer of stadsinrichting. Ik zie geen haalbare oplossing.'

'De persoonlijke inzet van de winkeliers zou misschien een wethouder kunnen ontroeren.'

'Ik heb nog nooit een politicus ontroerd zien worden, behalve als het hem goed uitkwam of tijdens de verkiezingscampagnes. Emma, je bazelt.'

En dan te bedenken dat ik de winkel begonnen was voor mijn rust!

Na twee glazen tomatensap tovert Don Maurizio zijn glimlach tevoorschijn. Het is niet dat hij in verlegenheid wordt gebracht door Gastone en het obstakel van een homoliefde, het is niet het tomatensap en ook niet mijn oproep. Hij heeft altijd een glimlach op de lippen en biedt aan om erover te praten – over scooters – in de drukst bezochte preek van de week, die op zaterdag. Maria belooft dat ze de klanten van de stofververij zal proberen over te halen of 'de huishoudsters van de dames in de wijk te voet willen komen'; de jonkheer onderstreept het internationale karakter van zijn klanten en schuift de schuld op de managers van de gebouwen aan de overkant. Ik voel me alleen. In het opnieuw ontwerpen van een ruimte, zou Federico zeggen. Ik groet ze bij de voordeur en weet zeker dat ik een zweem van goedmoedige deernis in hun ogen zie. Ik ruim alles op, was de glazen af, droog ze langzaam af omdat ik zo het gevoel van onmacht en frustratie kan tegenhouden, me als simpele, tegendraadse vrouw een decor kan voorstellen zonder motorvoertuigen. Een zwerver, hij is nog jong, is bezig zijn stuk karton op straat uit te spreiden. Hij maakt zich klaar voor de nacht. Hij glimlacht naar me, terwijl ik degene zou moeten zijn die naar hem glimlacht voordat ik mij verstop in mijn bed van boekverkoopster met te veel kuren. 'Er is geen redding voor de zachte harten, aangezien zij rechte wegen kunnen volgen en onberispelijke doelen kunnen nastreven', schreef Dorothy Parker op een moment dat ze het gecompliceerde leven moe was.

New York, 22 april 2003
42 W 10th St

Lieve Emma,

Ik begin een afkeer te krijgen van het teruggaan, het losmaken en van mijn eigen gecompliceerde karakter. Ik kan er geen genoeg van krijgen om naar je te kijken, Emma. Winterkoninkje van een vrouw, in dat hotel, ontworpen door een architect zonder enige smaak, hebben wij de liefde bedreven alsof we tientallen jaren hebben moeten vasten. Ik moet ervan bijkomen. Vergeef me de gastronomische vergelijking, maar het is de enige die op dit moment in me opkomt. Ik voel me een rotzak. Nieuwe alinea.

Het lukt me niet mijn leven radicaal te veranderen, ik voel dat Anna elke dag verder van me vandaan wegglipt en jij, ver weg, bent steeds dieper in me. Ik zou graag eerlijk willen zijn, het zou simpel zijn om het haar te vertellen. Het zou. Ik ben verliefd op een andere vrouw, we schrijven elkaar, ik heb haar maar drie keer gezien. Ze zou me niet geloven. Anna is goed in het op afstand houden van pijn, in het gracieus en vastberaden wegwassen van viezigheid, ze heeft een natuurlijke aanleg voor formele schoonheid. Ik kan me niet herinneren dat ik haar ooit heb gezien in een gekreukelde jurk en als arrogante egocentrische man die ik ben, heb ik haar hang naar perfectie altijd beschouwd als een teken van aandacht voor mij. Haar geur van talkpoeder is een kooi. Mijn chaos zit daarin opgesloten. Ik heb geen argumenten om een gelukkig leven ter discussie te stellen, of ik heb er te veel, maar het zijn potloden met afgebroken punt in een nieuw etui. Anna staat mijn carrière en mijn ambities niet in de weg. Ze houdt zich afzijdig, ze lost in haar eentje de ingewikkeldste kwesties op en belemmert mij niet in mijn ontwikkeling. Anna en ik leiden een rustig leven sinds de dag dat wij getrouwd zijn aan het meer – tweehonderd gasten die ik niet eens allemaal kende, en mijn vader die nonchalant zijn enige zoon in de armen duwde van de dochter van een vriend. Zelfde voorkeuren, zelfde jaaromzet, wat hem betrof was alles dik in orde. Ik heb geen zelfmedelijden. Het is alleen dat ik niet meer weet wat ik voor haar voel, omdat ik datgene wat mij aan haar bindt, altijd als een vaststaand gegeven heb beschouwd. Anna vertrouwt mij de agenda van haar geluk toe en ik heb dat soort evenwicht tussen ons altijd beschouwd als een perfect bindmiddel. Ik mag de film niet verpesten en haar vertellen over de brieven en de postbus. Zij lijkt hier gelukkig, hoewel ze soms klaagt dat ze haar vriendinnen en de middagjes samen met hen mist. Hun 'New York? Fantastisch! Nu hebben we ook een huis in New York' is veranderd in tot een minimum gereduceerde e-mails en bezoekjes. Ze heeft er maanden over gedaan om het appartement gezellig en persoonlijk te maken, ze heeft zich gedisciplineerd gevoegd naar de gemeenschap van Italiaanse kunstenaars, architecten en journalisten die ons als vrienden heeft binnengehaald, ze bezoekt de balletvoorstellingen in het Metropolitan met de moeders van de schoolvriendinnen van Sarah, ze gaat op jacht in de outlets, ze heeft haar enthousiasme hervonden voor de kunstgeschiedenis waar ze na haar afstuderen niets meer aan had gedaan. En ze houdt zich met mij bezig, in de overtuiging dat ik iemand nodig heb die zorgt voor mijn garderobe en mijn liefdesleven. Anna speelt de echtgenote. En dat lijkt genoeg voor haar, maar het is zeer waarschijnlijk, sterker nog: het is zeker, dat ik oppervlakkig naar haar kijk. Het is vier uur in de ochtend, ik schrijf je aan de tafel in de woonkamer, de deur van de slaapkamer staat op een kier. Ik zit hier al ik weet niet hoe lang naar haar te kijken. Ze is nog steeds mooi, zonder bescherming en make-up. Ik heb van deze vrouw gehouden. Nieuwe alinea.

Ik wil niet dat alles eindigt en heb de moed niet haar te kwetsen door over jou te vertellen en over het geluk dat de vier letters van jouw naam mij schenken. Ik heb ze niet van haar afgepikt, niet mijn mooie dagen op Belle-île en ook niet de zekerheid van uren op het vliegveld staan omdat het logisch en normaal was om urenlang op dat vliegveld te wachten. Dat ik jou terugvond was toeval, maar het toeval heeft nu een lichaam, de stukjes passen in elkaar en ik heb hun naam gevonden. Emma. Dit is de eerste keer dat ik je over haar schrijf en dat ik naar haar kijk met de ogen van een bedrieger. Ik bedrieg de zekerheden en het geluk van vijfentwintig jaar toewijding aan de architectuur en mijn carrière. Jij vraagt niets en ik houd mijn mond. Nu jij ver weg bent probeer ik mezelf naakt te zien, ik weet dat ik dat voor mezelf doe en niet uit een vlaag van oprechtheid. Ik ben getrouwd met de vrouw die daar slaapt in de slaapkamer. Zij weet niet – denk ik – dat haar man, of beter gezegd het beeld dat zij heeft van haar man, aan het veranderen is. Ik heb ontdekt dat het me niet interesseert om me jong te voelen en aan de dood denk ik niet eens. Ik zit hier rustig, kijk naar het wonder Sarah die opgroeit, ik ben van de rode pukkeltjes van haar mazelen overgegaan op de angsten van een oplettende vader voor de puberteit, ik heb elk obstakel voor haar groei uit de weg geruimd omdat ik me geadoreerd voelde. Ik heb mijn vrouwen gezien als iets goeds en welverdiends, zonder ooit goed naar ze te kijken. Het bouwwerk van zekerheden, ontworpen door een onoplettende architect, brokkelt af. De constructie wankelt en ik wil dit niet. Ik dacht dat ik leefde voor mijn werk, voor Sarah, voor de architectuur; Morgan is het belangrijkste project in mijn carrière. Ik voel het wanhopige gemis van jou. Iemand zoals ik.

En het gaat slecht met me.

Federico

Simone de Beauvoir aan Nelson Algren: 'Het is idioot om liefdesbrieven te schrijven, de liefde kan niet per brief uitgesproken worden, maar wat moet je doen wanneer een verschrikkelijke oceaan zich uitstrekt tussen jou en de man van wie je houdt?' Ik moet een uitweg vinden, zoiets als: het is niet goed om te liegen, ik mag jouw curriculum vitae niet in gevaar brengen, zorg goed voor jezelf maar het is beter om niet door te gaan met deze driehoeksverhouding, laten we ermee stoppen, er is niets gebeurd. We zijn een reproductie, een namaak, een vervalsing, een midlifeoprisping. Ik moet de wijsheid van SdB hebben: het mag zo niet verdergaan, het was een ontmoeting tussen klasgenootjes, het wordt nu een ballingschap. Ik wil niet tussen hem en haar in komen te staan. We zijn bedekt met littekens en hebben ze genegeerd, onwetend en angstig, spelend dat we onzichtbaar waren. Nu betalen we daarvoor de prijs. Een 'verhouding' kan gedijen terwijl je ver weg bent van elkaar. Maar dit is een liefde, niet een verhouding, en het moet als zodanig behandeld worden: het is onmogelijk om ermee door te gaan. Verlaten op afstand is simpel. En toch zie ik niets, helemaal niets verkeerds in deze zaak. En zelfs het woord verhouding stoort me niet. Met de jaren worden we minder star, we accepteren de dingen zoals ze zich voordoen, alsof we ons iets compleets onwaardig achten. Met de jaren verliest het woord 'kruimeltjes' zijn negatieve betekenis. Een kruimeltje tijd is een geschenk van het toeval. Simone schreef elke dag aan Algren. Ze noemde hem 'mijn innig geliefde echtgenoot', 'mijn beminde echtgenoot zonder huwelijk', 'mijn krokodilechtgenoot'. Echtgenoot. Niet minnaar. De woorden die wij kiezen veronderstellen altijd iets. Of iets anders. De voorvechtster van het feminisme ondertekende met 'uw echtgenote voor altijd' of 'uw kikkerechtgenote' ('*Bercez-moi dans vos bras mon amour, je suis votre petite grenouille aimante, votre Simone*'...). 'Huwelijk' was het woord dat de ernst van een verbintenis bekrachtigde. Tussen hen was het seksuele aantrekkingskracht, vurig en onpeilbaar, complexer dan sentiment. Sartre was haar eerste geliefde geweest, 'maar dat was meer vriendschap dan liefde; vooral omdat hij, de filosoof, niet veel belang hechtte aan het seksuele leven'. Met haar. Er zijn geen klanten, ik kan mezelf niet laten afleiden en ik wil geen oplossingen zoeken in een boek. Met een man die je één keer per jaar ziet kan het niet gaan om seks, want dat vereist ofwel verrassing, ofwel continuïteit. En de leeftijd van de onschuld zijn we al lang gepasseerd. Ik zal hem schrijven nadat ik de stem van mijn geweten van onverantwoordelijke vrouw heb geraadpleegd, die mijn uitnodiging met een opmerkelijk gevoel voor timing accepteert.

'Is er iets gebeurd, Emma? Want je doet alsof er iets gebeurd is.'

Gezegende Gabriella, gezegend haar intuïtie en haar fijngevoeligheid wanneer ze weet dat ik haar nodig heb en ik tegelijkertijd doodsbang ben voor haar oordeel van behoudende schooljuf. We hebben afgesproken in trattoria Toscana aan de Corso di Porta Ticinese, een gezellig broeinest voor ontboezemingen en toegevingen. Ik ga er lopend heen. Misschien komt het doordat ik erg gevoelig ben de laatste dagen, maar de zuilen van de San Lorenzo, zestien magnifieke wachters, ondersteund door een vriendelijke hand, zijn mij nog nooit zo mooi voorgekomen. Wanneer je door emotionele verwarring wordt aangetast, ben je ontvankelijk voor wanen, dat is bekend, en toch lijkt het maanlicht dat breekt op de bronzen bovenbenen van keizer Constantijn nieuw. De schoonheid van de basiliek is bezoedeld met groene vlekken, groen zijn de scherven van flessen die in de parken liggen, bokalen van vergetelheid en vermaak, van verveling en plezier, in dit hoekje van Milaan dat door de megafoons van de toeristengidsen '*un coup de coeur*' wordt genoemd. Ik vind een nog halfvolle fles, onder de Christus neergelegd als om hem gezelschap te houden. Groen zijn ook de blikjes die voor een paar euro worden verkocht bij de minibars van de clandestiene straatventers, groen zijn de jacks van de pubers die in trosjes staan te kletsen met een drankje in de hand. Doisneau, de fotograaf van geliefden op stations, zou tevreden kijken naar de twee die over de betonnen bloembakken zijn geklommen die zijn neergezet ter bescherming van de zuilen en elkaar daar kussen. De tram flitst op een paar meter afstand voorbij. Het is lijn 3, dezelfde die Federico had genomen die dag toen hij mij opviste tussen de pagina's van de boeken. Er zijn inmiddels twee jaar voorbij en Gabriella wacht op me aan tafel.

'Ik wist het, er is iets gebeurd, je ziet er gespannen uit.'

'Er gebeurt altijd wel iets en gelukkig maar, want anders zou er niks aan zijn. Er is niets bijzonders gebeurd.'

'Maar?'

'Hij heeft over zijn vrouw gepraat. Of beter gezegd: over zijn vrouw geschreven. Ik moet een beslissing nemen.'

'Wil hij bij haar weg?'

'Nee, het ligt veel subtieler, delicater. Maar het komt erop neer dat het niet goed gaat met Federico.'

'O. Hij is degene die getrouwd is en met hem gaat het niet goed: en wat zou jij dan moeten zeggen?'

'Alsjeblieft, Gabriella. Wat heeft het voor zin om vast te stellen wie het recht heeft om mij te vertellen wat ik moet voelen als ik verliefd ben? Beter om het niet te weten. Ik weet dat ik me goed voel als ik hem zie.'

'Als jij over hem praat lijk je zo... geëxalteerd. Jullie halen je de gebruikelijke ellende op de hals. Elkaar één keer per jaar zien is romantisch op papier. In werkelijkheid groeit de situatie jullie boven het hoofd. Een parttime vriendje is niet geschikt voor jou, jij hebt recht op een fulltime liefde.'

'Eerlijk gezegd zijn er zelfs in romans geen geschikte mannen voor mij, een paar uitzonderingen daar gelaten, maar die gaan meestal dood. Ik wil niet zomaar een vriendje alleen maar om niet alleen te hoeven zijn, ik wil hém, maar misschien is het moment gekomen dat ik me moet losmaken. Als ik hem nu verlaat...'

'De wereld is vol van vrije eenenvijftigers. Als jij maar minder afwerend was. Kijk naar Camillo. Het werkt met die infectieonderzoekster, ze heeft alles verteld aan haar man en ik heb nog geen berichten gehoord dat die zich van het viaduct heeft gestort. Integendeel, hij heeft haar opgebiecht dat hij al twaalf jaar een affaire had. Wat een klootzak... Camillo en Valeria zijn het aan het proberen, misschien wordt het een nieuw leven. Dat is wat jij ook nodig hebt, als je maar niet een onbereikbare man najoeg.'

'Natuurlijk, ik begrijp ze niet, de vrouwen van onze leeftijd die het aanleggen met dertigjarigen. Een rijp lichaam is veel gerieflijker. Ik wil alleen maar buiten zijn gezin blijven, onafhankelijk zijn. Het had een liefde moeten zijn die onafhankelijk was van de rest.'

'De rest bestaat. Zet de rem erop, Emma, en schuif deze affaire op het spoor van een laten we zeggen... rijpe vriendschap. Ik voelde al dat het slecht zou aflopen.'

'Het is niet afgelopen, het feit dat hij ver weg is helpt. Ik heb nooit veel van seks verwacht, laat staan nu. Met mij gaat het goed, ook als alles blijft zoals het is. Denk je dat dat wil zeggen dat ik onherstelbaar oud ben? Hoe is het trouwens met Alberto? Ik heb al dagen niet van hem gehoord.'

'Hij komt nerveus thuis, maar verder is het goed met hem. Ik ben zo blij dat ik nog steeds van hem houd, ik hoop niet dat ik je kwets maar ik zou het niet kunnen opbrengen om op mijn leeftijd weer helemaal opnieuw te moeten beginnen met een ander.'

'Ik heb niet echt heimwee naar Federico, ik lijd er niet onder. Hij kwelt zichzelf. Ik mis hem alleen de eerste twee weken, laten we zeggen van half tot eind april. Ik houd koppig vol dat ik alles wil zien alsof de tijd niet bestaat. Ik negeer de tijd, dat is het. Trouwens, heb jij gezien in wat voor erbarmelijke toestand de zuilen van de San Lorenzo zich bevinden?'

'Je moet een beslissing nemen, Emma.'

'Misschien... We zien wel... Het komt vanzelf, Gabri. Maar nu moeten we beslissen wat we gaan eten. De liefde maakt hongerig, weet je nog?'

Milaan, 30 april 2003
Romans&Romances

Lieve Federico,

Ik ben nooit een meisje geweest dat erg bezig is geweest met herinneringen, zoals je weet doen die mij niet zo veel, en daarom ben ik ze met de tijd systematisch gaan vergeten. Mijn leven is niet zozeer een film als wel een sequentie, en de sequentie van jouw brief zet ergens een punt achter. Ik wil niet het derde vrouwelijke probleem in jouw leven worden. Omdat ik verwaand ben, vervul ik liever de rol van anker, schuilplaats, laatje, hutkoffer, juwelenkistje, kluis, schelp, kelderkluis, bankje in het plantsoen. Beschermen, bewaken, behouden, zonder iets kapot te maken is mogelijk. De schoonheid van onze ontmoeting per correspondentie schuilt hierin: geen verplichtingen, geen termijnen, geen beloftes, geen eindexamen. Geen routine maar vloeiendheid. Vloeibare maatschappij, die definitie bestookt ons: wij leven in een vloeibare maatschappij, schrijven de kranten en debatteren de sociologen, en ook al begrijp ik niet helemaal waar ze het precies over hebben, de uitdrukking bevalt me wel. Vloeibaar staat tegenover vast, dat een taaie klank heeft, verplicht tot regels. Jouw brief heeft me daaraan doen denken. Ik heb je 'ademnood' een beetje gevoeld als bij ganzenborden wanneer iemand op het vakje 'ga terug naar af' komt en opnieuw moet beginnen. In je brief toon je je star, een gevangene van comfort en mooie zonsondergangen, maar het is alsof je ze door het raam ziet, die zonsondergangen, en altijd terloops, alsof je verplicht bent te leven in onderhuur, niet als eigenaar. Als je er goed over nadenkt is de afstand een voordeel: die laat ons vrij om te kijken naar onze zonsondergangen zonder op te houden te geloven dat ze waar zijn. En dan, één keer per jaar, is het landschap zoals jij met mij en ik met jou heb gekend. Jij hebt je kantoor, de Morgan, New York en Sarah. Ik heb de winkel en Mattia en Gabriella, Alice, dingen te doen en passies na te jagen. Jij, anders dan ik, hebt een vrouw, ik heb een stel vrienden en klanten die mijn affectieve universum zijn. In wezen staan we quitte. Wie kan ons verhinderen zo door te gaan zonder onze ontmoeting te beladen met symbolen, verliezen en nieuwe wonden? Niemand, behalve ons eigen onbewuste. Tweeënvijftig jaar is een heel leven, maar niet de maat van een lotsbestemming. We bieden elkaar 'iets' wat belangrijk is en waar niemand last van heeft. Daarom antwoord ik dit op jouw huwelijksbrief: jij en ik zijn als de Morgan Library en ik hoop dat de vergelijking je niet absurd in de oren klinkt. Elf jaar na de dood van JPM schonk Jack de verzameling van zijn papa aan de Verenigde Staten en aan de hele wereld. Jullie zullen die nog groter en nog toegankelijker maken, zonder te vernietigen wat het was. Jullie restaureren, breiden uit, zorgen ervoor dat de stenen en het perkament opnieuw kunnen ademen. Bekijk het op deze manier: dat zijn wij. Wij hebben niet het recht om een oorspronkelijke architectuur te ontmantelen. Anna zal het niet merken als jij niet wilt dat ze het merkt. Ze zal niet gekwetst zijn en ik zal je kunnen adoreren en geadoreerd worden in vrede. Ademend.

Emma

P.S. Wat ben ik toch verstandig, vind je niet?

Het is een dag met een gouden randje. De e-mail van Mattia ligt op de schrijftafel en in mijn zak heb ik Federico's brief die vandaag is gekomen.

Van: Mattia Gentili
Verzonden: dinsdag 14 mei 2003 12:32
Aan: mama
Onderwerp: feest

Lieve mama,

Wat mooi jouw brief... ik was er heel blij mee... ik droomde meteen over thuis... mijn kamer... volgend jaar studeren en werken... en mijn hele toekomst... ja ik ben echt blij... terug naar huis, universiteit, baantjes, nieuwe kamer, tv, studeren...

ik vind de plannen voor mn nieuwe kamer leuk... ja ja jajajajaja... morgen ga ik naar Subway, een fastfoodketen om te vragen voor werk... en in elk geval heeft mn vriend die in de jazzclub werkt gezegd dat hij met de baas heeft gepraat en dat die me misschien aanneemt als ik hem kan overhalen ga ik borden wassen... we zien wel... maar het gaat goed met me gister heb ik thuis met mn flat mates een feestje gebouwd... vet cool... 100 mensen... zie je t voor je... ik ga weer ma... kan niet wachten tot pa er is... ben heel blij dat ie komt... hou mega veel van je...

Mattia

'Alice, weet jij wat cool is?'

New York, 7 mei 2003
Plaats van vredige rust nummer 5, Strawberry Fields

Lieve Emma,

Renovation Question: OPENBLIJVEN OF SLUITEN? kopte gister de *New York Times* met betrekking tot onze bibliotheek. De New Yorkers zijn rigoureus, niet alleen in hun heilige respect voor regels, maar ook in hun liefde voor hun stenen. Een van de zorgen van Simeon Bankoff, executive director van de monumentenzorg voor districten van historisch belang, ten aanzien van het project is dat de nieuwe ingang aan Madison Avenue het publiek de intimiteit zou kunnen ontnemen waaraan het gewend is: 'Wanneer men nu de bibliotheek binnengaat, is het alsof men een privéhuis betreedt. Wij zouden het jammer vinden als dat gevoel zou moeten verdwijnen,' verklaarde hij, maar aangezien 'het hoofddoel van het project de verbetering van de toegankelijkheid is', reageerde Glory Jones, woordvoerder van de bibliotheek, 'is de nieuwe Morgan zo ontworpen dat de mensen zich eenvoudig tussen de gebouwen kunnen verplaatsen, de faciliteiten voor de bezoekers, onderzoekers en academici verbeterd zullen worden, zonder de stadsbewoners het privilege af te nemen om binnen te komen in een unieke privéruimte'.

Een unieke privéruimte, onze postbussen en Belle-île. Vandaag, bij de laatste ontwerptaak, zaten jouw woorden veilig in mijn zak. Om de sluiting voor het publiek te vieren, had Charles E. Pierce Jr. een party voor de medewerkers georganiseerd. Vanaf morgen zal alles voor hen anders zijn: twee jaar lang zullen ze hun eigen kantoor niet zien. Wij hadden ons met hen vermengd en droegen ook een kroontje dat het ontwerp van het project voorstelde, Renzo was blij dat hij onderwerp was van een uit karton geknipt aureool, er werd gedronken en gegeten en gepraat en we omhelsden elkaar in iets wat het midden hield tussen een doopfeest en een begrafenisreceptie, een zegening en een teraardebestelling. Te oordelen naar zijn portret, leek John Pierpont Morgan het goed te keuren. We hebben twee jaar de tijd om het ontwerp van een nieuw gebouw te integreren in ons leven zonder te vernietigen wat anderen hebben gebouwd. Dank je, Emma, dat je hebt begrepen dat ik bezig was me gewonnen te geven, begraven door mijn kwetsbaarheid. Dank je dat je de steigers hebt afgebroken die ik rondom ons aan het opbouwen was. En rondom onze ontmoeting. Die geen buitenechtelijke relatie is, dankzij de diepte van de afgraving die begonnen is met de nieuwe bouwplaats. Mattia is een gezegende jongen. Ik heb je brief tien, honderd, duizend keer overgelezen. En het is alsof het geschenk twee keer zoveel waard is geworden, versierd door jouw keus er te zijn ondanks mijn slapeloosheid, mijn wanen en egoïsme. Mijn hele hebben en houden. Ik ben de afgelopen dagen elke dag langs het postkantoor gegaan, ik wist zeker dat je ervandoor was, afgeschrikt door mijn lafheid, door de demper die ik op onze stem had gezet. Maar nee, je was gewoon op je plek en niets schrikt jou af. Ik aanbid jou ook en ik weet dat ik je altijd zal aanbidden. Je brief heeft mijn ziel lichter gemaakt met een meesterzet.

Ik doe deze brief snel op de bus, klein, kostbaar geschenk van me,

Je Federico

P.S. Extra teken van je macht: mijn allergie is verdwenen. Mijn neus ademt in en uit als een zuiger. New York staat in bloei. Dus dat is te danken aan jouw woorden.

De regen begint neer te vallen op het gras en, onverschrokken als een gladiator, loopt hij het podium op en komt dichter bij het publiek, terwijl hij de tranen opdrinkt die uit de hemel vallen. Niemand beweegt. Absurd privilege om op de tribune te zitten naast Michele en Mattia en die tranen te drinken en te golven en te trillen samen met zeventigduizend natte lichamen in het stadion. '*I was born in the* USA,' zingt het donkere poppetje daar beneden, magnetisch, meeslepend, ontroerend. Dezelfde Springsteen zingt deze avond, net als achttien jaar geleden, ons verhaal. Zelfde podium, zelfde trio, liedjes die poëzie zijn en hij, klein standbeeld in een bloementuin, die zelfs degenen die toen nog geen onderscheid konden maken tussen mensen en stripfiguren, aansteekt. Kinderen die nu volwassen zijn, zonen en dochters en vaders en moeders, verenigd door de mooie retoriek van de muziek. Ik wou dat Federico hier was. We zouden in het gras zitten, Sarah en Mattia zouden nieuwe vrienden zijn en dan zou ik misschien zijn hand vastpakken en begrijpen wat ik hier doe. Stel je voor dat een andere plot mogelijk is. Ik zou samen met hem zingen zonder toon te kunnen houden, net zoals we allemaal al twee uur lang doen, vijftigers en twintigers verenigd in een enkele doorweekte omhelzing. Dit zijn de momenten waarop ik hem zo erg mis dat het pijn doet, mijn maag beweegt mee op het ritme van *The River* en de gedachte dat hij op unieke momenten zoals dit aan de andere kant van de wereld is, is onverdraaglijk. Dus sluit ik mijn ogen en het is alsof hij hier is, terwijl ik resten jeugd onder het licht van hemel sleep die verlicht is als daglicht. Ik klamp me vast aan Mattia, maar verlegen, ik hoop dat hij niet merkt dat ik huil, dat mijn mascara uitloopt over mijn wangen, ik hoop dat hij niet begrijpt hoe zeer ik hem gebruik, schijnbeeld van de geliefde die er niet is, terwijl de schitterende ex-jonge hond zich in zwart shirtje in het zweet zingt met een energie die uniek is voor de menselijke soort. Bruce Frederick Joseph Springsteen, geboren in 1949, neemt vol enthousiasme deel aan de derde leeftijd en is het bewijs dat je moet blijven trainen om de liefde te bezingen en om biceps te hebben voor een stevige omhelzing en haren die als houtkrullen om je voorhoofd dansen. Mattia is een paar dagen geleden thuisgekomen en het is goed hem bij me te hebben in deze verzengende juninacht, in de onwerkelijke atmosfeer van dit stadion. Tegengif voor de verschrikking van een verre oorlog.

New York, 1 juli 2003
Plaats van vredige rust nummer 6, Grumpy Café
224 W 20th St

Lieve Emma,

Zonnige zondag en een zacht briesje, eenzame wandeling na een bezoek aan het bouwterrein. Ik loop langs 23rd Street nummer 222, Chelsea Hotel, een afgebladderde voordeur, twaalf verdiepingen, een donkere hal. Rechts en links gedenkstenen die vertellen van de kunstenaars die er zijn geweest, alleen om een lied te schrijven of misschien om er een heel bestaan door te brengen. Er komt een vrouw binnen, dik en gekleurd, een hippie-oma, paars sjaaltje om haar hals, overdreven hangers aan haar oren en een weefgetouw van rimpels op haar huid. Ze glimlacht naar me en wie weet hoeveel noten zij heeft gehoord in deze gangen met vloerbedekkingen die leiden naar de appartementen die je kunt huren voor 2000 dollar per maand, en misschien het schot dat werd afgevuurd door het pistool van Sid Vicious die Nancy vermoordde; de noten van Bob Dylan vanuit suite 2011, ik was een jongetje terwijl hij op zijn gitaar zijn lieflijke ballads speelde. De vloerbedekking tekent een tijdperk, de jaren zestig en zeventig, toen zelfs de prachtigste houten vloeren met tapijt bedekt werden. Hier woont men nog steeds in de appartementen die de huurders op hun eigen manier inrichten, hier wordt gezongen, gevreeën, gekookt. Hierbinnen is de mythe. En de hangsnor van Mark Twain, van wie ik me geen enkele plot kan herinneren, noch – stel je voor – een citaat. Ik geloof niet dat hij een favoriet van jou is, je bent niet zo dol op avontuur en ook niet op het kwijnende kabbelen van de Mississippi, maar je zult het leuk vinden om te horen dat (Frank vertelde het me) in 1909, toen JPM hem vroeg of hij het manuscript van *Pudd'nhead Wilson* mocht hebben, Mark Twain antwoordde dat 'een van zijn grootste ambities eindelijk bevredigd was'. Ik ga de winkel naast het Chelsea binnen: het lijkt of de tijd daar is blijven stilstaan bij onze kinderdromen, de Dan's Chelsea Guitar, het bord is pop: geel en paars gekleurd. DE WAARDE VAN EEN GITAAR WORDT ZELDEN UITGEDRUKT IN DE PRIJS ERVAN staat er, ik kan de verleiding niet weerstaan en bezwijk voor een Crimson Fernandes, gesigneerd door Bruce Springsteen, die komt op 5250 dollar inclusief versterker. Thuisgekomen heb ik me opgesloten in mijn werkkamer en toen ik erop speelde, vielen er in één keer dertig jaren van me af. Favoriete repertoire? Het onze: Beatles, New Trolls, Battisti en een paar vage herinneringen aan mijn jazzperiode, eervolle vermelding voor Pink Floyd en Genesis, Cat Stevens. De lak is eraf maar wat kan mij het schelen, die komt wel weer terug. Ik pak de gitaar en speel dit liedje voor je, doe je ogen dicht en luister naar je vriendje. Paul Simon zong het voor het eerst in 1967 in Carnegie Hall.

I was twenty-one years when I wrote this song
I'm twenty-two now but I won't be for long
Time hurries on.
And the leaves that are green turn to brown,
And they wither with the wind,
And they crumble in your hand.

Once my heart was filled with love of a girl.
I held her close, but she faded in the night
Like a poem I meant to write.
And the leaves that are green turn to brown.

Mijn huisbaas heeft een schitterende verzameling lp's, stoffige dagboeken van muzieknoten, vrienden van lang geleden, heel wat anders dan de iPod's van Sarah en jouw Mattia!

Federico
P.S. Waarom kan ik nu niet bij je zijn?

Fabrizio Lucchini, een jaar of dertig, komt de winkel binnen, gewurgd door een deplorabele stropdas met stippen, wit overhemd, donkerblauw colbertje en spijkerbroek met strak gestreken vouw. Deze jongeman heeft vast een degelijke ouderwetse moeder. Hij krijgt een kop 'Amerikaanse' koffie en verorbert een croissant met frambozenjam, warm uit de oven.

'Toen ik dat in vieren gevouwen briefje in de envelop zag, nou, mevrouw, toen dacht ik dat het een nieuw soort bekeuring was. Ik las uw oproep en eerlijk gezegd moest ik erom lachen, maar meteen daarna voelde ik me een rund. Op kantoor hadden veel mensen dezelfde reactie, en zo kwamen we erover te praten, ik hoop niet dat u het erg vindt, maar er werd heel wat over u gezegd, een collega zegt dat u niet het recht hebt om te oordelen omdat u de hele dag maar rustig in die winkel zit terwijl wij ons uitsloven, maar op het laatst waren we het toch eens. Ik weet niet welk boek ik moet kiezen, het is voor mijn vriendin.'

'Wat is uw vriendin voor een type, meneer Lucchini?'

'Zeg alstublieft Fabrizio. Mijn vriendin is heel knap, ze baalt ervan dat ik te veel werk, maar zij zit nog op de universiteit, zij weet niet hoe het is als er iemand in je nek hijgt die tenminste één keer per dag en elke dag opnieuw zegt dat we maar één enkel doel hebben, namelijk omzet maken.'

'Arme jongen, mijn accountant praat ook altijd over geld. En wat voor werk doen jullie daar op kantoor?'

'Public relations, communicatie, strategische marketing, evenementen voor allerlei bedrijven. Procter&Gamble, van de wasmiddelen weet u wel, Fiat en nog meer multinationals. Ik werk op de afdeling verkoop, ik let op het geld. O, heerlijk deze croissants, ik word een vaste klant. Ik zal Angelica ook eens meenemen.'

'Hoe hebt u ze weten over te halen?'

'Ik heb het briefje hardop voorgelezen, toen haalde Maurizio zijn briefje tevoorschijn, al mijn collega's begonnen te lachen, de klootzakken, excuses voor de uitdrukking, ze begonnen mij ook uit te lachen, toen zijn we erover gaan praten om te overleggen hoe we zouden reageren. U bent het gesprek van de dag geworden. Het parkeerprobleem van de scooters blijft, daar kunnen we niets aan doen. Leuk is het hierbinnen. Hoe kan het dat ik deze rustige bar niet eerder heb opgemerkt? Hebben jullie hier ook happy hour?'

Inderdaad, hij vindt me waarschijnlijk niet alleen bizar, maar ook erg ouderwets, als hij zich excuseert voor 'klootzakken' en met te veel gemak steeds 'mevrouw' tegen me zegt. Als ik hem nu zou uitleggen hoe ik denk over de uitdrukking 'happy hour' zou ik een bondgenoot verspelen die ik juist met een stukje papier had veroverd. Eigenlijk ziet hij er best leuk uit en achter zijn uiterlijk van cynicus vol anglicismen en 'communicatie-elementen' zou hij zelfs sympathiek kunnen zijn. Ik beheers mijn arrogantie over de triomf dat het me gelukt is om die lulletjes met geïncorporeerde brommers te overtuigen om hun metalen karkasjes voortaan in de zijstraten te parkeren, te overtuigen.

'Uw communicatiestrategie heeft hen overtuigd, mevrouw. Ze zeiden dat ze het idee om rechtstreeks te communiceren met de gebruiker, met ons dus, geniaal vonden. U hebt geen tussenpersonen, begrijpt u? U hebt uw verzoek toegelicht in beleefde, vriendelijke bewoordingen, een beetje vreemde bewoordingen, dat wel, maar als we de tekst een beetje aanpassen kunnen we die prima gebruiken voor een klant die ideeën nodig heeft.'

'Meent u dat serieus? Noem me toch Emma.'

'Kort, vlug en makkelijk: dat is ons parool. U had het in uw briefje over langzaam, schoonheid, ruimte. En daarover ontstond de discussie, u hebt de vinger op de wond gelegd, uiteindelijk begonnen we over onszelf en onze suffe levens te praten. We zijn veel te gestrest. Ik lees weinig, maar ik vertelde mijn collega's dat u niet alleen boeken verkoopt en dat u een voorstel had gedaan voor rust, niet een handelsmerk. Als wij onze brommers en fietsen op de binnenplaats parkeren is het plein helemaal voor ons. Ik lanceerde het concept privilege-eiland. Uw bon voor een gratis maaltijd is een begin, we zullen hier allemaal om één uur zijn, zodra de kooien opengaan. Nog een laatste ding: accepteert u restaurantbonnen? Die krijgen wij namelijk.'

'Natuurlijk neem ik restaurantbonnen aan, ik heb een overeenkomst. Ik verwacht jullie straks.'

Milaan, 7 juli 2003
Locanda van de Romans

Lieve Federico,

Het heeft gewerkt. Ik weet niet of dat komt door een gunstige stand van de planeten of door de gebeden van Don Maurizio, maar het heeft gewerkt! Iemand was zelfs zo gevoelig om zich te komen excuseren. Piazza Sant'Alessandro is vrij van brommers en de fietsen staan niet meer aan de palen maar hebben onderdak gevonden op de binnenplaats: ze hebben de beheerder van het gebouw overgehaald om een omheinde ruimte vrij te maken als parkeerplaats voor de auto's en... ze zijn van het plein verdwenen! Een briefje aan de eigenaars was genoeg, een bon voor een gratis boek en een uitnodiging om een hapje te eten in de locanda was voldoende om ze over te halen op te krassen. En niemand heeft me een trut genoemd. Ik heb een afspraak gemaakt met die armzalige projectmanagers, accountantmanagers, junior accountmanagers die ervan dromen om senior communicationmanager of press officer en marketingmanager te worden, en die de hele dag achter hun pc gekleefd zitten en dodelijk saaie vergaderingen moeten bijwonen. Bij de zinnen die ik heb overgenomen van een oude Adelphi die ik nooit heb gelezen, heb ik een vriendelijke aansporing gevoegd om hartige en zoete taart te komen proeven en te praten over een alternatief voor het parkeren op het plein. Ik heb alle concierges overgehaald om hun eigen stoep voor de voordeur te vegen, en zelfs Borghetti is zijn postzegel van porfier voor zijn winkel gaan schoonmaken: wij, in onze tijd, noemden dat zelfbestuur, weet je nog? Nou goed, wij besturen zelf het plein, we hebben het – om met jouw woorden te spreken – heringericht naar menselijke maat. Je zou ze moeten zien, ik ben heel streng tegen wie ons persoonlijke stadsbeleid durft te dwarsbomen. Een paar jongens van het bedrijf en van de verzekeringsmaatschappij zijn vaste klant in de locanda geworden en hebben een maandabonnement afgesloten: ze komen hier lunchen en Manuele maakt aperitiefjes voor happy hour, wanneer ze tevoorschijn kruipen uit hun elektronische hokken en zich nestelen aan onze tafeltjes, alcoholvrije cocktails drinken en niet eens klagen. Ik kon mijn ogen niet geloven vanochtend (het is mijn maandagbeurt), het lijkt op het plein wel alsof het fijnstof buiten onze omheining wordt tegengehouden: die jongens, gemiddelde leeftijd zo'n jaar of dertig, zijn veel gevoeliger dan iedereen denkt. Wat ik op de briefjes heb geschreven? Zinnen uit *Zen en de kunst van het motoronderhoud* van Robert M. Pirsig, banaliteiten zoals 'Zonder mijn hand van het linkerhandvat te halen zie ik op mijn horloge dat het halfnegen is. De wind, honderd kilometer per uur, is warm en vochtig. Als het om halfnegen al zo benauwd is, wie weet hoe het vanmiddag zal zijn', maar het heeft het gewenste effect opgeleverd: verbazing.

P.S. Ik voel me vrolijk dom en een beetje verwaand, maar sinds een paar dagen geef ik me over aan voorzichtige zomerfantasieën. Ik denk veel aan je, veel, heel veel.
P.S.2 Je uitvoering van 'Leaves that are green' was fantastisch... Dank je, mijn lieve klankzuil!

Emma

New York, 15 juli 2003
225 Madison Avenue

Lieve Emma,

Het leven op het bouwterrein is nu echt begonnen en ik ben heel, heel, heel erg tevreden. Ik houd van het bouwterrein, dat is voor een architect de plaats waar het leven zich afspeelt, dat is de materie, het heeft een eigen geur, het bouwterrein, die vermengt zich met die onmiskenbare geur van New York; je weet niet of het de hotdogs zijn of de Hudson, de benzine of de parfums van de dames in Midtown, maar er is 'deze' geur die ik je van hieraf graag wil laten ruiken. Het bouwterrein is belangrijk omdat het hiërarchie geeft (woorden van de Boss) en een gevoel van lichamelijkheid (dat zeggen de duiven je, de spades die tegen de muur staan, de laarzen, de overalls en de vriendelijke grijns van Antonio, de opzichter van het bouwterrein, een grote, dikke kerel van Italiaanse oorsprong, die wij de bijnaam 'de dirigent' hebben gegeven vanwege de gratie waarmee hij de werklui laat manoeuvreren en alles onder controle heeft). Zijn orkest bestaat uit metselaars, metaalwerkers, timmerlieden, ingenieurs, landmeters en... architecten. Het bouwterrein is de witte helm met daarop in het blauw RPBW en heel duidelijk zichtbaar mijn naam. De graafmachines en de pneumatische hamers dringen door het gesteente alsof het boter is, je moet het je voorstellen als een open boek over geologie met bloedrode muren. Sarah, die me daar kwam ophalen, vergeleek de gele monsters met Tyrannosaurussen Rex, een mooi beeld uit de filmcultuur dat mij deed denken aan toen ze als klein meisje rubberen dinosaurusjes verzamelde. Het kantoor dat we hebben ingericht in het Brownstone van Jack Morgan is gevuld met bouwtekeningen en maquettes. Een beetje zoals wanneer je op reis ingelijste foto's en stukjes van thuis meeneemt om je geen vreemdeling te voelen in een vreemd land, zo vind ik het prettig om mijn werkplek in te richten met een paar elementen die doen denken aan mijn studie in Genua en aan Parijs. Aan de bestaande 75.000 vierkante meter zullen wij ondergronds 43.000 vierkante meter toevoegen, we zullen een gat van 50 voet diep graven, we zullen de omtrek van de bestaande gebouwen stutten. Stel je voor dat je met een heel scherp mes in een hele Parmezaanse kaas graaft, of denk aan de forten van zand die je als kind op het strand bouwde. En denk aan mij, stuk met een vredeshelm op zijn kop en uitgelaten en gelukkig, vandaag meer dan ooit. Ik ben niet dronken, maar vandaag is het zo'n positieve, zonnige dag waarop alles mooi en mogelijk lijkt. Zelfs twee brieven van jou ontvangen op dezelfde dag.

Federico

P.S. Het gesteente dat het gewicht van Manhattan draagt is hetzelfde als dat van Jean en Jeanne, onze Bretonse vrienden. Het is ideaal voor de fundamenten van hoge gebouwen zoals onze... liefde. Zo. Ik heb het gezegd. Ik bedoel geschreven.

Milaan, 2 augustus 2003
Locanda van de Romans

Lieve Federico,

Laatste dag dat we open zijn voordat ik wegga. Het is een rare augustus in Milaan. Het is acht uur 's ochtends (het is zo warm dat ik bij zonsopgang opsta en om zeven uur al in de winkel ben), ik zit in de locanda. Ik heb een cappuccino voor mezelf gemaakt en geniet er langzaam van, er staat toch nog geen rij, er wordt nog niet gewacht op uitgeperste sinaasappels en de warme taarten uit het oventje die de trots zijn van Manuele, die (hij is nu klaar met school) fulltime in de winkel werkt, ons bestookt met zijn theorieën over de marketing van het café en stelt dat het nodig is 'het aanbod te spreiden'. Resultaat: je kunt kiezen tussen espresso, café lungo, ristretto, corretto, shakerato, koud, klassieke mokka, Napolitaanse, Amerikaanse, koude melk met koffie, warme melk met koffie en nog meer varianten. Mijn twee goeroes zijn nog niet binnen en ik schrijf je omdat ook ik gelukkig ben, net als jij in je brief vanaf het bouwterrein. En ik moet je dat vertellen. Dus: ik at een stuk worteltaart terwijl ik de krant doorbladerde en wat mijn dag veranderde was een ongewoon geluid. Federico: een gepiep, tsjiep-tsjiep. Ik zweer het. De gast is met het hele gezin neergedaald en kijkt naar me terwijl ik schrijf. Zijn veren zijn bruin gespikkeld, zijn oogjes glimmen als knikkers en hij lijkt niet bang. De Milanese mus gaat op mijn handpalm waar ik suiker op gestrooid heb zitten om te ontbijten, mijn kruimeltjes zijn voor hem een hele maaltijd. Gek, deze augustus in Milaan, de mensen die met vakantie gaan en zij die terugkeren in de stad. Gisteravond deelde een dame in bloemetjesjurk en met een rieten mand, landelijke versie en plaatsvervangster – wegens vakantie? – van het winterse 'kattenvrouwtje', visgraten en brokjes pasta met saus uit aan de katten op Piazza Sant'Ambrogio. Het is niet echt hetzelfde als de eekhoorns in Central Park, maar het komt in de buurt.

Een zomerse kus van je Emma die met vakantie gaat.

P.S. Zorg goed voor jezelf: vind je ook niet dat dat een mooie uitdrukking is en dat die te weinig gebruikt wordt?

New York, 8 augustus 2003
225 Madison Avenue

Lieve Emma,

Toen ik vandaag voor het bouwterrein langsliep, kruiste ik een oude man. Hij stonk naar bier en droeg een dik pak. De man hield mij staande en vroeg me heel rustig en zacht: '*What's happening there?*' Ik had het gevoel alsof hij daar op mij had staan wachten, wat onmogelijk is, maar ik ben twee koffie gaan halen, heb hem er een gegeven en we zijn samen voor het Brownstone gaan zitten: de 45 kamers, de 12 baden, de 22 haarden, de danszaal van de familie Morgan die de boekwinkel wordt, brokkelen af, het koninkrijk van Frank... en Morgan en Piano... Hier komt de ingang, daar komt een overdekt café... Ik legde hem uit *what's happening here* en hij glom, hij werd enthousiast (tenminste, zo leek het), misschien voelde hij zich alleen en had hij zin om met iemand te praten... Maar in werkelijkheid was ik degene die zich alleen voelde en was hij degene die míj gezelschap hield. Ik zou nu graag met mijn vader praten, op gelijke voet, ik zou hem heel veel willen vragen. Voor onze kinderen is het anders, wij hebben ze eraan gewend dat ze vertrouwelijk tegen ons zijn in een maatschappij waar het meest gebruikte woord 'ik' is, terwijl jij me dwingt om 'wij' te denken. Maar goed, ik zei tegen mezelf dat ik ondanks de slappe koffie ('slootwater' zou jouw Manuele zeggen) en dankzij een gesprek met een onbekende (hij heet Steve en is zijn leven lang chauffeur geweest, is weduwnaar, heeft geen kinderen, woont in Brooklyn maar vindt het leuk om hier te komen rondwandelen), nog steeds iets te begrijpen en te vertellen heb. Ik ben niet het type vertrouwelijk te willen zijn met een vreemde, maar ik was blij met mijn eigen hartelijkheid. Ik voelde me niet belachelijk: jouw invloed (jouw lichtheid...) werkt ook door in de onverwachte relaties die ik met mensen heb. Ongebruikelijk voor een mensenschuwe man als ik. Je bent bezig me te veranderen in een bijna 'normaal' mens.

Dag mijn lieve tegengif voor het heden,

Federico

P.S. Ik zorg goed voor mezelf en voor ons. Ik weet, het risico bestaat dat jij weggaat, maar dat zou ik merken. Daarom, denk eraan: niet stoppen met schrijven!

Derde zaterdag van september. Witte Nacht, een dag en een nacht lang feestelijkheden, een idee dat is overgewaaid uit Parijs. Wij, Milanese provincialen, hebben niet de oevers van de Seine om rond te slenteren, en voor iemand die om middernacht omvalt als een boksbal, is het een provocatie. Ach, Assepoester, wat begrijp ik jou toch goed. De *eeuwig wakkeren* hebben een marathon van vijf tot vijf georganiseerd, ze praten al een week lang over niets anders, terwijl ik mijn verbazing blijf uiten. Zinloos.

'Wie komt er nu twaalf uur achtereen in de winkel?' vraag ik op neutrale toon om hun gevoeligheid niet te kwetsen.

'We zijn een creatief clubje, Emma, vertrouw ons maar,' antwoorden ze in een tweestemmig koortje dat klinkt als een klop op de schouder van de onnozele vriend. Ze zijn op het verkeerde pad, gister hoorde ik ze gevaarlijke zinnen uitspreken zoals 'de target van het boek'. Om van te rillen. Creatief clubje... Ik heb een titel gesuggereerd, zij hebben het niet begrepen omdat ze de film die op het boek gebaseerd was, niet hadden gezien.

'*Mensen schieten ze toch ook dood?* klinkt macaber, Emma. Dat houdt het publiek weg. Wij dachten aan *Non-stop reading*, zo iets.'

'*They shoot horses, don't they?* heeft zeven Oscarnominaties gehad en een Oscar gekregen voor de beste bijrol op wiens naam ik nu even niet kan komen. Ik heb vanavond yogales.'

'Wij regelen alles, jij hoeft alleen maar toe te kijken, of beter nog: jij staat achter de kassa en als je naar yoga moet, zoeken we een vervanger voor je. Mattia vindt het ook goed.'

'Vindt wat goed?'

'Om ons een handje te helpen in de locanda, met Carlotta en nog wat vriendinnen... we betalen ze à forfait.'

'O. Maak even een contractje met ze op, ik wil hier geen zwartwerkers hebben. En richt je op de doden, alsjeblieft. Ik zou niet willen dat er een tijdgenoot in de winkel komt die de interpretatie niet leuk vindt. Het blijven narcisten, die schrijvers.'

'Als je het goed vindt zouden we voor het voorlezen klanten willen rekruteren...'

'Waarom doen jullie alsof je toestemming vraagt voor iets wat jullie achter mijn rug om allang besloten hebben?'

'We hebben niets achter je rug om besloten en de klanten zullen hun kwartiertje beroemdheid hebben. Iedereen heeft een boek en een passage uitgekozen. Ze doen het gratis.'

'Vijf minuten moet voldoende zijn, uitspraak van Andy Warhol. Voor die beroemdheid, bedoel ik.'

Ik ben prikkelbaar, humeurig, en ik weet niet wat ik er voor over zou hebben om nu naast hem te zitten in Barnes&Noble in Oklahoma, Pennsylvania, Ohio, in een boekwinkel in een willekeurig Amerikaans stadje en te luisteren naar iemand die voorleest. Ongeacht uit welke roman. Alice dribbelt heen en weer door de winkel met een voetloze maillot (zo noem ik het), een legging (zo noemt zij het), een zwart katoenen vest en fuchsiaroze ballerina's, en weet zeker dat hun marathon een triomf zal worden. Ik lever mijn bijdrage aan deze dwaasheid voor slapelozen met de etalage 'Liefde op zak'. Brochures, lijm en veel mooi papier stop ik in de zakken van colbertjes en jassen die ik thuis nog in de kast had hangen. Op de grond schoenen als snoepjes. Die gooi ik nooit weg, ik heb zelfs nog de schoenen waarin ik getrouwd ben, afgrijselijke vuilwitte pumps die ik gebruikt heb voor die belediging van het onderbewuste. Ik ga snel naar huis. Ik ben gedeprimeerd, wil met een salade voor de tv.

'Dag, jongens. Tot later.'

Niemand verwaardigt zich te antwoorden. Ze zijn druk bezig en er komt een vriend van ze binnen, een banketbakker met imitaties van madeleines met chocola in de vorm van een schelp, die Marcel vroeger bij tante Léonie at. Maar wanneer ik om vier uur 's middags, na een kop slappe koffie, het lezen van de kranten en een dutje, mijn fiets op slot zet, ben ik van mening veranderd.

Het is een rivier.

Het stroomt uit de voordeuren, bulkt uit de muilen van de metro, zwermt uit de trams, de voeten in sneakers of sandalen met sleehak. Een stedelijke, kleurige rivier draait rondom het labyrint van de straten en binnenplaatsen van Milaan. Geen slaappillen of slapeloos ronddolen door de kamers vannacht, maar een excuus om allemaal samen naar buiten te gaan, de luilakken en de lustelozen, de rokkenjagers en de meisjes die hand in hand lopen. De Witte Nacht is dag in de nacht, stroomt in golven toe in een opzichtig opengesperd Milaan, een immense hypermarkt waar je het winkelwagentje vol dromen mee uit wandelen neemt. Ik zet mijn fiets op de binnenplaats vast, in de locanda zit een groepje dames aan een tafeltje. Ze praten met elkaar en zien er tevreden uit. Het ruikt naar Turijnse chocolade en wilde rozen van Lucilla's specialiteiten, haar amandel- en chocoladegebakjes en *kiffels*, heerlijke Joegoslavische koekjes van bladerdeeg met frambozenconfiture. Dat is ter ere van het debuut van Ernesto, de gepensioneerde echtgenoot die wij allemaal graag willen leren kennen. Zijn beurt in de marathon staat om vijf uur op het programma. 'Hij heeft een mooie stem, wist u dat?' had zijn vrouw gespannen gezegd en Alice had meteen geantwoord: 'Waarom vraagt u niet of hij komt voorlezen voor de klanten?' Daar is hij. Doordat er zoveel over hem gepraat was, stelde ik me hem oud en triest voor, maar nee, meneer Ernesto is even knap als Clint Eastwood en slechts licht gekromd, heeft helblauwe ogen die niets te maken hebben met natuurkundeformules, is een gentlemanlezer die naar aftershave ruikt. Hij loopt heen en weer door de winkel, hij lijkt een acteur die zijn rol in zijn hoofd repeteert, hij is onrustig alsof het platformpje dat hem wacht het podium van de Scala is. Hij loopt naar de lessenaar, tikt met zijn middelvinger tegen de microfoon, 'A-A-A,' blaast hij. Hij gaat zitten op het fauteuiltje, staat weer op en kijkt naar de kassa, haast alsof hij daar mijn startsein verwacht. Hij houdt de bladzijden vast alsof ze een gebedenboek zijn, Manuele introduceert hem bij de klanten en loopt met een hoestbui weg.

'Ik heb voor jullie *Het spook van de Opera* van Gaston Leroux uitgekozen, het verhaal over de monsterlijke Erik, die erger stinkt dan Dracula en lelijker is dan Frankenstein...' Ze lachen, het ijs is gebroken. 'En over de liefde van de operazangeres Christine, die het monster weet te verleiden met haar stem. En misschien ook door het feit dat vrouwen geen halve maatregelen kennen. Het is altijd goed als je of heel mooi, of heel monsterlijk bent. Denkt u ook niet?'

Het lijkt alsof hij zich persoonlijk wendt tot elke afzonderlijke toehoorder, hij knipoogt verleidelijk, hij wriemelt aan de hoekjes van de bladzijden en iedereen hangt aan zijn lippen van verhalenverteller. Lucilla is zichtbaar tevreden, ze kijkt naar hem met de trots van de echtgenote die geluk heeft, haar voeten bij elkaar in de schoenen met de vierkante hak en de vierkante neus en in haar ogen een vleugje jaloezie vanwege de weduwe Cantoni, die haar nek en kwabben heeft opgedoft als een lampenkampje, net naar de kapper is geweest en een hemdjurk met witte knopen draagt. Ernesto keurt haar geen blik waardig, ik zit in mijn wachthuisje en bedenk ijdel dat Romans&Romances een vlot op de rivier is, een onafhankelijke republiek vernoemd naar Gutenberg, waar mijn schippers uitrusten onder het genot van kiffels terwijl de witte verhalenverteller overgaat op John Fowles. Alice geeft hem het boek *Het liefje van de Franse luitenant* in handen uit de vitrine 'Onaanraakbaren', iedereen (echt iedereen) heeft iets te drinken, terwijl Sarah Woodruff op de punt van een door de storm geteisterde pier staat te staren naar de zee waarin een luitenant is verdwenen. Emily heeft zich ook bij deze fanclub van de derde leeftijd gevoegd. Ze heeft een nieuwe glinstering in haar ogen en haar wangen mooi gemaakt met geparfumeerde poeder. Ze is aan de arm van mevrouw Oldrini, wier gelaatshuid zo transparant is als een versleten landkaart van piraten, met een neus als een heks en ze beweegt met voetstapjes die in geen enkele verhouding staan tot haar imposante en autoritaire omvang. Mijn lieve vriendin drentelt rond door haar voormalige portierskamer. Misschien mist ze die, en dan is ze niet de enige. Ik heb gelezen dat in Parijs, hun uitverkoren vaderland, in tien jaar tijd tienduizend conciërges op straat zijn gezet. Ondankbaar en zonder geheugen als ze zijn, weten ze niet dat het Voltaire was die conciërges en portiersters de rol gaf die zij verdienden en dat ook ingenieur Gadda hen huldigde, doodsbang voor de roddels die vanuit hun holen de ronde deden op het plein. Ernesto bedankt voor de aandacht en loopt rond tussen de tafeltjes door. Narcist.

Het is zes uur: Cecilia is aan de beurt, die zich voorbereidt om het spel 'Wat is de mooiste en ontroerendste liefdesgeschiedenis die je ooit hebt gelezen?' te leiden. Geroezemoes in de zaal en geen verlegenheid. Integendeel. Er gaan handen de lucht in, als op school. *De dame met de camelia's*, zegt de stem in de hoek van mevrouw Donati, voor wie wij een comfortabel plaatsje hebben gereserveerd waar ze samen met haar Kroatische gezelschapsdame zit die er weinig van lijkt te begrijpen en zich enorm lijkt te amuseren. Helemaal geen Liala? Het spel doet discussies losbarsten en ik zou het gezicht willen zien van die onbenul die dat soort literatuur hardnekkig wil verbannen naar de minst zichtbare hoekjes van de boekwinkels, en haar daarmee het etiket opplakt van rozekleurige bagger.

'*Maurice* van Forster,' suggereert een jongen, en Gastone, die bij Borghetti zit te wachten tot hij aan de beurt is, knikt hoopvol.

'Jullie willen toch zeker niet *De electieve affiniteiten* uitsluiten? Een meesterwerk,' zegt meneer Frontini, die in zijn hand de tweetalige Goethe houdt die zojuist in herdruk is verschenen.

'Soms ontgaan je de dingen die voor de hand liggen wanneer je zoekt naar de zeldzame dingen. Daarom zou ik graag Quasimodo en Esmeralda, de zigeunerin met het geitje, willen noemen. *Notre-Dame van Parijs* is zo'n voor de hand liggende roman dat men hem zou kunnen vergeten,' onderbreekt Ernesto en alle dames draaien zich om om naar hem te kijken. Wie zou er geen natuurkunde willen studeren bij iemand zoals hij? 'De ware grootse liefde is middeleeuws,' predikt hij, die inmiddels zelf ook een grote rivier is geworden. 'De romantiek was niet meer dan de herontdekking van de ridderlijke passie voor de Dame, de Edelvrouwe, de Vrouw, degene met de hoofdletter. De vrouw staat boven aan in onze gedachten, elke handeling van ons is voor haar en door haar geïnspireerd. De vrouw zal nooit wreed en onbegrijpelijk genoeg zijn voor ons: al onderwerpt zij ons aan de grootste inspanningen, wij zullen ons niet onttrekken. Omdat er niets heerlijkers is dan de Vrouw en haar balsem.'

'Balsem?' vraagt Cecilia.

'De balsem van mijn leven is zij: mijn dame. Ik kan natuurlijk niet voor andere mannen praten... dat moeten jullie maar aan hen zelf vragen. Manuele, wat is Alice voor jou?'

'Alice is het coolste, knapste en slimste meisje van heel Milaan.' Schaamteloos. Er barst applaus los, als in de kroeg. Komt het door het voorlezen dat ze zo veranderen, of hebben ze allemaal gedronken en heb ik niet gemerkt dat er alcohol wordt geschonken? Ik voel me uit het script geschreven en ik neem geen tekenen waar die erop duiden dat mijn onvrede zal verdwijnen. Het gipskarton is in aantocht, als een elastieken ceintuur strak om mijn borstbeen.

'En wat vinden jullie van *Liefde in tijden van cholera* van Márquez? Ze houden van elkaar als kinderen en hij blijft op haar wachten tot hij zeventig is,' intervenieert een meisje van hooguit twintig dat onmiddellijk de belangstelling opwekt van Mattia, die zijn bereiding van de uitgeperste sappen onderbreekt om zich op haar te concentreren. Carlotta neemt de bestellingen op en fungeert als schildwacht.

'Volgens mij is *Dokter Zjivago* onnavolgbaar,' zegt Marta. 'Wat moest ik huilen. Ik kon niet meer stoppen.'

'Ik heb ook heel veel gehuild bij dat boek,' beaamt een andere vrouw.

Het lijkt allemaal opzettelijk en misschien is het allemaal georganiseerd, want Cecilia stopt het spel en begint kwinkelerend voor te lezen uit een boek dat ze van huis heeft meegenomen, vol onderstrepingen. Met potlood.

'Joeri Zjivago en Lara ontmoeten elkaar in een bibliotheek... Edvoki Siverinova, bibliothecaresse in Joerjatin, een lieve bruinharige, extreem verlegen juffrouw... In de leeszaal heerst een gespannen stilte...'

Zij reciteren en ik tik de bonnetjes uit. De rivier komt, rust, staat weer op en gaat weg, maar niet zonder te hebben gekocht. Ach, was Alberto hier maar: het papier, waarvan hij regelmatig de dood aankondigt, is nog steeds onder ons. Alleen heeft hij besloten om te gaan vissen en komt hij pas later. Om zeven uur is de omzet indrukwekkend: 1148 euro aan boeken, gebakjes, chinotto's en perenlimonade.

'Dank je, Emma, het was een geweldige middag. Een onvergetelijke middag.' Dat zegt Emily letterlijk, terwijl ze de mevrouw die op haar leunt als op een wandelstok bij de hand vastpakt.

'Kom me nog eens opzoeken. Ik mis onze babbeltjes zo. Het was een genoegen u te leren kennen, mevrouw Oldrini.'

'Ik ga naar de sportschool. We zien elkaar over een paar uur weer,' kondig ik aan, maar niemand reageert. Manuele wordt in beslag genomen door broodjes en kleine focaccia's die genoemd zijn naar schrijvers in zijn zwart katoenen schort waarop het 'logo', zoals zij het noemen, naar voren springt: *Locanda van de Romans*. En ik voel me net koningin Elisabeth met het koninklijk wapen. Buiten op het plein wordt het podium voor het dansen opgebouwd; je kunt nauwelijks een stap voor- of achteruit zetten. Binnen verkwikt de rivier zich, hier buiten wordt slap geluld, gewandeld en gewacht. Ik heb behoefte aan yoga.

Ik ben op tijd terug in de locanda om te genieten van de hapjes die zijn overgebleven van het happy hour en van het moment van Gastone, die Casanova kiest. Hij heeft in zijn hele leven nog nooit een vrouw gekust en ik begrijp niet waarom hij alles gelooft wat ze vertellen over de meest overgewaardeerde avonturier uit de geschiedenis. De beschrijving die Márai van hem geeft in *De gravin van Parma* is genadeloos, maar hij leest op geïnspireerde toon, terwijl ik me installeer achter de kassa en hoor dat 'Casanova, die op drieënvijftigjarige leeftijd al tijden niet meer gedreven wordt door het jeugdige genoegen van het avontuur om door de wereld te dwalen, maar door de onrust van de naderende ouderdom, bezeten was door zo'n intense heimwee naar zijn geboortestad Venetië, dat hij eromheen begon te cirkelen als een vogel die omlaag vliegt om te sterven, van vrije hoogten in steeds nauwere cirkels neerdalend.'

Nadat ik mij anderhalf uur lang oefeningen heb laten welgevallen alleen om te proberen er niet aan te denken, word ik nu meer dan nodig verstoord door 'de naderende ouderdom'. De onbedoelde literaire samenspanning drukt me met mijn neus op de realiteit. Manuele bedient Franca, de dame van het postkantoor; ik heb de neiging om weg te vluchten: stel dat ze het in haar hoofd haalt om me opeens, zoals ze gewend is, 'de boekenverkoopster van postbus 1004' te noemen! Ze heeft me gezien. Vluchten kan niet meer.

'Bent u ook hier? Wat leuk om u te zien,' veins ik terwijl ik op haar af loop.

'Ik ben net terug van huwelijksreis, mevrouw Emma. Ik wilde wat door het centrum lopen, ach, kijk, dit is Guglielmo,' zegt ze terwijl ze haar buit laat zien met de trots van iemand die voldaan uitrust van de vermoeienissen van de jacht. De kersverse echtgenoot heeft zo'n glimmende schedel dat je jezelf erin zou kunnen spiegelen en ziet er niet uit als een garagehouder, of benzinepompbediende, dat ben ik nu vergeten.

'Wat leuk om u hier te zien, Franca. Aangenaam kennis met u te maken, Guglielmo. De boekwinkel staat tot jullie beschikking en als jullie iets willen eten of drinken, ga dan in de locanda zitten. Ook voor ons is het Witte Nacht.'

Het uur van de dertigers is aangebroken. Zelfs de jongens van de marketing, de voormalig gemotoriseerden, de jongens van de badges en de businessplannen. Maar is dat niet Fabrizio Lucchini die daar zit met een aangeslagen gezicht aan het enige tafeltje dat een houten schaakbord heeft? In spijkerbroek zonder vouw staat hij op en loopt naar het platform. Ik kan niet geloven dat die twee hem hebben overgehaald, maar toch staat hij daar, schraapt zijn keel, spant zijn borstpieren aan onder zijn paarsachtige polo en begint met *Sterk als de dood* van Guy de Maupassant.

'Zijn vriendinnetje heeft hem in de steek gelaten, ik heb de tekst voor hem geschreven, hij leest zelf niet zo veel,' vat Alice fluisterend samen, terwijl ze me een exemplaar van *Geen innige terugkeer van liefde* aangeeft om in te pakken voor een dikkige klant, type bonbon, die er helemaal niet wanhopig uitziet. 'Dat leek me een goed idee. Hij heeft geen vriendin, is beschikbaar en heeft een vaste aanstelling. Nu kent hij Maupassant. Zou hij niet perfect zijn voor Cecilia?'

'Als een paar bladzijden over liefde genoeg zouden zijn, zouden ze hier in de rij staan. Ondanks de tekst lijkt hij op zijn gemak, het ventje. Volgens mij weet hij niet eens wat hij leest. Wat moet hij nou ook weten van Guy de Maupassant?'

'Iets luchtigers soms? Jongens als Fabrizio hebben nou eenmaal ook verdriet: wat zou jij hem dan aanraden?'

Niettemin leest hij en gaat het gesmeerd. De boekwinkel is afgeladen met narcisten: geef een man een microfoon in de hand en hij verandert instinctief in een fallussymbool. Dat is het enige waar ze aan denken, dat vertelde Michele mij toen ik probeerde te begrijpen waarom hij mij bedroog met domme wichten.

Borghetti heeft zijn winkel gesloten, hij is een snob en beweert dat zijn klanten in het weekend naar zee gaan en zeker niet naar witte nachten, die opium voor het volk zijn. Hij lijkt tevreden dat hij het podium heeft betreden in oranje vlinderdasje en gilet in Schotse ruit. Borghetti is zeer verfijnd. Hij heeft *Een liefde* gekozen. Alvorens te declameren voelt hij de behoefte om de zaal te indoctrineren.

'Dino Buzzati brengt een zeer brave bourgeois ten tonele, een architect, ene Antonio Dorigo van negenenveertig jaar, die in de winter van 1960 een zeventienjarige prostituee ontmoet, die hij regelmatig blijft zien en die zich uitgeeft voor ballerina bij de Scala. Ze heet Laide. De architect wordt verliefd op haar, zij buit hem uit, bedriegt en verraadt hem. Ik spreek hier over Buzzati, dames en heren, niet over een willekeurige zondagsschrijver,' spreekt hij de zaal vurig toe en begint dan aan de litanie van de architect. Het zal wel, maar de arme Buzzati was al heel jong wees en zag zijn vriendin plotseling sterven toen hij iets ouder dan twintig was. Betalen voor een vrouw is misschien een manier om zich niet te hechten. Zo is die smartelijke roman, die nu uit de mode is, ontstaan. Ik heb geen zin om te luisteren, voor mij is er maar één architect, ik zit maar wat te zitten totdat de jonkheer het woord geeft aan advocaat Frontini, die verwaand alsof hij zo van de Actor's Studio komt, het podium betreedt.

'Ik ga jullie voorlezen over de liefde tussen Josef en Irena, twee Tsjechische ballingen. Ze ontmoeten elkaar op het vliegveld van Parijs, waar hij langskomt om een reden die zij verwart met lotsbestemming. Ze kenden elkaar al in hun jeugd, elk had de keuzes gemaakt die bepalend zijn voor de toekomst. Josef, verhuisd naar Denemarken, was getrouwd; nu is hij weduwnaar en leeft in de herinnering aan zijn vrouw. Ook Irena heeft haar echtgenoot, Martin, verloren en vervolgens Gustav ontmoet. "Die vrouw," reciteert Frontini, "heeft nooit een man gekozen. Het waren steeds de mannen die háár kozen. In het avontuur met Gustav dacht ze de vrijheid te hebben gevonden." Het is Milan Kundera, *Onwetendheid*. De grote terugkeer is echter een desillusie. In Praag zoeken Josef en Irena elkaar en vinden elkaar, kort voordat ze definitief worden losgemaakt van dat land waaraan niets hen meer bindt. Eindelijk verheugt Irena zich op de vreugde van het overspel. In het hotel zegt ze obscene dingen, woorden die de zinnen prikkelen. Dit bijvoorbeeld: "Een totale eensgezindheid in een explosie van obsceniteiten! Wat was haar leven ellendig geweest! Al die nooit geconsumeerde zondes, alles, alles wil ze beleven, gulzig".'

Ik verslik me in de schelpvormige madeleine. Wie heeft dit in hemelsnaam uitgekozen? Wie is die sukkel? Wie heeft gezegd dat lezen een geruststellende activiteit is? Kundera is een groot schrijver, zeker, maar genoeg is genoeg. Ik vlucht de wc in. Ik doe de deur op slot en ga zitten op de poef. Ik moet lucht hebben. Het was niet makkelijk om Alberto te overtuigen, en niet alleen vanwege die poef, maar het was me te vaak overkomen dat ik in een boekwinkel begon te lezen en alles in de steek moest laten omdat ik naar buiten moest om een toilet te zoeken. Dat zal hier niet gebeuren, heb ik bevolen. Een wc die voorzien is van alle comfort voor de lezer. Aan de muren, betegeld met fletsblauw mozaïek, heb ik vergeelde ansichtkaarten opgehangen van rondborstige vrouwen, gehuld in luchtige geplooide doeken, veren en struisvogelboa's. Rechts van het wastafeltje een plank met boeken, te gebruiken in geval van verveling of lang wachten. Ik geloof dat ik *Onwetendheid* niet eens in de winkel heb, met alle respect voor de schrijver; ik heb het niet gelezen en begrijp niet waarom Frontini het zo nodig vond om ons juist dát boek voor te schotelen. Hij is gelukkig getrouwd met zijn vroegere secretaresse, Eminia, die al tientallen jaren geleden gestopt is met werken. Hij maakt een rustige indruk, hij is beslist een trouw type en mijn reactie – buitenproportioneel – is een teken van zwakte. Deze marathon put me uit. Ik ga terug naar de kassa en hoop dat Irena klaar is met hijgen. Mondo drentelt om me heen, hijgend als een echte, aanhankelijke hond. Ik geef hem een koekje en hij troost me met een vochtige streling op en neer van pols naar onderarm. De jaren maken kwetsbaar en hij moet het gevoeld hebben. De kerkklok slaat middernacht en de cijfers enthousiasmeren Alberto, die zijn vishaken, vliegen en hengels in de steek heeft gelaten en nu de rekening opmaakt.

'We zouden dit vaker moeten doen, Emma, zo'n marathon. Voel je je wel goed, lieverd? Je bent zo bleek...'

'Ik ben uitgeput, maar ik heb bonnetjes gemaakt voor honderdzevenentwintig thee, tweeënzestig sap, tien warme chocola, vier chocola met slagroom wat gezien het seizoen een record is, frisdrank, vruchtendrank en siroop. Ik heb zes koppen met SSST... IK BEN AAN HET LEZEN erop verkocht.'

'Dag, Camillo. Je gaat me toch niet vertellen dat ze jou ook in deze soap hebben laten meedoen?'

'Ik schaam me rot, Emma. Alice heeft me overgehaald, maar nu ik hier ben zie ik het echt niet zitten. Tering, het is hier afgeladen: wat als iemand me herkent? Maar je weet: de minnaar van een getrouwde vrouw is weinig interessant, net zoiets als "Hemel, mijn man!" Trouwens, wie zei dat ook al weer?'

'Ik kan het me niet herinneren, ik geloof dat het een film was. Misschien wordt dit je doorbraak en kun je een nieuwe carrière beginnen. Ze hebben je samen op het programma gezet met Margherita, rustig maar, er is hier echt niemand die jou kent. Wat ga je voorlezen?'

'We doen Chopin en George Sand, stel je voor.'

'Als arts ben jij de perfecte persoon om voor te lezen over een ziek genie.'

'Ik ben er met Laura geweest, in hun huis op Mallorca, toen we nog een stel waren.'

'Ga nu alsjeblieft niet beginnen met dat gezeur over je huwelijk.'

'Nee, integendeel, dit is een erudiete anekdote die je misschien kunt waarderen. Chopin en Sand werden gehaat door de bewoners van Mallorca. Stel je voor: zelfs de beroemde vleugel die je nu kunt bewonderen in Valdemossa is een namaak en zelfs het bed waar de componist sliep. Zodra het paar het eiland had verlaten, is alles, de meubels, de kleren, alles verbrand met de smoes dat hij tuberculosepatiënt was. Nu maken ze op Mallorca geld met wat er over is van degenen die ze hebben veracht. Bedeltoerisme.'

Margherita en Camillo betreden het podium en doen dat zo stuntelig dat ze een warm aanmoedigingsapplaus krijgen. Gabriella helpt me met het inpakken van boeken. Ik miste haar, mijn Japie Krekel, ik heb haar nodig nu ik een kneep in mijn maag voel en ik weet niet waarom. Of toch, ik weet het wel. Iedereen is vandaag langsgekomen, hier geweest, en Federico is ver weg, tekeningen maken en bouwvakkers controleren. Het voelt als onrecht en het lukt me niet om op commando luchtig te zijn.

'Ik heb altijd gedacht dat mensen die te veel over seks praten dat doen omdat ze weinig seks hebben,' legt zij de vinger op de wonde, zonder dat ik haar daartoe enige aanwijzing heb gegeven.

'Zij praten niet over seks, ze lezen. En het gaat niet over mij, als je dat soms bedoelt. Sinds wanneer ben jij zo goed in het inpakken van cadeautjes?'

'Sinds ik een klein meisje was, als ik winkeltje speelde was dat mijn favoriete taak.'

'En Alberto zat zeker achter de kassa.'

'Toen wij iets met elkaar kregen speelden we al lang niet meer.'

'Spelen jullie nu nog wel doktertje of zijn jullie daar ook mee gestopt?'

'Emma, na dertig jaar is het niet de kwantiteit die telt, maar de kwaliteit, dat zou je toch moeten weten.'

'Het lijkt wel of genot een plicht is geworden. Neem nou Camillo. Een intelligente, ontwikkelde man, maar voor hem is seks een maateenheid. Bij een vrouw, een willekeurige vrouw, verliest hij elk gevoel voor realiteit. In zekere zin wantrouwt hij het denken, voelt hij zich alleen leven door middel van zijn lichaam.'

'Valeria geeft hem zekerheid, ze vult hem met aandacht. Het lichaam is realiteit, Emma. Alles kan digitaal worden, behalve seks, ziekte en dood.'

'Ik denk nooit aan de dood.'

'Daarom houd je van architectuur, dat is de fysieke constructie van fysieke plaatsen.'

'Hoe laat is het? Ik ben moe. Ik ga zo naar huis.'

'Voor jou is het het holst van de nacht, voor gewone mensen is het halféén. Kijk Mattia nou...'

Manuele snijdt plakjes salami, Alice geeft hem het brood en Mattia is tussen twee meisjes in gaan zitten, de een met bolle wangen en met gel gebeeldhouwde haren, de ander *blondmetparelketting*, geperst in een spijkerbroek die zo strak zit dat er voor het kleinste snikje geen ruimte is. Twee werelden, een enkele glimlach. Aan het tafeltje ernaast zitten twee twintigers, zij drinkt een glas grapefruitsap, hij een Coca-Cola met ijs. Hij kijkt naar haar, zij kijkt naar hem, maar daartussenin is een ander, het mobieltje. Zou het rinkelen, ze zouden het niet kunnen horen. Want ze praten met elkaar! Sterker nog, ze lijken een echt gesprek te voeren. Byatt heeft gelijk wanneer ze schrijft dat als je twee mensen in een pub neerzet, ze vroeg of laat elkaar hun leven beginnen te vertellen. In wezen hebben menselijke wezens niets anders tot hun beschikking in deze wereld dan woorden. Romans&Romances volbrengt het mirakel. Ze hebben het bordje gezien, ze zetten hun mobiel uit, zij stopt het in een gigantische handtas, hij in de zak van zijn jack. Van het een komt het ander, in afwachting van de grote finale, de 'Debutantenhoek' voor sadisten, een soort *La Corrida* van de tv. Ik kan niet weg nu de neopoëten komen, de aspiranten die nog niet zijn gepubliceerd. De illegalen van het woord hebben recht op asiel. Het podium wordt beklommen door Pablo Paolo Peretti, een Italiaanse dichter die in Kopenhagen woont. Op de vlucht voor de liefde, naar ik meen te hebben begrepen. Hij is in het gezelschap van een grote Deense jongen, lang en blond, mooi, als een toeristengids. Pablo Paolo draagt zijn gedichten voor.

'Voor mijn verpletterende nederlaag heb jij me verlaten. Ik dank je. In de melancholie van jouw herinnering denk ik nog steeds aan je. De weg van de toekomst, na jou, is nu duidelijker. Nu weet ik dat jij alleen een mooi tussenspel bent geweest. Het leven is opnieuw leven en jij een stukje daarvan.'

Pauze. Voorzichtig applaus. Gastone, die terug is van zijn diner met Borghetti, lijkt zeer geïnteresseerd. Meer in de Deen dan in de poëzie, maar dat is hetzelfde.

'Ik wou dat ik van niemand hield. Want als je van iemand houdt moet je compromissen sluiten; vergeven, je ogen sluiten voor bedrog, brullen van pijn als je lief verdwijnt. Als ik minder sterk was en laffer was, zou alles veel simpeler zijn. Hij roept me en ik ga zijn muntthee zetten!'

Ik ben uitgeput en begrijp niet hoe het mogelijk is dat zo'n knappe, gezonde jongen zulke melancholieke dingen moet schrijven. Ik complimenteer hem en maak me klaar om weg te gaan. 'Jongens, ik ga. Alice, wil jij me aflossen? Gegroet, vrienden, blijf lekker zitten, we zijn tot vijf uur open. Warme brioches zijn in aantocht, veel plezier. Bye bye.'

Ik loop naar buiten en haal diep adem. Ik kijk naar de basiliek (bouwjaar 1601, magnifiek voorbeeld van barokarchitectuur) en het is alsof ik die voor het eerst zie, maar ik weet: ik zie haar nooit op dit tijdstip en plotseling stel ik me witte stemmen achter in het schip voor. Don Maurizio, die loopt alsof hij heel dronken is geweest – hij loopt niet, hij deint in zijn gewaad – staat klaar om het koor van gelovigen te dirigeren.

'Dag, Emma. Wat een avond, hè? Blijft u luisteren?'

'Ik ben te moe, don, ik ga slapen, als ik tenminste door de massa heen kom. Ik wens u een goede nacht.'

Voor de kerk zit een man op de grond met op zijn arm een jongetje, rugzakje op de rug, armpjes om de hals van zijn vader geklemd, het hoofd op diens schouders en in zijn ogen het verlangen om naar bedje te gaan.

New York, 29 september 2003
Plaats van vredige rust nummer 7, Sutton Place Park

Lieve Emma,

Er is geen centrum in deze stad, soms is het alsof er geen vast referentiepunt is, dan worden mijn hoekjes mijn tijdelijke centra. Vandaag heb ik er meer behoefte aan dan anders, na een dag waarin er in de Morgan van alles is gebeurd, om te beginnen de brand die op het bouwterrein uitbrak. Het leek net een televisiefilm, de brandweerlieden kwamen met ladders die nog hoger en sterker waren dan de boomstam, die nutteloos was geworden en die werd afgevoerd als een vermoeide reus. Ik vond het jammer, ook al ben ik minder ecologisch bewust dan Sarah, die iedereen thuis en op school de stuipen op het lijf jaagt met angst over de CO_2-uitstoot en de planeet 'die sterft'. Monomaan als ze is, is ze hypergevoelig – hoe zou ze ook anders kunnen? – voor de verhalen over de langzame verstikking waarover op school gediscussieerd wordt met de leraren, die hun geweten projecteren op de toekomst van een wereld (hun wereld, Emma, niet de onze) waar het woord ademen te veel zal lijken op een utopie. Sarah zegt dat het onze schuld is en dat ze biologie gaat studeren. Ik heb haar niet verteld over de oude boom die afgebrand is, want dan zou ze gaan huilen. Ze heeft haar zinnen gezet op een hond, en uit protest tegen ons nee (eenstemmig, voor eens en voor altijd) heeft ze besloten dog-sitter te worden van de drie honden van de buren. We zitten midden in een uitbarsting, de puistjes op haar voorhoofd maken haar prikkelbaar, met het resultaat dat het een voortdurend gekibbel is tussen haar en Anna over de idiootste onderwerpen: de rommel in haar kamer, kleren, de lila nagellak en dat soort dingen. Wanneer ze beginnen te ruziën, ga ik weg. Ik stap op de Vespa en rijd wat rond. Nu ben ik op een van mijn favoriete plaatsen van vredige rust, Sutton Place. Het is bijna herfst, een onzekere tijd, die niet de droge lijnen van de zomer heeft of de ronde heuvels van de winter. Ik ben gekalmeerd, ook al weet ik heel goed dat zij niet de oorzaak van mijn nervositeit zijn, maar mijn rotkarakter en de onzekerheid die vaak, te vaak de laatste tijd, met bakken over me heen valt. Ik moet beslissingen nemen en het bouwterrein is de enige plek op de wereld waar ik me goed voel (afgezien van Belle-île natuurlijk). Terwijl ik je schrijf is een dikke eekhoorn met het klokhuis van een appel onder mijn bankje komen zitten smikkelen. Ik beweeg me niet. En ik denk aan je, eekhoorntje.

Federico

P.S. Gister is Robert Morgan Pennoyer, de achterkleinzoon van JPM, teruggekeerd naar het huis van zijn grootvader, hij heeft het bouwterrein bezocht en leek erg ontroerd.

Milaan, 7 oktober 2003
Locanda van de Romans

Lieve Federico,

Je hebt me besmet: ik heb geprobeerd een lijst te maken met plaatsen van vredige rust die ik in Milaan moet ontdekken zoals jij in New York doet. Ik heb nooit veel tijd om te wandelen en bovendien heb ik hier alles wat ik nodig heb: de winkel en de locanda hebben mij nog luier gemaakt. Ik stel mijn lijst op, armzalig maar substantieel, want jij hebt New York aan je voeten, maar wij Milanezen kunnen rekenen op een roemrijk verleden waarop wij tenminste zelf nog kunnen bogen. Wij kunnen zonder veel moeite rustig naast de oudheden leven. In het klooster van Santa Maria delle Grazie, niet ver hier vandaan, heb ik twee Japanners gevonden die voor de fontein in de schaduw van de zuilen zaten; in Sant'Ambrogio, onder de kloostergang, vind je als je heel goed zoekt vredige rust in het kleine plantsoentje van de Tempel van Vittoria, net als in het park Sempione waar de fontein van De Chirico verstikt wordt door een lijkwade van mos. Ik mis je. Op alle manieren. Mijn hart is onrustiger dan gewoonlijk en het is pas oktober.

Emma

P.S. Mattia gaat architectuur studeren. Werkt het onbewuste door zonder dat wij dat weten?

De derde verjaardag valt op een zondag en de balans, om een lievelingswoord van de Trouwe Vijand te gebruiken, is meer dan positief. Is gewoonweg fantastisch. De artikelen in drie dagbladen (*Corriere della Sera*, *La Repubblica* en *Il Giorno*) hebben een dag ingeluid die de herfst lijkt te hebben opgeschort: op twee passen van de chaos, van het labyrint van straatjes die voeren naar de boekhandel, kom ik terecht op dit dorpse pleintje achteraf. Er zijn geen auto's en er heerst een haast onnatuurlijke rust. Vanaf de binnenplaats gezien lijkt het een privégehucht, waar de klimop slechts met een paar heel domme, onnozele blaadjes het einde van de zomer aankondigt. Het is pas drie uur, maar zij zijn er al. Ik zie ze van hier en ik raak ontroerd bij de gedachte aan mijzelf en Gabriella over tien, twintig jaar, zij en ik aan het tafeltje in de wintertuin, de kopjes in onze handen en ons haar onherstelbaar wit. Mijn dames hebben hun pastelkleurige jasjes en hun zijden sjaals over de stoel gehangen. Ze zijn bijna doof, dat maak ik op uit de beweging van hun hals, die opzij buigt naar de mond van degene die praat. Ze volgen de draad van hun gedachten en eigenlijk wekken ze de indruk dat ze geen antwoord geven op wat de ander zegt, maar dat ze in plaats van een conversatie eerder elk voor zich een eigen vurige monoloog houd. Domitilla en Marisa zijn onafscheidelijk. Eten is hun voornaamste activiteit: ontbijt, vieruurtje en diner zijn de pijlers van hun dag. En toch herhalen ze telkens weer: 'Weet u, Emma, ik eet zó weinig'. Kokette vrouwen. Behalve van de taarten en de krullen van Manuele houden ze van boeken. Ze zijn lezeressen die geen haast kennen, niet pinnen en zich ook niet overgeven aan de verleidingen van de creditcard. Ze beschikken over de zilveren kaart van Romans&Romances: heb je tien boeken gekocht, dan krijg je er één gratis, wat niet betekent dat ik bezwijk voor het kortingenbeleid, maar wel dat ik een beetje van ze houdt. Ze wekken de indruk dat ze voorbij de horizon kijken. Ze zijn met pensioen.

'Je zult wel overspoeld worden door lanterfanters,' luidde de diagnose van Alberto toen ik hem het programma van de voorleesavond liet zien.

'Je vergist je. Gepensioneerden zijn voor een boekwinkel de interessantste doelgroep. Volgens de data van de Europese Commissie zal het percentage mensen van boven de zeventig van 4 nu stijgen naar 11 procent. Mijn gepensioneerden zijn een belangrijke bron van inkomsten. Ik heb het gelezen in jouw favoriete krant, *Il Sole – 24 Ore*.'

'En sinds wanneer ben jij geïnteresseerd in economie?' vroeg hij.

'Iemand heeft hem waarschijnlijk laten liggen in de locanda. Lees hier maar: van de zeven geïnterviewden die niet werken, is de geluksbeleving zeven op een schaal van een tot tien. Postmoderne bejaarden, Alberto, geen breinen die rijp zijn voor de sloop. Neem Renzo Piano: zesenzestig jaar en een onweerstaanbare aantrekkingskracht.'

'Ik zie dat jij gelooft wat ze in de kranten schrijven, maar deze amateuristische benadering van marketing bevalt me wel. En sinds wanneer ben jij geïnteresseerd in architectuur?'

Ik liet de discussie voor wat zij was, maar bloosde: het was riskant om een architect te noemen, al was hij beroemd en dus boven elke verdenking verheven. Gabriella heeft gezworen dat het onderwerp Federico tussen ons blijft.

Ze zeggen dat Italië een land van ouderen is. Dat is misschien waar, maar ik ben dol op ze. Verminkt door echte ouderen in mijn leven, heb ik ze hier geadopteerd. Voor de verjaardag staan lezingen van memorabilia op het programma, *readings* noemt Manuele ze om een beetje interessant te doen, ook vanwege de crew van het tv-journaal die een reportage maakt over winkels die 'Milaan levend maken'. Ze overdrijven, maar misschien ook niet. Vandaag blijven we open tot tien uur, ik sta achter mijn toonbank en doe waar ik het meest van houd: ik observeer. Ik zou eraan gewend moeten zijn, maar nog steeds ben ik verbaasd over de tamtam die zich heeft verspreid onder onze vaste klanten en nieuwe lezers die ons hebben ontdekt. Romans&Romances is het eiland geworden dat ik wilde, bezocht door mensen die tussen de boekenkasten dwalen op zoek naar boeken over liefde, die met elkaar praten alsof ze al jarenlang bevriend zijn en die soms zelfs verliefd op elkaar worden. Ik vind het fijn om daaraan te denken, verzonken in de geur van de nieuwe kaarsen. Die zijn een week geleden uit Parijs aangekomen in een melkkleurige kartonnen doos van boekwinkel Assouline. Rijkeluisrommel, vindt Alberto, onwetend van de macht van geuren over ons leven. Het zijn lezerskaarsen, die ruiken naar... boek. Ik had niet kunnen weten hoeveel mensen bereid zijn om 35 euro uit te geven voor 'La Bibliothèque', maar ik heb er al drie verkocht. Je steekt ze aan en de kamer ruikt naar papier, naar leer en naar hout, ook al zit je te lezen in een keuken van Ikea. De Fransen zorgen beslist goed voor zichzelf. Dus hebben ze er een citaat op gedrukt van Sacha Guitry, '*Avec tout ce que je sais, on pourrait faire un livre... il est vrai qu'avec tout ce que je ne sais pas, on pourrait faire une bibliothèque*', slachtoffer van een vlaag van zelfmedelijden en ordinaire nederigheid. Meneer Pedrini, die geen verjaardag overslaat, vindt de kaars 'Cuir' lekker.

'Die ruikt naar mijn studeerkamer, Emma,' zegt hij terwijl hij het aroma van leer opsnuift alsof het een takje blauweregen is. En hij koopt er twee.

'*Ne prêtez jamais de livres, personne ne les rend. Les seuls livres que je conserve dans ma bibliothèque sont des livres qu'on m'a prêtés*' verkondigt het vleeskleurige lint om de beker (biologisch afbreekbaar, voor tandenborstels) Anatole France, die ik nooit gelezen heb en van wie hier in de winkel geen spoor te vinden is. Ik heb twee kaarsen aangestoken – ceder en copaiba uit het Amazoneregenwoud: het ecosysteem wordt bezoedeld door de ijdelheid van mijn neus, maar een expert heeft me verteld (gruwel!) dat het gaat om synthetische geurstoffen en niet één boom er zijn schors voor heeft moeten afstaan. Laten we het hopen.

Het tweede nieuws van de dag is de radio. Aan een tafeltjes zit een jongen aan knoppen van een bandrecorder te draaien en neemt alles op de band op wat Manuele vertelt: hij is journalist bij Radio 24 en is van plan een wekelijkse rechtstreekse uitzending te maken vanuit Romans&Romances. Provisorische en enigszins egoïstische titel: 'Emma's middagen', alsof ik Bovary zelf ben. Het klinkt een beetje hoogdravend, ik zie al voor me hoe humeurige vrachtwagenchauffeurs op de Brennerpas zich troosten met de gedichten van Dickinson of de huisvrouw die in de keuken achter de pannen staat en ondertussen luistert naar de uitzinnige verklaringen van Don Quichot aan Dulcinea. Maar dat Italië via de ether verbonden is met Romans&Romances, geeft me een intens gevoel van tevredenheid. En het kost niets. 'Liefdeswoorden', rechtstreeks uitgesproken door Emma Valentini. Wie wil kan de boeken die tijdens het programma worden genoemd via internet, ook op de site van de radio, bestellen en ze thuis ontvangen als speciaal pakketje, een gele doos van de Italiaanse posterijen en het gekleurde papier met mijn merk erop. Ze behandelen me als een bedrijf en weten niet hoezeer ik me bij alles en altijd inadequaat voel, maar Alice en Manuele zijn zo enthousiast dat ik door de knieën heb moeten gaan. Ik vind het helemaal niet prettig om mijn eigen stem te horen, als ik praat neem ik niet de benodigde pauzes in acht, ik struikel over mijn woorden, om een verstaanbaar ritme te vinden heb ik mijn tekst zes keer hardop geoefend. En daarna in de rechtstreekse uitzending drie minuten die een eeuwigheid lijken. Mattia lost Carlotta af, hij moet het geld terugverdienen dat hij heeft uitgegeven aan een telefoongesprek. 'Mam, ik ben een eikel geweest,' heeft hij me opgebiecht. 'Ik heb twaalf minuten naar Australië gebeld. Wil jij me sponsoren?' In plaats van hem te sponsoren heb ik hem werk gegeven, ik vraag niet naar wie hij in Australië heeft getelefoneerd want ik ben doodsbang dat hij me teleurstelt, met Carlotta schijnt het serieus te zijn, ik ben niet eens jaloers op haar en ik hoop dat hij niet te veel op zijn vader lijkt.

Ik ga uit eten met Gabriella en Alberto. Ik héb het niet meer. Ik moet het vertellen. En de juiste woorden vinden. Ik betaal, pizza en bier, aan het hoektafeltje in Rosso Pomodoro.

'Ze zijn echt lief, die twee. Volgens mij gaan ze trouwen.'

'Manuele en Alice zijn – na Mattia die wonderlijk genoeg al

zijn tentamens haalt – het mooiste wat me is overkomen sinds ik begonnen ben met de winkel. Ik weet niet of ze zullen trouwen, maar ze houden echt van elkaar. Ik heb jullie uitgenodigd om jullie iets te vertellen,' verander ik abrupt van onderwerp, terwijl ik met een hap pizza met mozzarella waaraan ik mijn mond verbrand, moed vat.

'Als je op die toon praat maak je me bang. Wat wil je nog meer? Wat wil je dat je nog niet hebt? Alles gaat goed, zelfs de boekhouding.'

'Waarom doe je zo wantrouwend en agressief? Laat haar praten,' redt Gabriella mij.

'Jullie zijn echt dodelijk samen, ieder apart al, maar samen... Maar goed, ik houd mijn mond. Maar met Emma weet je het nooit. Ik vroeg alleen maar iets. Voorzichtig, gewoon voorzichtig.'

'Er is een appartement vrijgekomen pal boven de winkel.'

'Dat was het laatste waar ik aan dacht... Waarom wil je verhuizen? Of wacht, ik vermoed dat als Mattia bij Michele slaapt het appartement te groot voor je is en bovendien zal hij ooit op zichzelf gaan wonen. Of met Carlotta. Tja, de jaren gaan voorbij, meisjes, we hebben steeds minder ruimte nodig...'

'Honderdtwintig vierkante meter is de ideale afmeting voor een klein hotelletje. Op dit moment zijn winkel-hotels erg in de mode.' Natuurlijk zeg ik het met neergeslagen ogen, starend naar de ansjovis op mijn pizza alsof het een insect is. Dat doe ik altijd wanneer ik bang ben voor de reacties van anderen.

'Wil je een hotel per uur beginnen? Alles kan, hoor, maar het is toch niet zo dat de mensen eerst een boek kopen en dan halsoverkop naar boven rennen om daar een wip te gaan maken!'

'Hoezo hotel per uur? Drie kamers met badkamer, een gezellig hotel voor schrijvers op doorreis in Milaan. De uitgeverijen dwingen hen te slapen in die enorme, anonieme en peperdure hotels in het centrum, zoals het Manin. Dat hoorde ik van iemand van de persafdeling die schrijvers op sleeptouw moet nemen voor interviews en presentaties. Ik ging eens informeren, zomaar, om te proberen. Ze vertelde dat uitgeverijen met een paar hotels afspraken hebben, wij zouden dat ook kunnen doen en zo een basis van stabiele klanten kunnen hebben.'

'Je bent echt niet goed bij je hoofd, waar vinden wij het geld om een appartement op Piazza Sant'Alessandro te kopen? Je kunt je commerciële activiteiten niet uitbreiden als je de middelen daartoe niet hebt. En je weet niets van hotels.'

'Als dat het probleem is: ik wist ook niets van boekwinkels. We kunnen een lening afsluiten. Je bent vooringenomen, misschien is het wel een goede investering.'

'Een vaste vriend zou je goed doen, dan zou je ophouden met dit soort onzin te bedenken. Gun me wat rust. De locanda functioneert, ik heb je van het begin af aan gesteund, we huren en we redden ons prima. Een hotel is te belastend. Je moet denken aan je pensioen, Emma. Je pensioen is het doel waarop je je moet richten, ons baken, heb je nog niet genoeg van werken? Ik zie Mattia nog geen hotelportier zijn. Hij zal zijn eigen weg vinden en jij zult hem niet langer hoeven te onderhouden. Een hotel! Je bent echt gestoord, waarom ga je niet eens flink ontspannen?'

'Of ga je niet eens fijn op reis met Gabriella?' voegt mijn vriendin toe.

Gabriella en ik zijn zo met elkaar verbonden dat we op hetzelfde moment dezelfde woorden denken en zeggen. De zegswijze 'twee zielen, één gedachte' drukt precies uit wat ik op dit moment voel.

New York, 27 oktober 2003
Plaats van vredige rust nummer 8, Central Park West

Lieve Emma,

De honderdvijftig jaren van Central Park zijn te lezen als je van binnen naar buiten kijkt. Ik kan de geschiedenis ervan doorlopen en de gelaagdheden ervan zien wanneer ik kijk naar de gebouwen en de wolkenkrabbers die de vier zijden van het park bezetten. Elke zijde is anders dan de andere, net als de bomen om mij heen, getooid in tientallen tinten groen. In de jaren tachtig raakte het park in verval: de vijvers waren verontreinigd, de kinderen konden er niet spelen, het werd overspoeld door bendes vandalen. Opnieuw was het een filantroop die zijn portemonnee trok en tegen de burgemeester zei: het park moet in de oorspronkelijke staat worden teruggebracht. Nu is Central Park weer zoals het in de negentiende eeuw was ontworpen door Frederick Law Olmstead, landschapsarchitect, en Calvert Vaux: 340 hectare bos en grasvelden, trappetjes en vijvers, die nu de vondst vieren van een bevoorrecht gezichtspunt, beschermd en uniek, ontstaan in een groot gat, uitgegraven in het gesteente van Manhattan. Net als onze Morgan. New York is een stad met een hoog allergiegehalte en ik ben een proefkonijn volgens het boekje. Tussen het beton, het stof en de 168 soorten bomen die mij omringen ben ik één voortdurende niesbui: zijn het de esdoorns, de eiken, de kastanjes? Ik probeer steeds weer nieuwe antiallergische middelen en hoewel geen van alle werkt, zal ik nooit mijn bomenpauze in dit stadswoud opgeven. Het bos is voor mij als een schild. In de binnenplaats van de Morgan gaan we bomen planten die door openingen in de vloer zullen groeien, als symbool van het irrationele in het rationele, de mogelijkheid van iets dat geen regels heeft behalve zichzelf. Simpel, nietwaar?

Mijn geliefde Emma, morgen vertrek ik naar Parijs. Ik ben bij je. Altijd.

Vandaag in het bijzonder de jouwe, Federico

P.S. Strand heeft een filiaal in de kiosk in Central Park: je zult het niet geloven, maar zelfs managers kopen boeken en zakken onderuit om ze te lezen.

Milaan, 2 november 2003
Via Londonio 8

Lieve Federico,

Ik heb zoveel doden om aan te denken; vandaag is het hun feest en ik blijf thuis. Ik houd er niet van om naar graven te gaan en de begraafplaatsen zijn nu vol mensen. Ik heb behoefte om alleen te zijn. Vandaag meer dan anders. Ik ben vrij, Mattia is weg met Carlotta, de winkel is gesloten en nu pas realiseer ik mij dat mijn passie voor de eenzaamheid ernstige contra-indicaties kan hebben: ik mis je, een fysiek gemis, ik kan het opschrijven, ik móét het opschrijven. Ik ben gaan lezen maar zelfs dat gebruikelijke medicijn lijkt niet te werken. Denk je toch in, lieve Fede, hoe een mens verandert, zelfs ongewild: als meisje las ik op het strand in de zon. Nu kan ik licht niet verdragen, laat staan dat ik languit op een stoel ga liggen met zonnebrandcrème op de bladzijden. Pas na mijn scheiding ben ik lezen in bed gaan waarderen. Michele wilde altijd liever een bed zonder hoofdeinde en ik daag iedereen uit om jezelf lezend in evenwicht te houden terwijl je leunt op een elleboog of op je rug ligt: zelfs Alfieri kon het niet, die liet zich vastbinden aan de stoel. Als ik op mijn buik ga liggen trekt mijn nek zich terug als een schildpad, wordt mijn maag vastgedraaid en wordt zelfs de boeiendste roman onverteerbaar. Op mijn zij met mijn hand op mijn oor? Geen sprake van, na tien minuten krijg je een tintelende arm. Er zijn mensen die op de wc lezen: Alberto heeft aan Gabriella gevraagd of ze voor hem de wc wil inrichten met een boekenkastje, geïnspireerd op de bekende tropische viespeuk Henry Miller, die over lezen op het toilet schreef. Als ik er goed over nadenk, hier thuis opgesloten, geloof ik dat als ik een ideale plek mocht kiezen om te lezen, dat de trein zou zijn: het geroffel van de wielen is wiegend, als het tenminste geen boemeltreintje is, en leidt niet af. Ik zou nu de trein naar Parijs willen nemen om naar je toe te komen. Eigenlijk is Parijs dichtbij. Na jaren oefenen heb ik nu een strategie gevonden van stil lezen. (Michele noemt het neurotisch lezen.) Ik zit op de bank, een stapel nieuwe boeken sluimert op het lage bijzettafeltje, samen met oude vrienden, boeken die ik kortstondig bemind heb, boeken die niet zijn uitgelezen en nooit voldoende gehoord zijn, binnen handbereik en goed in het zicht. Ze zijn een vaste ankerplaats voor als ik me verloren voel. Zoals nu, in mijn favoriete houding. In de linkerhoek van de bank, mijn benen naast me opgerold, twee kussens tegen mijn onderrug, de enige wervels die ik ondanks de Pilateslessen niet kan loskrijgen. Binnen handbereik zijn de plaid, de cacaoboter, een thermoskan met thee. 's Zomers een fles water of een karaf ijsthee. In elk seizoen een pakje van tien sigaretten, maar na 10 april ben ik gestopt met roken en heb ik de asbakken weggegooid. Wanneer ik iets van mijn nécessaire vergeet (zoals nu, nu kan ik mijn bril niet vinden), word ik zenuwachtig alleen al bij de gedachte dat ik moet opstaan terwijl ik misschien net door een steegje in Londen loop of een politieagent iets aan het vertellen is. Een verliefde politieagent. Kortom, Federico, zoals jij een actief persoon bent, zo laat ik het beste van mezelf zien in mijn luiheid. En als ik weemoedig ben, beweeg ik niet. Geduld is de maat van mijn tijd, wachten is mijn luxe. Ik lees omdat ik bang ben dat ik iets moet en wanneer ik niet weet hoe iets moet, of wat ik moet beslissen, pak ik een boek. Ik sla het op een willekeurige bladzijde open en ik vergeet; mijn zorgen lossen op in de bladzijden en ik ben het boek dankbaar als het erin slaagt die bevreesdheid van mij af te schudden die zich ter hoogte van mijn maag in mij nestelt als onverteerd voedsel. In het geduld broed ik op mijn hoop, ook al vraag ik me af of hoop een verhaal kan hebben dat van woorden gemaakt is. Wat ik zo heerlijk vind van het lijf aan lijf zitten met de woorden (vroeger noteerde ik ze op een blocnote), zijn de plaatsen en de geuren die hen omringen, de strikken waarmee ze zijn vastgezet en die ik graag afwikkel, want ik voel me goed in hun gezelschap. Eigenlijk hebben zij mij hebben genezen van alle kwalen, hebben zij zich laten bewonen, manipuleren, misbruiken door mijn gevoelens. Ik doe ze recht door ze te verkopen aan onbekenden. En ik vergeet de rest. Maar jou niet. Ik ben niet verdrietig zonder Mattia, ook al zie ik hem steeds minder, kinderen blijven toch een van de weinige solide dingen die je tot stand kunt brengen met een wezen van het mannelijke geslacht. Ik nu ga stoppen met deze jammerklacht. Schrijf me alsjeblieft, anders zal ik genoodzaakt zijn je brieven op volgorde te leggen, ze over te lezen en mezelf te troosten met het verleden. Ik heb behoefte aan het heden. Of om de tijd stil te zetten.

Ik moet huilen, ook ik voel me een beetje dood. Uit solidariteit.

Je Emma

New York, 8 december 2003
Bar Veloce
176 7th Avenue

Lieve Emma,

In New York is de sneeuw teruggekeerd, miljoenen voeten stampen over straten die gewikkeld zijn in wit gips dat men met warm water probeert weg te spoelen. Het uithangbord van Bar Veloce is net zo'n Vespa als de mijne. Ik ben op weg naar huis, ik drink een glas witte wijn na een dag die ik je graag wil vertellen. Ik zal de tegenwoordige tijd gebruiken, ik ben nog steeds geëmotioneerd. Welnu. Vanochtend loop ik het gebouw aan 5th Avenue nummer 522 binnen, een stevig marmeren gebouw. Ik ga naar de derde verdieping, mijn doel is J.P. Morgan Fleming, de brandkast van onze vriend. Hier, in de kluizen van de J.P. Morgan Chase, worden als te oude en onvervoerbare acteurs de stukken van de collectie bewaard die niet op tournee zijn gegaan of niet in retraite zijn in de cocons van de East Room. Ik moet samen met een deskundige een aantal manuscripten onderzoeken om te bepalen hoe groot de invloed van het licht is op deze kostbare bladzijden, die zullen worden tentoongesteld in een 'vlinderkast' in de twee zalen die wij hebben ontworpen. Emma, ik had nog nooit eerder de kluis van een bank gezien en ik had me die voorgesteld als een gang met brandkasten: fout! Dit is een kamer zo groot als jouw boekwinkel... en de manuscripten worden bewaakt alsof het goudstaven zijn. Ze halen een blauwe doos tevoorschijn met het vergulde insigne van de Morgan Library erop. Ze geven me een paar witte katoenen handschoenen en ik moet lachen, ze zijn veel te klein voor mijn handen en ik bedenk dat ik dat zou moeten weten, dat bibliothecaressen en boekverkoopsters tengere vrouwtjes zijn en weten hoe ze een manuscript moeten hanteren. De Morgan zal een natuurlijke verlichting krijgen, dus ik moet bestuderen hoe het materiaal verlicht kan worden zonder dat het licht het aantast. Ik open de doos. Ik pak het manuscript *Lady Susan* van 'ene' Jane Austen, eigenhandig geschreven tussen 1793 en 1794, een voor een leek onleesbare tekst, aangekocht door Belle da Costa in 1947. Het toeval (?) wil dat het een briefwisseling is: ook hier, Emma, brieven, brieven en nog eens brieven. Het boek is gebonden in beige leer en met goud afgebiesd. Christine Nelson komt bij me staan, zij is de curatrice van de Literary & Historical Manuscripts Found van de Morgan Library, een soort dienstmaagd met een betoverende glimlach. 'Het is goed ingebonden...' zeg ik, alsof ik er verstand van heb en zij kijkt me aan met een iets te vriendelijke blik en legt me uit dat de koper-verzamelaar het boek naar zijn smaak heeft ingebonden. In het jaar 1900 heeft degene die het manuscript heeft ingebonden, elke pagina ingelegd in een roomkleurig passepartout, waarvan de randen net de aan woorden knabbelen. Jij zou je beklagen over deze behandeling. 'Er is niet één correctie. Knap hoor, die Jane,' zeg ik alsof ik er iets van af weet en de dame bewonder. En onmiddellijk straft Christine me af, zonder haar vriendelijkheid te laten varen.

'In die tijd werden manuscripten overgeschreven, meneer. Waarschijnlijk heeft Jane Austen het manuscript gecorrigeerd en vervolgens in het net overgeschreven.' Touché. Het is intact. Het enige complete manuscript van Miss Austen, zo vertelt de dienstmaagd. Ik schrijf in mijn Moleskine (met het oog op deze brief) het begin over van missive nummer 19, geschreven door Lady Susan aan Mrs. Johnson: 'Ik weet dat je in gespannen afwachting bent om meer te horen over Frederica en misschien vind je me lui dat ik je niet eerder heb geschreven...' Ik moest aan jou denken: jouw laatste brieven verraden een droefheid die mij niet bevalt en die ik graag zou willen kunnen wegnemen. Mijn beminde Emma, ik weet zeker dat jij in de kluis van de Morgan Chase in vervoering was geraakt, ik heb die emotie nooit begrepen, 'dit soort' emotie bij manuscripten, ik hield het in mijn handen met een voor mij nieuw fysiek genoegen. En ik dacht niet aan de verlichting. Ik beken bij voorbaat, gezeten in de prettige warmte van de bar en met mijn inmiddels lege glas wijn: het was niet het manuscript, het was jij. Het was alsof ik jou in mijn armen voelde. Finis, schreef miss Austen. Finis-Terrae. Als de landstrook die wij op Belle-île zien vanuit ons raam van La Touline.

Ik mis je, ik zou het liefst dronken willen worden, maar ik moet naar huis.

Jouw erudiete en trouwe Federico

P.S. Toen ik met Christine praatte, ontdekte ik dat er in de collectie van JPM veel liefdesbrieven zijn. Zal ik verder speuren?

'Je denkt toch niet dat de mensen geïnteresseerd zijn in de verjaardag van Jane Austen!'

'Dat maakt niet uit, de mensen zijn ook niet geïnteresseerd in de beschermheilige Ambrosius, behalve dat hij een vrije dag oplevert. Er zijn tientallen fanclubs van Austen, verspreid over de hele planeet, als je goed zoekt vind je ze op jóúw internet.'

'Wat een onzin, Emma. Wil je eindelijk eens inzien dat internet democratie is, dat het van niemand is omdat het van iedereen is? Het gekke van Austen is, dat ze liefdesverhalen schreef maar dat er verder niets bekend is over haar eigen liefdes. Mooi voorbeeld van coherentie, ze kende het onderwerp waarover ze schreef niet, zo iets als wanneer jij een biografie zou schrijven over Bill Gates: paradoxaal.'

'Jane was arm en toen haar zusters eenmaal getrouwd waren, had haar vader niets meer over in de pastorie om aan haar als bruidsschat mee te geven. Ze was voorbestemd om ongetrouwd te blijven en gaf de voorkeur aan schrijven.'

Op mijn knieën met punaises in mijn mond zie ik er waarschijnlijk niet erg charmant uit. De arme vrouw is gestorven aan de ziekte van Addison, een ziekte waardoor elke beweging moeilijk voor haar was, na tweeënveertig jaar en zes romans. Meesterwerken. De kaart van Groot-Brittannië is in pasteltinten, het blauw van de zee is bleek en delicaat. Ik druk een gele punaise op Winchester, waar Jane werd geboren en waar ze in de kathedraal werd begraven, en op Chawton, waar ze heeft gewoond en een punaise op Bath, waar ze heeft gewoond in het georgiaanse huis op Gay Street nummer 40. In het midden van de etalage zet ik mijn notenhouten schrijftafel, goed uitgevoerd met stevige poten, dat ik hierheen heb verhuisd omdat het zo verschrikkelijk 'Austen' is. Manuele was het er niet mee eens – alleen vanwege de moeite van het verhuizen –, maar het staat prachtig en, zou de Trouwe Vijand toegeven, het bespaart de kosten van het huren van iets anders. Ik heb de laden leeggehaald, je weet maar nooit. Op een dienblad met figuren van rozen in zachte kleuren zet ik een porseleinen theepot, twee kopjes op schoteltjes, gevuld met thee, een melkkannetje, een suikerpot en een paar biscuitjes. Links op de schrijftafel leg ik een gesteven mutsje met een blauw satijnen lint, couponnetjes van batist en mousseline, linten in boterwit, beige, perzik, lichtblauw en zachtgeel. Op de achtergrond zijn twee katoenen gordijnen (de gebruikelijke lakens uit de uitzet) gedrapeerd om een denkbeeldig raam en daartussen hang ik een schilderij op, geleend van Gabriella, van een jachtscène. Onder de schrijftafel een paar met modder besmeurde paardrijlaarzen van een man.

Misschien is Darcy hier geweest?

Verschillende exemplaren van *Verstand en gevoel*, *Waan en eigenwaan*, *Emma*, *Mansfield Park*, *Catherine*, *Overreding*, dat opnieuw is uitgegeven met een voorwoord van Virginia Woolf, en een gloednieuwe uitgave van *Lady Susan* en *The Watsons*. Een paar unieke exemplaren, zoals *De geschiedenis van Engeland* en *Lesley Castle*, in pocket, de brieven van Jane, verminkt door haar zuster Cassandra die veel van haar brieven heeft verbrand (dat is een obsessie, brieven verbranden!). Het enige complete werk dat alle 154 brieven bevat die tot nu toe zijn teruggevonden, is *Jane Austen's letters tot her sister Cassandra and others*, onder redactie van R.W. Chapman uit 1952, een zeldzaam exemplaar dat ik vond op Portobello Road en dat ik van thuis heb meegenomen.

'Waarom zet je geen felicitaties op de site in plaats van te polemiseren? Volgens mij zou daarmee een discussiegroep gestart kunnen worden. O, en meld ook meteen dat de Morgan Library in New York in het bezit is van het manuscript van *Lady Susan*.'

'Ik wist niet dat jij zo'n fanatieke fan van Austen was, je bent betrokken alsof het om een familielid van je gaat.'

Zoals gewoonlijk overdrijf ik weer, maar ik kan haar niet uitleggen dat het is alsof ik hem daarmee hier heb en een gat opvul dat zich mijns ondanks laat voelen op de gebruikelijke plek, middenrif en omstreken, gipskartonnen consistentie. Gezegende boekwinkel, ik zou niet weten wat ik zonder deze plek moest doen.

'Luister wat dat meisje kon schrijven: "Iemand die met gemak een lange brief kan schrijven, kán niet slecht schrijven". En dit: "De ene helft van de wereld is niet in staat de genoegens te begrijpen van de andere helft", en: "Het leven is niets anders dan de snelle opeenvolging van zinloze dingen", "In gereserveerdheid is veiligheid, maar geen aantrekking. Men kan niet houden van een gereserveerd persoon".'

En ik dan? Ik die zo gereserveerd ben dat ik al weken niet met Gabriella over Federico praat? Men kan best houden van een gereserveerd persoon, maar dit is iets heel anders. De etalage is een lokspiegel voor mijn vrouwelijke leeuwerik-klanten. Cecilia komt binnen, koud en hongerig, en maakt me blij met haar 'Wauw, Emma, wat een fantastisch idee. *Waan en eigenwaan* zou op de middelbare scholen verplichte literatuur moeten zijn voor jongens en meisjes: wij zijn allemaal potentiële Darcy's en Elizabeths die om het probleem liefde heen draaien totdat we erin blijven.'

'Hoor je dat, Alice?'

Milaan, 31 december 2003
Via Londonio 8

Lieve Federico,

Ik schrijf je alvorens in bad te gaan en me op te tutten voor een etentje met wat intimi (ik haat grote oudejaarsfeesten) bij Gabriella thuis. Ik ben langs het postkantoor gegaan, met Kerstmis net achter de rug en de volgende over eenenvijftig weken. Piazza del Duomo was ongewoon somber. Er waren vijf lampjes in de lantaarn links van de façade doorgebrand. Ik ben gevlucht naar de warmte van de Galleria, het amberkleurige licht weerkaatste op de gietijzeren balkons waar slingers aan waren opgehangen als lichtgevende spaghettislierten. Zelfs de duiven pikten op hun gemak hier en daar waar ze konden, terwijl een goud beschilderde man roerloos onder de boog stond, de giften van de voorbijgangers delend met de viool van een jongetje dat zigeunerklanken tokkelde. De toeristen maakten foto's. De anderen, Milanezen of mensen van buiten de stad die een wandelingetje door het centrum maakten voordat de oudejaarsfeesten begonnen, liepen rustig, zonder te duwen of te porren, een groepje jongens met broeken die duizelingwekkend laag op de heupen hingen kwam de megastore uit met een cd-pakket en dromde de McDonald's binnen voor een ongezonde hamburgerverkwikking. Lieve architect van me, ik dacht aan jou terwijl ik door de passage liep met mijn blik omhoog gericht naar de Octogoon, waar Kerstmis zijn sporen heeft achtergelaten in een explosie van kerstmannen die op de ballonnen gedrukt stonden die tussen de vingertjes van onoplettende kleintjes waren weggevlogen tot de 47 meter hoogte van het hoogste punt van de centrale koepel. Een juweel van stalen beenderen bedekt met glas, ontworpen in 1865 door de architect Giuseppe Mengoni (mijn emotionele belangstelling voor de beroepsgroep is inmiddels beslist groter geworden). Een man met weinig geluk, die Mengoni: hij kon zijn werk niet voltooid zien, want hij viel tijdens een inspectie daarboven naar beneden op de ijskoude 30ste december van honderdzesentwintig jaar geleden. Terwijl ik omhoogkeek, werd ik afgeleid door een groepje Japanse toeristen. Als een stelletje schoolkinderen op vakantie waren ze stil blijven staan terwijl hun gids hun een fortuinlijk jaar beloofde, waarbij hij uitlegde dat als ze op de 'ballen van de stier' die op de grond ingelegd is een halve draai op hun hakken zouden maken, hun dromen in 2004 zouden uitkomen. Natuurlijk heb ik het ook geprobeerd, maar de ballen van het arme beest heb ik er zelf bij moeten bedenken, want op die plaats zit nu een gat en ik vraag me af of het dan nog steeds geluk brengt. Ik liep als een gebochelde in gedwongen slalom tussen peuken, tramkaartjes, propjes en snippers inpakpapier van te haastig opengemaakte cadeaus door. Ik heb zes lege flessen geteld van elke denkbare nectar, vijf plastic bekers, een schoen zonder veters, twee tijdschriften van gesatineerd papier. En vuil, heel veel plakkerig vuil. Uit de donkerbruine afvalbakken puilen papier en resten van slemppartijen. Ik ben rechtsaf de zijarm ingeslagen, ongeveer honderd meter scheidde mij van Piazza Cordusio, waar mij jouw brief wachtte.

Het bad is klaar, mijn lief. Ik wens je een gelukkig Nieuwjaar, ondanks de versleten ballen hoop ik dat de stier de beloofde vruchten zal afwerpen.

Je Emma

Mijn zorg zijn de restanten. 'Opslag' noemt Alberto het. Overblijfselen, onverkochte boeken die volgens hem aan de uitgevers moeten worden teruggestuurd en gefactureerd. Het woord opslag veronderstelt dat het boek ergens op een eenzame plank is weggeborgen. Een belediging, want het lijkt alsof het in de steek is gelaten, alsof het niet meer meedoet met de levende boeken en bestemd is voor de papierbak of een tweedehands boekenkraampje, om aan een gevangenis- of ziekenhuisbibliotheek geschonken te worden. Het boek in de opslag is niet echt dood, het ligt te ijlen en is stervende, uitgeput door de veronachtzaming van lezers en boekhandelaren. Wij, de wettige artsen, zijn degene die de dood ervan vaststellen en het lichaam teruggeven aan de uitgevers. Een boek teruggeven is alsof je een pasgeborene vermoordt, hem de adem ontneemt nog voordat hij het jodium van de zee heeft ingeademd, de geur van een roos of van een verliefd lichaam heeft geroken. Boeken verkopen is een lotsbestemming, niet een domme en anti-economische obsessie, zoals de Trouwe Vijand beweert, en bovendien hecht ik me, zoals bekend, ook aan lelijke romans en bestaat er geen boekverkoopster die niet de vriendin is van haar boeken.

'Je bent geen verzamelaar,' herhaalt hij nu al uren tijdens het opmaken van de inventaris.

'Als het op de plank staat leeft het, als je het terugstuurt naar de afzender voordat zijn tijd gekomen is, raakt het boek verloren. Klassiekers worden nooit teruggestuurd, Alberto, waarom zouden ze anders klassiekers worden genoemd? En bovendien zijn het de uitgevers die haast hebben, niet de boekhandelaars. Het is ons gelukt om honderdtwintig dagen uitstel van betaling te krijgen, dat betekent dat ze vertrouwen hebben in Romans&Romances. Het boek moet een rustig leven hebben en niet door jou gestrest worden.'

Wanneer de aanbiedingen met de foto's van de pasgeborenen binnenkomen, is het feest in de winkel. Ik blader ze door en mijn eerste neiging is om alles aan te kopen. Maar ik moet kiezen. Ik bestel en schrijf in het A4-schrift het curriculum van het boek.

'Als ik maar één exemplaar van een boek heb, dan houd ik het. Je weet maar nooit. *De kleine wereld* van Fogazzaro bijvoorbeeld, kijk, dat is uit de mode maar het kan altijd gebeuren dat iemand ernaar vraagt of dat een leraar het aan zijn leerlingen laat lezen.'

'Maar wie is die imbeciel die zijn leerlingen vraagt dat boek te lezen, Emma? Ik weet niet waarom ik ineens moet denken aan Alida Valli, ik denk dat ze al dood is. Weet jij of ze dood is? Volgens mij was het een verhaal over de *Risorgimento*, een historische roman, wat heeft zij te maken met de boekwinkel?'

'Het gaat over een huwelijkscrisis, Alberto. Luisa is een vrouw die hecht aan haar intellectuele onafhankelijkheid. Ik laat het boek staan in de kast "Liefdesparen". Ik geloof niet dat Alida Valli dood is, dan zou ik het wel in de krant hebben gelezen of op de televisie hebben gezien.'

‘Het rendement van een boekwinkel wordt gemeten in vierkante meters. Als jij je minder zou bezighouden met het comfort van je klanten, zou je meer boeken kunnen verkopen. Je praat als een bibliothecaresse. Je kunt je boeken niet houden alsof het privéschatten zijn.’

‘Mijn klanten zijn het zo gewend, Alberto. Daar komen ze speciaal voor, je weigert gewoon om het te begrijpen.’

‘Voordat de locanda er was kwamen ze om gratis koffie te drinken.’

‘Hier gaat maar heel zelden iemand weg zonder iets te kopen. De bar is een investering gebleken. En je zult zien dat het hotel dat ook wordt.’

‘Met jou discussiëren is tijdverspilling, kijk eens naar de boekhouding: ondanks jouw koppigheid hebben de overeenkomsten met de bedrijven voor de kerstgeschenken geleid tot een toename van de verkoop.’

‘Knap van mij, hè?’

‘We zullen natuurlijk nooit weten of het liefdesleven van jouw klanten ook verbeterd is, maar dat is niet het doel, toch?’

Alberto plaagt me, maar de cijfers van Romans&Romances stellen hem tevreden. Voor hem is de groei van de omzet hetzelfde als een goed genezen litteken voor een chirurg, een onzichtbare vulling onder het glazuur voor een tandarts, een pleister waarvan je gladde benen krijgt voor een schoonheidsspecialiste. Hij heeft zijn balansen.

En Gabriella.

Parijs, 12 januari 2004
Vliegveld Charles de Gaulle

Lieve Emma,

Ik ben in Parijs, ik stap over twintig minuten in. Telkens wanneer ik ga zitten in de wachtruimte van Air France samen met een groepje gelukkige gelduitgevers, bedenk ik dat ik anderhalf uur van jou vandaan ben, dat er weinig voor nodig zou zijn om de verdorven en masochistische afspraak waarin ik jou klem heb gezet, te verbreken. Ik kan het verleden niet veranderen, maar ik zou graag bij je willen zijn. Elke dag zonder jou is als een verloren dag. Toen ik een week geleden vertrok, was Anna aan het mokken. Ze voelt dat ik ver weg ben. Ik heb niet de kracht om over ons te vertellen, het ergste is dat ik met haar niet eens over mezelf kan praten. Soms kijkt ze me aan met een onpeilbare droefheid, een soort wanhoop. Ik doe alsof ik niets merk en voel me een looser, zoals Mattia zou zeggen. Anna oordeelt niet. Ze is nooit vijandig, ze vraagt niets, ze geeft niet de minste aanleiding tot een bekentenis of een confidentie, haast alsof ze bang is voor mijn gemoedstoestand. Ze vreest onthullingen die ze niet zou verdragen, alsof ze niet is opgewassen tegen de geringste verandering in ons leven. Sarah is slim, intelligent, knap om te zien en inmiddels helemaal ingeburgerd op school en bij haar vrienden. Er is een jongen die vaak thuis over de vloer is, niet Ricki, hij heet Francesco, een Italiaan uit Florence, zoon van een correspondent voor een of andere krant. Het lukt me niet om door te gaan alsof er niets aan de hand is. Ik ben blij dat ik me op mijn werk kan storten. Het bouwterrein is wat het meest op mij lijkt, het gat dat wij graven is symbolisch, maar ik ben niet in staat af te dalen in mijzelf. Dat is het probleem. Er wordt aangekondigd dat de vlucht naar New York vertraagd is. Ik bel je niet op, ik ga naar de tabakswinkel, koop een mooie Liberté-Égalité-Fraternité-postzegel en doe deze brief van vermoeide aansteller op de bus zodat hij zo snel mogelijk aankomt.

Lees hem alsjeblieft met mededogen,

De jouwe, zoals je weet,

Federico

P.S. Jij en de Morgan zijn mijn enige wereld.

Milaan, 27 januari 2004
Hotel Romans&Romances

Lieve Federico,

Nieuw briefpapier. De lichtblauwe enveloppen van Smythson of Bond Street zijn naar het oud papier gebracht en ik wijd nu het nieuwe briefpapier van Hotel Romans&-Romances in, dat eigenlijk nog een bouwput is, maar ik ga gewoon door. Denk je eens in: een hotelletje helemaal alleen voor mij en mijn schrijvers! Het is avond, de schilder is zojuist weggegaan, overal ligt stof en jij weet wat ik bedoel. Ik kan natuurlijk niet wedijveren met jou, ik wil geen museum, de nostalgie interesseert me niet. Maar we krijgen drie kamers, elk met een eigen ingang en een eigen naam die ik nog moet bedenken (ideeën?), een eigen badkamer en een halletje. Elke kamer wordt ingericht met tweedehands meubels. Ik heb op de antiekmarkt porseleinen deurkrukken en knoppen gevonden, porseleinen lichtknopjes en, gruwel!, ik heb een internetverbinding laten aanleggen met een nieuw systeem dat bijna helemaal draadloos is. Stel je voor, een klant wil zijn e-mail lezen (gedachte van Alice en Mattia), en kan gewoon met zijn eigen computer verbinding krijgen. In mijn verdorven fantasie heeft een schrijver op doorreis in Milaan helemaal geen zin om te schrijven, maar wil hij liever het Laatste Avondmaal gaan zien, toch? Want wanneer komt hij hier weer? Hoe dan ook, we hebben verbinding en iedereen moet maar doen wat hij of zij wil. Mattia gedraagt zich alsof hij een Niemayer is, of een... Federico Virgili, hij denkt dat hij me kan verbazen met zijn woordenschat van toekomstig architect. Ik heb de persmensen (bijna allemaal vrouwen) van de Italiaanse uitgeverijen uitgenodigd, hun een hapje aangeboden in de locanda en vervolgens de werkzaamheden aan het hotel laten zien (de boekwinkel kenden ze al). Enthousiast. E-N-T-H-O-U-S-I-A-S-T om hun schrijvers onder te brengen in Hotel Romans&Romances. Ik heb ze gevraagd mij telkens de wensen, gewoonten en gekkigheden van de schrijvers door te geven zodat ik ze waardig kan ontvangen. In het hotel zal ik zorgen dat er lekker te eten voor ze is en in de locanda kunnen ze ontbijten. De rekening wordt betaald door de uitgeverij en dus kan ik mij permitteren niet zuinig te zijn: ik zal informeren naar hun lievelingseten, de boeken die ze graag op hun nachtkastje willen aantreffen (behalve de boeken die ze zelf hebben geschreven). De eerste reservering is al binnen: vijf dagen à 165 euro per nacht, inclusief ontbijt, voor een wereldberoemde Engelse schrijver die naar Italië komt om een lezing te houden aan de universiteit en om een aantal interviews te geven. Het is misschien niet de Morgan, mijn lieve architect, maar ik zal de schrijvers in levenden lijven herbergen en geen kadavers, zoals die van jullie! Het duurt niet lang meer tot 10 april en ik stuur je deze dichtregels, die ik vond toen ik opruimde.

April is de grimmigste maand,
hij wekt seringen uit het dode land,
vermengt herinneringen en verlangen,
port lome wortels op met winterregen

(*Het barre land* van T.S. Eliot)

Je liefhebbende hotelhoudster,

Emma

P.S. Ik héb het niet meer. En jij weet waarom.

New York, 15 februari 2004
42 W 10th St

Lieve Emma,

Vandaag citeerde de Boss Yourcenar (weer een toevalligheid die mij ertoe heeft overgehaald een boek van haar te kopen, en om mijn onkunde van late lezer te straffen zal ik mijzelf dwingen het in het Engels te lezen): 'Je moet kijken in het donker, met ongehoorzaamheid, met optimisme en onbezonnenheid,' zei hij. Hij voelde zo dichtbij dat ik heel even overwoog om hem over jou te vertellen, maar ik heb me ingehouden, ik zou de relatie tussen hem en mij, hoe diep die ook is, nooit kunnen veranderen in een vriendschap. Ik kan hem niet zien als een gelijke. Hij is de Meester en mijn bewondering voor hem is een obstakel voor elke vorm van vertrouwelijkheid. Ik vond het belangrijk om je meteen te schrijven over deze keuzeverwantschap tussen hem en jou, al kennen jullie elkaar niet.

Een kus op je schouder, op je gezicht, op je mond. Waar je maar wilt.

Federico

P.S. Ik zoek je in mijn duister, elke avond voordat ik ga slapen, maar het lukt me niet altijd om optimistisch en evenmin om onbezonnen te zijn.

De kaarsen met het opschrift Romans&Romances zijn binnengekomen! Ze zijn verpakt in een grote, commerciële donkerblauwe vierkante doos met het gouden wapen van de boekwinkel erop. De geur van papier, het aroma van inkt, bouquet van lijm en mastiek. Je ademt in en je herinnert. Een proustiaans geurmoment. Een contradictie van deze tijd waarin alles ontgeurd is, een nasale romanproeverij. Een antwoord op de boekhandelaren die hun boeken in het cellofaan laten 'om ze netjes te houden'. Heel wat anders dan de digitale revolutie van de boeken online, of het cyberenthousiasme van dat drietal.

'Volgens mij verkopen ze niet, mama: wie wil er nou een kaars in huis hebben die naar boekwinkels stinkt?'

'Kaarsen stinken niet, Mattia. Kaarsen géúren. Aromatherapie is een van de populairste alternatieve geneeswijzen. Boeken ruiken tegenwoordig niet meer, de lijm is minder schadelijk en ecologisch meer verantwoord, zoals jij het graag hebt, de inkt is gemaakt van pigmenten op waterbasis en ik weet zeker dat het lezen intenser wordt als je er een kaars bij aansteekt die naar boeken ruikt. Ik heb de kaarsen van Assouline verkocht en deze zal ik zeker ook verkopen. En bovendien hebben ze geen uiterste houdbaarheidsdatum. Ze zijn voor de eeuwigheid.'

Ik ben nerveus en reageer het op hem af. Dat is onterecht, ik weet het, maar zijn academische praatjes ergeren me. Alice en Mattia zijn mijn antennes voor de relatie met de buitenwereld, doolhoven waarin ik mij op de tast in beweeg, als amateur, vertrouwend op mijn intuïtie.

'Nou, kom, help me eens. Ik wil een etalage maken over homoliefdes. Help je me kiezen?'

'Mama, ik weet niets van literatuur, laat staan van gay romans. Vraag maar of Borghetti of Gastone je komen helpen. Ik houd van meisjes, mama, je hebt de pech dat je een heteroseksuele zoon hebt. En ik moet nu naar college.'

'Niet zo racistisch zijn. Aliceeeeee, wil jij me even komen helpen alsjeblieft? Ik heb een afspraak bij de kapper en ben al laat.'

'Wat moet jij nou bij de kapper? Vanaf morgen lig jij de hele dag in een zwembad in de thermen. Knippen is zonde van het geld. Maar goed, we hebben *Maurice* van Forster, de roman van een Italiaanse debutant, Ivan Cotroneo, *De afscheidssymfonie* en Edmund White en *De uren* van Cunningham, die net een portret heeft geschreven van Provincetown, een stadje in New

England (of is het in Maine?) waar alleen maar homoseksuelen komen. Ik zou ook *De bladomslaander* van David Leavitt erbij doen, dat verhaal over een mislukte pianiste die zichzelf reduceert tot bladomslaander van een succesvolle pianiste op wie ze, natuurlijk, verliefd wordt. Verder weet ik het niet...'

'Mama, je zou ook condooms kunnen neerleggen. Of waarom verkopen we die eigenlijk niet?'

'Mattia, ga alsjeblieft weg en hou daarmee op. Condooms! Zie je het gezicht van Lucilla en haar vriendinnen al voor je?'

'Die hebben ook geneukt toen ze jong waren. Je verkoopt kaarsen en kopjes, waarom dan niet ook datgene wat echt nuttig is voor de liefde? Je zou laten zien dat je *open minded* bent. Stel je eens voor: het zou groot nieuws kunnen worden, de eerste boekwinkel die campagne voert voor de bewustmaking van veilige seks.'

10 april 2004

Het was geen langzaam verliefd worden, niet zo'n weloverwogen en behoedzame liefde die, na een blik van verstandhouding, een handdruk of een kuise jarenoude vriendschap, verandert van ontmoeting naar vriendschap om tot ieders verbazing af te rollen naar een (tot dat moment) onvermoede erotische passie.

Nee.

Het was wat in oppervlakkige romans 'liefde op het eerste gezicht' heet. Of ook wel 'stormachtig verliefd', wat beter past bij dit eiland, of 'een klap van een onstuimige visser', zoals ze het hier noemen. Het heeft dertig jaar geduurd, inclusief oorlogen. De pijl van Cupido boorde zich in de rotsen op een benauwde middag in de zomer van 1893 – vreemd voor Bretagne, want benauwdheid is een stemming die daar niet bij past. Zij was bezweken voor de avances van Georges Clairin, een introverte man met een sikje en een statische glimlach, zo'n figuur die in de Parijse high society graag op feesten, diners en premières kwam. Hij was erfgenaam van het ongelooflijke fortuin van zijn vader en woonde met zijn huishoudster in Parijs. Hij schilderde. Hij had een zomeratelier laten inrichten in Pouldu, in Bretagne, maar het was daar verschrikkelijk eenzaam en dus had hij, om niet depressief te worden, vrienden uitgenodigd om hem gezelschap te houden. Ze bezochten Concarneau, Benodet, Ausdierne en dat kerkhof van schuim dat zelfs de wildste zeilers afschrikt, Pointe du Raz. Zij liep met zijden schoentjes over het strand van Finistère, toen Clairin een tochtje naar Belle-île voorstelde. De boot van de

Union Belliloise de Transport zou hen afzetten bij Le Palais. Op de pier werden ze opgewacht door een calèche, voortgetrokken door vier paarden. Het doldwaze negentiende-eeuwse groepje stopte voor de lunch in L'Apothicairerie, een herberg die als een provocatie van het gezond verstand was gebouwd op de rand van het klif door een zekere Ferdinand Huchet, voormalig paardenverhuurder die was overgestapt op de horeca. Niet veel bijzonders, een paar eenvoudig ingerichte kamers, de favoriete plek voor kunstenaars die op het eiland kwamen voor rust, inspiratie en dat masochistische genot van de storm in je gezicht als het schuim van een glas bier. Na de lunch werd de tocht tot dit punt voortgezet.

Zij zei: 'Ik was uitgeput van een tournee, ik weet niet meer waar, in elk geval van duizend drama's, en ik had een leeftijd bereikt die mij voldoende leek om een rem op mijn galoppades te zetten. En toen kwam ik terecht in die uithoek van de wereld, zo woest en zo beschaafd, zo ruw en zo lieflijk, die Pointe des Poulins heet. Voor mijn ogen stond, gebouwd op de rots in een lieflijke helling, een klein verlaten fort. Er hing zwart en droef een bord, vervaagd door de regen en het zeezout: "Fort te koop, inlichtingen bij de vuurtorenwachter".'

Ingeklemd tussen de rotsen en onttrokken aan het zicht, onbekend bij de Franse militaire autoriteiten en gedegradeerd tot eigendom van het gemeentebestuur, had het niets statigs. Het licht drong er binnen door smalle roosters. Er omheen een vlakte, verschroeid door wind, zout en zon. Geen enkel leven leek die doodse plek te kunnen trotseren. Zij wel. Ze was nog maar net vijftig, ze was de beroemdste en koppigste actrice van Frankrijk, ze was vitaal, beeldschoon en de wereld lag aan haar voeten. Die middag liep Sarah Bernhardt door de schemering van de begane grond voorzichtig door een zijdeur naar buiten en even later verscheen ze weer en zei tegen haar vrienden: 'Ik kondig jullie aan dat vanaf dit moment alles wat jullie zien van mij is. Ik ben de eigenares van een klein fort.' De akte was getekend, het fort was gekocht voor 3000 franc en de volgende zomer nam Sarah haar intrek in het fort, dat binnen een paar weken overging van anonimiteit naar beroemdheid. En Belle-île en mer, die 'ontoegankelijke, onbewoonbare, onherbergzame' plek, werd het zomerkoninkrijk van de tragédienne die het niet verdroeg om alleen te zijn. Tiranniek nodigde zij er een hele hofhouding van dichters, dramaturgen, schilders, boeren en vissers uit, maar ook Maurice, haar enige en geadoreerde zoon, en Lysiane, haar zeer geliefde nicht. Zomer na zomer veranderde die kale uithoek in een paradijs van indolentie, van vissen, sadistische jacht op hagedissen, onnozel voorlezen en voorpremières van toneelstukken voor een paar gelukkige toeschouwers. De gasten van Sarah, de opgewektheid van Sarah, haar ruimdenkendheid, haar liefde voor stormen werden legendarisch. En dit eiland verloor zijn ongekende vermogen om rust en afstand van de beschaafde wereld te bieden.

Zij zei: 'Ik werd op Belle-île gegrepen door een duizeling van organiseren en me goed voelen, waarvan de Parijzenaars van de oude stempel, walgend van en ontredderd door het onophoudelijke va-et-vient van het stadse leven, altijd dromen.'

'Kijk die rots, daar beneden: het lijkt wel het profiel van een leeuwin...'

'Jij ziet altijd wat er niet is, Emma.'

'Dat is het voorrecht van romantische zielen zoals ik, teerbeminde architect.'

'Ze zijn het fort van Sarah aan het restaureren, het wordt in de oude staat hersteld. Een salon, negen slaapkamers, een keuken en twee badkamers. Ze liet nog meer villa's bouwen, er zijn er nog twee over, daarginds...'

Ik draai me om naar twee grijze blokkendozen, ingegraven tussen de rotsen, met een dakterras en een buitentrap die naar de bovenste verdieping voert.

'Niet zo mooi, eerlijk gezegd.'

'Sarah Bernhardt had zoveel vleiers dat ze, toen het Fort helemaal was opgeknapt, een atelier liet bouwen voor Clairin, een villa voor haar zoon en diens gezin en een dependance die zij *Het huis van de vijf continenten* noemde. "Hebben jullie Maurice gezien?" "Ja, die is in Oceanië," antwoordde iemand dan vanuit het raam van Afrika. Sarah was een avant-gardistische megalomaan.'

'Een echte diva. Heel wat anders dan die opgeblazen actricetjes van nu.'

'Het enige wat haar niet is gelukt om te kopen, is dat eilandje daarginds, le Basse Hiot. Ze wilde daar haar tombe laten bouwen, maar de vissers eisten het eilandje op als aanlegplek voor hun boten en kregen hun zin. Sarah kocht het wel, maar zij stonden haar niet toe dat ze het gebruikte. Jij had hier geen huis kunnen nemen, Emma, tenzij je heel, heel rijk was geweest.'

'Hoezo?'

'Omdat je niet kunt rijden. Waarom heeft iemand als jij geen rijbewijs?'

'Luiheid, schat. Ik houd niet van auto's, ik loop graag en ik word doodsbang bij de gedachte dat ik alleen, in het donker, in de regen, een lekke band krijg door een spijker. Vind jij het een tekortkoming?'

'Jij hebt geen tekortkomingen, Emma. Was je dat vergeten?'

'Federico, het niveau van ons gesprek begint pathetisch te worden, maar weet je wat ik tegen deze zee schreeuw? Kan me niet scheeeeeeeelen... Dit is geluk.'

'Geluk is een recht dat is voorbehouden aan kinderen, en jij bent het mooiste en liefste kind van de wereld.'

We zijn op de punt. De vuurtoren achter ons is een wit huisje met een lakrode muts tussen de als zeemonsters gebeeldhouwde rotsen. Er woont niemand meer, ook geen wachter, binnen is het kaal, de leistenen tegels vlechten een schaakbord van zwart en grijs. De kale grond eromheen wordt verstikt door meidoorn, distels, windes en zeekraal dat tegen de rots klimt.

Een nest van dikke zwarte vogels met rode snavel eet ongestoord. Ik zit gehurkt tussen Federico's armen. Zijn ademhaling. Zijn lichaam, zo warm, tenminste een paar nachten lang dicht tegen me aan. De saffraankleurige cloche ligt naast de mand waar een bremtakje uitsteekt. Bloemen plukken in deze uithoek, waar het ecosysteem niet slechts een slogan van een paar geëxalteerde zielen is, is verboden en ik, romantische en een beetje zotte stedeling die de ton-sur-ton van hoedje en bloem niet kan weerstaan, overtreed de wet. Wij zijn de enige levende wezens die hebben besloten het gezonde verstand te tarten. Aanhoudende rukwinden doen onze oren en het puntje van onze neus bevriezen, in deze omstandigheden wordt het zelfs ingewikkeld elkaar te kussen, vanwege de cacaoboter die ik op mijn lippen smeer en die eerst gebarsten waren maar nu glad zijn. De wind, een wind die staat als een zeemanslied, vormt een barrière voor een dialoog. Het tij komt en gaat, murmelt hij, en ik ben uitgesproken vrolijk. Sterker nog: ik ben gelukkig.

'Emma, over een paar uur zal de vuurtoren geïsoleerd zijn en wij ook. Wil je voorgoed hier met mij blijven?'

'Voorgoed voorgoed voorgoed? We hebben niets te lezen en wat zou jij moeten zonder een blocnote om te tekenen?'

Hij gooit me niet in zee maar legt zijn lippen op de mijne. Als je je zo machtig voelt, op die onnozele manier van iemand die verliefd is of iets dergelijks, is het improviseren van stomme antwoorden een manier om niet toe te geven dat ik met hem zou gaan en blijven, zou bewegen en doen, zou stilstaan en lopen, zou vliegen en op de rots zou gaan staan, mijn rijbewijs zou halen en me zonder schuldgevoelens zou laten meevoeren door de meest wellustige gedachten. Met hem zou ik de oceaan bevaren en alles wat daarbij komt en het mysterie tegemoet gaan. Uit hoe hij naar me kijkt maak ik op dat hij iets wil zeggen. Maar hij houdt zich in. Woorden worden een belemmering als we dicht bij elkaar zijn. In de volmaakte omlijsting van een volmaakte wereld zijn wij bang dat we spijt krijgen van wat we zullen zeggen, bang om het evenwicht te verliezen, te herinneren, te discussiëren, te onderscheiden, te onderzoeken, te analyseren. Ik wil niet eens mijn best doen om te begrijpen, grenzen noch regels te bepalen, ik wil hier zijn en stoppen met het tellen van de uren die ons nog resten. We hebben geen van beiden een horloge bij ons. Hij heeft de trouwring om zijn ringvinger. Soms worden vingers dikker als je ouder wordt en kun je hem met geen mogelijkheid meer de plek geven die was bedoeld door de liefdesbeslissing. De band.

'Wat zijn we aan het doen?'

'We luisteren naar de zee en doen kruiswoordpuzzels, mevrouw.'

'Hou op...'

'Ik weet het niet, Emma. Ik weet niet precies wat we aan het doen zijn, maar het kan met niet zoveel schelen om aan dit alles een naam te geven.'

De vogels met rode snavel vliegen in cirkels. Een krab zo groot als een dinerbord verwijdert zich hinkend. Vol empathie komt de vloed op met een natuur die geen zwakte kent. Vastgeklampt aan Federico voel ik me veilig, deze zee is onze grenzeloosheid, onze stabiliteit, en we zitten hier op dit stukje land en vermaken ons met Sarah Bernhardt. Over wie ik inlichtingen heb ingewonnen.

'Ze was excentriek, twistziek, royaal en gezegend met een monsterlijk talent. Als dochter van een demi-mondaine, wat een deftig woord voor hoer is, had ze een ongelukkige jeugd. Van vader geen spoor te bekennen. Als je zo geboren wordt heb je geen keus: of je gaat dood of je maakt je groots vrij. Ik vraag me alleen af hoe ze hier heeft kunnen komen.'

'Bernhardts landingen op Belle-île zijn beroemd geworden, Emma. Ze vertrok vanaf station Montparnasse in Parijs, hetzelfde vanwaar jij vertrekt, in een slaaptrein die er veertien uur over deed om in Quiberon te komen. De passagiers werden opgewacht door de boot in Port Maria en op de Courier de Belle-île werden tientallen kisten, dierenkooien, honden, een cheeta, kameleons, apen, papagaaien, manden, hoedendozen, koffers, dienstmeisjes, gezelschapsdames ingeladen en die fantastische hutkoffers met allemaal laatjes, kapstokken en geheime vakjes. Sarah liet overal het motto *Quand même* op en in graveren.'

Hoe dan ook. Niettemin. (Sympathiek, de tragédienne.)

'Voor haar was het niet mogelijk geweest haar favoriete architect slechts een keer per jaar te ontmoeten.'

'Nee. Na anderhalf uur varen stapte ze van boord onder de ovaties van de eilandbewoners en wachtten haar nog eens kilometers over afgegraven weggetjes. Moordend. Soms haalde ze de kapitein over om het roer om te gooien, dan stapte ze over op een roeiboot en ging ze daarginds op het strand aan land. Iedereen was uitgeput van de reis. Iedereen, behalve zij.'

'Architect, jouw Emma is uitgeput en zou graag teruggaan naar La Touline.'

'Waar zijn de meisjes van vroeger gebleven! Kom, we gaan. Ik zal je in veiligheid brengen. Wat zou je zonder mij moeten beginnen?'

Inderdaad, wat zou ik zonder hem moeten beginnen?

De tuin van de weduwe ligt aan de wilde kust van het eiland, waar de ondoordringbare valleien van Bortinec en Pouldon elkaar kruisen. Midden in de chaos van bomen die ongebreideld zonder orde noch zorg hebben kunnen groeien tussen bossen, rotsen en natuurlijke kalkbrokken, heeft Véronique De Laboulaye paden aangelegd, stapelmuurtjes gebouwd, beddingen uitgegraven voor de stroompjes die opnieuw zijn gaan stromen als aderen die opnieuw waardig kloppen dankzij een geduldige cardioloog. We hebben een wandeling gemaakt onder leiding van madame, een vriendin van Annick, en zijn langs watervalletjes en fonteinen gekomen, meertjes en een poel waar twee kikkers ons verbaasd aankeken. Van de takken heeft een beeldhouwer nesten voor vogels en kronkelige struiken geschapen, we lopen houten trappetjes, omzoomd met witte en roze rotsroosjes, op en af, krijgen alles te horen over wilgen, olmen, rode esdoorns en appelbomen en meegevoerd in een labyrint van affodillen dat doet denken aan de film *Signs*, tussen wateririssen, naar paars verkleurde hortensia's, gerbera's, margrieten zo groot als zonnebloemen, valse acacia's, tamarindes en zeedennen. Het verloren Paradijs van de weduwe, een taaie vrouw, blond slierthaar, gekleed als een verkoopster op de tuinafdeling van Harrods, is een levend botanicahandboek. In haar knokige handen heeft ze een paar tuinierhandschoenen en een afschrikwekkende snoeischaar. Toen de weduwe nog geen weduwe was, had ze maar één doel voor ogen: dit verlaten hoopje land opnieuw tot leven brengen.

'Nu Rodolphe er niet meer is ben ik "geroepen" om de droom voort te zetten,' vertelde ze ons voordat ze afscheid nam en zich weer achter de grasmaaier zette. Bekwaam. Ontwikkeld. Alleen. Na het dolen door het dal zijn we nu op het strand Grand Sable. We hebben behoefte aan zee.

'Is het volgens jou mogelijk dat twee mensen als enig enkel doel in het leven hebben de mooiste tuin van de wereld tot stand te brengen?'

'Een mooi project, toch? De rijke weduwe zou een mooie personage zijn voor een van jouw romans. Volgens mij zat er achter die bosjes een robuuste tuinman verstopt. Ga je mee zwemmen?'

'Ik kijk liever van hier naar je.'

'Je zou het moeten proberen, Emma. Stil drijven in het ijskoude water is een heerlijke sensatie. Je benen worden stijf, de zon gloeit op je gezicht, het is een soort microklimaat van contrasten. Het is goed voor je bloedsomloop.'

'Dat moment waarop ik, meisje, keek hoe hij zwom en verliefd werd als nooit tevoren. Het was die dag dat ik het begreep. Het was bij de zee. Ook toen.' (Citaat dat in mijn brein is opgeslagen.)

Mijn held heeft het plan opgevat om te gaan picknicken op het strand. Madame Bertho heeft een perfecte picknickmand in Bernhardt-stijl voor ons klaargemaakt: linnen tafelkleed, baguettes met boter en kaas en tonijnsalade, bananen en een citroentaart die nog warm is van de oven. De zee, het zand en de hemel zijn voor mij meer dan genoeg, terwijl de dwaze architect heeft besloten om te gaan zwemmen. Grand Sable is een zandtong. Geen badmeesters, bars, ijskarren, restaurants, discotheken, maar een woestijn die bewoond wordt door flarden van rotsen met asymmetrische vormen. Je blik moet wel blijven rusten op een paar geïsoleerde golven die de oppervlakte van de Atlantische Oceaan markeren. Het is de grote kalmte van het seizoen dat de winter afsluit, een haast beangstigende kalmte, zonder toeristen, met het water dat een dutje doet en dat je beter niet kunt vertrouwen. Federico gaat met voorzichtige en argwanende bewegingen het water in, hij gebaart dat ik ook moet komen. Nee, dank je. Ik ben liever de voyeur die met hoed en zonnebril op kijkt naar dat zo geliefde lichaam. Alle lichamen lijken eigenlijk op elkaar, dat van Federico lijkt op dit eiland. Sterk en zeemanachtig, een lichaam zonder bruggen, vlug als de wolken en met goud stof overdekt als het strand. Wat ik het belangrijkste vind, is dat lichaam aanraken. Ik had besloten ermee te stoppen. Ik stel het uit. Ik zal het hem de laatste dag zeggen. Vandaag is de een-na-laatste. Ik zal wachten tot de laatste omhelzing en de kus op het vliegveld. Van ons tweeën ben ik de kletskous. Federico zwemt en zegt weinig, alleen zijn dochter Sarah krijgt van hem ruimte tussen ons. Wij vormen geen uitzondering: de vrouwelijke hersencircuits die verband houden met de communicatie zijn zó verfijnd, dat ze 250 woorden per minuut kunnen uitdrukken, tegen 125 bij mannen. Net als alle verlegen mensen overdrijf ik met de woorden, denk ik weinig voordat ik mijn mond open, maar bij hem voel ik me vrij. 'Ik ben dol op je gebabbel,' heeft hij gezegd met de directe blik van iemand die je kunt vertrouwen, aan wie je je zonder risico kunt overgeven. Ik kwebbel, dat wel, maar ik durf niet. Tot gister wist ik zeker dat ik mezelf wilde bevrijden van de onderbreking van driehonderdzestig dagen tussen onze ontmoetingen. Federico, wat moeten we met een relatie die bestaat uit stukjes, hoekjes, partjes en... noem me een synoniem dat die opwinding uitdrukt die ik voel alleen al bij de gedachte dat ik jouw ogen in de mijne zal zien? Waar vind ik nu de moed?

Achter mij een balkon van graniet en piepkleine witte huisjes, gebogen onder de zeedennen als bibberende dieren. Ik zou het op het noodlot kunnen gooien, het noodlot dat besloten ligt in mijn stenen voorouder. Ja, dat doe ik, ik neem hem mee naar Jeanne en zal hem zeggen dat ik me net zo voel als zij. Onbeweeglijk, weerloos, machteloos. Literair. Zachtroze schist dat zijn kleur zodanig oriënteert dat het de messen van de zon ontwijkt en slechts de sporadische sikkels van de maan op zich ontvangt. Maar ik wil me levend voelen. Ook zonder hem. Ik zal toegeven dat ik afhankelijk ben geworden. Hij zal lachen, met die glimlach die het midden houdt tussen ironisch en plagerig. En hij zal me opnieuw vertellen over de intimiteit, die intimiteit die alleen wij begrijpen, die *gebeurt* zodra wij elkaar aanraken en die elk jaar lijkt te zijn opgelost tussen de brieven maar er zomaar opeens weer is, zonder de scrupules die de leeftijd zou suggereren. We hebben geen tijd te verliezen. We hebben geen tijd, Federico. Eigenlijk vind ik het fijn om zo te leven, ik heb er jaren over gedaan om voor mezelf opnieuw de onschuld van de eenzaamheid op te bouwen.

'Ik heb honger,' kondigt hij aan terwijl hij zich uitschudt als Mondo en de stranddis nat maakt die ik heb gedekt alsof ik met de barbiepoppen speel. Een vaasje bloemen ontbreekt nog, maar ik heb erg mijn best gedaan.

'Hé, je maakt de broodjes kletsnat.'

'Voel je je goed? Hóé gelukkig ben je? Heb je alles wat een vrouw zich kan wensen?'

'Nee. Ik heb niet alles wat ik me kan wensen.'

De hemel, blauw, wordt bedekt door een wolk boven mijn

hoofd. Tot een paar seconden geleden voelde ik me klaar om te zeggen dat dit geen zin heeft en nu geef ik hem antwoord zonder er erg in te hebben. Ik heb er meteen spijt van. Het is vast de schuld van die wolk.

'We moeten praten, Emma.'

'Ja, maar zonder er een tragedie van te maken. Alleen om de zaken op hun plek te zetten.'

Als dat kan.

Ik maak de fles Britt open en vul het kristallen glas. Ze passen niet bij elkaar, het bier en het mooie glas. En je hoeft geen cursus voor sommelier te hebben gevolgd om dat te weten.

'Zo waren wij. Jij was het bier, de wildebras, je trok je niets aan van uiterlijkheden, van vorm, van je familie. Je was intelligent en leergierig, je provoceerde, doorkruiste hun plannen. Ik moet je om vergiffenis vragen.'

'Waarvoor?'

'Dat ik een zwakkeling ben geweest. Ik kon de druk niet aan.'

'De druk, ja. De druk van het bier?'

'Van mijn moeder.'

Aan de grens van de oceaan staan de golven stil als op mooie zomerdagen. Ik wrijf met mijn tenen onder het zand om de schelpen uit te graven. En tenminste aan mijn lichaam een zekere waardige houding op te leggen.

'Ik ben nooit naar bed geweest met een man van wie ik niet hield. Daarom heb ik weinig mannen gehad. Ik dacht dat jouw vader degene was die mij niet kon verdragen.'

'Dat betekent dat je monogaam bent, maar ik, die toch behoor tot de onwaardige categorie van het manvolk, ben net als jij.'

'Over seks wist ik helemaal niets. God, niet dat ik nu zo'n geweldige expert ben. Ik dacht dat het mijn schuld was. Dat je me in de steek had gelaten omdat ik die nacht van de bezetting die jongen had gezoend... ik weet niet eens meer hoe hij heette. Ik heb op alle mogelijke manieren geprobeerd je ervan te overtuigen dat ik... dat ik het niet gemerkt had. Maar jouw moeder wilde mij dus niet. Het lijkt wel iets uit de middeleeuwen. Waarom heb je me dat nooit eerder verteld?'

'Ik baalde toen wel ongelooflijk van je. Wij zouden samen wachten op Het Juiste Moment. We zouden "het" doen. En dan ga jij die puisterige eikel aflebberen in de aula. Ik kon je daarna niet meer aanraken. Ik was maandenlang zowat impotent.'

'Ben je daar nog steeds boos over? We wisten niet wat we deden, dat was toen heel normaal, dat is alles. Het waren de jaren van de *seksuele revolutie*, Federico, we waren ervan overtuigd dat we "het" moesten doen. En ik heb alleen maar met hem gezoend, dat zei ik je al.'

'"Het geheugen kan ook geïnfecteerd zijn." Ik geloof dat Edgar Morin dat ergens heeft geschreven. Het jouwe is geïnfecteerd, Emma. Zo is het niet gegaan. Zij is het geweest, Emma. Zij wilde niet dat ik met jou omging, het is middeleeuws maar zo is het nou eenmaal. Ik kon niet tegen de ruzies, de boze gezichten, de rijkdom waarmee ze me om de oren smeet, de offers van papa, alles wat hij op eigen krachten had opgebouwd enzovoort. Ze hoopte nog dat ik papa's bedrijf zou overnemen, dat ik een meisje van de Rotary zou ontmoeten. De bezetting, Daniele... Daniele heette die jongen met wie jij op de grond zat te zoenen, maar dat ben je vergeten. Het was een excuus, een hoop flauwekul. Hoe is het mogelijk dat je dat niet hebt begrepen?'

'Jouw moeder? Ik weet het niet, niet meer. Dit is manipulatie van herinneringen.'

'Weet je, in het begin toen je me schreef dacht ik dat het verhaal dat je vertelde, ja, dat je je niets meer herinnerde, een smoes was, een scherm. Ik dacht dat je er niet over wilde praten. Sinds zij is overleden heb ik me opgesloten in een soort niemandsland waar ik alleen ben. Ik kom er nooit uit. Behalve met Sarah. En... met jou.'

Hij praat over een achttienjarig meisje, ik was degene die zoende met Daniele (hoe zou hij er nu uitzien en wat zou hij doen?). Ik voel een pijnscheut ter hoogte van mijn borstbeen, op de plek die eigenlijk bestemd is voor het gipskarton, ik voel maagzuur opkomen alsof ik iets verkeerds heb gegeten. Het is een oude kwestie die mij en zijn moeder betreft. De Mama. Een moment van glorie, het zou een waarlijk moment van glorie zijn als ik nu alles kon overdoen, net als in de romans waarin aan het eind het geheim wordt onthuld dat de lezers aan de pagina's gekluisterd heeft gehouden. Ze vond mij gewoon niet aardig, ik beviel haar niet, ze wilde niet dat haar kleinkinderen een oma zouden krijgen die van beroep fruitverkoopster was. Wat is zwijgen soms beter dan expliciet spreken. De waarheid is zo evident, het verzinsel is veel beter, de fantasie, de verdraaiing. Zou het niet veel romantischer zijn te denken dat Federico die aula van de universiteit binnenliep, het niet kon verdragen om dat meisje, zijn meisje te zien lebberen aan die idioot, en op dat moment al zijn plannen voor hun eerste keer, gedroomd en gepland voor die nacht, tijdens een avontuurlijke bezetting, voor zijn ogen zag instorten, zo erg dat hij besloot haar te verlaten? Nee, de waarheid smeert hij hier uit, op het strand, dertig jaar later, en de waarheid gaat over zijn moeder. In een roman zou niemand dat geloven. Twijfels, gedraai, leugens, verzwijgingen zijn buitengewone onderwerpen voor een goed boek. Maar het waren de jaren zeventig, in Italië. Het waren de jaren van de ontvoeringen en rijke zonen zoals Federico werden naar Zwitserland gestuurd om daar te studeren, als watjes die beschermd moesten worden, alsof ze moesten genezen van een akelige ziekte. Dodelijk saai, Zwitserland.

'Ik herinner me alleen nog dat ik me ellendig voelde. Van jouw ouders herinner ik me zelfs niet meer hun gezicht, hun stem. Niets. En ik wilde ook niets meer weten. Ik ben naar Freiburg gegaan. In quarantaine. Ik werkte in een winkel en studeerde. Jongens vond ik walgelijk. Ik studeerde en ik huilde. Gabriella weet het. Ik denk dat ze daarom wantrouwend is, ze doet niet anders dan de wacht bij me houden.'

'Ik heb maandenlang ontoonbare meisjes meegenomen, ik neukte ze in mijn kamer. Ik stelde ze allemaal voor. Ik zei tegen ze dat ik ze de eerste de beste keer zwanger zou maken. Ik zat vol woede, ik heb heel wat mensen een rottijd bezorgd, behalve de hoeren. De echte hoeren betaalde ik. Ik vond het heerlijk om haar een crisis te bezorgen. Ik ging terug naar de universiteit in Genève om tentamens te doen. Jij was te...'

'Te weinig bemiddeld.'

'In hun ogen was jij in alles té.'

'Maar jij was toch niet de troonopvolger, je was gewoon de zoon van een "harde werker" die rijk was geworden, en je hebt me laten gaan vanwege het geld. En status. Dat is krankzinnig, het lijkt wel of je praat over de brave jongen die het aanlegt met een misdadigster.'

'Je denkt niet na, Emma, of toch, je denkt wel na en je hebt zelfs gelijk, maar je kunt niet begrijpen wat het betekent om de enige zoon te zijn in een gezin waar alleen geld en uiterlijk tellen. Ik was ervan overtuigd dat haar geluk van mij afhing, ze was depressief, ze lag urenlang in bed. En dat was mijn schuld.'

'En dus ben je getrouwd met een vrouw die net zo is. De klassenverschillen waren gladgestreken.'

'Ik had behoefte aan een makkelijke echtgenote. Het absurde is dat mijn moeder is overleden voordat ze haar kon leren kennen.'

Dit is de eerste keer dat wij onze stem verheffen. We hebben het nodig. Weg ermee, met de opgehoopte rancune, de nooit uitgesproken dingen, de ongegronde woorden. Ik heb zijn vrouw alleen op een foto gezien en ik heb geen enkel recht om iets tegen haar te hebben. Onze geschiedenis kende geen zichtbare wonden, tot deze zandtong. We hebben ze bewust willen verdoezelen. Drijven is eenvoudiger. Stil drijven. Ook al is de oceaan ijskoud en voelen we de zon alleen op ons gezicht. Versnelling van de hartslag, verkramping van de ademhaling, trillende lippen, rode wangen: wie heeft gezegd dat emoties een mentale aangelegenheid zijn? Het is het lichaam dat voor ons spreekt. Federico maakt lichamelijke reacties los. En ik ben het type dat met vijftig jaar nog steeds niet weet hoe ze moet omgaan met schaamte. Wat zou het beter zijn geweest door te gaan met gelukkig zijn.

'Ik ben nooit goed geweest in het uitdrukken van mijn gevoelens. Ze noemen me *iceberg*, ook Enrico.'

'Je zou wat milder moeten zijn tegenover die twee kinderen van toen. Zo is het gegaan. We hebben het toch gered. Jij bent een gevestigde vakman. Ik ben eigenares van een boekwinkel met redelijk veel succes. Laten we de dingen laten zijn zoals ze zijn, het was gewoon niet ons lot, dat is alles.'

'Dat bepalen wij zelf, ons lot. Alleen wanneer ik weer bij jou ben voel ik me thuis.'

Ik luister naar hem, mijn hoofd gebogen tegen zijn schouder. We praten over de oceaan, in de niet eens zo geheime hoop dat als wij nu alles uitspugen dat gevangen had gezeten in een of ander mysterieuze uithoek van ons organisme, wij ons kunnen bevrijden van de pijn die tientallen jaren heeft geschuurd, als een muis die knabbelt aan een vuilniszak. Vroeg of laat moet het gebeuren. Nu is het aan ons om het onderwerp aan te gaan, het woord toekomst uit te spreken. Alleen klinkt dat uit de mond van twee ietsmeerdanvijftigers niet geloofwaardig. Als je de toekomst niet in vliegende vlucht grijpt, krijg je hem misschien helemaal nooit te pakken.

'Het is laat. We zijn elkaar laat tegengekomen.'

'Ik had niet gedacht dat elkaar schrijven hiertoe zou leiden. Ik ben naïef, oppervlakkig, en met jou discussiëren... is, nou ja, dat is absurd en ik vind het helemaal niet prettig. Mijn vader heeft er nooit over willen praten. En ik ook niet. Ze was dood en daarmee uit. Ik weet niet precies waarom, ze zeiden een beetje vaag dat het een aangeboren hartafwijking was. Ik heb het nooit verder onderzocht en ook geen gebruikgemaakt van mijn recht om te weten. Ik bescherm mezelf tegen het risico opnieuw te worden verlaten. Ik denk dat het daarom gaat. Ja, ik denk dat dat het is.'

'Je bent niet vrij.'

'Ik ben té vrij, Emma. Ik ben vrij om je te zeggen dat ik samen met jou wil zijn. Ik moest aan mijn vader laten zien dat ik zijn geld niet nodig had. Ik had niet begrepen dat ik aan haar, aan die zo geliefde en gevreesde en verafschuwde moeder, liet zien dat ik mezelf kon losmaken van het model. Anna was functioneel voor een levensplan met mij als middelpunt. Ik heb die stand van zaken ondersteund en niets heeft ooit de opgelegde stroom van onze levens onderbroken. Anna wil in mijn schaduw leven. Nu is er voor mij alleen Sarah. De hele rest stort omlaag en ik weet niet waarheen.'

'Ik ben je laatste kans, net als een uitverkoop.'

'De énige, Emma.'

'Houd me dicht tegen je aan. En laten we erover ophouden.'

Het zout op zijn schouders, het haar dat voor mijn ogen valt wanneer ik op dat lichaam klim dat zoveel groter is dan het mijne, mijn tepels die hard worden in zijn handpalmen, zacht, licht, alsof de leeftijd ons de passie verbiedt die het lichaam domineert wanneer je het niet onder controle hebt, die handelingen die zo gewoon zijn en nooit echt aangeleerd, de vingertoppen die mijn tranen drogen met een zachte beweging, van de binnenkant naar de buitenkant van het oog, tranen die desondanks vochtig blijven afdalen op zijn borst. In zijn armen, zijn ogen in de mijne.

'Je trilt...'

'Ik weet niet precies wat er is. Houd me stevig vast en masseer mijn nek alsjeblieft. Ik weet niet waarom zo'n oud verhaal mij zoveel doet.'

'We zouden elkaar een cadeau moeten geven, Emma.'

'Wat voor cadeau?'

'Proberen zelfs niet de argwaan van een leugen te hebben. Wat er zal gebeuren is niet aan ons om te bepalen. En misschien is het niet eens belangrijk.'

Belle-île is een eiland van heuvels en dalen. Het is woede. Angst. Trots. Op straat, naast de stenen muur, staat de Méhari geparkeerd. Geel ditmaal, met een dak dat ons maar gedeeltelijk beschutting biedt. Bij de haven worden wij opgewacht door dezelfde jongen van de heenweg: 'Het heeft vannacht geregend, het is hoogwater.' En wij hebben niets gemerkt, wij stappen op de vleugelboot en laten elkaars hand niet los. Dit alles moet stoppen, want het zal toch stoppen. Het pakje ligt onder in de koffer. Federico was het vergeten.

'Ik heb een cadeau voor je meegebracht, vanwege die vlekken in je laatste brieven.'

'Een pen! Mijn eerste Mont-Blanc!'

'Een beetje mannelijk voor jou, maar ik kon de verleiding niet weerstaan: in feite heeft deze pen ons geluk gebracht.'

De *limited edition* van de 'Patron of Art', '*Hommage à John Pierpont Morgan*', met zilveren dop, eigenlijk een vulpen voor mannen. De M die in goud in de pen is gegraveerd, herinnert aan het erfgoed van de magnaat: de Morgan Library.

'Deze zal ik alleen gebruiken om jou te schrijven,' zeg ik grootmoedig. En leugenachtig.

We staan op de Locmaria en draaien ons naar de eb. De bocht, rechts van de vuurtoren van Sauzon, is als een vinger in de taart. Zeilboten en motorbootjes staan wankel in de modder, speelgoed dat is achtergelaten door een kind dat werd afgeleid door nieuwe fantasieën, ontsnapt aan de hand van de moeder. Relicten van persoonlijke schipbreukelingen. De meeuwen storten zich in duikvlucht op de poelen, tamme gieren die visresten zoeken. Een man met een houtkleurige huid, donkerblauwe oliejas, blote benen in grote rubberlaarzen, houdt in zijn rechterhand een netje vast en in zijn linkerhand een emmer, verzamelt slakken voor het avondeten. Een catamaran met een geel zeil is vastgelopen op het zand. Ook hij wacht op betere tijden. Wij groeten Annick Bertho, die ons samen met haar Jilles op de kade uitzwaait, en wij zien eruit alsof wij een wereld groeten waarvan wij niet weten of we die ooit zullen terugzien.

De kwelling van vrouwen van middelbare leeftijd heeft een onwelluidende naam met weinig synoniemen en het is niet 'menopauze'. Het heet 'uitgroei'. Wij donkerharigen zijn de voorbestemde slachtoffers ervan, zeker meer dan de blondines die het kunnen maskeren door hun lokken hier en daar te verdelen in zogenaamd rommelige kapsels, die in werkelijkheid tot in de puntjes bestudeerd zijn. De illusie dat je die uitgroei een paar weken de baas bent, maar dan verschijnt opnieuw het wit, als een verkeersstreep die vers op het asfalt is getrokken. In reclames kleuren vrouwen hun haar terwijl ze het vlees aan het braden zijn, met hun moeder aan de telefoon babbelen of de tekst van een lezing doornemen. Ik kan dat niet. Toen ik het probeerde, is het mij gelukt twee luxe handdoeken, gestolen uit een of ander hotel, te ruïneren omdat ze gevlekt werden als dalmatiërs. Mijn haar wordt verzorgd door Dino, een jonge en altijd bruine *coiffeur pour dames* in de Via Mazzini. 'Kastanjebruin verhardt je lijnen, Emma. Zullen we een tintje lichter proberen?' Zeventien keer per jaar, honderdtien minuten per keer, zit ik bij Dino en dat is dodelijk saai, dus wanneer de uitgroei van Gabriella en die van mij samenvallen, spreken we tegelijkertijd af. Zoals nu. Ze zit naast me en lijkt net een in folie gewikkelde vis, klaar om de oven in te gaan. Haar lokken zijn in smalle strookjes aluminiumfolie gewikkeld om haar 'natuurlijke' kastanjebruin op te lichten met blondere strepen. We zijn twee monsters en ik kan niet gaan lezen want dan zouden er vlekken komen op de bladzijden van *Ik wilde dat iemand ergens op me wachtte* van Anna Gavalda, en bovendien mag ik Gabriella niet verwaarlozen.

'En? Vertel je me niets?'

'Ik heb altijd heel veel dingen om je te vertellen.'

'En als we er nou eens mee stopten? De nieuwe trend is om het te laten zoals het is. Kijk maar naar Helen Mirren.'

'Ik Italië verft tachtig procent van de vrouwen haar haar. Waarom zouden wij nou juist het gemiddelde omlaag moeten halen? Het grijs van Helen Mirren is niet natuurlijk, dat is geverfd, we zouden het probleem niet oplossen.'

'Het zou zelfvertrouwen uitstralen, het zou laten zien dat we niet bang zijn.'

'Ik ben als de dood voor de tijd die voorbijgaat, grijs haar zou mijn leven vergallen, dat weet ik zeker.'

'Heb je het over grijze haren om het niet over iets anders te hoeven hebben?'

'Jij verwacht spannende, spottende, aanstellerige of bijtende, gepeperde verhalen met een erotische ondertoon? Nou, die heb ik niet.'

'Ik zou gewoon graag willen weten hoe het met je gaat, maar uit hoe je uithaalt merk ik dat het helemaal niet goed met je gaat. En wat zijn trouwens "bijtende" verhalen?'

'Het is heerlijk om hem terug te zien, altijd. We hebben het goed samen. En als ik weer thuis ben, ben ik een paar dagen nerveus, daarna wen ik weer aan de sleur.'

'Sleur.'

'Ik wilde op de laatste dag met hem breken, hem zeggen dat telkens wanneer we afscheid nemen het voelt alsof er iets uit mijn buik wordt weggerukt, maar ik vond mezelf te pathetisch en je weet dat ik daar niet van houd. Als je denkt "nu is alles afgelopen", is het alsof je zelfmoord wilt plegen: je zegt tegen jezelf "het is simpel, ik gooi me er vanaf, het is snel en ik voel er niets van". Maar vervolgens heb je de moed niet.'

'Zei jij me niet altijd dat het "zelfdoding" heet, Emma? Zelfmoord is niet correct.'

'Ik wilde alleen maar een voorbeeld geven, om uit te leggen hoe ik me voelde. Maar uiteindelijk heb ik bijna niets gezegd van wat ik hem had willen zeggen.'

'Heeft hij over haar verteld?'

'Haar wie?'

'Zijn vrouw, je weet dat dat onderwerp mij interesseert.'

'Ja, hij heeft over haar verteld.'

'En...?'

'Hij houdt niet meer van haar, maar hij voelt zich er verantwoordelijk voor dat zij al die jaren in zijn schaduw heeft geleefd. We hebben er de laatste nacht over gepraat. Maar het belangrijkste is dat hij me heeft verteld hoe het is gegaan toen hij het uitmaakte. Wist jij dat zijn moeder degene was die mij haatte en niet zijn vader?'

'Ja, hoewel haten een groot woord is. Jammer dat jullie de laatste nacht hebben verspild met praten. Hoe weet jij of het niet allemaal onzin is?'

'Ik zie aan zijn ogen dat hij niet liegt. Stomme trut, waarom heb je me dat nooit verteld?'

'Vader of moeder, wat maakt het uit? Hij was een oppervlakkige miljardair en is gezwicht voor klassenchantage.'

'Jij vindt me een sukkel en je weet zeker dat deze relatie nergens toe leidt. Ik schrijf hem nooit over mijn problemen. Wanneer we elkaar zien nemen we zo snel mogelijk het dossier verdriet door en doen we de deur dicht. Wij willen graag gelukkig zijn.'

'*Excusatio non petita, accusatio manifesta*, Emma. Ik vind je geen sukkel, integendeel, Federico doet je goed, maar de manier waarop is vreemd.'

'In een roman zou jij de stem van de verteller zijn die het oneens is met de hoofdpersoon. Een schrijfster die het er niet mee eens is, dat zou je zijn.'

'Alsjeblieft, verberg je tenminste tegenover mij niet achter boeken. Ik begrijp gewoon niet wat voor zin het heeft om elkaar een keer per jaar te zien, elkaar niet op te bellen... het is een enscenering. Jij en Federico lijken wel die komedie... hoe heette die? Je weet wel, dat verhaal over die twee die elkaar een keer per jaar zien in hetzelfde hotel? We hebben het een paar jaar geleden in de schouwburg gezien.'

'*Dag schat, tot volgend jaar*, een komedie van Bernard Slade. Jouw Degas kwam trouwens ook in opstand tegen de telefoon. Hij vond die vulgair omdat het mogelijk werd dat "iedereen hem als een bediende kon roepen". Over schilders gesproken, ken jij een zekere Clarin?'

'Eind negentiende-eeuws portrettist, leerling van Delacroix en tegenstander van Ingres, figuratief schilder, minder ijdel dan Boldini.'

'Dankzij hem ontdekte Sarah Bernhardt Belle-île.'

'Goed, maar wat gebeurde er nadat hij je over zijn moeder had verteld?'

'Er gebeurde helemaal niets, Gabri. De dingen zijn zoals ze zijn en er verandert niets. Als hij niet meer van zijn vrouw houdt... is dat niet mijn zaak.'

'Nou en of dat jouw zaak is. Hij zegt dat hij van jou houdt maar doet niets om de situatie te veranderen. Voor hem is het voldoende dat hij weet dat hij van je houdt.'

'Houdt hij van mij? Weet je dat zeker? Als een stel pubers piekeren over de betekenis van het woord "liefde" is tijdverspilling. Ik voel me nooit met wie dan ook in competitie, laat staan met een vrouw die ik nog nooit heb gezien. Ik leef bij de dag en voel me daar goed bij, ik hoef geen plannen te maken.'

'Het is niet waar dat je geen plannen maakt, zeg liever dat je niet weet wélke plannen je moet maken.'

In de tijd van een kleuring die mijn haren hun 'natuurlijke' zachte kastanjebruin heeft teruggegeven en aan de hare asblonde weerspiegelingen heeft toegevoegd, vertel ik haar alles, ook al is Federico samenvatten als vakantiedia's bekijken met iemand die er niet bij was. Ik kan haar niet de magie uitleggen, het blijven beelden zonder ziel.

'De laatste keer dat ik heb gevreeën op het strand... die kan ik me niet meer herinneren. In elk geval verfde ik toen mijn haar niet. Nog niet.'

Milaan, 18 mei 2004
Locanda van de Romans

Lieve Federico,

Ik ben woedend op Mattia. Wij schreeuwden vroeger het woord 'wij'. Zij kennen vooral het woord 'ik'. Hij heeft een symbiotische relatie met Carlotta (en dat is heel goed), maar heeft geen idee van wat er om hem heen gebeurt, ik bedoel niet in de wereld, maar zelfs niet in zijn eigen land, zelfs niet in Milaan en omstreken. Zijn toverwoordjes zijn 'connecten' en 'connected zijn': een voorwaarde waar hij niet zonder kan, zijn gsm is zijn antenne, de iPod zijn straf en als je hem iets vraagt over de oorlog in Irak, weet hij niets te zeggen. Wij hadden een walkman en gingen naar concerten. Zij stoppen emoties in hun oor en beleven die in hun eentje. Ze achtervolgen de Heilige Graal van de communicatie en hebben geen gevoel voor wat er om hen heen is. Ik begrijp ze niet: is Sarah ook zo opgesloten in haar vriendenclan zonder zich verder ergens over te bekommeren? Neem me niet kwalijk dat ik zo tekeerga, maar vandaag heerste er een nerveuze sfeer in de boekwinkel, Mattia had ruziegemaakt met zijn vader, een ideologische discussie alleen omdat Michele het waagde te informeren naar Mattia's toekomstplannen. Een legitieme vraag, want Mattia wil graag een stage volgen bij architect Monzini, terwijl Michele wil dat hij colleges volgt en studeert en daarmee uit. Mattia's tentamens gaan goed, maar ik geloof dat als hij met jou over architectuur zou praten, jullie ver uiteen zouden liggen. Hij heeft niet het gevoel van een missie, hij heeft zijn vader geantwoord dat hij studeert omdat hij geld wil verdienen. 'Ik word stedenbouwkundige,' zegt hij, 'ik wil niet eindigen met het inrichten van huizen van rijke domme mensen.' Ze praten veel te veel over geld, deze kinderen. En dat bevalt me niet. Neem me niet kwalijk dat ik mijn hart lucht, maar soms is moeder zijn veel ingewikkelder dan eigenares van een boekwinkel. Vandaag moest ik denken aan de boomstronk met de pijlen die op de punt van Belle-île staat, op het klif van de Grand Phare, 5524 kilometer verwijderd van New York, 6641 van La Cayenne, en dat bord, GEVAAR OM DODELIJK TE VALLEN. En vraag me niet waarom ik juist aan dat bord moest denken. Je weet het.

Je Emma

P.S. Je bent naast me, nu, ik weet het zeker. Je ligt naast me en we luisteren samen naar het geluid van de zee. Ik ruik de geur. Jij?

New York, 1 juni 2004
Plaats van vredige rust nummer 9, Gramercy Park

Lieve Emma,

We moeten niet naar ze kijken alsof we in de spiegel kijken, ook al is het onmogelijk je los te maken van het enige voorbeeld dat ieder van ons heeft: jezelf en je eigen ervaringen. Hoogstwaarschijnlijk zouden ze, als ze wisten dat wij elkaar schrijven en onze brieven bewaren in een postbus, denken dat we gek zijn, maar wij denken dat helemaal niet, dus alles hangt af van je gezichtspunt. Sarah kibbelt vooral met Anna, ik geniet nog het privilege van de mythe, maar ook zij leeft in groepsverband met haar vrienden van school, alleen zó voelt ze zich beschermd. De jongens die bij ons over de vloer komen zijn mooi en stralend, dragen spijkerbroeken en sweaters met capuchons waardoor ze eruitzien als bankrovers. Ze willen niet worden herkend en door die esthetische erkenning kunnen ze zich anders voelen dan ons, hun ouders. Wij waren precies zo, Emma, wij hadden lange haren, ongeschoren baarden (tenminste ik, jij niet, jij had een perzikhuidje) en verschrikkelijke broeken met wijd uitlopende pijpen, ik werd kwaad over elk bevel van mijn vader en dacht dat ik met de architectuur de wereld zou veranderen. Daarom... kunnen wij maar beter onze mond houden. Recente onderzoeken van het brein en de geest, schrijft de New Yorkse neuroloog Elkhonon Goldberg in *De paradox van de wijsheid*, tonen aan dat het menselijk brein na vijftig jaar kneedbaarder is en beter in staat is de eigen referentiemodellen aan te passen dan het brein van een jongere. Zij zien de boom en veranderen die in een bos, wij zien het bos en... willen het bos veranderen. Over de technologie en de macht die jij denkt dat die technologie heeft over onze kinderen vergis je je echter: het verhaal dat die ons beperkt en ingrijpt in het wezen van ons denken, klopt niet. Denk maar aan ons, architecten. De eerste lijn van een ontwerp trek je met de hand en in die schets is alles al, ook jouw geliefde Morgan Library is zo ontstaan. De technologie zorgt ervoor dat er veel tijd bespaard kan worden en ik verzeker je dat dat vergeleken bij vroeger een grote verbetering is. Wat ik belangrijk vind, is dat Sarah niet lijdt aan verwoestende melancholie, ik wil haar graag sereen zien en haar niet betrekken bij mijn eigen stemmingen. Wisselende stemmingen. Had ik ook maar jouw gave van het vergeten! Jij, die een expert bent, zou mij kunnen leren hoe je dat doet. De herinneringen wonen in me, verwarren en verlammen me. Op het bouwterrein ben ik gelukkig, ik kijk naar een verplichte film en later in bed, met het licht uit, moet ik metaboliseren, anders krijg ik het 'volgende dagsyndroom'. Maak je geen zorgen over Mattia: toen ik op de universiteit zat dacht ik ook dat ik de wereld zou veranderen en dat alle andere architecten, vooral de vrouwelijke, woninginrichters zouden worden. Laat hem maar dromen dat hij stedenbouwkundige wordt. De rest komt vanzelf.

Federico

P.S. Hoe komt het toch dat ik zo goed ben geworden in het vertalen en 'ontmantelen' van jouw gedachten?

Het eerste wat ik lees wanneer de dozen met de nieuwe boeken binnenkomen, zijn de dankwoorden. De opdrachten interesseren me minder, te algemeen, te oedipuscomplexerig, te geheimzinnig, een beetje als grafstenen: spiegels van deugdzame levens, doden zonder tekortkomingen, rechtschapen mannen en trouwe vrouwen. Onverbrekelijke gezinnen. Fantasieën. Op de titelbladen staan soms ook opdrachten die ik niet kan ontcijferen. 'Voor Maurizio, die weet'. Wie is Maurizio en wat weet hij wel dat wij niet kunnen weten? De verklaring van de auteur kan zijn gericht tot de echtgenoot, echtgenote, het wettige kind of de vrucht van een onoplettende liefde, tot opa, oma, de hartsvriend die de verschillende versies tientallen keren heeft overgelezen en dankbetuigingen verdient, aan de literair agent die er een mooi contract uit heeft weten te slepen, de bakker, de smid, de neef, een oude liefde die op die manier een geheim bericht krijgt. De opdracht is een stamboom van mensen zonder gezicht. Maurizio zou al dood kunnen zijn en waarom zou je dan een roman aan hem opdragen als hij die toch niet kan lezen?

Ik houd van de dankwoorden.

Spichtig ('Met dank aan Jantje zonder wie deze roman nooit tot stand had kunnen komen'), of beter nog onstuimig, wanneer het dankwoord meerdere pagina's in beslag neemt, röntgenfoto's van hele levens. De auteur bedankt degene die het werk mogelijk heeft gemaakt, daar kan geen opdracht tegenop. Na een 'dank' kun je je van alles voorstellen: de dagen van de auteur, de kamer waar hij of zij werkte, de blocnotes, een computer of typemachine, een appartement, de bibliotheek, een hele stad, een bureau, een tafel in een café, een bankje in het park, je kunt het nog dampende kopje zien, de asbak vol peuken, de gsm die is uitgezet om niet gestoord te worden, het gezichtje van een klein kind dat op de deur klopt en aankondigt: 'Het eten is klaar, mama (of papa) vraagt of je wilt eten'. Achter een dankwoord staan vrienden, adviseurs, afgematte gezichten van lezers van eerste, tweede, derde versies, de redacteur die adviezen heeft gegeven, heeft geknipt, geruzied, gesuggereerd. De familieleden worden altijd bedankt, die zijn de grondstof, die worden gebruikt, hun levens naar willekeur vermengd met die van de personages en die moeten worden beloond, zij hebben de afwezigheid verdragen van de schrijver die weken, maanden, jaren niet naar ze heeft omgekeken. De dankwoorden zijn de Gouden Gids van een roman en geven de woorden een gezicht.

Het is halfnegen, in gedachten verzonken over de dankwoorden haal ik de nieuwe boeken uit de doos, als Cecilia binnenkomt voor een onverwacht bezoekje. Sinds zij haar eerste huwelijksaanzoek heeft gekregen is ze prikkelbaar en nerveus, koopt ze de ene roman na de andere om de slapeloosheid te overwinnen, maar in werkelijkheid heeft ze alleen maar behoefte om haar hart te luchten bij iemand die haar niet teleurstelt. En aan een kop thee.

'Emma, zal ik je even helpen? Ik heb een halfuurtje vrij voordat ik me moet opsluiten in mijn kooi.'

'Graag, lieverd, ik ben alleen en die dozen zijn zwaar. Hé, laat eens zien, wat ben je bleek! Als het je zo aangrijpt... Je bent niet verplicht om te trouwen, hoor.'

Het heeft geen zin om er omheen te draaien, Cecilia wil geen leeftijdgenoot, haar vader is er met zijn secretaresse vandoor gegaan toen zij vijf was. Een klassieke vlucht, die bij een dochter diepe littekens achterlaat.

'Hij is twintig jaar ouder dan ik, ik voel me zo zeker bij hem, maar soms denk ik dat ik iets heel stoms doe. Als ik zo oud ben als hij, is hij zeventig, misschien wel verlamd of met Alzheimer.'

'Dat ligt aan hoe je die twintig jaar hebt doorgebracht. Je zou ook kunnen proberen een kind met hem te krijgen, kijk maar naar Chaplin en Picasso, er zijn veel oude vaders in de geschiedenis,' antwoord ik nerveus slikkend, terwijl zij me helpt om accessoires van een gebroken gezin, voor honderd euro gekocht bij een uitdrager, uit te stallen op de plank onder het raam. De kandelaars niet, maar de vazen en flessen zijn wit geschilderd, misschien in een opwelling om te vernietigen of uit behoefte om sporen uit te wissen. Het is de kleur van het begin, een premisse van waaruit alles mogelijk is. Wit als een bruidsgift.

'Roberto heeft uit zijn eerste huwelijk geen kinderen, hij heeft al gezegd dat hij graag meteen een kind zou willen.'

'Nou dan? Kom op, je zult zien dat het allemaal goed gaat. We geven een groot feest, ik vind deze liefde met de weduwnaar leuk, en bovendien: vind jij dat ik eruitzie alsof ik binnenkort verlamd ben?'

'Jij bent een geval apart, Emma. Is mijn *Pamela* trouwens al binnengekomen?'

'Ja, ik heb een exemplaar voor je apart gelegd. Als die tv-serie er niet was geweest, was het succes echt onverklaarbaar.'

'*Elisa di Rivombrosa*, die serie op Canale5.'

'Ik heb een keer geprobeerd ernaar te kijken, maar de kwaliteit is heel erg. Maar ik pas me aan aan de heersende smaak, ik heb het in de etalage gelegd. Kom, dan drinken we samen een kop thee, de locanda gaat vandaag om tien uur open en ik weet nog steeds niet hoe ik de koffiemachine moet aanzetten.'

Pamela is het boek waarop een televisieserie is gebaseerd die de vrouwen gek maakt van enthousiasme. Een pulproman die al weken boven aan de toptienlijsten van buitenlandse fictie staat en die tot een paar jaar geleden zou zijn weggekwijnd op een of andere boekenplank van een boekenverzamelaar. Zeshonderdtwintig pagina's brieven, geschreven aan het eind van de achttiende eeuw door een gepensioneerde man die, voordat hij de literatuur ontdekt, boekbinder was geweest en ook alleen al daarom mijn waardering verdient. Afzender van de epistels: een dienstmeisje, boerendochter, een eerlijke en gehoorzame deerne die aan haar armlastige ouders opbiecht hoe zij moet beven bij de verleidingspogingen van haar baas, de losbandige graaf Belfart. Het oude liedje en een enkele nieuwe oplossing: verzet. Pamela verzet zich en zal alleen bezwijken voor de bevrijding van de graaf, die naar het altaar wordt gevoerd tussen het gejubel van allen en de afgunst van velen (vrouwen). De slimme vasthoudendheid van het dienstertje transformeert de wellust van de edelman in liefde, deugd triomfeert en huwelijk bezegelt. De eerste moderne Angelsaksische roman die een levensstijl schetste die het publiek van die tijd ambieerde, werd een ongekend uitgeverssucces. Met seksscènes in de sfeer van 'ik zie niets maar ik weet genoeg' kluistert de serie miljoenen vrouwelijke kijkers aan de buis en met de macht om de deugd, díé deugd, te veranderen in een instrument van alle leeftijden.

'Je zou een boekenkast "In liefde wint degene die vlucht" moeten inrichten,' zegt Cecilia, terwijl ze Alice groet die net als zij niet één aflevering mist.

'Wie is degene die vlucht, meisjes?'

'Jullie zouden net als Pamela moeten doen: jezelf behoeden,' antwoord ik, zwaaiend met het boek.

'Te laat,' antwoorden ze in koor.

'Ik word bruidsmeisje, Cecilia, heb je al een datum gekozen?'

'We dachten aan 15 september, een simpele ceremonie, alleen in het stadhuis. Is Manuele er niet?'

'Laat maar. We hebben elkaar al een week niet gezien, hij zit in de eindexamencommissie van een lyceum in Brindisi. Alsof er in Apulië geen werkloze en beschikbare leraren zijn.'

'Jullie hebben de hele maand augustus om van elkaar te genieten, afstand is goed, geloof me. Denk maar aan toen hij schreef in het forum van de site en jij niet wist hoe hij eruitzag: het lijkt een eeuwigheid geleden en nu zijn jullie gelukkig, jullie hebben een uitstekende intellectuele band en niet alleen intellectueel, Manuele is ontwikkeld, intelligent en heeft engelengeduld: wat wil je nog meer?'

Federico is een obsessie. Hoe kan ik aan deze twee vrouwen vertellen dat wij op ons achttiende niet hebben gevreeën en dat dit nu misschien zijn postume revanche is? Ze zouden me niet geloven of denken dat ik gek ben. Eigenlijk heb ik de macht van seks nooit helemaal begrepen, ik doe het en daarmee uit: je doet het en je hebt lief, anders is er zelfs geen sprake van. Deze manier van denken, een beetje simpel misschien, heeft altijd bij mij gehoord. Zij, de jongeren, zijn net als wij, Mattia ook, maar ze zeggen het niet tegen elkaar. Dat is het hele verschil.

Milaan, 7 juli 2004
Via Londonio 8

Lieve Federico,

Vanochtend ben ik terug geweest op ons oude lyceum, ik heb aangesloten in de rij jongens en meisjes die naar binnen dromden voor hun eindexamen. Niemand hield me tegen. Ook niet de vrouwelijke conciërge, die – het spijt me het te moeten zeggen – geen schort meer droeg, een mooie dame is met zorgvuldig gekleurd haar, helemaal niet meer als de onze. Afgezien van de gespannen blikken van de eindexamenleerlingen is alles veranderd: ze verkopen niet meer die vette ronde kleine focaccia's, er zijn nu automaten voor koffie en frisdranken, net als in de kantoren. Alleen de muren zijn nog steeds afgebladderd, de landkaarten die met punaises tegen de wanden zijn uitgespreid houden geen rekening met de oorlogen. Aan de muren is de tijd stil blijven staan.

Emma

P.S. Mattia, die een paar middagen Manuele vervangt, serveert kopjes romige koffie alsof het cocktails zijn. Hij heeft een koffie uitgevonden met smeltende chocola en kruiden, ik krijg er al kippenvel van als ik erover praat, maar natuurlijk vinden hij en zijn vrienden het 'een wrede vondst'.

New York, 12 juli 204
Plaats van vredige rust nummer 10, Metropolitan Museum

Lieve Emma,

Pauze in het Met, waar ze heerlijke koffie hebben, romig, op zijn Italiaans. Ik lees de *Corriere*, heb ik je ooit verteld over mijn bevriende kioskhouder? Hij heet James, staat op University Place tussen de 8th en 9th Street, en houdt elke ochtend een krant voor me apart. Over kranten gesproken: 'De architectuur is gevaarlijk,' heeft Renzo vanochtend in een interview in de *New York Times* gezegd. 'Zij is maatschappelijk gevaarlijk omdat ze aan iedereen wordt opgelegd, ze is niet als een boek of een schilderij, ze blijft altijd fysiek. Naar lelijke muziek hoef je niet te luisteren, een slecht boek kun je dichtslaan, maar een afzichtelijk gebouw is er altijd, daar kun je niet omheen. De stad moet vreugde uitdrukken.' Ik citeer alleen maar: realiseer je de verantwoordelijkheid en wees niet beledigd over de boeken. Hij, die de gave van de luchtigheid bezit, citeert in dit verband vaak Calvino. De stad is gemaakt van huizen, straten, pleinen: wij restaureren de Morgan Library rondom het idee Plein. En wij zullen er een grote boom planten. Een ficus, geloof ik.

De koffie is op. Ik ga terug naar het bouwterrein, ik heb een vergadering met Frank en de rest, maar ik denk alleen maar aan jou.

Federico

P.S. Mijn gedachte is van steen, in tegenstelling tot jouw bladzijden...

Het telefoontje komt vroeg, ook al zou ik precies moeten weten hoe laat het is omdat ik in de winkel ben en net klaar ben met afstoffen. Er is iets vreemds, een angstig gevoel zonder smaak, als soep van een groentebouillonblokje.

'Ernesto is dood.' De hoorn in mijn handen. Het is me nooit opgevallen hoe zwaar dat voorwerp is.

'Hij was aan het lezen, hij bereidde de reading van woensdag voor,' voegt de stem zonder emotie toe.

'Wat had hij gekozen?'

'*Lelieblank, scharlakenrood* van Michel Faber, hij had het er al dagen over, hij wist zeker dat de klanten het zouden waarderen en hij wilde een parallel trekken met een of andere Victoriaanse roman.'

'O Lucilla, wat vreselijk, Lucilla.'

Ze zegt 'de' klanten, en ze bedoelt eigenlijk 'zijn' klanten. Ik ben niet eens jaloers. Waarom ben ik niet in staat haar te troosten? Uit mijn mond kwam zo'n domme zin, zo dom, van een domme vrouw. 'Wat had hij gekozen?' is de stomste zin die in me op had kunnen komen. Wanneer je hoort dat iemand van wie je hield is overleden, denk je altijd aan hoe jij zou overlijden, ook al had je daar tot dat moment niet zo heel vaak aan gedacht. Het is een heel menselijke reactie. We zijn allemaal bang voor dát moment en we doen ons best ons voor te stellen hoe het ons zal gebeuren. Ik ben daarop geen uitzondering, ook is alles klaar wat mij betreft. Ik wil geen graf, mijn as wordt uitgestrooid in de zee, Mattia hoeft zich niet verplicht te voelen om mij te bezoeken, de grafsteen schoon te houden met reinigingsmiddel, bloemen te brengen, en bovendien zou ik toch niet weten wat erop zou moeten komen te staan. Opgelost in het zoute zeewater. De zee van Bretagne. Samen met de feeën.

'En terwijl ze droomt dat ze kan vliegen is het oude leven van Sugar al beëindigd, als een hoofdstuk van een boek.'

Ik richt de etalage in met het Victoriaanse Londen van het hoertje Sugar, ik trek mijn blauweregenkleurige katoenen truitje aan en heb niet de moed om Alice te vertellen wat er gebeurd is. Ze komt de winkel binnen met een tevreden gezicht en nat haar van de regen van deze vreemde julidag. Ik stap in de taxi. Buitenwijken, muren beledigd door de dwaasheden van opgewonden jongelui die zich zelfs kunstenaars laten noemen. Het flatgebouw in de wijk Lambrate heeft vuilgroene rolluiken, de glazen voordeur heeft een lelijke metalen omlijsting. Ernesto en Lucilla wonen hier al zo lang als ze getrouwd zijn. Kinderen voetballen op een veldje, totók, totók, totók, plat, binnenkant voet, voorkant voet. De bal lijkt wel van spons, hij vliegt hoog de lucht in en landt op het gras, de moeders babbelen, roken filtersigaretten, terwijl ze op hun jonge atleetjes met besmeurde knieën en omlaag gerolde badstof sokken letten. Trap A, derde verdieping. Marmeren traptreden. Overlopen. Eenvoudige achternamen. Rossi, Solari, Benvenuti, Boschi. De deur op de derde staat op een kier. In het hele appartement en in de slaapkamer is licht. Gewoonlijk sluit men de luiken en volgt men daarmee een ongeschreven wet en ik had mijn ogen mentaal al ingesteld op duisternis. Maar nu het gestopt is met regenen schijnt er daarentegen een zwak zonnetje naar binnen en ik ervaar dat niet als gebrek aan respect. Ernesto ligt op het grote bed, tot in de puntjes aangekleed in zijn donkerblauwe pak. De dubbele rij van zes knopen heeft op de revers een wapen van de alpenjagers. Het overhemd even lichtblauw als zijn ogen, de stropdas donkerblauw met oranje girafjes, schotsgeruite sokken aan zijn voeten die naar buiten gekeerd staan. *En dehors*, als een klassieke ballerina. Hij is mooi. Maar ik kan niet tegen haar zeggen dat ik het fijn vind hier, in deze vage rust die bevolkt wordt door degenen die zijn weggegaan naar onbekende oorden zonder je de tijd te gunnen om je voor te bereiden op wat daarna komt. Het lijkt eerder of hij slaapt dan dat hij dood is, behalve dat onbeweeglijke gezicht en die stevige houten kist die op een metalen voetstuk met wieltjes op hem staat te wachten. Professor Ernesto had als achternaam Boschi en nu pas merk ik dat hij voor ons van de boekwinkel nooit een achternaam heeft gehad, maar dat heb ik altijd bij doden, ze zijn dichtbij maar ergens onbewust voel je dat ze heel ver weg zijn en dat het ze geen barst kan schelen wat er om hen heen gebeurt. In deze toestand van gevoelsafstand heb ik gekeken naar een vader, een broer en een zus. Niet naar mama. Bij haar kon ik het niet opbrengen. Ik had te veel lijken gezien en het was allemaal te snel op elkaar. Michele heeft de overlijdensakte, de begrafenis en de rouwadvertentie geregeld.

Ik had als ondankbare dochter behoefte aan zon.

Hij ziet er netjes uit, Ernesto, zonder de rommelige imperfectie van de levenden, de magere benen uitgestrekt op het blauwe chenille sprei. Lucilla is kleiner geworden. Ze heeft zich niet gekleed als weduwe en zit kromgebogen op de stoel naast haar man, ze streelt zijn gekruiste handen met een kort ritmisch gebaar en ik stel me voor hoe ze zich op haar tenen bij haar geliefde onder de grond voegt. Ze streelt hem met een wereldse streling, Ernesto heeft geen rozenkrans in zijn handen, noch een kruisje. Misschien vergeten.

'We kunnen elk moment sterven. Hij heeft er een ogenblik over gedaan. Hij heeft niet op me gewacht, dat had hij me wel beloofd.' En ze troost mij en de buurvrouwen die rondom het bed staan. Het lijkt alsof er op het kuipstoeltje, op de gehaakte vitrages en de roze geraniums en op de perziken in de fruitschaal een teken is achtergelaten door dat lichaam van de vriendelijke man die leefde voor de natuurkunde en bekeerd was tot romans. Zijn bril met het metalen montuur ligt op een tafeltje, kranten en krantenknipsels, plaatjes van woorden, een kleermakersschaar, een beschreven schrift. Voorwerpen van een leven dat gescandeerd werd door het lieflijke ritme van een carillon. Kamers van een paar dat van elkaar hield, ook zonder kinderen. Ze hebben genoeg aan elkaar. Ze hebben verder niets nodig. Of de kinderen zijn niet gekomen. En ik denk nog steeds in de tegenwoordige tijd.

'Geef, o Heer, ieder zijn eigen dood,' schreef Rilke.

Ik krijg straks zin om hem op te bellen. Ik krijg altijd zin om iemand die overleden is op te bellen en het duurt een paar seconden om te merken dat ze niet meer zullen antwoorden. Je zou eigenlijk in de winter moeten doodgaan, bedenk ik op de terugweg naar huis. Of nee, ik loop eerst even door de Sant'Ambrogio. Ik heb behoefte aan concentratie. Dat gebeurt soms, en de doden zijn een goed voorwendsel om terug te denken aan de mensen en aan al het andere. De metro zet me af voor het hek. Mijn voetstappen weerklinken, de kinderhoofdjes maken zelfs van de nuchterste een waggelende zatlap. En al helemaal met hoge hakken. De basiliek wacht op me, dat doen ze expres, de kerken, dat weet ik, dat weet ik zeker, met dezelfde zekerheid van de vrijwilliger die 's ochtends de kinderen veilig naar school laat gaan en de auto's tegenhoudt op het zebrapad hiertegenover en de kinderen zachtjes begroet. Hij herkent de jasjes, de sweaters, de jeans en de veterschoentjes. Ik heb behoefte aan de kerk, aan de geur van kaarsen en de vleug van wierook die is blijven hangen na de ochtendmis. Ik heb behoefte aan de verstomde en strenge gezichten van de beelden. Aan het hek hangt een bordje: GEOPEND VAN 9.30 TOT 12.00 EN VAN 14.30 TOT 18.00. Het is nu een uur en ik kan niet naar binnen. Hebben de heiligen ook lunchpauze? De droom is het gebed. Gemompeld, gefluisterd, niet twee woorden en klaar is Kees, ik wil hier binnen zijn. Misschien om te begrijpen. Of alleen om te denken. Maar dat bord is er. Verdorie, een gesprek met de Heer is een universeel recht en dan is de kerk op slot voor mij?

Milaan, 23 juli 2004
Locanda van de Romans

Lieve Federico,

Vandaag werd ik wakker met een zin in mijn hoofd. Deze: ik heb niet goed genoeg voor mezelf gezorgd. Voor jou. Ik weet niet goed wat het betekent, en ook niet of ik het uit een roman heb, of dat het misschien bovenkwam als gevolg van de begrafenis. Gister hebben we professor Ernesto naar zijn graf gedragen en 's middags hebben de jongelui een lezing ter ere van hem georganiseerd. Er was geen tafeltje meer vrij in de locanda, Lucilla leek geen last te hebben van de dames en heren die maar bleven zeggen hoe belangrijk Ernesto voor hun woensdagen was geweest. Wij, of in elk geval ik, hebben onderschat hoezeer sommige mensen onmisbaar worden zonder dat wij dat zelf beseffen. Ik had nooit stilgestaan bij het belang van die voorlezingen, ik wil niet zeggen dat het mijn verdienste is, maar toen Manuele naar de lessenaar liep in een strakke katoenen blazer en een overhemd, zelfs een stropdas had hij aan, en begon te lezen, wist ik dat Romans&Romances voor velen van hen eenvoudigweg een plek van genegenheden is geworden. 'Alles zal goed gaan, Lucilla,' zei ik tegen haar. 'Wat aardig van jullie om stukken voor te lezen waar hij van hield. Ja, echt een erg aardige gedachte van jullie,' antwoordde ze, verlegen door al die mensen.

'Sinds een jaar had hij soms tijdens het voorlezen het gevoel alsof hij andere lezers ontmoette. Af en toe, heel soms, maar op een steeds duidelijkere manier, dacht hij aan die mensen, meestal onbekenden, die hetzelfde boek lazen. Hij herinnerde zich soms details alsof hij ze zelf beleefd had. Beleefd met al zijn zintuigen... Eerlijk gezegd, kwam hij, toen hij beter nadacht over deze merkwaardige verschijnselen, zelf tot de conclusie dat zijn persoonlijkheid gevaarlijk aan het wankelen was, dat hij op het randje van de redelijkheid balanceerde. Of was het allemaal maar een illusie als gevolg van een overdaad aan lectuur en tekort aan leven?'

Alice en Manuele hebben *De buitenkans* van Goran Petrovic, een schrijver die ik niet ken, gekozen. Het leek te gaan over Ernesto, hoewel die juist helemaal geen tekort aan leven had. Lucilla's ogen glommen van de tranen. We zullen haar moeten steunen. Ernesto was alles voor haar: voor de hand liggend, nietwaar? Maar dat is niet zo. Ik ken weduwen die opgelucht zijn, weduwen die herboren zijn en zelfs mooier worden.

Ik heb niet goed genoeg voor mezelf gezorgd. Voor jou. Wat een domme zin. Misschien betekent het dat we tijd aan het verliezen zijn, dat dat wat ons verbindt – brieven – niet genoeg is. Het is voor het eerst dat ik 'serieus' nadenk over de breekbaarheid van onze ontmoetingen, vandaag vond ik dat het er weinig waren, te kort, te leeg. Tijdverdrijf. Opvullingen. Surrogaten van een liefde. Want als het liefde was, zouden we het niet kunnen verdragen om gescheiden te blijven. Vanochtend, bij die vrouw met die zekere ziel, stortten mijn theorieën over dat wij vooral vrienden zijn, in. Want als wij alleen geliefden waren zou ik nu niet die kou voelen, terwijl het vandaag in Milaan en vast ook in New York ondraaglijk warm is. Jij bent niet hier en ik denk aan onze doden, aan hoe weinig wij over de dood hebben gepraat, aan hoe weinig ik je over mezelf heb verteld. En over het ongeluk waarbij ik ze allemaal ben kwijtgeraakt en ik heb niet genoeg gehuild om het enigszins kalm te kunnen vertellen. Bij dat graf huilde ik niet om Ernesto, die is vredig gestorven en vooral heel snel. Al zijn studenten stonden om de kist als bewijs dat natuurkundige formules het mooie teken hebben achtergelaten: de leraren die niet alleen je leraar zijn maar ook je vriend. Ik huilde om mij, Federico, om ons. Ik was bang, ik bedacht dat ik geen tijd had en ik gedraag me alsof we volop tijd hebben.

Schrijf me alsjeblieft, ik heb je woorden en je omhelzingen nodig,

Emma

New York, 30 juli 2004
42 W 10th St

Lieve Emma,

Ik ben thuis. De meisjes zijn naar de Hamptons, inmiddels geïntegreerd in dit New Yorkse systeem dat zegt dat Manhattan vrijdagmiddag om vijf uur in handen is van de toeristen. Ik ga niet mee, ik werk hard en heb goede excuses om in de stad te blijven. De allergie blijft me achtervolgen: ik heb een neus als die van JPM, niet zozeer qua afmeting, als wel wat kleur betreft: die is gestabiliseerd bij kersenrood. Ik heb een paar foto's voor je gekopieerd die ik bij Frank heb genomen: vind je de structuur in staal die de toekomstige Morgan vormt als een groot stuk speelgoed niet fantastisch? Je had erbij moeten zijn, Emma: hijskranen lieten een vooraf gemonteerde beschermende kooi neer, als een groot stuk Meccano. Ik stuur je ook wat foto's van de restaurantruimte, die we in de eetzaal van Morgan Jr. creëren, en van de boekwinkel, die uitkijkt op 36th Street. Het Plein is nog niet te zien, maar je kunt het je al voorstellen, het zal de afmetingen krijgen van een Italiaans dorpscentrum, het zal het hart vormen van een dorp van Europese afmetingen. Er is een vergadering geweest om te besluiten over de kleur van de entree; Beaubourgrood werd uitgesloten, we hebben een roomkleur gemengd met roodachtige pigmenten om zo de 'Morgankleur' te krijgen: Tennessee Pink Marble, dezelfde kleur als McKims marmer. Er is besloten over de inrichting van de kantoren van de werknemers en de curatoren op de bovenste verdieping van het bakstenen huis. Ik stuur ook een groepsfoto mee. Voor het geval je me niet herkent: ik ben dat stuk helemaal rechts... excuses voor mijn toon, maar ik weet dat je begrijpt hoe mooi het kan zijn te werken zonder wrijvingen of onenigheden in een rustige en vermakelijke sfeer. Suffraggette-Frank heeft een obsessie voor coherentie en volgt het steenhouwen dat moet worden afgestemd op het marmer van McKim, je ziet hem op de foto (groene pijl), hij staat rechts van Renzo, *isn't he nice*? 'We zullen een architectonisch teken achterlaten dat getuigt van respect voor Manhattan dat zijn geschiedenis zal terugkrijgen,' zegt hij steeds, en wee degene die het waagt hem tegen te spreken. Wij zullen het staal gebruiken dat Morgan zelf produceerde maar nooit wilde gebruiken voor zijn huis: staalplaten voor schepen en stalen pijlers. De oude en de nieuwe Morgan zullen elkaar raken maar niet verstoren, een beetje als wij tweeën. Ik klets misschien wat veel, maar dat is om je af te leiden en je te zeggen dat ik dicht bij je ben, wat je schreef heeft me ontroerd, door over je klanten te lezen is het alsof ik ze ook ken. Ik heb de begrafenissen van mijn dierbaren verdrongen en ga zelden naar het familiegraf: ik zou niet weten wat ik moest zeggen en zelfs niet wat ik moest denken. Er is iemand die ervoor zorgt. Toen ze leefden hadden ze mij al niet nodig, laat staan nu ze dood zijn.

Maar ik daarentegen heb jou wel nodig. Altijd.

Federico

P.S. Je moet nooit huilen, Emma. Niet om mij en niet om jezelf.

Ik heb nooit zo hard gezwoegd als de afgelopen dagen. Ik boek vooruitgang met de melancholie en suggereer romans voor overleven in de liefde. Het is warm en de schoepbladen aan het plafond geven niet voldoende koelte. Alberto zegt dat ik overgangsopvliegers heb en weigert – nog steeds! – een airconditioningapparaat te laten installeren. Lucilla komt tegenwoordig 's middags in de winkel, ze is cultureel vrijwilligster, zegt ze, en gaat niet met vakantie 'om hem niet alleen te laten'. Ze kiest de boeken uit voor de nieuwe etalage, die zij zelf heeft voorgesteld: post mortem geschreven liefdesgeschiedenissen. Het onderwerp lijkt haar niet van haar stuk te brengen en ik heb me nooit gerealiseerd hoeveel van dat soort verhalen er waren, want romans vallen je op wanneer ze spreken over jouw leven, wanneer ze een spiegel zijn. Het is merkwaardig hoeveel schrijvers van deze romans, Roth uitgezonderd, jong zijn, haast alsof oude schrijvers de neiging hebben de dood uit veiligheidsoverwegingen op een afstand te houden. Er is een Ierse schrijfster, Cecilia Ahern, met haar *P.S. Ik houd van je* en de Franse Anna Gavalda met *Ensemble* en Marc Levy, die naar de foto op de achterflap te oordelen een boeiende schrijver is die gespecialiseerd is in liefdes die terugkeren uit het hiernamaals, en Guillaume Musso, door ons ondergewaardeerde schrijver van romantische verhalen die de barrière van de dood overschrijden. Terwijl Lucilla over de boeken vertelt, praat ze kalm over Ernesto. Mooi.

'Ik zou een biografie kunnen schrijven,' zegt ze, en het idee lijkt haar serieus bezig te houden.

'Uw huwelijk is de plot van een succesvolle roman, Lucilla,' antwoord ik, terwijl zij me de boeken voor de etalage aangeeft. De niet-ingerichte etalage, zonder opsmuk. Aan gene zijde is alles wit. Misschien.

'Deze gaan langer mee, Alice,' zegt ze, wijzend op de boeken en mijn assistente bevrijdend van haar ongerustheid. Ze is een vrouw met een sterke geest, Lucilla, ze heeft haar leven doorgebracht met haar leerlingen, ze heeft ze altijd weten te troosten met de strofen van de *Sonnetten*. En toch kan ik het beeld van hoe ze hier altijd weggaat, zachtjes huilend zodat wij het niet horen, niet uit mijn hoofd zetten. De wijd open ramen, 's zomers, raden een winterse dood aan.

Middag, laatste lezing op de binnenplaats en de klanten komen langs om hun zomervoorraad in te slaan. Borghetti en Gastone gaan naar Thailand en zoeken dikke romans voor de intercontinentale oversteek. Cecilia doet de test van de huwelijksreis met haar weduwnaar die werkelijk een mooie man is en naar haar kijkt met een verbaasde blik van 'dat nou juist míj zo'n geluk moet overkomen'. En zelfs Michele is langsgekomen en zijn verloofde heeft hem uitgeknepen door drie kaarsen, twee kopjes met SSST... IK BEN AAN HET LEZEN erop en een stuk of tien boeken te kopen: hij dwingt haar tot een reis naar Mexico terwijl zij liever een cruise naar de Noord-Europese fjorden had gemaakt. Groot succes voor de nieuwe handijsjes, de ijsproducent Del Biondo uit Brescia produceert op maat voor de locanda een ijsje op een stokje dat ruikt naar kindertijd en wanneer je het op hebt zie je op het stokje zinnen uit romans staan. 'Maak de toekomst niet voortijdig wakker. Als je dat wel doet, krijg je een slaperig heden' (Marcel Proust). Ik hoopte op Woolf, de kaart van vandaag is nog vers van de postbus.

New York, 3 augustus 2004

Lieve Emma,

Ik stuur je deze karikatuurkaart van Virginia Woolf, getekend door Mike Caplanis, kunstenaar en illustrator van de *Washington Post*, de *Los Angeles Times*, de *Philadelphia Inquire* en van nog meer Amerikaanse tijdschriften. Als je de tekeningen leuk vind, kan ik je in contact brengen met Luminary Graphics, een bedrijfje dat ansichtkaarten, boekenleggers, paraplu's, tassen en andere door hem geïllustreerde accessoires produceert. Zijn onderwerpen zijn schrijvers. Niet één architect. Laat me weten wat je ervan vindt. Ik blijf tot 10 augustus in New York. Dan gaan we naar Hawaï, naar een hotel van een Italiaan die naar Maui is verhuisd en niet van plan is terug naar huis te gaan. Sarah verheugt zich er erg op, we nemen haar 'vriend' Francesco mee. Ik moet er nog aan wennen, ze is een vrouw aan het worden en gister heeft ze me de badkamer uit gejaagd omdat ze in onderbroek was. Ik ben voor haar nu een man net als alle andere. Ik zal me erbij neer moeten leggen.

Ik wens je een goede vakantie en een goede verjaardag, en ik zeg dat heel zachtjes, zodat niemand het kan horen,
Federico

Milaan, 12 augustus 2004
Locanda van de Romans

Lieve Federico,

Nog vierentwintig uur en dan vertrek ik. Ik ben zo moe dat ik het huis in Roussillon nu zie als een droombeeld waar ik kan slapen, slapen, slapen. Ik heb het nodig, het is een heel vermoeiend jaar geweest en mijn fantasierijke vermogen om plannen te maken en te verwezenlijken moet een adempauze krijgen. Ook al is het construeren van verhalen het enige systeem dat ik ken om de dingen die mij overkomen draaglijk te laten zijn, moet ik stoppen met voortdurend aan ons tweeën te denken. Het gebeurt me zelfs wanneer ik een tijdschrift doorblader, zoals vanochtend toen ik een test heb gedaan om 'jezelf terug te vinden', met allerlei suggesties over 'hoe het verleden te overwinnen om vreugdevol in het heden te leven' en 'regels om je eigenwaarde te vergroten'. Ik haat weegschalen, voor én achter de spiegel. Ik heb dagboeken, brieven en kaartjes die ik tientallen jaren had bewaard weggegooid, maar jouw brieven zal ik altijd bij me houden. Aan het eind van de test heb ik mezelf in geen van de portretten herkend. Ik ben altijd een middenweg tussen profiel A en profiel B. Ik ben een vrouw zonder identiteit en ik kan niet wachten totdat ik deze plek kan overlaten aan zijn zomerse lot. Drie weken zonder klanten zijn alles wat ik begeer, behalve jou.

Ik denk aan je, schrijf me alsjeblieft als je tijd hebt, ook vanaf Hawaï...

Emma

Warme bewolkte ochtend. Milaan loopt nu al over van auto's en andere motorvoertuigen, de mensen haasten zich nu al van hot naar her en het is pas 4 september. Sommigen noemen het hardnekkig vooruitgang. Volgens mij is het dwaasheid. Alice, gebruind en met een schaduw (zegt ze zelf) van vet om haar taille, wat een teken is dat haar vakantie met Manuele vlekkeloos is verlopen (voedsel en seks naar believen), maakt van de nood een deugd. Ze droomt van de trouwerij en bestookt ons met het project dat ze in haar vakantie heeft bedacht: de huwelijkslijsten. Al voordat ze met vakantie ging had ze wat balletjes opgegooid op een paar internetsites met suggestieve namen, zoals *Bruid&Beauty*, *Alles over trouwen, Trouwen zonder stress*, en er zijn al veel reacties binnengekomen. Het idee dat de vriendinnen van de bruid behalve de pannen en het beddengoed ook boeken kopen om aan het paar cadeau te doen, leek mij nogal bizar, maar vanochtend kwam er een meisje in de winkel dat in totaal vijftig boeken kwam uitzoeken, en een ander heeft honderdvijftig exemplaren besteld van *Emma* van Austen om uit te delen in plaats van de traditionele zakjes met bruidssuikers. Een roman – en wat voor een roman! – in plaats van dienblaadjes, schaaltjes en tafelkleedjes die je toch nooit gebruikt. Terwijl Alice haar verlangens in kaart brengt en achter de computer zit met de vriend van Mattia die haar site reorganiseert, houd ik me bezig met de nieuwe bloemenhoek. Net als Elisa Doolittle heb ik besloten rozen te verkopen, dankzij de medewerking van Piero, de slager, die het goed vindt dat ik ze 's nachts in zijn koelcel stal. Ik heb ze neergezet in de gang tussen de boekwinkel en de locanda, in zinken vazen. Granaatrode, fluweelrode, bruinrode, witte en gele rozen. Ik, die dacht dat ik geen groene vingers had, heb de rozen van Karen Blixen ontdekt. Toen de eigenaar van de kwekerij hoorde in wat voor winkel zijn rozen terecht zouden komen, heeft hij me er alles over verteld. De boeketten van Romans&-Romances zijn eenvoudig, maar sinds ik heb gehoord dat een roos in combinatie met een boek een heel goed figuur slaat, verkoop ik ze voor anderhalve euro per stuk. Mijn dames geven elkaar rozen om elkaar op te peppen. Elf rozen kosten tien euro en als je bedenkt dat een boeket, indien goed onderhouden, minstens een week staat, is dat iets meer dan een euro per dag, een waardige pijnbestrijding tegen ongevoelige verloofden en vergeetachtige echtgenoten. Vandaag, het was bijna theetijd, heb ik een boeket van twintig rozen gemaakt voor de vertegenwoordiger van een uitgeverij die hier kwam met de smoes van de kerstpakketten. Inmiddels behandelt zelfs hij – hij werkt voor de belangrijkste uitgeverij van Italië – me niet meer als een excentrieke boekhandelaarster met een aversie tegen barcodes die niet let op de omzet (dat is waar, ik let niet op de omzet). Ik luister naar hem en ook een vergenwoordiger van een uitgeverij heeft behoefte aan een luisterend oor. De vrouw van de afdeling inkoop van de FNAC behandelt hem neerbuigend, en daarom komt hij telkens wanneer hij in de buurt is even bij me langs. De rozen, bleekgeel, zijn voor zijn vrouw die net een kind heeft gekregen en depressief is.

'Ik kan haar er niet van overtuigen dat ik de gelukkigste man van de wereld ben. De baby is heel lief maar zij doet niets anders dan huilen.'

'Het is normaal dat ze een beetje somber is, Giuseppe. U hoeft alleen maar dicht bij haar te zijn. U moet haar verwennen en haar deze bos rozen geven. Of nee, wij bezorgen ze bij u thuis, dan is het een verrassing.'

'Als u het zegt... En het hotel? Hoe loopt het hotel?'

'Goed, heel goed. We zijn volgeboekt tot aan Kerstmis. Ik moet ook klanten uit de modewereld accepteren, maar het lukt me om ze allemaal boeken in de maag te splitsen.'

Ik heb de bestelling opgenomen en hij is tevreden weggegaan. Voor de rozen zorgt Mattia, die de fiets van Romans& Romances heeft uitgedost met een mand op het stuur en de bezorgingen aan huis doet.

New York, 11 september 2004
Plek van vredige rust nummer 11, Partners and Crime
44 Greenwich Avenue

Lieve Emma,

Ik ben in een kleine boekwinkel in Greenwich Village die jou meer zou bevallen vanwege de sfeer dan om de boeken die er verkocht worden: misdaadromans en thrillers en niks liefde. De koffie hier is niet geweldig, maar het is gezellig en bovenal is het de enige plek om jou te schrijven die ik heb gevonden voordat ik naar kantoor ga, waar mij een lange vergadering wacht.

Vanochtend kon ik de verleiding niet weerstaan. Kranten en tv (waar ik eerlijk gezegd weinig naar kijk) schrijven en praten over niets anders en ik vond het vanzelfsprekend om naar de plek terug te gaan. Om acht uur ben ik in een gammele Ford sedan gestapt – ik heb een taxi genomen, de Vespa leek me een dom plan. 'Het is onmogelijk om daar te komen. Er zijn herdenkingsvieringen. Ik zet u wel in de buurt af,' zei de taxichauffeur, een Egyptenaar genaamd Aswan, net als de dam. 'Zet me maar af waar u kunt, ik loop wel verder.' Wat ik opschrijf is net gebeurd, ik probeer bij jou mijn emoties te sussen, ook al kan iemand die deze plek nooit heeft gezien niet helemaal begrijpen wat die uitdrukt. Aangekomen in Fulton Street heb de taxichauffeur betaald en ben ik uitgestapt in die surrealistische topografie van het leed. Net toen ik het portier opende, viel er een soort gregoriaanse zang over mij heen als... een omhelzing. Ik liep het steegje in dat om de St. Paul-kapel heen loopt. Het interieur van de kerk, die maandenlang het centrum is geweest waar de vrijwilligers bijeenkwamen, is een macabere in memoriam van de menselijke generositeit, bekleed met foto's en voorwerpen: veldbedden, kopjes, sleutels, schoenen, pluchen beertjes, foto's van brandweerlieden, flarden van structuren van de wolkenkrabbers, die samen een museum zullen gaan vormen genaamd 'WTC. Memento mori'. Dingen van nog maar drie jaar geleden, en toch leken het resten van een wereldoorlog, slopen en dekens waren als gebalsemd. Ik ontdekte dat ik mij bovenmatig aangetrokken voel tot de kraters, dat zal wel komen door de Morgan of ik weet niet wat, misschien zou een psychiater heel wat bij mij kunnen ontdekken op grond van deze manie voor gaten in de aarde en voor hoogten, het liefst duizelingwekkende. Emma, ik ging de kerk uit en liep als een robot verder, tot ik bij de metalen omheining kwam die Ground Zero omringt. Toen realiseerde ik me dat die mooie, oude klank niets anders was dan... een klaaglied van voor- en achternamen, herhaald in een heel lieflijke klankketen. Het was negen uur en nog wat... Ik keek omlaag en die figuurtjes die elkaars handen vasthielden leken een ketting van tinnen soldaatjes die op het punt stonden een rondedansje te maken. Ik werd bevangen door een gevoel van verschrikkelijke en egoïstische melancholie, ik prevelde mijn zang, ik heb een gebed aangeheven dat jouw naam droeg. Emma. Emma. Emma. Ik wil je zo graag zien... Over twee weken ben ik in Parijs, ik blijf een paar dagen op het bureau en het zou de normaalste zaak van de wereld zijn als we elkaar dan en daar zouden treffen. Ik kan niet wachten tot de volgende 10 april, op dit moment, in deze boekwinkel die jij prettig zou vinden, zou dat volgens mij een onvergeeflijke vergissing zijn. Wat vind je ervan? Al is het maar voor een dag, in Parijs... Denk erover na en schrijf me over je hotel: lukt het je om alles te regelen en ook tijd voor jezelf over te houden?

Je Federico

Het is zeven uur en de oktoberhemel is nog helder. Ik voel me niet prettig, ben opgewonden en wacht op een beroemde klant. Mister Patrick McGrath lijkt op zijn romans, in die zin dat hij niet anders zou kunnen zijn dan hij voor mij verschijnt aan het eind van de straat, vergezeld door de juffrouw van de persafdeling. Een grote, lange, stevige man met een heel lichte huid en met grijze draden tussen zijn rossige haar. Als zoon van een psychiater heeft hij een groot deel van zijn jeugd doorgebracht in Engeland, waar vader medisch directeur van de tbs-kliniek van Broadmoor was. Hij is gewend om in de geest van voorpaginagekken te kruipen, wat misschien een praktische manier is om zijn eigen angsten te overwinnen. Die hebben wij allemaal, laat staan iemand die elke dag met gekken te maken heeft. De grote man loopt hand in hand met een mooie dame, Maria Aitken, zijn vrouw, actrice van beroep. Ze blijven staan voor de etalage en op zijn gezicht verschijnt een verbaasde uitdrukking. Alice heeft zich in de winkel gebarricadeerd. Ze zegt dat ze zich geneert. Tja.

'Prachtig, Miss Emma. En gezellig, dank u.'

'Natuurlijk! In de literatuurgeschiedenis hebben we het Rusland van Tolstoj, het Duitsland van Thomas Mann, het Londen van uw collega Ian McEwan en... de tbs-klinieken van McGrath. Ik heb geprobeerd een stukje van een psychiatrische inrichting na te bootsen zoals ik me die heb voorgesteld toen ik uw boeken las. Uw vader zal wel trots op u zijn met uw succes van *Het gesticht*.'

Mijn Engels is nog steeds uitstekend en toch klink ik als iemand die zich verontschuldigt.

'Helaas is hij kort voor de publicatie ervan overleden,' antwoordt hij zonder die bedaarde glimlach te onderbreken van iemand die, anders dan ik, zijn geweten op orde heeft.

Waanzin is in mijn verbeelding kalkachtig. Ik heb bij de verfwinkel gipspoeder gekocht, dat vermengd met water en het mengsel op de vier zijden van de etalage gesmeerd. Tegen de achterwand heb ik een wit laken gehangen, gesteven met stijfsel. Twee paspoppen dragen de dwangbuizen die ik geleend heb van dokter Dominelli die in de psychiatrische kliniek van Mombello heeft gewerkt en in mijn appartementengebouw woont. De paspoppen keken met iets van achterdocht naar elkaar, hun hoofd van polystyreen, bedekt met knipsels uit tijdschriften die de ogen voorstellen, is vastgezet met een hoedenspeld. Om hen heen op de grond een kam, een kopje, een bord, een paraplu (want in een roman met gekken is altijd een paraplu), alles overdekt met gips, ook de boeken (vier exemplaren weggegooid, maar het was de moeite waard): *Groteske*, *Spider*, *De ziekte van dokter Haggard* en *Martha Peake*, dat we morgen zullen presenteren. In het midden heb ik de kopieën van *Het gesticht* opgestapeld, en ik heb er een paar ingevlochten in de mouwen van de dwangbuizen. Een wirwar van boeken met grijze omslag. Ik ben tevreden en ik kijk naar hem om te zien wat de uitwerking op hem is.

'Stella is niet verdorven, mister McGrath. Ze is slachtoffer. Doen alsof is haar enige middel om de toenemende verloedering die passie op haar uitoefent, te doorbreken. De psychiater die haar van de eerste tot de laatste bladzijde beheerst of de liefdeloze echtgenoot die niet van haar houdt, haar niet aanraakt, haar niet meer streelt, aangenomen dat hij dat ooit met tederheid heeft gedaan: wie is de slechterik, mister McGrath?'

Wat bezielt me? Zou ik niet beter over het weer kunnen praten?

'Stella is een vrouw die omlaag wordt gesleurd door de seksuele passie,' antwoordt hij en hij is niet verbaasd mij te horen praten over zijn hoofdpersoon alsof ik haar persoonlijk ken. Hij zal er wel aan gewend zijn, want hij blijft onaangedaan. Zo onaangedaan als een echte Engelse schrijver hoort te zijn. Zijn vrouw laat zijn arm niet los, terwijl ik ze naar boven breng naar de suite *Toen op een dag de kleine liefdesgod sliep*. Als hij het bordje op de deur leest, moet hij lachen.

'Verandert de naam al naar gelang de nationaliteit van uw klant, Miss Emma?'

'Nee, ik gebruik alleen universele namen. En Shakespeare is passend voor iedereen, mister McGrath.'

Ik ben dolgelukkig, de schrijver over gekken is tevreden over de ontvangst, de kamer bevalt hem en hij laat zien dat hij het waardeert, hoewel hij in de tbs-kliniek heeft gewoond, de gietijzeren radiator, de vloer met de houten planken, de kozijnen van de deuren en de ramen, de twee bijzettafeltjes, de schrijftafel en de stoelen met de matten zittingen, de saliegroen geschilderde houten lambrisering in de badkamer, de stapel boeken op het tafeltje, inclusief een exemplaar van *Asylum*, vleierij van de boekhandelaarster en verdienste van de bookshop op het vliegveld van Amsterdam. De echtgenote noemt mijn kamers een 'telescopisch hotel'.

'Telescopisch?'

'Ja, met de kamers die in elkaar schuiven, zo noem je dat in Engeland.'

'O, welkom dan in mijn telescoop. Als u iets nodig hebt, we zijn tot 10 uur vanavond in de winkel. En als u de computer wilt gebruiken is er een wi-fi-verbinding.'

'Dank u, Emma, maar ik neem mijn computer niet mee op reis. Hoe laat is morgen de presentatie?'

'Om vijf uur, theetijd. Er zullen veel lezers zijn en ik zal persoonlijk voor u tolken. Dat was vroeger mijn werk. Het zal heel goed gaan.'

Ben ik zo trots op mezelf? Ik geniet van de gedachte dat de grote McGrath geen computer bij zich heeft. Hij hoort bij de familie. Hoera.

'Alice, waar ben je gebleven?'

Milaan, 16 oktober 2004
Romans&Romances

Lieve Federico,

Alice typt op de computer en ik schrijf jou. Ze heeft een site ontdekt, Maremagnum.com, waarmee ze (met de site, wel te verstaan, alsof het een persoon is) een frequente correspondentie onderhoudt. Mij niet gezien, het interesseert me niet, maar eigenlijk is het idee waaruit het is ontstaan mooi en lijkt het op mij. Maremagnum is bedacht door een boekhandelaar die net als ik in een constant verlatingssyndroom moet leven. Hoe valt anders te verklaren dat hij zoekgeraakte boeken verkoopt? Alice koopt boeken van hem, via internet natuurlijk, ook al zou ze die rustig kunnen ophalen in de auto aangezien Mister Boekenredder in Milaan woont. Ik verdien er niets mee, maar wel respect van de klanten: bij de geheimzinnige meneer vind je het onvindbare en ik denk dat ik hem een dezer dagen hier uitnodig. Ik kan nog steeds niet geloven dat het mogelijk is van een boek te houden zonder het aan te raken, zoals liefde op afstand zonder een streling; je weet wel, dat soort virtuele relaties, hij zit aan de andere kant van het scherm en je weet niet eens hoe hij eruitziet. Alice, voorgezegd door Alberto, beweert dat vier procent van wat er in de hele wereld aan boeken wordt omgezet bestaat uit aankopen via internet, ik vind dat een miezerig getalletje, maar toen ik dat tegen haar zei, antwoordde ze dat het aantal 'beslist zal toenemen'. En dus buig ik, schik ik me, protesteer ik niet. Het is dat ze onlinekortingen geven en ik, zoals je weet, haat het om boeken af te prijzen. Ik bereken lage kosten voor het verzenden. En zij zijn net zo blij. 'We moeten de indruk wekken dat we aan elke wens kunnen voldoen, Emma, anders hebben ze ons uiteindelijk op een dag niet meer nodig, dan worden ze hun eigen boekhandelaar en kiezen in de mare magnum van internet hun boeken uit.' Ik pas me niet aan, er is niets aan te doen, ze hebben mij niet nodig, ik voel me overbodig, maar ik ben blij dat Alice en Manuele de boekwinkel in handen nemen, samen met Lucilla die regelmatig 's middags komt en Carlotta die ik parttime heb aangenomen met een 'project'contract, ook al is dat project altijd hetzelfde: mijn boeken en mijn nieuwe passie, het hotel, dat voor de komende zes maanden is volgeboekt. Ja, je leest het goed:

zes maanden. Natuurlijk moet ik allerlei soorten klanten aannemen, niet alleen schrijvers, maar de afbetaling van de lening is gedekt en ik verdrink niet in de schulden zoals de Trouwe Vijand mij had voorspeld. Je laatste brief was vol droefheid en ik vind het niet fijn te weten dat je droef bent, maar ik begrijp je angst. Emma is ook bang. Schrijf me over de Morgan, dat me een vitaal antwoord lijkt op onze oude schoolvriendjesmelancholie.

Je Emma

New York, 7 november 2004
80 Spring St

Lieve Emma,

Hier ben ik. Ik schrijf je op mijn Moleskine (ik zal de bladzijden er helaas uit moeten scheuren, ik heb geen ander papier tot mijn beschikking), ik zit in Balthazar, een bistro die je zou bevallen, in Soho. Ik wacht op Renzo om samen te ontbijten. We hebben waarschijnlijk heimwee naar Parijs, want we ontmoeten elkaar heel zelden hier in deze buurt, ze hebben hier dezelfde tafeltjes dicht opeen als in het Quartier Latin, de keuken maakt traditioneel Franse gerechten en – summum van genot! – ze serveren warme baguettes die rechtstreeks uit de oven van Balthazar Bakery komen. Ik ben te vroeg, ik wil je vertellen over het werk, want het is voor ons nu werkelijk een fantastisch moment, wanneer je begint te zien wat het gaat worden, nu de omlijsting klaar is. En dan het licht, Emma, ik wou dat ik je het licht kon beschrijven. De lampen passen zich aan aan het natuurlijke licht, vergezellen het, je bent binnen op het Plein en het is alsof je buiten bent en daar kijk je omhoog en zie je Manhattan. Ik denk aan de transparantie, die meer zekerheid geeft dan ondoorzichtigheid, elk van ons kan zien wat er gebeurt achter een raam, ik denk dat wij tweeën transparant zijn voor elkaar, dat denk ik echt, en een beetje minder voor de rest van de wereld, als je Gabriella niet meerekent. Ik heb er zelfs niet met Enrico over gepraat, die na twee weken hier gister samen met de hele familie is teruggegaan. Ik kan niet over mezelf praten, laat staan over jou, en die houding verandert niet meer, op mijn leeftijd... Misschien betekent het dat ik degene die mij nabij is nooit helemaal vertrouw en, misschien vind jij dat gek, ik begrijp het wanneer je schrijft dat je bang bent. Het gebeurt mij ook, wanneer ik op straat loop en ik overvallen word door een soort paniek, ik me zonder duidelijke reden verloren voel... maar ik schaam me om erover te praten. Enrico en ik kunnen samen naakt in een kleedkamer staan (gister zijn we naar de sportschool gegaan en ik kan je niet zeggen hoe platvloers de grappen daar waren), maar het is ondenkbaar dat ik hem in vertrouwen zou nemen. Ik wacht op Renzo en mijn cholesterolgehalte stijgt als kwik in een thermometer: ik heb een onfatsoenlijke hoeveelheid paté op mijn brood gesmeerd en ik voel me niet schuldig. Ik weet toch wel dat je me met buikje ook leuk vindt. Maar terug naar de Morgan, aangezien je daarover berichten wilde en excuses dat ik afdwaal. Een paar getallen geven misschien een idee van onze tevredenheid: we hebben 46.000 ton steen ('onze' steen) weggehakt, van het centrale Plein zal de trap afdalen naar het souterrain, waar de kersenhouten gehoorzaal plaats zal bieden aan tweehonderdvijftig tot tweehonderdtachtig toeschouwers en een verdieping lager is de bepantserde en geklimatiseerde onderzeeër waar 'jouw' werken in vrede zullen voortleven. Ik keek er gister naar en het was alsof het er altijd al was geweest, die miniatuurstad waar alles mogelijk zal zijn, tussen de stenen megalieten en toekomstige liften van gehard glas: zitten om een kop koffie te drinken, te lunchen, te dineren, te lezen, te praten, muziek te luisteren, een film te kijken, tussen bomen en kunstwerken te zijn. Ik weet zeker dat JPM het mooi zou hebben gevonden. En jij ook, mijn boekhandelaarster, hoewel ik de indruk heb dat je nieuwe rol als hotelhoudster jouw aandacht aan het opeisen is en ik vind het heel vervelend dat ik er geen aandacht aan heb kunnen besteden. Stuur me wat foto's alsjeblieft, dan kan ik je mijn oordeel als architect geven.

Ik omhels je, voordat ik een tartaar bestel en de Boss begroet die nu binnenkomt,

Federico

Het is ijskoud, het begint over een halfuur en er staan minstens vijftig mensen in een rechte rij die met een liniaal lijkt te zijn getrokken, een onbewust eerbetoon aan de nationaliteit van de schrijver op wie ik met een zekere spanning wacht. Mattia is er al, voor de enige schrijver ter wereld die hij hoog acht. Vanwege voetbal en Arsenal. Het is geen toeval dat ik Nick Hornby in de boekwinkel heb uitgenodigd, ook niet omdat hij liefdesverhalen schrijft. Ik heb alleen de drijfveer van oprechte irritatie gevoeld toen ik een van zijn artikelen las in *Believer*, waarvan het credo luidt: schrijf boeken over wat je maar wilt maar Kraak Ze Niet Af. En zo hoort het. Het is me gelukt hem exclusief te krijgen, waarmee ik de concurrentiestrijd heb gewonnen met de almachtige Feltrinelli, FNAC en Mondadori. Hornby had zelfs geen bezwaar tegen het feit dat dit een enigszins aparte boekwinkel is en hij zal zo komen. Ik zal hem ontvangen met de eerbetuigingen die passen bij een schrijver van zeldzame bravoure en oprechte sympathie, maar ik zal me niet laten intimideren. Meneer Hornby, zal ik hem vragen, waarom maakt u Anton Pavlovic Tsjechov en diens vrouw publiekelijk zwart? Meneer Hornby, u hebt u beledigend uitgesproken ten aanzien van degene die naar uw eigen zeggen een reus van de literatuur is, gereduceerd tot een hoopje mierzoete troetelwoordjes zoals 'Mijn hartje', 'liefje, mijn betoverend moesje', 'mijn lieve hondje', 'mijn lief echtgenotetje', 'mijn heerlijke gouden schat', 'mijn levendige schatje', 'teerbemind bastaardhondje van me', 'mijn hartje, mijn brasem', 'mijn lichtje', 'hartje van me, paardje'... Mijn god, gedraag je, vriend! Je bent een groot intellectueel!... alsof men niet weet dat op bepaalde momenten iedereen een beetje dom is en vervalt in taalgebruik dat wij nooit in andere situaties zouden gebruiken.

'Gedraag je' tegenover Tsjechov, dat is niet zomaar iemand en alleen omdat hij verliefd was! Ik laat de verstijfde fans binnen in de locanda en al mijn eigendunk verdwijnt. Hoe haal ik het in mijn hoofd om op alle slakken zout te leggen bij een schrijver? Wie denk ik wel dat ik ben? Vannacht heb ik me geconcentreerd op de vierhonderd brieven die Tsjechov had geschreven aan Olga (het lieve bastaardhondje) en ik moest denken aan mijn eerste en enige keer in Sint-Petersburg, verbannen naar een of andere uithoek van mijn vergeetachtige breintje. Ik begeleidde een delegatie van de Scala, bleef een paar dagen langer dan voorzien omdat ze een verkeerde datum van de terugreis op mijn ticket hadden gezet. Ik had me voorgenomen om hem daar op te zoeken, meneer Anton Tsjechov, zonder te weten dat Moskou zijn stad was en niet Sint-Petersburg. Maar ik vond hem, en wel door zuiver toeval, op een muur. Ik zocht hem en hij zocht haar, Olga Knipper, innig geliefde echtgenote, schitterende actrice van wie ik een paar brieven in Engelse vertaling had gelezen. Het was juni, de heldere hemel voorspelde een witte nacht, wanneer het licht de rechtmatige hardnekkigheid van de nacht weerstaat en met uitputtend ritme afzakt naar de duisternis. Ik kwam bij het Alexandrinsky-theater en vandaar liep ik naar een half vervallen gebouw. Ik liep de houten trap op. Op de derde verdieping was de ingang van het Theatermuseum, niet veel meer dan een appartement. Ik werd opengedaan door een vrouw met een rimpelig gezicht in een grijs uniform. Een andere vrouw, met stofblauwe ogen en haar haar in een knotje waaruit gelige lokken hingen, zat midden op een soort troon, een restant misschien van het decor van een negentiende-eeuws drama. Voor de heel hoge ramen hingen gordijnen van grove stof. De muren waren bedekt met affiches met cyrillische letters, die ik las als gekleurde vlekken, tekens, figuurtjes. 'Anton Tsjechov?' vroeg ik, zeker wetend dat ze me niet zou begrijpen en me door de kamers zou sturen waarvan de zorg was toevertrouwd aan die twee vrouwen, die ze voor een paar roebels loon netjes hielden en lieten bezoeken door de paar handjesvol toeristen die het adres ervan kenden. De vitrines puilden uit van rekwisieten.

'Tsjechov...' probeerde ik aan te dringen. En de mevrouw met de knot wees zonder van haar troon op te staan naar een wand waar een stuk of tien zwart-witfoto's hingen: de dichter en Olga glimlachten droef naar de fotograaf voor hun datsja op het platteland; tussen hen in, als een bankje tussen twee bomen, het affiche van *De meeuw*. Door die foto ontstond mijn passie voor die twee en later vond ik in een boekwinkel in Londen hun brieven: niets anders dan de liefde tussen een man en een vrouw die gemaakt was van... passies, voorstellingen, spreekgestoelten en levertraan. In die brieven, die meneer Hornby belachelijk heeft gemaakt, bestond voor de man Tsjechov alleen maar zij, 'de meest onverwachte en begeerde gebeurtenis', die hem was overkomen, zoals hij schreef, 'toen ik op het punt stond het leven af te sluiten'. Ze werden op afstand verliefd, respecteerden elkaar, achtten elkaar en bedrogen elkaar (zij hem). Een liefde die gevoed werd door de afwezigheid, het verlangen, de kracht van de verbeelding. Zo denkbeeldig, dat Olga, om die band niet te verbreken, ook na zijn dood doorging met hem schrijven, en Anton Pavlovic lijkt haar uit het graf te antwoorden met zijn *Drie zusters*: 'Ons leed verandert in vreugde voor diegenen die zullen leven na ons: het geluk en de vrede zullen neerdalen op aarde en de mensen zullen zich met dankbaarheid en gezegendheid diegenen herinneren die nu leven'. Die liefde heeft meneer Hornby beschimpt, zonder te begrijpen dat die briefwisseling het ware verhaal reconstrueert van die reus en van het paar: de eerste ontmoeting, de vriendschap, de heimelijke relatie, het huwelijk, de dood.

'Wat wij ervaren wanneer wij verliefd zijn is misschien onze normale toestand.' Woorden van Anton... 'Gedraag je'. Hij is de winkel binnengekomen met een wollen mutsje dat over zijn voorhoofd getrokken is en zit nu naast me, met zijn mooie kale kop en zijn spottende, heel zachte ogen. En ik schaam me, ik vind het zelfs vreemd dat hij bestaat want al zie ik hun gezichten op de omslagen van de boeken, dan nog denk ik nooit dat schrijvers ook werkelijk fysiek bestaan. Mattia staat klaar om biertjes te tappen maar Nick wil liever een kop thee met een stuk worteltaart, hij is een huisvader die verliefd is op rock en voetbal, zijn smaak kan niet verder verwijderd zijn van de mijne, maar hij is beslist sympathiek en hartelijk tegen de klanten, die hem verwelkomen met een applaus alsof hij een popster is. Hij bekent me dat hij dol is op boekhandelaars. Hij is galant en genereus en mijn overmoed ebt weg, ik stotter bijna en hij zorgt dat ik me op mijn gemak voel, wanneer ik met iets beschermends vraag of iemand in het publiek iets wil vragen. Ik heb het niet over Tsjechov, en hij evenmin. De locanda is gevuld met jongens en meisjes die misschien willen praten over voetbal of ranglijsten – een houding die ik begrijp, meneer Hornby, ik houd ook van lijsten. Om lastige stiltes van de schrijver te vermijden heb ik het systeem van de briefjes ingevoerd. Ik heb klassieke vragen voorbereid zoals 'Waar haalt u uw plots vandaan?', 'Waar bent u nu mee bezig?', 'Als u uw eigen boeken nog eens leest, amuseert u zich dan net zo als wij?' en die heb ik uitgedeeld aan de trouwste klanten, die op een ongemakkelijk moment van stilte (geloof me, dat is er altijd) hun hand opsteken en hun vraag stellen terwijl ze nippen aan hun kopje Earl Grey. Nick Hornby is aardig. Hij kan niet lang van huis zijn vanwege zijn zoon, hij blijft maar twee dagen in Italië maar stelt zijn fans een beetje teleur als hij uitlegt dat nee, hij zich niet amuseert en nooit lacht, ook niet wanneer hij zijn eigen boeken overleest. Terwijl hij schrijft denkt hij aan de structuren in zijn hoofd, zoekt hij de exacte woorden of een woordspeling om een bepaalde situatie uit te drukken, maar hij is te betrokken om te kunnen gaan lachen. 'Schrijven is een beroep,' zegt hij. 'Het is een moeilijk beroep. En nog moeilijker is om vermakelijke situaties te vertellen die de aandacht vestigen op de complicaties van de levens van de personages. Je kunt beter vermijden daarover te lachen, ik houd niet van komische romans. Ik moet daar nooit om lachen.'

Veertig exemplaren verkocht, allemaal gesigneerd. En de ontdekking dat Hornby niet signeert met het onnozele zinnetje 'met de beste wensen', maar voor elke klant een persoonlijk woord heeft.

In mijn exemplaar heeft hij met pen gekrast: 'Voor Emma, de boekhandelaarster van de liefde, die mij heeft doen inzien dat het geen misdrijf is om een vrouw *hondje* te noemen. Yours, Nick.'

New York, 27 november 2004
Plaats van vredige rust nummer 12, Barnes&Noble
Astor Place

Lieve Emma,

Ik ben op weg naar huis, ik gun mezelf een rondje door de oudste Barnes&Noble van de stad, die jij kent, als ik me goed herinner. Het gerucht gaat dat het binnenkort gesloten wordt omdat de huurprijs te hoog is. Zoals je ziet ben jij niet de enige die met accountants moet discussiëren en hebben ze ook in het welvarende Manhattan de schaamteloosheid om een historische plek weg te wissen vanwege... de omzet. Er zitten drie stellen aan de tafeltjes en twee van de drie zijn van hetzelfde geslacht, niets vreemds aan, maar ik vraag me af of de eigenaars zich realiseren hoe belangrijk deze boekwinkel en de honderden afspraken en ontmoetingen en liefdes tussen deze muren zijn. Je hebt me besmet, niet alleen kom ik nog steeds overal harten tegenkom (de collectie heeft zich uitgebreid met een wit dooraderde grijze steen die ik in Central Park heb gevonden, schoongemaakt en nu gebruik als presse-papier), maar ik kijk met andere ogen naar de paartjes wier pad ik kruis, hoewel ik aan niemand anders behalve aan jou kan vertellen over deze antropologische passie van mij die de menselijke wezens analyseert en daarover verhalen, drama's, verzoeningen en breuken verzint. Door jou raak ik mijn rationalistische visie kwijt, of beter gezegd, het is alsof jij mijn sensibiliteit ten aanzien van de liefde en alles wat op een of andere manier te maken heeft met menselijke relaties, hebt aangescherpt. Ik kijk naar Sarah met haar verkering – ja ja, Francesco is in rang gestegen en wordt nu officieel zo genoemd – en ik vind ze samen fantastisch, mooi, gezond, en zo verschrikkelijk serieus in hun exclusieve relatie. Ik ben niet jaloers en ik ben blij dat zij er met me over wil praten. Niet over seks, dat is een onderwerp dat ik niet met mijn dochter zou kunnen aanroeren. Ik doe mijn best om me niet voor te stellen hoe ze de liefde bedrijft met haar mooie Italiaan, daar zorgt Anna voor. Ik verdring, en bovendien kunnen ze niet al te veel vragen van mijn toch al veel te democratische vaderlijke trekspanning. Vandaag heb ik 'hevig' aan jou gedacht. Ik was op de 44th Street, liep langs Hotel Algonquin en jij was bij me, ik zweer het Emma, je was bij me. Het is gerenoveerd, niet zo goed vind ik, en de tafel waaraan jouw geliefde Dorothy Parker zat is er niet meer. 'Alles is in originele staat hersteld,' zei de blondine van de receptie terwijl ze me een ansichtkaart (zie bijlage) gaf met een afbeelding van het ontwerp van Al Hirschfeld. Dat hotel is verbouwd maar niet gerestaureerd, het is een valse kopie die zelfs Frank zou doen gruwelen. Jouw schrijfster is de brunette met het korte haar, links van haar zit ene Robert Benchley... en de hele groep slonzige intellectuelen met wie zij dagen, avonden, nachten doorbracht. Natuurlijk heb ik geen flauw idee wie ze zijn, maar jij zult hun biografieën wel kennen. En als je ze niet herkent zul je je gaan interesseren voor ze. Dankzij de brief van vorige week realiseer ik me als ik jouw antwoorden lees dat ik je soms lastigval met trieste en zinloze overdenkingen en dat ik degene ben die problemen maakt en daarmee afreken met het cliché dat vrouwen gecompliceerd zijn en mannen simpel. Ik zet geen stappen vooruit op de weg van mijn emancipatie en – gek maar waar – ik merk dat ik steeds mensenschuwer word, lastiger zelfs, ten aanzien van anderen. Sarah redt mij van het onvermogen, ze dwingt me tot voortdurende bijwerking en reflectie. Misschien 'dienen' kinderen er ook voor om ons scherp te houden, met het excuus dat wij hun groei moeten controleren zijn we eigenlijk gedwongen ook onszelf te controleren.

Na een heel middelmatige cappuccino van het merk Starbucks moet ik nu gaan. Er zijn zes stellen, ik ben de enige single. Ik ga deze brief op de bus doen, mijn lief.

Een kus, jij weet waar,

Federico

'Alice, de winkel ruikt naar mandarijn vandaag. Ik zie geen kaarsen.' Ze kijkt me met een voldane blik aan, mijn flamingo.

'Dat zijn de mandarijnenschillen die ik op de verwarming heb gelegd, die verspreiden deze geur. We zijn verschrikkelijk laat met de decemberetalage. Je hebt al mijn engelensilhouetten, sneeuwpoppen, vergulde sneeuwvlokken, zilveren kerstballen, houten dennenbomen, doedelzakken, carillons, chocolaatjes, snoepjes, nogarepen, kerststalpoppetjes, komeetsterren en staartloze sterren afgewezen. Mijn voorraad ideeën is uitgeput.'

'En daarmee zijn de stereotypen uitgeput. Ik dacht daarentegen aan sinaasappels. Sinaasappels met kruidnagels erin gedrukt. En familieromans. Kerstmis is hét familiefeest en er zijn grote liefdesromans in de familie, denk je ook niet?'

Ik heb deze retorische hymne aan de voordehandliggendheid van de warme gevoelens nog niet uitgesproken, of ik realiseer me dat de enige romans die in mijn hoofd opkomen kronieken zijn, sommige zelfs subliem, van rampen.

'Nou, *De Buddenbrooks*, *De leeglopers, I Malavoglia*... Ach ja, *Wat Maisie wist* van Henry James. Dat is het verhaal over het verval dat vooral haar, de kleine hoofdpersoon, treft. God, Alice, bestaan er ook romans over gelukkige families? We zouden ze kunnen combineren met toepasselijke titels zoals *Kerstverhalen* van Dickens.'

Ik weet het werkelijk niet meer.

'Dickens heeft het niet over liefde, Emma. Laten we er liever Muriel Spark bij zetten, we hebben drie exemplaren van *Memento Mori*, al die nijdige valse oudjes zou iedereen (behalve mij) de wil doen vergaan om kinderen voort te brengen. Dan pak ik uit de kast 'Homoliefdes' *Familiedans* van David Leavitt en dan zetten we ook Catherine Dunne erbij met haar *In het begin*. O Emma, wat vind ik het toch leuk om de etalages in te richten!'

Ze geeft me een smakzoen op mijn wang en schilt een mandarijn voor me.

'Laten we een etalage maken tégen de familie. En in het midden zetten we een mooie kerstboom met pocketboeken in plaats van gekleurde ballen. Je bent toch niet zwanger, hè?'

'*In het begin* gaat over een schoft die zijn vrouw verlaat, dat lijkt me niet zo'n geweldige hommage aan de familie. En nee, ik ben niet zwanger, stel je voor, voordat we getrouwd zijn... Wacht en je zult zien.'

Ze zei een schoft die zijn vrouw verlaat, maar niet alle mannen die hun vrouw verlaten zijn schoften, want er zijn heel veel vrouwen die hun superschofterige mannen verlaten. En er zijn mannen die hun schofterige vrouwen verlaten. Amen.

'Een seculiere etalage. Iedereen heeft de familie en de roman die hij of zij verdient. Goed zo, assistente. Laten we beginnen.'

Milaan, 4 december 2004
Romans&Romances

Lieve Federico,

Ik ben in de boekwinkel en hij is boven. Hij is een klant, ook al is het onnauwkeurig om hem klant te noemen. In werkelijkheid koopt hij niet. Hij leest alleen maar. De man die leest komt hier met regelmaat op woensdag- en zaterdagmiddag, meestal tegen drieën, maakt snel een rondje langs de tafels, pakt twee of drie romans vast, soms bladert hij in meer boeken, leest de flaptekst snel door en gaat dan, met zijn uitverkoren boek, naar boven, zet zich neer in de enige fauteuil die nog over is van de koffiehoek en zit daar tot een uur of zes, halfzeven te lezen. Vervolgens zet hij het boek terug op precies dezelfde plaats als waar hij het had gevonden en gaat weg. Ik heb hem nooit durven tegenhouden en hem evenmin iets durven vragen. Uit zijn discrete, zeer beleefde manier van doen kun je opmaken dat hij van de winkel houdt, maar aangezien hij nooit iets zegt, weten wij niet wie hij is en waarom hij alleen maar boeken komt lezen alsof dit een bibliotheek is. En uiteindelijk koopt hij niets. Hij vertedert me, ik denk dat hij zich erg alleen voelt en ik vind het prettig om te denken dat de boeken voor hem een troost zijn. Ik weet niet waarvoor of voor wie, maar ik kan geen andere reden voor zijn gedrag bedenken. Wanneer hij de winkel uit is, laat hij mij achter met de twijfel of hij de volgende zaterdag of woensdag nog wel zal terugkomen. Ik ben gehecht geraakt aan de man die leest, maar ik ben daarin alleen: Manuele en Alice vinden hem een parasiet... Ik kan zelfs zijn leeftijd moeilijk schatten. Zestig? Zeventig?

Hij is geen zwerver, hij is anoniem maar netjes gekleed, ik kan me moeilijk voorstellen wat voor werk hij doet en of hij wel werk heeft. Ik heb niet de moed om naar hem toe te gaan, ik ben altijd op mijn hoede in de buurt van instabiele mensen en ik vind het prettig te denken dat Romans&-Romances een beter toevluchtsoord is dan een anonieme bibliotheek in de stad, ik vind het fijn niets te vragen want ik denk dat de mensen zich hier goed voelen, zonder dat ze door iemand gestoord worden. Die uitgezakte oude fauteuil staat daar speciaal voor hem. Hij deed me denken aan jou, met je brief vanuit de boekwinkel, ik hoop van harte dat die niet dichtgaat, die Barnes... dankzij jou dacht ik aan al die mensen die door onze steden dwalen en hoe weinig acht wij slaan op de onzichtbare mensen die natuurlijk ook een eigen wereld hebben om te vertellen. Jouw stelletjes in Barnes en mijn man die leest moeten worden beschermd, daar ben ik van overtuigd. Over kinderen zoals Sarah en haar mooie Italiaan heb je gelijk: die hebben volop aantrekkingskracht en tederheid, dat zie ik ook bij Mattia en zijn vrienden. Ze zijn mooi, Federico, misschien hebben ze minder geluk dan wij, maar ze zijn gezond. Wij hebben goed werk gedaan. Milaan puilt uit van de auto's en dat is niets nieuws, ons pleintje heeft de kranten nieuwsgierig gemaakt. Vandaag staat de etalage in de *Corriere della Sera*, in de bijlage 'Culturele hoogtepunten' die gewijd is aan de première in de Scala, een dikdoenerij die elk jaar punctueel opnieuw verkocht wordt als ik weet niet wat voor cultureel hoogtepunt. Natuurlijk heb ik me aangepast en voor de inrichting van de etalage heb ik historische affiches van de Scala op de kop getikt, buit van de diefstal van het hoofd van de persafdeling van het theater, meneer Carlo Mezzadri, die ze me ongeveer twintig jaar geleden cadeau deed: unieke stukken zoals de *Messa da Requiem* gedirigeerd door Sabata: heeft niets met liefde te maken maar past heel mooi bij de *Traviata* van Visconti, gezongen door Callas. Op een bordeauxrode lap heb ik boeken neergelegd waarvan de woorden zingen en klinken, zoals *Houdt u van Brahms?* van Françoise Sagan, *De leerschool der liefde* van Flaubert waarin (suggestie van Manuele) harptonen weerklinken, terwijl Alice uit haar repertoire van viceboekhandelaarster die carrière maakt het spinet van *Het lijden van de jonge Werther* en de Bach van meneer Pfühl in *De Buddenbrooks* van Thomas Mann heeft ingebracht. Ik had gedacht aan de pianist van meneer Verdurin en de verdwenen partituur van Roberto Cotroneo en de *Kreutzersonate* die meneer Frontini zo mooi vindt. Geen rock, mijn allerliefste architect, dat is voorbehouden aan jou en je weet niet hoe graag ik nu, terwijl de man die leest boven mijn hoofd rondloopt, jou hier bij me zou willen hebben, en dat je dan op je gitaar tokkelt en me zachtjes kust op mijn linkeroorlelletje.

Emma

P.S. Is het mogelijk om iemand te kussen terwijl je gitaar speelt?

Een vrouw van in de veertig, maar misschien ook achtendertig (ik vind het altijd moeilijk om leeftijden te schatten), de handen verstrengeld met die van een tenger kindje dat is ingepakt in een winterjasje met blauw fluwelen kraagje en een donkergele sjaal, leidt me af van mijn verlangens. Verlangens in deze volgorde: samen met Federico naar de Caraïben, een weekje naar de thermen met Gabriella, die mij op dit moment bedriegt met Alberto in Andalusië, een wonderdrankje om een geduldig mens te worden aangezien ik vandaag tegen iedereen knorrig ben geweest en ik bang ben dat het hier gaat om een onomkeerbare verloedering van mijn karakter. Ik kan niemand meer verdragen, wat helemaal niet goed is voor een winkelierster. Ik heb fluwelen kraagjes altijd mooi gevonden en dit jongetje lijkt zo uit een film uit de jaren zestig gestapt, zijn leeftijdgenootjes dragen bombers of donsjacks, spelen met mobieltjes in plaats van met een knuffelbeertje, hebben een rugzakje en reizen met een trolley. Ik ben nooit op reis geweest met mijn ouders: het woord 'vakantie' was synoniem aan Bellaria, Adriatische kust, en ik was jaloers op degenen die naar Ligurië gingen, naar Forte dei Marmi. Zomer na zomer werden wij, mijn broer en ik, daar geparkeerd, ze vulden de koelkast van het gehuurde tweekamerappartement en gingen zelf terug naar Milaan. Zij bleven in de winkel en waren alleen de week na Maria-Hemelvaart gesloten wegens vakantie. Die zomers zijn mijn leerschool van de eenzaamheid geweest, ik ging van het strand naar Bagno Milena en liet mezelf verlammen door verlegenheid. Zo heb ik ontdekt dat ik het fijn vond om alleen te zijn.

'Ik zou graag een boek willen hebben dat in uw etalage staat, de *Memoires* van Casanova,' vraagt het moedertje.

'Bingo, Emma! Zie je wel dat ik je goed heb geïnspireerd? Nooit afgaan op uiterlijk. Ze lijkt zo uit *Peyton Place* gestapt, maar ze houdt van de allergrootste en ik kan je verzekeren dat het gaat om een van de interessantste boeken die er zijn,' fluistert Gastone in mijn oor.

'Allergrootste is misschien iets overdreven,' antwoord ik Gastone, voor wie de etalage eigenlijk bedoeld is. Het is een afscheid van hem, hij gaat samen met Borghetti verhuizen naar de Côte d'Azur omdat, zoals ze zeiden toen ze hun mooie winkel voorgoed sloten, 'er op onze leeftijd geen enkele oceaan meer overblijft vergeleken bij de Middellandse Zee, Emma'. De oceaan staat nummer vier op mijn verlanglijstje. Officieel is Gastone hier om mij gezelschap te houden, nu zijn eigen winkel ontmanteld is, maar het is duidelijk dat hij het naar vindt om zijn winkel te verlaten en zijn vertrek nog wat uitstelt. Het jongetje is op de stoel gaan zitten. Hij wiebelt met zijn bungelende beentjes en wacht op zijn verleidelijke moeder. Gastone geeft hem een snoepje omdat hij zeker weet dat het kind zich verveelt. Het jongetje strekt zijn handje uit maar zegt niet eens dank u.

Ik loop naar de etalage, gevolgd door Gastone die mij koste wat kost wil overtuigen.

'Schuif je aversie tegen verleiders terzijde en bedenk dat Casanova bovenal een eersterangs literator was, met Voltaire een gelijkwaardige discussie voerde over literatuur en hem daarbij zelfs in moeilijkheden bracht: we hebben het hier niet over Don Giovanni. Dat kind is onbeleefd.'

'Het moedertje is ook niet het summum van hartelijkheid... Ik ben nog niet overtuigd over Casanova...'

'Je bent vooringenomen. Ik denk dat je het prachtig zou vinden. Zijn veroveringen... het ging grotendeels om actrices, die in die tijd beschouwd werden als de prostituees van de vips, en het was volkomen legitiem om ze geld te geven in ruil voor gunsten. Het waren er een stuk of honderd, elke willekeurige middelmatige playboy van nu overschrijdt dat aantal makkelijk binnen een paar jaar.'

'Heb jij zoveel liefdes gehad voor Filippo?'

'Ik ben een romantisch mens, Emma, en romantische mensen hebben niet zoveel liefdes. Nu word ik niet meer verliefd op jongens. Filippo is echt de laatste. Filippo is mijn echtgenoot.'

'Ja, inderdaad, romantische mensen zoals wij worden niet verliefd. Maar hoe komt het dat je zo enthousiast bent over Casanova?'

'Ik heb hem ontdekt dankzij Marco, mijn eerste man, ik heb je wel eens over hem verteld. Hij gaf me alleen maar boeken van Casanova cadeau, de rest van mijn verzameling heb ik later gekocht... toen hij me had verlaten. Laat maar, dat doe ik wel, ik kan toveren met inpakken. Wilt u het ingepakt hebben, mevrouw?'

'Ja, dank u. Het is een cadeau.'

Hij houdt zich in om niet te vragen aan wie zo'n trutje de memoires van haar idool cadeau zou kunnen doen en pakt blijmoedig in.

'Alstublieft. Fijne kerstdagen, mevrouw. Dag, jongetje.'

Het jongetje met het winterjasje groet niet terug.

'Weet je wat het enige is wat ik mis in mijn leven?'

'Nee, wat is het?'

'Kinderen, Emma. Ik zou zo graag een kind hebben gehad om op te voeden, volwassen te zien worden... Na mij zal er niets zijn. Een onopvulbare leegte...'

'Heeft de talentenjager van Casanova je voor een ander verlaten?'

'Hij is in 1989 gestorven aan aids. Hij identificeerde zich met Casanova, hij heeft me laten zien dat Casanova niet een onbeduidende schrijver was, maar juist de achttiende eeuw in zuivere staat: literator en filosoof, grootmoedig en wraakzuchtig, vrijgevochten en moralistisch, bedrieger en bedrogene. Stel je voor, in Londen vanwege zijn onbeantwoorde passie voor een actricetje, vulde hij uiteindelijk zijn zakken met stenen en wilde in de Theems springen. Hij werd gered door een vent die hij toevallig tegenkwam. Iemand die nooit maar dan ook nooit vrouwen verachtte en zelfs geen seconde zou overwegen zichzelf van het leven te beroven vanwege een prostituee.'

Gastone is dood en leed, verlatenheid en verwondingen met de schoonheid van het pathos. Ik zal Gastone en Filippo erg missen.

'Er moet hem recht worden gedaan, omdat hij bovenal de liefde liefhad, Gastone. Ach, wie weet wie er nu in jullie plaats zal komen. Er worden tegenwoordig alleen nog maar kledingzaken geopend. Alsof mensen alleen daaraan denken.'

'Er komt een antiquair in, Emma. We hebben de vergunning ook verkocht, maak je geen zorgen, het plein zal niet veranderen en voor zover ik heb begrepen houdt ze van boeken.'

'En toch zal ik jullie missen, Gastone. Ernesto dood, jullie weg... Ik moet leren me los te maken van prettige vaste gewoontes. Ik hecht me: aan mensen, aan tijden, aan bewegingen. Van veranderingen raak ik van slag. Het jaar is bijna voorbij, een tijdperk is bijna voorbij.'

'We gaan niet ver weg, Emma, en het zal je goed doen om ons in Nice te komen opzoeken.'

Alles verandert. Alles om mij heen is aan het veranderen en we zijn aangekomen bij de zoveelste 25 december, met een halflege winkel en kale tafels. De enige die tevreden is, is Alberto.

Milaan, 25 december 2004
Via Londonio 8

Lieve Federico,

Ik ben net weer thuis. Vanavond deed ons 'uitgebreide' kerstfeest denken aan de grote families van vroeger, ook al wordt er nu minder waarde gehecht aan de conventies en is de tafelschikking niet meer vooraf bepaald volgens census en rol zoals in de traditionele families. De groep die bijeengebracht was rondom de dis van mijn schoonouders bestond uit Michele en Marina, Mattia en Carlotta, de ouders van Marina die gescheiden zijn met hun respectieve partners en hun zoon. Ik keek om me heen, hoe wij daar zaten aan die tafel die gedekt was zoals ik dat nooit zou kunnen, en toen het moment was aangebroken om elkaar de cadeaus te geven las ik in ieders gezicht een bijna kinderlijke blijdschap, hoewel Mattia van zijn grootouders had geëist dat ze zich bekeerden tot een plastic kerstboom. Ik keek ernaar alsof ik erbuiten stond en bedacht dat biologie daar niets mee te maken heeft, dat dat gewoon diffuse liefde is, een vermenging van relaties en verbroken huwelijken, maar alles bij elkaar in evenwicht. Ik dacht aan jou, dat is een bekentenis, en ik voelde me wat in boeken en in het echte leven 'de andere vrouw' heet. Het heeft geen zin eromheen te draaien, ook al ben ik de andere vrouw met een hoofdletter A: Kerstmis is niet voor minnaressen, punt uit. Ik ben pathetisch, maar het was nauwelijks meer dan een speldenprik toen ik je zo ver weg voelde, ik heb me op het eten gestort, het duurt toch maar een dag en na Oud en Nieuw wordt alles weer zoals het hoort. Het menu was 'wreed' (Mattia docet): bouillon met ravioli, een kapoen zo groot als een kalkoen, paté, en als klap op de vuurpijl wat wij noemen 'modderpanettone', wat in feite niets anders is dan een panettone waar we gesmolten chocola overheen gieten. Hier stop ik, maar weet dat jij vanavond in de hoedanigheid van minnaar ook bij me was, toen de mensen op straat met hun hoofd omlaag liepen en alleen opkeken wanneer ze andere haastige voeten kruisten en mompelden: 'Vrolijk kerstfeest'. Ik zeg je, of beter: ik schrijf je met heel mijn hart: Vrolijk kerstfeest, mijn architect.

Je Emma

Milaan, 20 januari 2005
Locanda van de Romans

Lieve Federico,

Al twee weken heb ik geen brief van je gelezen. Hij zal het druk hebben, hij zal op reis zijn, hij zal griep hebben, de Morgan... natuurlijk... het zal zijn zoals het zal zijn... net als dat liedje, ik weet niet meer van wie, zei ik tegen me zelf. Ik doe deze kaart op de bus: een karikatuur van onze Jane Austen, getekend door Mike Caplanis. De nieuwste aankopen voor de winkel: boekenleggers, kaarten en koelkastmagneten, opgedragen aan schrijfsters. Ze verkopen goed en ik heb het exclusieve recht voor Italië gekregen. Ik wacht vol vertrouwen,

Je Emma

Boeken zijn bedoeld om te worden aangeraakt, vastgepakt, in bed, op een bankje in het park, in de bus, op de bank thuis, op de grond, languit in het gras. Zelfs op beton. Mensen lezen terwijl ze wachten. Of op stations. Op de strandstoel of het ligbed geniet men van boeken vroeg in de ochtend of bij zonsondergang. In de wachtkamer bij de tandarts verdrijf ik de spanning met lezen; ik doe het ook bij de schoonheidsspecialiste om de pijn van het harsen te verdragen. Ik las Lewis Carroll in Disneyland, terwijl Mattia ronddraaide in de 'kopjes van Alice' of samen met zijn vader over heel gevaarlijke rails reed. Mijn favorieten zijn treinen, de grootste veeltalige leeszaal van de wereld op elk continent. Wie geen last heeft van wagenziekte leest in de auto, zoals die Amerikaanse mevrouw die de bladzijden verlicht met de lantaarn van een mijnwerkershelm terwijl haar man rijdt en intussen naar een opera luistert. Het boek is fantastisch, heeft geen stekkers nodig, geen opladers, geen batterijen, verdraagt geduldig balpennen, potloden, tekens en ezelsoren. Het boek is mijn parallelle leven, het geeft me het gevoel dat ik heel veel verwanten en vrienden heb, ook al zijn ze dood. Wanneer ik lees, vergeet ik wie ik ben. Ik weet niet meer wie zei dat boeken lezen is als roken en dat het mooie is dat je niet eens hoeft te stoppen. Deze winkel is mijn thuis geworden en dat dank ik aan de boeken. Vandaag, op de verjaardag van Virginia Woolf, zijn de boeken mijn troost.

Manuele zet kleine sandwiches van zoet brood en een dubbele laag rauwe ham klaar op de toonbank, terwijl het publiek van 'Emma's middagen' plaatsneemt aan de tafeltjes. Lucilla heeft een frambozentaart gebakken en is officieel benoemd tot zijn adviseuse. Ik vond het een morbide strategie, haar man is onvervangbaar, maar Manuele is ook leraar, dus een natuurlijke erfgenaam van Ernesto. Hij heeft volop talent, is een ervaren lezer en Alice is trots op hem, want zij beschouwt hem als haar ontdekking; hij presenteert de schrijvers (ook de dode die geen weerwoord hebben) alsof hij een paar uur daarvoor nog een borrel met ze heeft gedronken, hij is levendig en antiacademisch, hij geeft graag bizarre uitweidingen over de schrijver of diens culturele achtergrond en maakt daarbij gebruik van roddels en anekdotes. Met het resultaat dat niemand hier zich dom of veroordeeld voelt omdat hij misschien niet veel heeft gelezen, en de literatuur wordt gereduceerd tot een lavastroom van gebabbel, borrelpraat tussen een broodje, een stuk taart en een kopje thee door. Van de gekleurde kaartjes op de tafels is kortgeleden het woord 'menu' geschrapt. Nu staat er '*Madamina, il catalogo è questo*' – de beginwoorden van Leporello's aria in de opera *Don Giovanni* waarin hij de lange lijst van bedrogen minnaressen voorleest; na meerdere pogingen wordt de zin nu ook gewaardeerd door klanten van strikt Wagneriaanse stempel. Manuele werpt een blik op zijn trouwe volgelingen, allemaal dames, allemaal bejaard en allemaal aanwezig, die houden van hun ouderdomskwalen maar zodra ze de winkel binnenkomen, is het alsof hij ze wakker schudt uit hun indolentie. Ze maken zich gereed om te luisteren naar passages uit *De minnaar* van Marguerite Duras en *Een lied van Afrika* van Karen Blixen, gekozen door Lucilla en met meerderheid van stemmen goedgekeurd. Alice kijkt in aanbidding naar hem op, vandaag nog vuriger dan gewoonlijk. Ze verbergen iets voor me, maar dat zou ik nooit toegeven.

'Sorry, lieverd, maar waarom neem je niet iets uit *Mrs. Dalloway*, *Naar de vuurtoren*, of het klassieke *Jacobs kamer*?'

'Emma, jij hebt de etalage al gemaakt en bovendien is Woolf niet geschikt om voor te lezen.'

'Misschien heb je gelijk, alleen Nicole Kidman is het gelukt... Ik vind je vandaag opvallend vrolijk; sterker nog, je straalt helemaal... je hebt een prachtige huid, je ogen staan levendig... heb je een masker genomen?'

'Vind je?'

'Ze glimmen... Ken je dat, dat je de indruk hebt dat iemand bijzonder, tja, hoe zal ik het zeggen, nou ja, jij bent bijzonder... Ik kan niet op het juiste bijvoeglijk naamwoord komen.'

'Gelukkig, Emma. Bijzonder gelukkig. Hij heeft me gevraagd. Gisteravond.'

'Wat gevraagd?'

'Of ik met hem wil trouwen. Hij heeft het niet echt gevraagd, maar hij heeft een ring onder mijn kussen gelegd. Misschien ben ik bijzonder omdat het voor het eerst is dat een man besluit dat hij mij de rest van zijn leven bij zich wil hebben. Het voelt voor mij als een historische wending in mijn leven. Het maakt dat ik me nuttig en belangrijk voel, ik weet niet of je dat begrijpt...'

'Lieverd, wat een schitterend nieuws, dat moeten we vieren! O mijn god, we moeten iets organiseren! En redden jullie het met het geld?'

'Emma, we wonen al samen en mijn vader zorgt voor de trouwerij. Maak je geen zorgen. Jij bent de schuldige. Als Romans&-Romances er niet was geweest, als jij niet maandenlang had geweigerd om de community op internet te openen en als jij niet het beheer van de site aan mij had overgelaten, hadden Manuele en ik elkaar nooit ontmoet. Dat zeiden we gisteravond nog tegen elkaar, dat we ons huwelijk en ons geluk te danken hebben aan een boekwinkel en internet. Jij hebt al alles gedaan wat je moest doen en veel meer dan dat.'

'Ssst... we horen niets. Kunnen jullie wat zachter praten?' klaagt een mevrouw omdat mijn enthousiasme zo groot is dat ik waarschijnlijk harder ben gaan praten. Alice en Manuele gaan trouwen. Waarom ontroert mij dat zo, het is toch logisch dat ze gaan trouwen? Wie weet wanneer Mattia gaat trouwen en wanneer Sarah gaat trouwen, zijn Sarah. Niets geeft je meer het gevoel dat je belangrijk bent dan je trouwerij. En Gabriella, die voor elk van ons een pizza had beloofd, is er nog steeds niet.

'O god, ik wil Manuele even omhelzen...'

'Rustig, Emma, je bent nog opgewondener dan ik. Doe maar niet, je zou hem in verlegenheid brengen.'

'Ik ben niet opgewonden, lieverd. Ik ben niet opgewonden... Maar dit is het eerste goede nieuws sinds tijden.'

'Soms verliezen we het voor de hand liggende uit het oog, Emma. Waarom halen we Jacques Prévert niet uit de mottenballen? Er zitten juweeltjes bij zijn gedichten, dit bijvoorbeeld:

Cet amour
Si violent
Si fragile
Si tendre
Si désespéré
Cet amour
Beau comme le jour
Et mauvais comme le temps
Quand le temps est mauvais
Cet amour si vrai
Cet amour si beau
Si heureux
Si joyeux
Et si dérisoire...

Enzovoort. Wat vind je ervan? Zullen we een lezing houden voor deze schitterende februaridag?'

'Alsjeblieft, Manuele, ik begrijp de emotionele toestand waarin jij je bevindt, maar Valentijnsdag, nee! Denk eens aan die arme vrouwen en die arme mannen, zoals jij was voordat Alice je redde uit de afgrond van het vrijgezellenleven, die geen verloofde, geliefde, minnares en zelfs geen aanbidder hebben! Ik zou een etalage maken over de tussenwegen.'

'Welke tussenwegen?'

'Vriendschap bijvoorbeeld.'

'En waar vind ik een roman over vriendschap tussen een man en een vrouw? Vroeg of laat belanden ze toch in bed of gebeurt er iets.'

‘Ik ben niet in de stemming voor zo’n commerciële feestdag. Allemaal nep. En bovendien ben ik vandaag te moe om een speciale etalage te maken. Als je ’t over de duivel hebt: Camillo komt binnen. Laten we een test met hem doen.

Camil, heeft het volgens jou zin om ter ere van Valentijnsdag gedichten in het openbaar voor te lezen, terwijl er zoveel stakkers zijn die niet weten aan wie ze een bloem of een boek moeten geven, die niemand hebben die hun een bloem of een boek geeft, kortom zoveel wanhopige en eenzame zielen of misschien eenzame en tevreden zielen? Manuele heeft de gedichten van Prévert herontdekt.’

‘Toen ik twintig was, kreeg ik hele stapels liefdesbrieven – waarvan ik een deel heb bewaard, tegen de zin van mijn vrouw – van ene schone Christine uit het koude noorden, Pas de Calais. Ze wilde dat ik voorgoed bij haar kwam wonen en ik had maar één nacht met haar doorgebracht... “*J’aime quand tu me regardes, quant tu me caresses et surtout quand tu me fais l’amour*”, schreef ze (ik heb de brief nog). Maar hoe dan ook, ik ben het met Emma eens, Valentijnsdag is alleen maar handel voor restaurants en pizzeria’s. Geen lezingen. Maar, lieve Emma, ik moet met je praten. Ik wil je tijd niet te veel in beslag nemen, maar ik ben van kantoor weggevlucht... Het is van groot belang dat ik je vertel wat er gebeurd is. Weet dat ik me rustig houd alleen vanwege een oude erfenis van mijn opvoeding die zorgt dat ik niet als een gek ga gillen, maar ik ben heel, heel, heel erg boos.’

‘Laten we naar de locanda gaan, daar worden we niet gestoord. Alles goed met Valeria, hoop ik? Kom alsjeblieft niet met slecht nieuws, jij niet.’

‘Het gaat zo goed dat ik tegen Laura heb gezegd dat het moment van scheiden lijkt aangebroken. Ik heb het goed met Valeria. En Laura heeft het goed met die Sandro. Ik vind hem een flapdrol, maar als zij tevreden is... En weet je wat mijn beminde echtgenote toen zei?’

‘Nee, wat zei ze?’

‘Dat ze niet gaat scheiden. Ze gaat niet scheiden. Nu niet, nooit niet.’

‘Vanwege de kinderen?’

‘Wat nou kinderen! Onze kinderen zijn slimmer dan wij en deze gang van zaken komt hun wel goed uit, zij zijn blij als zij het rijk alleen hebben. Emma, je ziet dat toch ook bij Mattia? Zodra jij de deur uit bent, is het feest. Ze hebben huizen en kamers. Ze gaan hun eigen gang.’

‘En ben jij nu boos op Laura? Je moet lak aan haar hebben. Jij bent nu met Valeria en vroeg of laat gaat Laura heus wel door de knieën. Misschien wil de flapdrol wel dat ze gaat scheiden van jou. Geef het de tijd, je hebt toch geen haast?’

‘Je hebt geen idee wat ze me heeft aangedaan.’

‘Nee, ik heb geen idee. Vertel en houd me niet langer in spanning.’

‘Ze heeft iets verschrikkelijks gedaan.’

‘Is ze er met het spaargeld vandoor?’

‘Erger, veel erger. Maar ik wil het je helemaal vertellen, wat jouw ex-vriendin Laura heeft gedaan, dan realiseer je je dat ik mijn leven zonder dat ik het wist heb gedeeld met een psychopaat.’

‘Is het zo verschrikkelijk dat je het niet kunt vertellen?’

‘Ze heeft het huis onder water gezet.’

‘Het huis onder water gezet... jullie huis?’

‘Haar ex-huis. Gelukkig hoorde de buurvrouw het water over de overloop stromen en heeft ze naar het ziekenhuis gebeld.’

‘Is er veel schade?’

‘Nou, het parket staat helemaal bol, maar dat is de schade niet.’

‘Wacht maar, je zult zien, als het gedroogd is en het wordt opnieuw geschuurd, dan ziet het er weer uit als nieuw, Camillo. Maak er geen drama van.’

‘Voordat ze het huis onder water zette, heeft ze een misdrijf begaan waarvoor geen remedie bestaat.’

‘Wat dan?’

'Ze heeft het bad gevuld met mijn boeken, ze heeft ze er allemaal in gesmeten, en dan bedoel ik echt ál mijn boeken, van jouw romans tot mijn medische boeken, zelfs die van de universiteit. Ze heeft zelfs nog boeken rondom het bad opgestapeld en vervolgens de kraan opengedraaid. Toen is ze weggegaan.'

'Mijn god, dat is verschrikkelijk! Dat is moord! Die kun je wel weggooien!'

'Je snapt het, Emma. Een horrorfilm, ik zal je winkel leegplunderen... Maar die geneeskundeboeken zijn me zo dierbaar... die zal ik nooit kunnen vervangen. Het was nog beter geweest als ze mijn kleren had verbrand. Dan ga je naar de winkel en koop je een nieuwe garderobe, maar boeken niet! Ik zei al: ze is gek.'

Ik omhels Camillo zo luchtig mogelijk, op een dag van de verliefden die geen enkel nut heeft. Arme, arme vriend. Als iemand zo iets bij mij zou doen, zou ik in staat zijn tot moord. Zijn neusvleugels trillen dan ook.

'Je kunt zo niet terug naar huis. Pak een tas in en kom bij mij logeren totdat je parket is geschuurd en iemand al die boeken uit het bad heeft gehaald. En ga nu terug naar je moedertjes. Je bent dokter, je kunt je niet zo laten gaan.'

Ik ga naar huis, of eigenlijk ga ik een eindje wandelen. Ik heb behoefte aan lopen, lopen. Ik zal vanavond koken voor mijn nieuwe huisgenoot. In deze weken van brokken in mijn keel is misschien alleen al het troosten van iemand tegen wie een gruwelijke onbeschaamdheid is begaan (boeken verzuipen om hem te verzuipen...) een vrijgeleide naar een enigszins normaal leven. Valentijnsdag. Wat een idioot feest. Ik zou het niet verdragen als er verliefde stelletjes in de winkel kwamen die elkaar gaan zoenen voor mijn boekenkasten.

Echt niet.

Neem me niet kwalijk, maar Emma houdt het voor gezien. Althans voor vandaag.

Ik ben bezig een solitair te worden. En dat bevalt me helemaal niet. Milaan is bevolkt met solitairen en ik ben juist een winkel begonnen om dat te vermijden. Ik ben aanmatigend geweest, arrogant. Het is niet mogelijk om als Rode Kruiszuster zielen te redden door van de ene zin op de andere te hoppen. Het is niet waar – althans vanavond niet – dat romans je leven kunnen redden.

Er is meer voor nodig om jezelf te redden van datgene wat je overkomt en wat precies het tegendeel is van wat je het liefst verlangt.

10 april 2005

De Train à Grande Vitesse heeft zevenendertig minuten geleden de periferie verlaten en slokt nu het spoor richting Quiberon op. Vanuit het raam lijken de heuvels bulten van een vermoeide kameel. De kleuren laveren tussen wat ze zijn en wat ze in mijn brein van sentimenteel ex-meisje zouden moeten zijn: het geel van de zonnebloemen glijdt naar oker, het groen heeft zijn intensiteit verloren, de boomstammen zijn dooraderd met mos. Het glas is gestreept door fijne druppeltjes als de wimpers van een klein kind. Ik zet de tas op de stoel waar iemand een *Madame Figaro* heeft laten liggen. Het deuntje van de trein is een oud, vergeten liedje. Afwisselende beweging: ik denk, ik lees, ik huil. De brief is veilig opgeborgen. Het is een korte groet met onmiddellijke vervaldatum. Hem voor de zoveelste keer overlezen zou net zo iets zijn als een roman opnieuw oppakken waarmee al vele nachten zijn verspild omdat je de waarschuwingen tussen de regels door niet hebt gezien. Wat is een brief anders dan een organigram van woorden, gekruist, geflankeerd, neergelegd, weggeschoven, ingevoegd als de parels van een ketting? Waartoe dient een brief anders dan tot tijdverdrijf? Ik haat de tijd, die nooit lijkt op wat je ervan verwacht en ik heb altijd die zegswijze gehaat. Er valt niets te lachen, mevrouw, en kijkt u alstublieft niet zo naar me. U zou me nog dwingen om alles te vertellen en ik zou niet weten waar ik moest beginnen.

New York, 22 januari 2005
Barnes&Noble
Union Square

Mijn liefste,

Ik ben in onze boekwinkel. Zelfde koffie, zelfde tegels en jouw opzichtige schrijvers aan de muren. Ik geef aan tekenen de voorkeur boven schrijven. Als iemand anders met meer talent het niet al had gedaan, zou ik met pen en inkt een schets maken van de strook van ijzer en beton met de imposante bogen in baksteen die de East River oversteekt en Manhattan verbindt met Brooklyn. Ik zou een brug tekenen. De onze is tijdens de bouw onderbroken om redenen die buiten onze wil liggen. Brooklyn Bridge roest en de mensen van het Departement vergeten hem regelmatig. Met regelmatige intervallen kondigen ze een restauratie aan, er gaan jaren voorbij tussen het ene alarm en het andere, en er gebeurt helemaal niets. Te duur om het symbool aan te pakken. Ik schrijf en hoor en voel jouw commentaar en ademhaling. Je zou niets zeggen. Dat weet ik. Maar je zou denken aan alles en aan het tegendeel van alles. Behalve aan de waarheid. Want er bestaat een objectieve waarheid, die bestaat uit feiten. De laatste keer met jou had ik gewild dat er geen wijzers van klokken en geen meridianen waren, wilde ik niet luisteren naar de woede die vooral tegen mijzelf gericht was en nog steeds is. Ik zou huilen, als ik zou kunnen. Het was een liefdesgeschiedenis. Niet meer dan dat, zou een naïeve, cynische consument zeggen. Niet meer dan een liefde. De geschiedenis, onze geschiedenis, stopt hier en alleen al het opschrijven van de vijf letters die samen het woord 'einde' vormen, doet mij pijn. Vijf letters: één meer dan jouw naam. De liefde zal altijd blijven. Daarin zit het verschil. Elke geschiedenis, elk verhaal heeft een begin, een middenstuk en een einde: dat heb jij me geleerd, het is de basisregel van een goede roman, die zich moet afspelen volgens samenhangende dramaturgische voorschriften. Want dat zijn we de lezers verschuldigd. Liefdesverhalen eindigen wanneer men niet meer van elkaar houdt, dat denk jij, Emma. Mijn gedrag is op geen enkele manier goed te praten, met geen enkele logica of verstandig voorwendsel en het is geen lafheid. Het is onvermogen. Dat denk jij. Ik ben niet immuun voor de chantage van de angst en de pijn, en de vergissing, mijn vergissing, is verbannen naar het verleden. 's Nachts doolt die rond en vindt geen rust, jaagt pauzes na, beneemt me de adem. Ik heb geen bewijzen, of beter gezegd ik heb er slechts een, jij hebt geen schuld, ik walg van dit doodgraverstaalgebruik maar ik heb geen woorden meer. Eén woord slechts. Ik weet wat jij denkt over ons, over onze ontmoeting: de kast 'Mogelijke liefdes zonder mogelijkheden'. Door schuld van de hoofdpersoon. Niet in staat de enige woorden uit te spreken die zinnig zouden zijn, vandaag, in dit New York, kil en steriel als een ziekenhuiskamer. Deze woorden: ik hou van je.

Federico

Ik had het moeten weten. Een eiland geboren uit tranen brengt tranen. Als ik een echte boekhandelaarster was geweest, had ik tussen de regels door kunnen lezen. Alles lijkt te functioneren wanneer de bijl met sissend geluid keurig pagina's en narratieve zekerheden afhakt. Niet in de ogen van oplettende lezers die moeilijk te verrassen zijn met rommelige plots. Zij weten al hoe het zal aflopen en distilleren de bladzijden terwijl ze wachten tot het gebeurt. Ik ben oppervlakkig. 'En ze leefden nog lang en gelukkig' is een leugen die ze ons vertellen als we klein zijn, zonder dat ze ermee rekening houden dat kleine kinderen heel goed weten dat een gelukkig einde alleen dient om korte metten te maken met hun vragen. Of wanneer mama en papa omvallen van de slaap en er zitten nog vrienden aan tafel, de verteller honger heeft en snel wil opstaan. De ouders die sprookjes voorlezen geloven dat een afgeraffeld einde slaap zonder nachtmerries schenkt. Echte liefdesverhalen moeten slecht aflopen. Een verhaal met een gelukkig einde is twee verhalen met een tragisch einde waard, een roman met een schofterige mannelijke hoofdpersoon kun je ruilen tegen twee romans met krengige vrouwelijke hoofdpersonen. Deze heb ik al eerder gehoord. En ik dacht dat het niets te maken had met mijzelf.

Je zult eraan wennen, Emma.

Rails. Station. De Locmaria. Het profiel van het eiland. Het vaste doel, opdringend, lijkt bijna een treiterij.

Eigen schuld.

Het motregent nog steeds. Ik sleep mijn tas naar het trappetje van La Touline. Ik ben niet in de toestand om mij mooi aan te kleden, op te maken of in verticale houding te blijven. Laat dat duidelijk zijn, Madame Bertho. Ik loop naar de balie in de hal met de dikke muren die, voordat hier geliefden kwamen, onderdak bood aan de apotheker, de schoenmaker en de werkplaats waar de sardientjes werden ingeblikt. Ik rommel in mijn tas om mijn paspoort te overhandigen. De regen slaat tegen de ramen en dat maakt het makkelijker om te liegen.

'Alles goed, dank u. Nee, geen diner, dank u. Ik ga rusten.'

Ze hoeft geen paspoort en vraagt me niets. Het zal wel een indruk zijn, maar ze kijkt naar me alsof ze een röntgenfoto van me maakt. Ook voor haar is het allemaal heel anders, nu ze niet kan babbelen met Federico op de grasvelden die trapsgewijs aflopen achter het hotel.

'Hebt u alles wat u nodig hebt, Emma?'

'Ja, dank u.'

Alles wat ik nodig heb is niet van gedachten veranderd. Tot het laatste moment had ik gehoopt dat hij mij op de pier tegemoet zou komen en me zou omhelzen en zou uitleggen dat het allemaal een misverstand was. Of een erg misplaatste grap.

Ik heb op je gewacht. En je bent niet gekomen.

Ik zou hem een stomp hebben gegeven, ik zou tegen hem gevloekt hebben, ik zou hem hebben gezegd dat het hetzelfde was als tegen iemand die een tumor heeft zeggen: niets aan de hand, sorry, we hadden de dossiers verwisseld. Dokter, iemand heeft de moeite genomen om mij te zeggen dat Federico uit mijn leven zou verdwijnen. Ik eis schadevergoeding voor de pijn die mij ten onrechte is aangedaan, ook al bestaat er geen pijn die terecht wordt aangedaan. Pijn is onterecht, punt uit.

Ik heb op je gewacht. En je bent niet gekomen.

Het is mijn instinct geweest dat me in dit verhaal heeft gestort en nu vraagt mijn instinct me om er te zijn op de datum die is vastgesteld door mijn imbeciele persoonlijke lotsbestemming. De mist daalt over me neer zonder dat ik mij kan verzetten tegen de regels van zijn tijdsschema. Tussen de sterrenbeelden die ik niet kan herkennen straalt één ster intenser dan de andere. Ik denk dat dat het effect is van mijn ouderdomsverziendheid, maar ik ben hier om te zoeken naar tekens, antwoorden, onthullingen. Ik begin bij de hemel. Ik sluit mijn ogen. Ik doe ze weer open en geloof dat ik urenlang weg ben geweest. Nummer 5 is leeg en netjes zoals een hotelkamer hoort te zijn voordat die in beslag wordt genomen. Door het raam zie ik de ijzerkleurige deken van het gras waarop God een ijle klaagzang en bijbehorende tranen uitgiet. De blauwe vissersboot, ginds in de haven, is buiten bedrijf, de pier is verlaten en Café de la Cale heeft geen klanten. Een mozartiaans *Lacrymosa* van druppels, even verstikkend als ik me van te voren had voorgesteld, is mijn straf voor het feit dat ik vijf dagen doorbreng op Belle-île, *l'île où on vient pour se cacher*. Het eiland waar men komt om zich te verstoppen.

Marcel Proust zocht de verloren tijd, maar vond die altijd anders dan hij zich had voorgesteld. Ik wil niets weten over de tijd die ik verloren heb en dat is de reden waarom ik graag vergeet. Ik ben met opzet gekomen. Ik ben hier om de voordelen van de eenzaamheid terug te halen. Ik had geleerd ervan te genieten, van dat gevoel van vrijheid, dat je zeker weet dat je je kunt redden ook wanneer je niets zegt, dat je 's avonds thuiskomt zonder dat de leegte je verwondt, dat je er trots op bent dat je niemand nodig hebt om je verhalen aan te vertellen. De eenzaamheid van deze azuurblauwe schoot is de som van momenten, opgelost in de afwezigheid van contact tussen menselijke wezens. Ik heb het gewicht van de eenzaamheid met zijn tweeën gekend. 'Ik voelde dat het moment was gekomen om voor mijzelf een nieuwe eenzaamheid te maken,' schreef Michel Tournier, jaren geleden gelezen, maar die was meteen diep in mijn hoofd gedrongen en komt nu weer boven, omdat het nut van romans zich openbaart op momenten dat je dat het minst verwacht. Ook al had ik graag de smaak ervan niet opnieuw hoeven proeven. Net als de mazelen: heb je die eenmaal gehad, dan krijg je ze niet nog een keer. Ik stevende kalm en onbewust af op een oude dag zonder echtgenoot, ik stelde mezelf voor als oma. En eindelijk kon ik ademen. Zonder afhankelijkheden, in gezelschap van boeken, schepsels die royaal zijn met perspectieven. Ik had haar beschermd, bewaakt als een reserve, mijn lichtende eenzaamheid. Zijn groene handschrift was genoeg om elke zekerheid te doen afbrokkelen.

Ik spreid de laatste vingerafdruk van de briefwisseling uit op bed, pièce de milieu van een thee van oude dames. In het watermerk nestelen de onzinnige redenen van een keuze. Eenzaamheid. Er zijn mensen die haar verwarren met asocialiteit.

'Vrouwen kijken altijd uit het raam en vragen zich af hoe ze eruit kunnen, hoe ze vrij kunnen zijn,' schrijft Antonia Byatt.

Ik kijk uit het raam en ik weet niet hoe ik haar moet benutten, de vrijheid die zich over mij heen stort zonder dat ik ertegenin kan brengen dat het me niet meer interesseert. De klok slaat een uur maar ik hoor niet welk. Ik zet het raam op een kier en geur van de zee snuffelt aan mijn neusgaten, geur van zout en van zon, verkild door de nacht. Een complexe geur die velen hebben geprobeerd te beschrijven. *De zee, de zee*, vijf exemplaren verkocht. Twee op voorraad. Ik zal ze zeker verkopen, daarom stuur ik ze niet terug. Palissanderhouten kist heeft behoefte aan inrichting. Methodisch, net als wanneer ik nieuwe boeken uitstal op de toonbanken, meestal op woensdag, decoreer ik de kist met potjes antirimpelcrème, nachtcrème, oogcontourserum, cacaoboter, oorbellendoosje, zwarte mascara en de Chanel-eyeliner, gekocht op het vliegveld, net als in betere tijden. Nooit jezelf verwaarlozen. Zelfs niet als je in de steek bent gelaten door een man. De kamer blijft anoniem en er is ook geen minibar.

Genoeg.

Op het nachtkastje *Het tuinfeest en andere verhalen* van Katherine Mansfield in een oude uitgave van mijn moeder, van 1935, die ik na lang zoeken (ik wist zeker dat ik hem had) heb gevonden in mijn boekenkast thuis en in mijn koffer heb gestopt voor het geval waarneming en werkelijkheid het met elkaar eens werden, dat alles een vergissing bleek te zijn, net als in het verhaal *De zangles*. De lerares houdt haar les kort nadat ze de brief heeft gelezen waarmee haar verloofde de liefde verbreekt. De tonen zijn droef, wanneer ze bij de directeur wordt geroepen die haar een telegram overhandigt: de verloofde smeekt haar zijn brief te vergeten. De les wordt hervat en de zang van de leerlingen wordt vrolijk en zuiver.

Ik ken elke centimeter van deze vloer, ik zou met gesloten ogen de kronkels en heuvels kunnen vertellen, de bochten van het hout kunnen tekenen, maar zelfs niet de kleren, de cloche die op het tafeltje ligt, de omslagen van de boeken kunnen een vleugje kleur geven aan deze karige twintig vierkante meter. Het is tijd voor een bad. Het zout en het zaagsel uit de ziel wegspoelen. Buiten klinkt gekras van vogels, een gekweld geluid, smartelijk en woedend. Ze eisen aandacht. Net als ik. Wanneer ik in slaap val in een Frans bed dat ik niet ken, ben ik niet verdrietig dat ik geen twintig meer ben. Ik verkeer onder de hypnotiserende invloed van romans, ik denk dat ik Jo ben, heldhaftige Jo, de beste van de kleine vrouwen, scherpzinnig, intelligent, onderworpen aan de literatuur, maar ik ben daarentegen een middelbare vrouw die beslist de eerste verschijnselen van artritis vertoont.

De volgende ochtend word ik verstijfd wakker en alleen al mijn vingers uitstrekken doet pijn. Vooral mijn duimen. Ik ga naar beneden en ben klaar om mijzelf uit te dagen. Ik heb een fiets gehuurd en daarbij de verbaasde blik van meneer Moulinc genegeerd. De fiets is zilverkleurig en heeft brede mountain bike-wielen, heel wat anders dan mijn zwarte Bianchi met het rieten mandje en de bloemen om het stuur van Milanees tutje, zoals Mattia zegt. Monsieur herinnert me aan wat ik heel goed weet: Belle-île bestaat uit stijgende wegen en 'drieste afdalingen', als een lied van Lucio Battisti. Hellingen en glooiingen, en ik heb niet aan de wind gedacht, een geluidsgolf die overal doordringt, door de dalen stroomt, over de leistenen daken trekt en uitdooft tussen de spaken van de fiets die zwoegt over de provinciale weg. Om mij heen dragen de toppen van de cipressen monnikskappen. Alles is naargeestiger dan ik me herinnerde – en het was maar een jaar geleden. Bij de eerste kuil langs de weg houd ik dapper stand, ik duw met bovenmenselijke inspanning op het rechterpedaal. Wanneer het me gelukt is, is de bevrediging ongelooflijk, elke keer dat ik trap is een overwinning in mijn persoonlijke onafhankelijkheidsoorlog. Als een wielrenner *in surplace* blokkeer ik, mijn kuiten geteisterd door krampen. Ik kan niet meer voor- of achteruit. Bijna val ik en ik moet denken aan Annemarie Schwarzenbach, rebel en feministe, die op haar vierendertigste met haar fiets verongelukte. Ik moet doortrappen. Een verwaarloosde hond loopt langs me en ik word overvallen door de angst dat hij me gaat bijten. Het vriendelijke beest negeert me en gaat voor het wiel liggen. Dan zijn *laissez-passer* met luie blik. Hij heeft medelijden met me, natuurlijk, ook voor hem ben ik voorspelbaar als een plot wanneer je op pagina twintig al weet hoe het verhaal zich ontwikkelt en afwikkelt. Het is het soort romans dat het beste verkoopt, romans zonder verrassingen, negerend wat de literaire recensenten schrijven genieten de lezers wanneer precies datgene gebeurt was zij verwachten.

Ik loop als een Klein Duimpje op leeftijd de weg terug van een liefde en volg daarmee de regel van het credo – jungiaans of freudiaans, dat weet ik niet meer – dat stelt dat als wij een pijnlijke ervaring herbeleven, wij goede kans maken die pijn te elimineren. Ontmantelen, verbrokkelen, verpulveren bevordert de vertering. In mijn geval is er ook de ongezonde behoefte om te proberen het verhaal te herschrijven, het lint van de bandrecorder terug te spoelen en een nieuwe versie op te nemen. Zoals kinderen doen, wanneer ze ergens genoeg van hebben of bang zijn, gewoon de plot van een boek veranderen in hun voordeel. Ik wil, nee, ik moet verdriet hebben. Dat hoort bij de therapie. Alles in deze relatie is zo verdomd voor de hand liggend en de herculische inspanning om het niet te zijn is improductief. Ik kan me maar beter overgeven aan die kuil in de weg, de pijn beschrijven met een beetje fantasie, hier en daar een bijvoeglijk naamwoord veranderen, in de stoffige straten van de stad of in de helderheid van een lichtblauwe formica keuken.

De eerste statie van de kruisweg van een hersenloze vrouw, traumatisch per brief verlaten door haar geliefde, zonder enig gezond verstand, met voorspelbare, helemaal niet geestige of bijzonder intelligente gedachten, zijn zij. Jean en Jeanne. Twee stenen die een verhaal hebben omdat de fantasie van de mensen hun een begin, een middenstuk en een einde heeft willen toedichten. Anders rafelt de plot. Ik beuk op de trappers op de stijgende weg die de papavervelden doormidden snijdt: als ze inderdaad opiumhoudend zijn, zou ik dat graag roken, dan zou mijn spanning verzacht worden. Ik trap voort, mijn spieren spannen zich als touw, het melkzuur wordt uit mijn benen geperst. Ik nader de onbezielde schepsels.

Stenen, Emma, het zijn stenen. Ze denken niet, ze praten niet, ze horen niets en voelen niets.

De cloche over mijn voorhoofd getrokken, haast alsof ik bang ben dat ze me herkennen, leg ik mijn hand erop. Daar is het, mijn beloning in steen. Ik zie er een jong blond meisje uit komen, dat aan mijn voeten anemonen neerlegt, samengebonden met plukjes stro. Vreemd, deze bloemen. Ik heb ze hier nooit eerder gezien, tussen de leisteen en het graniet. Het silhouet van de kleine Jeanne is geen Ankou, maar een hologram voor onnadenkende geliefden die zich hebben overgegeven aan het onbekende. Ik moet er een reproductie van ophangen in de boekwinkel en stoppen met dit zelfbeklag. Het meisje is mager, heeft hemelsblauwe ogen en kleine, strenge borstjes. Ze draagt een tuniekje en een kapje op haar haar. Een uniform, zoals ik op school droeg. Ze gebaart met haar hand dat ik dichterbij moet komen. Het is een uitnodiging voor een privéceremonie, een sobere begrafenis. Natuurlijk, het lijkje moet vlug begraven worden voordat het gaat stinken. Ze strekt haar kinderhandje naar me uit. Mijn handen omstrengelen de hare, palm tegen palm, vingers tussen vingers. In de steen wordt een graftekst gebeiteld:

HIER RUST EEN LIEFDE
GESTORVEN
NIET AAN UITTERING
MAAR AAN ONVERANTWOORDELIJKHEID

Als de begrafenis is afgehandeld kan ik huilen, godallemachtig. Het zwaard van gipskarton is terug, beneemt me de adem. Wat als ik hier sterf, bij haar? De eilandbewoners zouden zich afvragen wat de Italiaanse toerist midden in een veld doet op een vakantiedag in april. Ze zouden de hotelkamer uitkammen, hun neus in mijn kleren steken, in mijn tas rommelen, ze zouden de brief vinden en het boekje met de zinnetjes van Mattia vermengd met die van Woolf en andere droeve dames. De agent zou de legende citeren van de Ankou die geen gezicht heeft maar wel macht. Er is geen Bretons dorp zonder Ankou. Een

Ankou is niet de dood en evenmin de duivel, het is de entiteit die verhoedt en de taak heeft te waarschuwen wat gaat gebeuren. Op de uitstekende punten van het eiland waarschuwde hij de vrouwen van de vissers, kondigde hij de schipbreuken aan, de stormen, het onheil. Ik zie de ankou niet, ik voel zijn aanwezigheid niet. En door deze onschuldige afleiding springt de oude pijn uit me zonder de vereiste waarschuwing.

'Ter herinnering aan de tijden die voorbij zijn, hadden de twee zoölogen die dinsdagmiddag de auto genomen en de stad verlaten om nog een laatste keer de zingende zoutduinen van Baritone Bay te bezoeken. En om een spookverschijning tot bedaren te brengen. Ze kwamen er niet levend van terug. Ze wilden alleen maar een korte, romantische wandeling maken langs de kust waar zij elkaar bijna dertig jaar daarvoor als studenten hadden leren kennen. En juist in die duinen hadden zij voor het eerst de liefde bedreven.'

Ik heb het schriftje meegenomen waarin ik de beginalinea's in heb overgeschreven. Dat leek me toepasselijk. Ik stap weer op de fiets, de hemel boven Belle-île is een grote wolk. Ik moet deze ongezonde passie aan een censuur onderwerpen. Er is toewijding nodig, Emma, ernst. Dag na dag moet er een stuk van worden afgehaald, een zin van worden verwijderd. In het bespreken van mijn herinneringen ben ik een kei, ik voer weer in dat het een genot is wat ik dacht te zijn en wat ik ben geworden. Zoals Polonius opmerkt over Hamlet: 'Al is het waanzin, toch zit er methode in', zo is er ook methode nodig om een liefde uit te wissen. Ik vervolg mijn arbeid en trap op de pedalen, getroost door het geluid van de Locmaria die de haven binnenvaart en aanmeert aan de pier. Uit zijn muil laat hij auto's, twee bestelbusjes en verstijfde vrouwen en mannen vrij. Het is koud, maar ook dat is normaal. De twee zoölogen, hoofdpersonen van *Een man, een vrouw en de dood* van Jim Crace, werden vermoord. In een paar maanden tijd heb ik de drie bestelde exemplaren verkocht. Monsieur Moulinc neemt de fiets weer terug en vraagt me hoe het was.

'*Très bien, merci.*'

Ik ben bezweet onder het jaren zeventig-spijkerjack en ik heb zin om 'April Come She Will' van Simon & Garfunkel te zingen, een lied dat is opgedragen aan de domste maand van het jaar, die begint met een grap en voortsleept in onzinnigheid. La Touline is leeg en triest als de ochtenden in de boekwinkel wanneer het regent. Ik ga naar boven, naar nummer vijf. Ik kan nu dwars slapen, uitgespreid als een zeester, handen en voeten als punten.

De eerste dagen heb ik besteed aan de rouwverwerking en elke handeling dient nauwkeurig te worden herhaald alvorens in het net te kunnen worden overgeschreven met de vulpen en de smaragdkleurige inkt. In de romans van tegenwoordig wordt de liefde met cynisme bespot, functioneren alleen de verhalen waarin de vrouwelijke hoofdpersonen mannen wantrouwen en de tragedies die verbonden zijn met verlatingen, bespotten. Als boekhandelaarster die blijft volharden in de twintigste-eeuwse literatuur, geef ik me over aan het nieuwe millennium. Alice denkt dat ik mij vrolijk dompel in thalassotherapie. Manuele houdt van haar en heeft haar ten huwelijk gevraagd. Ik heb de moed niet haar te waarschuwen.

Nu regent het, het water komt hard en zwaar naar beneden, de hemel schiet salvo's af als troepen razende vogels. Ik heb honger, ik bereid me voor op de pelgrimstocht langs de restaurants waar wij ons tegoed hebben gedaan aan charcuterie en mosselen en grote garnalen, van vrijen krijg je honger en Federico is gulzig als een tiener. In Café de la Cale persen twee jonge stellen citroenschijfjes uit en slurpen oesters naar binnen die ze van een schaal met twee verdiepingen pakken. Wat kijken jullie nou? Nooit eerder een mevrouw gezien die een karaf *vin blanc* bestelt? Ik moet alles geprobeerd hebben en ik zal niet eindigen als alcoholiste zoals Duras, met jonge minnaars die me uitbuiten. Ik weet nu hoe ik moet omgaan met mijn verlegenheid. Ik hoef niets anders te doen dan mezelf goed in te schenken.

Ik zou verdorie heel goed jullie moeder kunnen zijn.

Het dagmenu is een entrecote in rode wijn. Ik zal proberen

dronken te worden zodat ik de geheelonthouding van mijn curriculum kan schrappen. De vloer, glimmend geboend, doet denken aan die van een duffe nachtclub. Elke stad aan zee heeft er een. Voor de golf die de ruit van het restaurant bevuilt met zout, drink ik en ik ben zelfs vrolijk. Afgeleid door de jongelui en opeens fatalistisch.

'Aanwezig zijn bij het einde van alles is niet veel anders dan aanwezig zijn bij het begin van de dingen, en als je toch al niet bent voorbestemd om er deel van uit te maken, dan is aanwezig zijn bij het einde veel en veel beter.'

Woorden van Maeve Brennan, schrijfster die een paar jaar geleden eenzaam is gestorven na een kort huwelijk dat beëindigd werd wegens alcoholproblemen van haar echtgenoot.

Punt.

Het ontwaken is wankel. Dit is de laatste dag en ik voel me beter, op Belle-île slaap ik ook zonder kruidentheetjes heerlijk. Ik heb een goede voorraad emoties om gedurende de terugreis op te teren. De rouwverwerking vordert uitstekend. Ik ben niet eens verzuurd. Integendeel. Ik moet naar Madame, ik heb geen zin om uit te leggen, deel van het script te zijn. Waarschijnlijk is dit de laatste keer dat ik haar spreek en ik heb haar discretie gewaardeerd, ze heeft deze dagen niets gevraagd. Alleen 'Alles goed, Emma?', wetende dat er helemaal niets goed is. Ik heb de tijd doorgebracht met het kijken naar dingen die er niet waren. Met het luisteren naar de stem die door de wind werd aangedragen.

'U bent vroeg vandaag. Trekt u wel een trui aan? Het is koud. Ik verwacht u met het avondeten, de visser heeft me een *lotte* beloofd. Dan kunnen we in alle rust afscheid nemen.'

Het heeft vannacht geregend, de boslucht komt tot op de weg. Het eiland beloont mijn devotie met de glimlach en de snor van Monsieur Moulinc, die de rekening voor me opmaakt. Hij verhuurt deze dagen niet veel fietsen en is me waarschijnlijk aardig gaan vinden. Hij houdt van mijn hoedjes, zegt hij. En hij schenkt me een bloem. De punt van Arzic is een paar kilometer verderop. Ik zou het in een uur moeten kunnen fietsen, wat gelijkstaat aan drie uur Pilates, de dijen verstevigt en de billen hard als staal maakt.

Dat heb je niet meer nodig, Emma.

Ik zal de grens wegnemen van het territorium dat ik heb gemarkeerd. Naïeve, onverantwoordelijke Emma. Je bent nooit een goede partij geweest. De vader van die fabelachtig rijke jongen had een onfeilbaar gevoel voor geld maken. Net als JPM, net als de effectenmakelaar voor wie Alice warmliep. Vertrouw nooit schrijvers en miljardairs. Of donkere, wilde krullen, of mannen met lange, gespierde benen. Vertrouw nooit iemand die zijn hoofd gebogen houdt en omlaag kijkt. Je moet net als de konijnen doen: wanneer die achtervolgd worden blijven ze niet roerloos zitten maar rennen weg. Geloof nooit mannen die ruiken naar Eau Sauvage. En die rechte lijnen kunnen trekken. Ik ben boos en elke trap op het pedaal is een hap vrijheid. Was hij maar nooit de boekwinkel in gegaan, dan had ik de schoonheid van dit eiland niet gekend. De liefde dient om aardrijkskunde te leren en de schoonheid kan zelfs vervelen.

Et tant pis pour lui, zeggen de Fransen. Pech voor hem.

De toeristengids schrijft: 'Om van het ene punt van het eiland naar het andere te kunnen communiceren, bouwden de militairen in de zeventiende eeuw hutten in boomtoppen. In 1805 verving de Franse marine die door een soort telegraaf die *sémaphore* werd genoemd en in 1859 werd besloten vier elektrische semaforen te bouwen op elk van de vier uiterste punten van het eiland, met een tweeledig doel: te communiceren met de schepen op zee en de kust te bewaken en eventuele vijandige aanvallen te signaleren. Van de seintoren die in 1862 in gebruik werden genomen, heeft alleen die van Arzic zijn oorspronkelijke uiterlijk behouden. Het huis bevatte twee slaapplaatsen voor de seintorenwachters en een tuin, omringd door stenen muurtjes. De seintoren werd in de Tweede Wereldoorlog bezet door de Duitsers en is nu verlaten door de eigenaars.'

Ik wilde met mijn moeder naar zee. En ik heb haar dat nooit gezegd.

Ik volg het pad dat omzoomd is door rozemarijn, de distels bedreigen mijn smalle enkels met hun gebruikelijke stekels. Ik loop haastig, alsof ik te laat ben voor een afspraak en bang ben dat degene die op mij wacht er niet meer zal zijn. Daar is de seintoren, het vervallen huis. De deur is open. De ramen zijn gebarsten en blauw geschilderd, de kapschuur achter het huis wordt ondersteund door boomstammen als zuilen. Net als mensen die in de steek gelaten zijn, hebben ook verlaten huizen de neiging excentriek te worden en dit huis lijkt op een pantoffel die zijn wederhelft kwijt is. Tegen de muur staan twee houwelen en drie spades en daarboven hangt een kopie van een Monet. Op de grond ligt een lantaarn die het doet, ik knip hem aan, een stapel bakstenen en de loshangende luiken van een raam aan de achterkant. Ik heb genoeg gezien. Ik sluit de deur achter me, er beginnen wat druppels te vallen. Ik moet bijna huilen en vlucht weg en houdt de fiets bij het stuur vast. Nog vier lege uren voordat ik aan tafel moet. Ik fiets en zing schreeuw uit volle borst: 'Sommige liefdesbrieven houden ons gezelschap, woorden die bij ons blijven en niet weggaan maar die wij verbergen in het verdriet dat glibbert, dat we later zullen voelen, we hebben te veel fantasie, en als we een leugen vertellen is dat een gemankeerde waarheid die vroeg of laat zal uitkóóóóóóóóóómen... de wind verandert maar wij niet als we onszelf een beetje veranderen is dat omdat we willen behagen aan wie er al bij ons is of nog zal komen, zóóóóó zijn wij, op sommige wrange dagen is het moeilijk uit te leggen, laat maar zitten, ik zou je toch hier kunnen tegenkóóóómen, met onze slapeloze nachten maar we zullen niet moe zijn ook niet wanneer we nog een keer jáááááá tegen elkaar zeggen.'

Het regent pijpenstelen en Monsieur Moulinc ziet er bezorgd uit bij de aanblik van de doorweekte *italienne* die hem de fiets teruggeeft met een kus op zijn wang. Het diner wacht op me, het laatste deel van de weg naar verlossing en vrijheid.

Jeanne, adieu.

Ik ga naar de kamer, trek de gordijnen dicht, ga op het bed liggen zonder de sprei weg te slaan. Ik wacht op iets en langzaam, als in de pauzes tussen twee weeën in, tussen twee pijnscheuten door, wordt mijn borst breder en laat de wurggreep los. Het enige geluid dat mijn brein bereikt is dat van de meeuwen die krijsend rondvliegen boven het muurtje dat de haven omarmt. Om negentien uur dertig steekt de doordringende sirene van de Locmaria mij ter hoogte van mijn ribben. Beter maar in bad gaan, straks moet ik Annick Bertho en haar vermoedelijke vragen en mijn vermoedelijke leugens het hoofd bieden. Ik zal het algemeen houden.

Ik kleed me met zorg aan. Geen enkele pijn mag gepaard gaan met esthetische slonzigheid.

Het seizoen van de herinnering komt eraan. Dat merk ik wanneer ik de eetzaal binnenga. Zij wacht me op in een donkerblauw broekpak. Op haar jasje een broche van witgoud filigraan met kleine pareltjes ingelegd in het metaal. De tafel is gedekt voor twee personen, op het witte tafelkleed zijn schelpen geborduurd. Het is duidelijk dat Annick – ze wil dat ik haar zo noem in plaats van het lijzige 'Madame' – de ontmoeting met zorg heeft voorbereid. Ik reken op haar vriendelijke beleefdheid. Ik zal terughoudend zijn.

'Het spijt me dat u vertrekt zonder ook maar een dag zon te hebben gehad. We hebben dit jaar geen geluk gehad. Hopelijk wordt de zomer beter.'

'Belle-île is bij elk soort weer magisch, Annick. Ik ben uitgerust en heb mooie fietstochten gemaakt,' antwoord ik, proberend het enige onderwerp dat ik op het hart heb te vermijden. De lotte is een delicate vis en inmiddels ben ik een meesteres in het oplossen van schaamte in een glas wijn.

'Federico is een gebroken man,' zegt ze en het lijkt alsof haar ogen nat worden als vijvertjes. 'Ik heb het twee dagen geleden gehoord, hij is nog steeds verdoofd, in shock. Hij maakt zich grote zorgen over zijn dochter.'

De jaloezie en de afgunst ten aanzien van deze zo aimabele en lieve vrouw benemen me de adem. Ze heeft al deze dagen naar me gekeken en wist de reden voor mijn houding van succesvolle heldin en ze heeft niets gezegd totdat we aan deze tafel zitten die is opgesmukt als een oude vrouw bedekt met talkpoeder.

'Ja, hij heeft me geschreven,' stamel ik verlegen en ik haat haar. Ik haat deze mevrouw die een dragonsaus over de vis lepelt, haar lippen naar het glas breng en dat met lipstift bevuilt. Ik zou willen vluchten, mijn koffers pakken en haar nooit meer zien. Ik haat haar omdat zij weet, steeds heeft geweten, en mij behandelt als een figurant. Terwijl mijn gedachten elkaar najagen in een *danse macabre*, begint Annick te vertellen zonder dat het in haar opkomt dat ik niet op de hoogte ben van de feiten, net zoals je leest in detectives – die niet mijn genre zijn. Ik weet niet waarover ze praat en ik houd niet van familiereünies.

'Heeft Sarah problemen?' Ik buig mijn hoofd in onwetendheid opzij, ik weet niet waaraan ik me moet vasthouden om niet toe te geven dat ik niet weet wat er de aanleiding van is dat Federico 'gebroken' is, maar het kost me moeite dat toe te geven aan de zoveelste vrouwelijke figuur in mijn leven die ik niet kan doorgronden. En dat is voor mij onverdraaglijk. Niet begrijpen.

'Annick, ik begrijp het niet.'

En ik giet een heel glas in een keer naar binnen, zodat mijn hoofd gaat tollen en ik als een blok in slaap zal vallen. Ik moet dronken worden. Dat kan ik me nu permitteren. En de vernedering kan me niet schelen, die ik voel opkomen als een golf van de oceaan hier vlakbij. Ik heb nooit over zee gereisd en ik ben niet van plan om daar juist nu mee te beginnen. Herhalingen in het leven zijn een groot lelijk iets. Replica's stellen meestal teleur. Net als een roman herlezen die je als meisje mooi vond en die je nu verveelt, te sentimenteel, of slecht geschreven. Onbegrijpelijk. Wat bedoelt ze met de woorden 'gebroken', 'verdoofd', 'in shock'? Nou nou. Allemaal door een geheime, seniele liefde? Kom, Annick, laten we niet overdrijven. Liefdes eindigen, we waren alleen maar geliefden op afstand. Forenzen. Sporadisch en onverantwoordelijk.

'Ik luister.'

Annick kijkt me met een zachte blik aan en begrijpt mijn verwarring, want dat is het ook voor haar, verwarrend. Bijtend op mijn onderlip wacht ik tot ze gaat praten. Maar ze staat op, loopt naar de toonbank, ik zie haar een la openen, ze zoekt erin en gaat weer aan tafel zitten.

'Hier,' zegt ze heel zachtjes en ze geeft me een brief. Geschreven met vulpen en inkt. Zwarte inkt. Ik draai me om naar de haard, net als wanneer je in de trein zit en je weet niet waar je anders naar moet kijken dus je kijkt maar uit het raam om niet de blik van degene tegenover je te hoeven kruisen. Het lukt me niet zo goed en ik houd de brief van Federico vast alsof het een bidprentje in de kerk is.

New York, 7 februari 2005

Lieve Annick,

Neem mij niet kwalijk dat ik niet meer getelefoneerd heb na uw e-mail. U schrijven helpt me orde te scheppen na de chaos van de afgelopen weken. Ik ben thuis, het is nacht, Sarah is naast me op de bank in slaap gevallen. 'En hoe moet het nu verder met ons, papa?' vroeg ze me toen wij, zij en ik, zaten te eten in Julien, een restaurant dat u zou bevallen, het meest Franse restaurant van New York. Een simpele vraag, de meest voor de hand liggende, die een wees kan stellen aan haar vader. Ik heb haar geantwoord dat we ons erdoorheen zullen slaan, ook al weet ik niet precies wat dat betekent, 'je erdoorheen slaan'. Thuisgekomen heb ik haar tegen me aan gedrukt met een intensiteit die de angst, haar gevoel van verlorenheid bij de dood, van haar weg wilde nemen. Ikzelf daarentegen slaag er niet in de schaamte van mij af te schudden dat ik nog leef en het is mij een troost u te schrijven terwijl ik hier op dezelfde bank zit als waar wij Anna hebben gevonden. Ze lag hier languit, Anna, en ze klemde haar handen tegen haar borst alsof ze wat in die borst besloten zat, wilde beschermen. Een duizeling, de bank, de ineengeklemde handen. En die blik die iets smeekte, terwijl Sarah naar de telefoon rende. 'Kun je me zien?' vroeg ik haar. 'Ik zie je schaduw,' antwoordde zij fluisterend. En daarna niets meer. Anna was een gezonde vrouw. Ze hebben haar in een ambulance weggereden. Ik wachtte in de gang en toen de arts naar me toe kwam lopen, zeiden zijn langs zijn lichaam hangende armen alles wat ik moest weten. Ik ben op mijn knieën gevallen als een marionet met doorgeknipte touwtjes. Een dierlijke pijn kwam over me en ik moest me oprichten uit die beschamende houding, de artsen kwamen dichterbij en spraken tegen me met dronkenmansstemmen, herhaalden dat ze wisten wat ik doormaakte en dat ik sterk moest zijn. Maar die kracht was nergens te bekennen. Niet opstaan. Daar blijven zitten, de pijn in me opnemen en die verbergen onder mijn knieën of in mijn handpalmen, die op de grond lagen. Een hersenbloeding of iets dergelijks begon te bonken in mijn hoofd. Sarah kwam naar me toe als een pop verkleed als tiener, haar gele truitje en de spijkerbroek met lage taille en gympen, klaar voor de strijd. Ik geneerde me erg dat ze me zo zag, maar ik kon me niet bewegen. Op hetzelfde moment ontdekken wat liefde en pijn zijn, alles samen, is een onbeschrijflijk gevoel, een loodrechte afdaling naar het onbekende.

Ik vroeg of ik haar kon zien. Ze hadden haar neergelegd op het bed, de beademing en de buisjes uit haar neus gehaald. Ze was helemaal uit. Donker vanbinnen, donker vanbuiten. Ik vroeg waarom Anna zomaar gestorven was zonder zelfs de tijd te hebben gehad om te begrijpen, om afscheid van ons te nemen, te zorgen dat wij haar konden zeggen hoeveel we van haar hielden, en ik voelde me een sukkel. Ik had moeten vragen naar de 'technische' oorzaak van haar dood. De rest was mijn zaak, maar de woorden kwamen vanzelf uit mijn mond, vreemd voor iemand die gewoonlijk niet vertrouwelijk in de omgang is. De bureaucratie van de dood heeft niets te maken met de dood. Een paradox, nietwaar? 'Het hart, meneer, maar het was geen infarct. Om het precies te weten moeten we een autopsie uitvoeren. Geeft u daarvoor uw toestemming?' Iedereen zou willen weten wat de oorzaak is geweest van een omwenteling in zijn leven, het mysterie dat een medisch rapport kan onthullen aan een man en een jong meisje. Anna is overleden aan een ziekte met een exotische naam, Annick. Het hart van mijn vrouw lag aan diggelen, een gebroken hart. Ik luisterde naar vriendelijke artsen, hartensmart heeft een retorische klank, voor een stripverhaal. Maar het is een echte ziekte. Het heet het syndroom van Tako-tsubo en ik moest lachen omdat er syndromen zijn die lexicaal gezien belachelijk zijn. Een afwijking die voornamelijk bij vrouwen voorkomt, legden ze uit, haast alsof ze me wilden geruststellen dat het mij niet zou kunnen overkomen. Het kost mij moeite om te bedenken dat het ene hart anders zou zijn dan het andere hart, ook al ben ik ervan overtuigd dat mannen en vrouwen het op een verschillende manier gebruiken. Ze hebben op een verschillende manier lief. Het syndroom van Tako-tsubo is het resultaat van emotionele stress, de hersenen produceren een stoot hormonen die 'angsthormonen' worden genoemd en die invloed hebben op het hart, de linkerventrikel verandert van vorm en lijkt – zo legde de cardioloog uit op een toon van iemand die een sprookje vertelt – op een oude Japanse kan in de vorm van een buikfles, die door de vissers gebruikt wordt om inktvissen te vangen. Vandaar die absurd grappige naam. Mijn vrouw had een gebroken hart en ik wist het niet. Als het op tijd ontdekt en met de juiste medicijnen behandeld wordt, komt het hart weer in orde en blijft er geen spoor over van de emotie die het had gebroken. Anna was alleen thuis. Sarah was samen met mij op jacht naar kerstcadeaus. Ik was niet op tijd, Annick, en ik kan geen rust vinden. Ik breng mijn dagen door op het bouwterrein van de Morgan, die mijn schild is geworden, architect Piano is dicht bij me en mijn collega's zetten alles op alles om smoesjes te verzinnen om Sarah en mij te eten te vragen, de moeders van Sarahs schoolvriendinnen hebben haar zo ongeveer geadopteerd. Alleen 's avonds, 's nachts, zoals nu, sta ik mezelf toe me te laten gaan.

Ik zou graag willen dat u mij helpt met de sémaphore. Ik heb gebeld naar het bedrijf, ik kan de werkzaamheden niet volgen en ik weet niet wanneer ik in de gelegenheid zal zijn om naar Belle-île te komen. Zou u voorlopig de contacten met Posieur en ingenieur Vauvan voor mij willen waarnemen? Zij hebben het hele werkplan al in handen, ik denk niet dat er problemen zullen zijn. Ik zou u werkelijk zeer dankbaar zijn.

Ik zal u opbellen en ik vraag om mij te bellen wanneer u maar wilt. Een omhelzing.

Federico

Plotseling klopt alles. Een écht gebroken hart, niet zoals in de boekenkasten in de winkel.

Ik kan niet concurreren met een onschuldig lijk.

Ze is altijd onzichtbaar geweest. Ze was zo afwezig in zijn afwezigheid en nu heeft ze plotseling een lichaam. Het vogeltje klapt gewond met zijn vleugel, vraagt om gered te worden. Hij is in de ziekenhuisgang op zijn knieën gevallen en heeft zeker niet nagedacht hoe ik het zou opvatten. Ik heb gehuild. Het is de tweede keer dat ik huil om een beëindigde liefde. Dezelfde liefde. Eindelijk heb ik een reden gevonden die ik een reden kan noemen.

Bij zonsopgang ben ik kalm. Belle-île en mer wordt weer wat het was: een landschap dat uniek in de wereld is. Het decor van een liefde. Een geliefde persoon.

Er zal iets gebeuren en wanneer het gebeurt, zal ik niet hier zijn.

Bejaard en ontredderd, haar gezicht in gips gebeeldhouwd, haar ogen half gesloten, groet Sarah Bernhardt met een klein handgebaar de vissers die een haag vormen op de kade van de haven van Sauzon. De vreugdekreten waarmee haar aankomst op en vertrek van het eiland altijd werden begeleid, zijn verdwenen, de stilte weegt zwaar op de menigte die samendromt tussen de auto's die op de boot worden geladen. De sirene maant de laatste reizigers haastig aan boord te gaan. Op 13 augustus 1922 had Sarah een brief gestuurd naar de notaris in Sauzon waarin zij aankondigde dat zij haar eigendom voor 450.000 franken wilde verkopen. 'Het klimaat van Belle-île is niet goed voor mij,' had ze gelogen. Ze is dan negenenzeventig, ze is alleen, haar rechterbeen is geamputeerd, ze wordt gedragen in een speciale draagstoel. Op haar opgesmukte gezicht hebben de jaren een netwerk van diepe rimpels getekend. Haar lichaam, verborgen onder de dekens, is kromgebogen. De amputatie noodzaakt haar te blijven zitten of te liggen, net als stervenden en zieken die zijn teruggekeerd van het front. De menigte woont de scène bij met een mengeling van droefheid en bewondering. Een man knielt neer voor de Goddelijke. Dat vertrek is een afscheid, dat weten ze allebei. Het is mooi weer, de stoel van Sarah wordt buiten op de brug neergezet. De boot verwijdert zich van de kust. Op de brug zwaaien de reizigers met hun zakdoeken, terwijl de stoet vrienden waakt over de doezelende oude tragédienne. De boot verlaat het eiland en is op weg naar het vasteland, wendt naar links en verdwijnt achter de dijk, een dikke grijze rookwolk achter zich latend.

Om zichzelf te redden leest men. Men geeft zich over aan een nauwkeurige handeling, een voor de hand liggende maar geniale verdedigingsstrategie. Om zichzelf te redden leest men. Perfect zalfje. Want misschien is lezen voor iedereen staren naar een vast punt om je blik niet te hoeven opheffen naar de verwarring van de wereld, je ogen vastgezogen aan de regels om aan alles te ontsnappen, de woorden die een voor een het lawaai wegduwen in een ondoorzichtige trechterfles, om het er vervolgens te laten uitdruppelen in glazen zandvormpjes die boeken worden genoemd. De meest geraffineerde en lafste van alle terugtochten. Wie kan weten hoe heerlijk het is, als hij nooit zijn eigen leven helemaal heeft gebogen over de eerste regel van de eerste bladzijde van een boek? Die regel is de enige, de liefiijkste opvang voor elke angst. Een boek dat begint.

Ik heb deze woorden gevonden in een aan mij geadresseerde envelop zonder afzender, die onder de deur van de boekwinkel was doorgeschoven. Hier, al meer dan uur roerloos als een zwakke imitatie van Marcel Marceau voor het postkantoor, weet ik nog steeds niet wie het geschreven heeft. Maar het is mooi en ik heb het in mijn zak gestopt. Ik neem de tijd, ik kijk naar de mensen die langslopen (hier in de buurt rennen ze allemaal), zoals zo'n vrome vrouw die op een stoel op haar balkonnetje zit, handen in de schoot, afwezige glimlach, toeschouwster van een wandelspektakel waar zij niets mee te maken heeft. Ik zie niemand, ik zie niemand goed. Het stof van Milaan plakt tussen mijn haren, het lijkt wind maar het heeft niet de drang tot vrijheid van de wind. Het lijkt eerder op de weemoed van de branding, wanneer de golf zich terugtrekt en besluit de zee tegen te houden.

Ik bind mijn fietsketting om de gebruikelijke dierbare paal

van het verkeersbord. Hij staat nu omlaag, de witte pijl op de blauwe achtergrond wijst naar het trottoir en niemand heeft eraan gedacht om hem een zetje te geven. Mijn lichaam is stijf, net zoals wanneer ik te veel gymnastiek doe en ik volgens de instructeur struikel over *vergeten* spieren, een lichaam met losgekoppelde vakken, en ik weet dat het eerste wat ik moet doen als ik in de winkel kom, het bordje op de kast 'Gebroken harten' vervangen. Ik hik er al maanden tegenaan. Alberto zal het niet merken en denken dat het een uitdrukking van fantasie van mij was, niet een syndroom waar echtgenotes aan doodgaan. 'Amoureuze rampen' worden door iedereen gerespecteerd. Voordat Belle da Costa stierf, verbrandde ze de brieven van Bernhard Berenson en vroeg ze hem hetzelfde te doen. Een onedel gebaar. Brieven verbranden is als levens vernietigen. Wat moet ik er nu mee, met deze papierzee die ruikt naar New York? Ik loop door de metalen gang tot postbus 1004, groet de juffrouw achter het glas alsof ze een oude vriendin van me is. In werkelijkheid heb ik haar nog nooit eerder gezien; Franca is met zwangerschapsverlof. Maar beter ook, ze zou vragen hebben gesteld en hebben willen weten waarom ik de brieven meeneem, er is nog steeds ruimte in de postbus en ze zijn zo netjes, een maniakaal archief van sentimenten. Driehonderdzevenentwintig brieven, bijna net zo veel als Anton en Olga. Ik open de postbus en de losse lapjes liggen te wachten totdat iemand ze meeneemt. Alice zou me vergelijken met dat warhoofd Sibilla Aleramo. En ze zou gelijk hebben. Ik prop ze in mijn rugzakje. Ik zal alle tijd hebben om ze te ordenen op onderwerp en ze misschien zelfs een titel te geven.

Een man en een vrouw ontmoeten elkaar na dertig jaar. Te lang. Beter een simpel *Ontmoeting*, of nog beter *Een papieren liefde*. Afgemeten hoofdstukken, korte titels. *Milaan*. *New York*. *Belle-île*. *Seks* (ook al hebben wij daar uit discretie weinig over geschreven), *Herinnering*, *Semafoor*, *Romans*, *Morgan Library*, *Belle da Costa*, *Bestsellerslijsten*, *Etalages*, *Melancholie*, *Gras*, *Golven*, *Rotsen*, *Stenen*, *Menhirs*.

Voor liefde zie de letter L.

Er is de gebruikelijk Milanese zon, die er wel is maar die je niet ziet. Maar mijn fiets zie je ook niet. De ketting hangt aan de paal. Wie is nu geïnteresseerd in de gammele fiets van een boekverkoopster? Diefstal ontbrak er nog aan. Of misschien was dat juist wel nodig. Nieuw leven, nieuwe fiets. Het leven bestaat uit symbolen. Ik ga met de tram naar Rossignoli op de Corso Garibaldi. Een aardbeirode fiets. Ik ben bijna nog meer kwijt aan de accessoires, maar nu heb ik wel twee gevoerde manden waarin ik mijn boodschappen en minstens twintig boeken kan stouwen; ik zou het liefst gaan janken bij de kassa, ware het niet dat de winkel vol klanten was. Juist vandaag. Juist nu. Hoe komt het dat op een willekeurige middag in juni iedereen opeens de behoefte voelt om een roman over liefde te kopen? De aanblik van een mevrouw van middelbare leeftijd die huilend de kassabon opmaakt is indecent en bovendien zijn zij er: Manuele en Alice zouden het meteen doorhebben. Ik stel het uit tot een nachtelijke huilbui, misschien wel samen met Gabri, die de details nog niet kent. Ook met haar heb ik het onderwerp Federico verbannen, want je schaamt je ervoor om te vertellen dat je gefaald hebt, zelfs tegenover je vriendinnen. 'Vriendschap is beslist de beste balsem voor de wonden van een teleurgestelde liefde,' schreef Austen. Ik bel Gabriella en bereid de etalage van de komende week voor: 'Trouweloosheid'. Ik stop het in een doos, bekleed alle vier de wanden met zwart fluweel, links een rode kruk waar ik Betty Sharp van *Vanity Fair* opstapel, een carrièrejaagster met wie het slecht afloopt maar die geniale ingevingen van godvergeten slechtheid heeft, en de pianiste Erika Kohut van Elfride Jelinek, roman van de gruwel en het wanhopige geweld, ik haal Rebecca nog eens tevoorschijn en ook Nara, de Creoolse danseres die Michele tot zijn misdrijf brengt in *De kus van een dode vrouw*, een eerbiedige hommage aan Carolina Inernizio, door de critici bestempeld als tweederangs schrijfster. Een genie daarentegen. Ze schreef drie boeken per jaar en dat veertig jaar lang, een onmetelijke productie waarvan ik alle eerste drukken in mijn bezit heb dankzij mevrouw Donati, pedagogisch perfide titels zoals *De gruwelijke aanblik*, *De genius van het kwaad*, en *Dora, de dochter van de moordenaar*. Op de verhoging leg ik een zilveren dienblad met een rode appel waarin een dolk met mooi bewerkt heft en ingelegde (valse) edelstenen is gestoken. Sneeuwwitje en de heks die die zeurpiet die alleen maar kaboutertjes kan uitbuiten, ruimschoots verdient. Op het fluweel leg ik nog meer boeken en omgevallen glazen flesjes waaruit rode nagellak druipt. In het midden tegen de achterwand een spiegel: de ijdelheid die veel te maken heeft met de slechtheid van vrouwen.

Mattia is op zijn kamer. Uit het groenige licht dat onder de deur schijnt maak ik op dat hij televisie kijkt.

'Hallo, lieverd, waarom ben je thuis?'

Stilte.

'Mattiaaaaaa! Mama is thuis.'

Ik word er gek van dat hij nooit antwoord geeft. Ik doe de deur op en een zure geur prikt in mijn neus. Hij zit op de grond, zijn rug tegen de muur. Hij heeft een koptelefoon op en staart naar het scherm, waar een opgewonden stelletje dansend op het dak van een garage zwaait met elektrische gitaren. Je ziet eigenlijk helemaal niets.

'Waarom zit je in het donker, lieverd?'

Mattia heft zijn gezicht op en kijkt me aan. Tranen over zijn gezicht.

'Wat is er gebeurd? Waarom huil je?' Ik ben te laat om de vraag nog in te slikken. Je vraagt nooit 'waarom huil je' aan iemand die huilt. Een jongen van bijna twee meter zien schokken van de snikken heeft een verwoestend effect, doet – een moeder – denken aan de verschrikkelijkste scenario's. Doet denken aan drugs. Wie weet waarom wij moeders allemaal denken dat we vroeg of laat zullen ontdekken dat ons kind verdovende middelen heeft gebruikt. Of dat hij of zij iets echt ergs heeft gedaan, een diefstal, of dat hij iemand met de scooter heeft platgereden of dat soort dingen. Beslist tragische dingen.

Mattia's blik kruist de mijne, alsof hij een oplossing zoekt. Hij duwt zijn rug met een van smart vertrokken gezicht naar achter.

'Niets, mama. Er is niets.'

'Hoezo niets? Is er iets gebeurd?'

Natuurlijk is er iets gebeurd, anders zou hij niet huilen. Hoe idioot kan een moeder zijn voor een zoon die huilt? Ik kom respectvol naderbij, soms, wanneer ik hem probeer te omhelzen, duwt hij me weg, en ik zou het nu niet verdragen mij nutteloos te voelen.

Een geniale ingeving: 'Carlotta?'

'Ja.'

'Is er iets met haar gebeurd?'

'Min of meer.'

'Verdorie, Mattia, kun je iets duidelijker zijn? Wat heeft ze? Is ze ziek? O god, ze is zwanger. Jullie verwachten een kind.'

'Wat nou kind, mama, was het maar zo. Ik weet niet eens of we nog wel echt bij elkaar zijn,' zegt hij.

'Was het maar zo? En hoe zouden jullie een kind kunnen onderhouden? Jullie studeren nog en hebben geen rooie cent. En bovendien... of je bent bij elkaar of je bent niet bij elkaar. Jullie zijn al heel wat jaartjes samen, het is onmogelijk dat jullie nog steeds op dat punt zijn... Maar waarom huil je?'

Ik heb de neiging om hem in mijn armen te nemen, maar als ik zou gaan zitten in plaats van te blijven staan als een politieagent, zou hij, gelet op onze afmetingen, degene zijn die zijn armen om mij heen slaat. Uiteindelijk ga ik toch op de grond zitten. Ik til zijn gezicht op. Hij doet zijn best om me met een onverschillige blik aan te kijken, maar hij zou het liefst willen dat ik met oplossingen kom. Waar zijn moeders mee bezig als ze niet in staat zijn het liefdesverdriet te verzachten dat hun net zoveel pijn doet als onszelf, en op precies dezelfde manier verwondt?

'Hoe weet je of je bij elkaar bent en of de ander denkt dat je bij elkaar bent? Ik kan haar dat toch niet vragen, mam?'

Hij behandelt me alsof ik een expert ben maar eigenlijk begrijp ik niet wat hij bedoelt. Ze hebben de moed van de sentimenten, deze kwetsbare twintigers, maar de vraag is complex. Tja, hoe maak je aan iemand duidelijk dat je bij elkaar bent? Ik kan niet zo snel op gebroken mannenharten komen, want afgezien van Petrarca – die overigens veel moeite deed om iedereen te laten geloven dat zijn lijden om de liefde oprecht was (ik herinner me dat ik zijn repliek heb gelezen op iemand die hem ervan beschuldigde dat hij alles had verzonnen uit puur literaire overwegingen) – afgezien van hem, vinden mannen van mijn generatie het niet prettig om hun eigen zwakte op dat gebied te tonen en hebben ze er nooit een onderwerp van literatuur van gemaakt. Voor vrouwen is lijden om liefde bijna essentieel, als vrouwen niet lijden beminnen ze niet, als ze niet lijden vermaken ze zich niet, je hoort nooit van een vrouw die niet lijdt om de liefde en als een man haar niet laat lijden, laten ze hem over aan zijn lot van rotzak. Liefdesverdriet dat verteld wordt is vrouw, mannen zwijgen en als ze lijden doen ze dat in stilte. Mattia niet. Hij heeft geleerd, ondanks zijn vader.

Waarom voel ik me met mijn twintigjarige in mijn armen een karikatuur, half moeder, half vrouw, half geliefde, en waarom zelfs half boekhandelaarster? Waarom lukt het me niet om weer vrolijk en onafhankelijk te worden nadat ik dat zo hard gepreekt heb? Verdorie, Federico. Waar ben je?

'Lieverd, je weet dat je bij elkaar bent door dat tegen elkaar te zeggen, het net zo vaak te herhalen tot de ander het heeft begrepen. Je moet erin geloven. Maar als Carlotta niet overtuigd is, moet je niet aandringen. Geef haar de vrijheid om het niet te weten. Op een dag zal ze je daar dankbaar voor zijn. En heb vertrouwen. Ik ga koken, ga jij douchen en kom daarna in de keuken, dan praten we er rustig over verder.'

'Goed. Dank je, mama. Ik ga douchen en dan neem ik daarna een joint. Of laten we die samen roken, wil je dat?'

'Ik heb nog nooit in mijn hele leven een joint gerookt, Mattia.'

'Dan is het tijd om ermee te beginnen. Ik regel het wel, je zult zien hoe je dan ontspant.'

'O, maar ik ben al ontspannen. Het is zielig, een moeder die haar eerste joint rookt met haar zoon. Moet het echt?'

'Mama, het is gewoon een plantje en het haalt ons uit deze sombere stemming. Ik ga nu douchen. Ik stink naar Carlotta en dat vind ik niet lekker.'

Ik zet me achter het fornuis en probeer het weinige dat ik weet van koken in mijn hoofd op te laten komen. Spaghetti met olijfolie en *bottarga*, geperste tonijnkuit, die Gabriella heeft meegenomen van Sardinië. Je eerste joint roken op je vierenvijftigste is een definitieve stap op weg naar de emancipatie.

We hebben die avond lang gepraat. We hebben lang gepraat over hem, over haar, over zijn dromen en zijn verlangen om stedenbouwkundige en niet architect te worden. Ik heb geprobeerd hem te troosten. Misschien is me dat gelukt, ook dankzij de joint die geen enkel effect op mij had. Sinds de sneeuwstorm van 2003 had ik geen sigaretten meer gerookt. Ik ging daarna naar zijn kamer om hem welterusten te wensen en te zeggen dat ik trots op hem was. Dat was wat ik voelde voor die jongen, die groeide zonder voor gevoelens de angst te hebben die nodig is om je niet te laten verwonden. Maar hij sliep al.

Voordat ik boekhandelaarster werd, dacht ik dat schrijvers het een eer vonden om hun boeken in het openbaar te presenteren. De ervaring heeft mij geleerd ze te zien met 'normalere' ogen. Ook schrijfsters die reizen hebben kinderen die moeten worden ondergebracht bij familie of buren, ook bij schrijfsters moeten babysitters er in het holst van de nacht vandoor, ook schrijfsters moeten zich redden met echtgenoten die hen behandelen als willekeurige echtgenotes, 'zoek het verder maar uit' zeggen ze terwijl ze de deur uitgaan met een vluchtige kus, ook schrijvers moeten verzekeringen betalen en hebben echtelijke problemen, en het is niet gezegd dat hun romans autobiografisch zijn. Vandaag heb ik de rozen weggelaten en de manden gevuld met witte tulpen, ik heb kaarsen met vanillegeur aangestoken die de bloemblaadjes van de tulpen een geur geven die ze niet van nature bezitten. Ik heb ontdekt dat tulpen helemaal geen geur hebben. Ze zijn alleen maar mooi. Zoiets als de met accessoires uitgedoste, gespierde mannen zonder persoonlijkheid op wie Borghetti viel voordat hij met Gastone ging. De ontmoeting van de lezers met Catherine Dune is juist voorbij en ik ben erg tevreden, tweeënzestig exemplaren verkocht en een huiselijke, bijna surrealistische ontmoeting. Mijn vrouwelijke klanten bestookten haar als een huwelijksmakelaarster en stelden enigszins gênante vragen. Haar *In het begin* is een soort manifest van de verlaten echtgenote, tussen keuken en elektrische waterkokers, overdenkingen en stuiptrekkingen van onafhankelijkheid. Genoeg reden om trots te zijn op de bestseller en opschepperig te worden. Maar de schrijfster ('Noem me maar Catherine,' zei ze, zodra ze in haar kamer was waar ik een elektrische waterkoker voor de thee voor haar had neergezet) is een eenvoudige vrouw, heel gewoon gekleed, die je makkelijk kunt voorstellen in de tuin van haar vrijstaande huisje in het groene Ierland waar ze in een katoenen schort de rozen snoeit. Een luchtige vrouw, net als haar romans. Ze signeert haar boeken gedisciplineerd, heeft voor iedereen een persoonlijk woord en schrijft niet 'met de beste wensen'. Kan iemand mij zeggen hoe een schrijver een lezer het beste kan toewensen alleen omdat hij of zij een roman van haar of hem koopt? Iemand het beste toewensen is een serieuze zaak, dat doe je pas als je langer met elkaar omgaat. Catherine werd overstelpt met vragen over de toekomst van Rose. Ze beloofde revanche in haar volgende boek.

‘Wordt ze verliefd op een ander?’

‘En Ben, de rotzak, wat komt er van hem terecht?’

‘En de kinderen: redden die het?’

Catherine geeft geen krimp, ze vindt het misschien normaal dat haar personages worden behandeld als buren. Met Shakespeare zou dat niet gebeuren, wat maar weer bewijst hoe diep het hedendaagse proza kan raken en antwoorden kan geven, beter dan welk essay over de relaties dan ook en dat voor maar 14,50 euro.

‘Mmmm, ik kan het einde niet onthullen... dan zou de verrassing weg zijn. Rose heeft opnieuw mijn aandacht opgeëist, ze vroeg me waarom ik haar verhaal niet tot het einde toe had verteld.’

Te harer ere serveren we thee met koekjes. De boekwinkel ruikt naar vanille. En naar lopende liefdes.

De maanden gaan voorbij en mijn onfeilbare wapen is mijn korte memorie. Hoewel het een paar dagen voor Kerstmis is, zal het vandaag geen drukke dag worden, misschien komt er zelfs helemaal niemand, maar in Milaan krijgt zo’n omstandigheid het bijvoeglijk naamwoord ‘betoverend’. Het heeft de hele nacht gesneeuwd, het plein is een gebakje met suikerglazuur en ik raak de grip op de dingen kwijt. Mijn leven is, kort samengevat, een zigzagbeweging. Ik ben net begonnen in *De vrouw van Gilles* van Madeleine Bourdouxhe. Een masochistische vrouw, te verliefd op een man die haar bedriegt en onderhoudt en die een smerige en zieke relatie heeft met haar uitdagende en onzekere zus. Ik voel dat het zal eindigen in een tragedie, hoewel ik pas op bladzijde 12 ben, gezeten achter de kassa en van plan om helemaal niets te doen. Ik wacht op Alice en Manuele, die mij sinds een paar weken bestoken met de playlist, die ik gewoon geluidsmuur blijf noemen en ik zie geen reden om daar verandering in te brengen. Ik vind muziek in boekwinkels en ook in cafés hinderlijk, je kun dan niet praten met degene naast je behalve als je schreeuwt en iedereen daarmee op de hoogte stelt van jouw zaken. Megastores die muziek verspreiden lijken hotellobby's of wachtruimtes op het vliegveld. Sinds Manuele en Alice getrouwd zijn draaien ze muziek en spannen ze samen met Mattia. Romans&Romances heeft absoluut behoefte (ze gebruikten letterlijk die woorden) aan een *eigen* muziek. Een *eigen* muziek, die niet de mijne is. Vaarwel stilte en deze mooie eenzaamheid die mij geneest. Ik wil niet schipperen. Zolang ik eigenaar van deze winkel ben sta ik geen muziek toe, zelfs niet in de locanda.

'De bladzijden maken muziek. Pak een boek, blader het snel door en je hoort dat het ruist, dat het een klank heeft. Het mooie geluid van vers papier.'

'Ach, wat klets je nou. Boeken hebben geen klank... Laten we beginnen met een playlist van liefdesliedjes en kijken wat de klanten ervan vinden. Een stereo-installatie kost heel weinig... Hè toeoeoe, Emmaaaa.'

'Geen-sprake-van. Zolang ik leef zal het jullie niet lukken deze plek te veranderen in een discotheek. Nee, nee en nogmaals nee.'

'Hoezo discotheek? We hebben het over achtergrondmuziek, beroemde liefdesliedjes, misschien wat klassieke muziek van Chopin, Debussy, Ludovico Einaudi. We gaan geen rock of pophitjes draaien.'

Ze lijken wel aangeschoten, of zoals Mattia zou zeggen *stoney meloney*. Vooral zij. Ik wijt het aan het overwerk van de afgelopen weken. We zijn met z'n vijven in de winkel en afgezien van de onnatuurlijke rust van deze uren, is het een uitputtende tijd geweest. Ik heb zelfs die mooie fotoboeken verkocht die ik nooit verkoop en die deze dagen als warme broodjes over de toonbank gaan, en kaarsen, kopjes, bloemen. De nieuwe, uit Parijs geïmporteerde interieurparfums *Les liaisons dangereuses* zijn al uitverkocht. Als ik thrillers had, zou ik die zelfs verkopen. Uitzonderlijke omzet ook in de locanda, paradijs voor lekkerbekken, die we ook verhuren voor borrels en partijen sinds bedrijfsuitjes in de mode zijn geraakt. Voor vanavond hebben de jongens van de badge gereserveerd, vijfendertig personen die wij ook alcoholische drankjes zullen serveren, zoals de verrukkelijke wijn Donnafugata. De meest literaire die ik heb kunnen vinden en die ik samen met *De tijgerkat* verkoop, een evergreen. Ook op dvd.

10 april 2006

'Ik zal voor alles zorgen, denk jij maar liever aan de videorecorder,' zei ze aan de telefoon op een eigenwijze toon en met een stemmetje dat het hare niet was.

Het is maandag. Ik ben kalm. Ik heb het gebruikelijke bad gevuld met het gebruikelijke lavendelbadzout, heb een halfuur in het water gezeten en wacht nu op Gabriella, zij zorgt voor het eten en ik moet maar hopen dat ik in staat ben deze videorecorder te gebruiken die van Mattia is, die een week geleden is vertrokken zonder instructies over het ding achter te laten. Eerlijk gezegd gebruik ik hem nooit en films zie ik liever op de daarvoor bestemde plek: de bioscoop. We gaan met z'n tweeën lekker een avondje voor de tv zitten, net als vroeger. Alberto heeft de belastingaanslagen en dwingt de jongens van zijn kantoor als een slavendrijver tot overuren. Hij komt in het holst van de nacht thuis en wie weet of hij de waarheid spreekt. Ik ben inmiddels achterdochtig geworden, zelfs ten aanzien van wie geen achterdocht verdient.

'We nemen het voor de zekerheid op, voor het geval je het nog eens opnieuw wilt bekijken. Misschien vallen we in slaap en missen we net het belangrijkste shot,' zegt ze, terwijl ze een elegant zenpakket op de boeken (aaaai!) legt. 'Ik heb een fortuin uitgegeven, maar dan hoeven we tenminste niet in de keuken te staan. Alles kant-en-klaar, heerlijk en overvloedig. Ik schep wel op. Zou jij dan tenminste de boeken even opzij willen leggen?'

Alsof ik juist vanavond voor de tv in slaap zou vallen, met zo'n toevalligheid van omstandigheid, een van die gevallen die het leven je voor de voeten werpt en dat jij mag kiezen of je het wilt negeren of met open vizier aan wilt gaan. Ik, die de moed van een leeuwin heb, laat toevalligheden nooit lopen en ik wacht erg rustig op de bank in de woonkamer, mijn plot af. Behalve een paar uitzonderingen zoals rechtstreekse uitzendingen vanuit de Scala of een paar oude zwart-witfilms met Bette Davis, heeft de televisie geen noemenswaardige effecten op mijn emotionele balans. Ik bedoel: het raakt me niet. Het is maar een televisie-uitzending; natuurlijk kun je je afvragen waarom ze dat programma juist vandaag hebben geprogrammeerd, maar wanneer ik tekens ontvang vraag ik me niets af, anders zouden het geen tekens zijn maar programmaoverzichten. *Cold fusion* van Charlie Rose: zestig minuten gewijd aan de nieuwe Morgan Library&Museum, dat over twee weken zal worden geopend aan 225 Madison Avenue, New York, Verenigde Staten van Amerika. Een exclusief bezoek als voorpremière voor de abonnees van Sky, kanaal Leonardo. Ik druk op de knopjes van de afstandbediening, maar de andere zenders hebben het alleen over landelijke politiek en die is dit jaar een puinhoop. Niemand begrijpt wie de verkiezingen heeft gewonnen en ze gaan tot diep in de nacht door. Ik zit op de reling van een schip, op onze knieën de tweelingdienbladen van Ikea met de pistachegroene plastic voetjes, klaar voor gebruik als voor een bekerfinale: sushi, sashimi, soja, vier blikjes Sapporo-bier en een bakje aardbeien. Gabriella heeft werkelijk aan alles gedacht.

'Het zijn primeurs, Emma. Aardbeien snijd je niet in stukjes en je strooit er ook geen suiker en citroen overheen, het is beter om ze heel te laten,' zegt ze met een nieuwe mildheid in haar stem, zonder iets te zeggen over mijn incompetentie van onbehouwen huisvrouw.

'Het was jou idee om te eten voor de buis en ik ben niet van plan om dronken te worden, één blikje is meer dan genoeg.'

Ik lieg. Althans een beetje. In werkelijkheid kan ik niet wachten tot het begint en het bier zal een tegenwicht vormen voor mijn opwinding. In de krant staat 23.30 uur. Maar de klok wijst 23.42 aan en nog steeds is het programma niet begonnen. Hartritmestoornis. Zo moet een hartritmestoornis voelen. Ik heb niet veel honger, het voedsel is vooral een decorstuk, zoals wanneer Alberto met Michele en Mattia naar een voetbalwedstrijd kijkt. Ze eten om zichzelf te troosten of om de overwinning te vieren. We doden de tijd, die zich niet laat doden. Beter maar uitstellen. Ik zoek een ritme en voel alleen het kloppen. Trui en trainingsbroek, we zijn thuis en ik hoef voor niemand mooi te zijn.

'Hoe voel je je?'

'Als iemand die vijf jaar lang bezig is geweest met de correcties van haar eerste roman en nu het gebonden exemplaar in handen krijgt.' Ik was op deze vraag voorbereid omdat ik hem de hele dag aan mezelf heb gesteld.

'Ik ben heel nieuwsgierig om te zien hoe hij is geworden, ik hoop dat hij ook geïnterviewd wordt.'

De blokjes rijst met tonijn en zalm zijn op elkaar gestapeld, het is bijna jammer om ze te eten en zo de symmetrie te verstoren. Gabriella leidt me af met een verslag over het laatste schoolreisje dat ze vorige week met haar leerlingen heeft gemaakt: ze heeft er vijfendertig geëscorteerd naar Petra in Jordanië. Heroïsch.

'Ons brachten ze met een bus naar Florence, weet je nog wat een chaos? Opgepropt in van die eenvoudige pensionnetjes en de hele nacht zingen met die... hoe heette die jongen die samen met Federico gitaar speelde? Gabri, het lijkt nog maar gisteren en het is meer dan dertig jaar geleden. Soms lijkt het me leuk om een etentje te organiseren voor alle veteranen van 5B.'

'Goeiegod, alsjeblieft, Emma. Ik ken mensen die dat hebben gedaan en het was nog erger dan een begrafenis, met al die doden, depressieven, mislukkelingen of, nog erger, klasgenoten die carrière hebben gemaakt en zich verbeelden dat ze heel wat zijn. Ik heb genoeg aan Alberto om me het schoolreisje van mijn leven te herinneren. Het heeft me daarna nog eens twee jaar gekost om hem echt te leren kennen. Vanochtend toen ik hem vertelde dat ik vanavond naar jou toe zou gaan, trok hij een gezicht alsof hij jaloers was, hij weet dat we hem soms buitensluiten en dat vindt hij helemaal niet leuk.'

Begintune. We kruisen onze eetstokjes, het dienblad wankelt op onze knieën ondanks de onverslaanbare stabiliteit van Ikea. Lichten uit in de zaal, alsof we in het theater zijn, terwijl Mondo zucht en zich omdraait op de andere bank. Volgzaam en vredig.

'*Cold fusion*, wat een ijzingwekkende titel! En dan Philip Glass en Roberto Cacciapaglia op de achtergrond, wat een banale keus.'

'Amerika en Italië, dat is opzettelijk gekozen. Moet je emotie creëren in een rapportage? Dan volg je een plan. De muziek van Glass is perfect voor een documentaire, jammer dat dit de soundtrack is van *The Hours* en er van Woolf geen woord te bekennen is in de Morgan.'

Het banket wordt geopend met een close-up van een putdeksel en nog wat filmische kunstjes, vervolgens de gebruikelijke gele taxi die stilstaat voor de ingang (als om te zeggen: 'We zijn in New York'), de journalist stapt uit (zonder te betalen, het is duidelijk dat het gemonteerd is). Architect Piano wacht ons op Madison Avenue op, duwt tegen een glazen deur en nodigt ons uit hem te volgen naar een betoverde, luchtige, transparante plek (nu ik erover hoor vertellen is het alsof ik er al geweest ben). De camera draait omhoog en zoomt in op de toppen van de gebouwen, de ramen van de huizen van Murray Hill. Het leven dat voorbijgaat. En het mijne dat stilstaat. Maar voor een kort moment. Een kort moment van verwondering. De drukproeven zijn boek geworden en de schrijver met het ascetische leven slaat het open op het titelblad, hij draagt een lichtblauw overhemd, een das met horizontale strepen, een linnen jasje en heeft lichte, zelfverzekerde ogen. Lange handen, verzorgde nagels.

'Hier zijn zal zijn als wonen aan een groot Italiaans plein,' verkondigt hij en hij ontvangt ons alsof we bij hem thuis zijn (maar de Morgan ís ook alsof hij thuis is), terwijl op de achtergrond vaag een schilderij te zien is: het rokkostuum, het kant en de grote neus van JPM, ik herken ze. Alles is begonnen bij een plein, de plek van de gemeenschapszin, van de samenkomst, de open plek in de stad.

'Ik zou willen dat je als je binnenkomt vergeet dat we in een bibliotheek zijn die de derde collectie oude boeken ter wereld herbergt en dat je het gevoel hebt alsof je op een plein vol licht bent.'

Vergeten, architect. Houdt u er rekening mee dat ik daar ben en dat ik al weet wat ik zal zien. De camera zoomt in op de hand van de kunstenaar die op het knopje van de glazen lift drukt. Gabriella kijkt me met een scheef hoofd aan, onzeker of ze iets moet zeggen of me in haar armen moet nemen. Beschermend vreest ze dat ik instort. De gulle gastheer en architect heeft de klasse van een sportzeiler, Federico zei dat zijn baas over ingewikkelde dingen praat alsof ze eenvoudig zijn, alsof dat blok van glas en staal met die strenge vorm in een paar uur tijd is ontstaan, alsof het heel normaal en voor de hand liggend is dat het marmer van McKim en het staal van Piano zijn 'gevat in lijsten en ingehakt aan de zijkanten om de techniek van de versmelting op te roepen'. Alsof er in die doos zonder obstakels en barrières geen geheimen zijn en de gedachte kan stromen, vrij om zonder censuur te worden uitgesproken. Je bent verbonden met New York en toch ook magisch ver weg, alsof je in een binnentuin bent.

'Het staal is Morgan, de grondlegger, die juist op staal zijn fortuin heeft opgebouwd. Amerika is een land met wortels, je hoeft geen namaakwortels te zoeken met stambomen, het is voldoende de echte wortels te gebruiken, de stalen zuilen die wij hebben gebruikt zijn de zuilen die fabrieken zouden kunnen ondersteunen, de muren zijn gemaakt van staalplaten die gebruikt worden voor schepen. Er is ook hout, in de leeszaal en in het auditorium, terwijl de kelderkluizen waar de manuscripten worden bewaard, in de rotsen zijn uitgehouwen als kamers van een onderzeeër.'

Inderdaad.

Hij praat met de vriendelijkheid van een monnik en ik begrijp alles. Weet u dat wel, architect? zou ik graag willen zeggen. Ik lach en knik, ik begrijp alles wat hij vertelt, ondanks mijn geringe kennis van architectuur. In gedachten noem ik een boekenkast naar hem, 'Ruimtes van liefde', want wat daar voorbijkomt, met Bob Dylan op de achtergrond en maar goed ook, is een plaats van liefde en vat dat niet op als aanstellerij, dat vind ik echt, architect Piano. Een plaats waar je jezelf kunt verliezen en terugvinden in de waarheid van de transparantie, terwijl de lift heel langzaam wegzakt in de put, die put die ik herken alsof ik daar altijd in heb gezeten. De architect loopt over het pad van licht dat de witte kluizen scheidt waar de schat zich bevindt. 'Er is geen betere plek om boeken tot in de eeuwigheid te bewaren dan de schist van Manhattan. Het verleden is een goede schuilplaats, maar de toekomst is de enige plek waarheen we kunnen gaan,' bevestigt hij op de toon van het genie dat zichzelf niet al te serieus neemt. Het lijkt alsof hij persoonlijk tegen mij praat; ik ben vereerd, meester. 'Hier is het auditorium, tweehonderdtachtig plaatsen en een golvend plafond van kersenhout.' En het lijkt alsof ik de rauwe stem hoor van een actrice die mij Austen voorleest, alsof de scherpzinnigheid van Jane daarbinnen is blijven nagalmen en nu opnieuw tegen mij praat in de bekende en mysterieuze handeling van het omslaan van de bladzijde.

Federico zit op de grond. Dat had hij precies drie jaar geleden gedaan, toen op die plek alleen nog een krater in de bodem was. Maar dit is slechts mijn verbeelding. En een man die huilt zou een belachelijk figuur slaan. Laat staan in een documentaire. Federico is er niet, maar het is alsof hij er wel is.

'Het is prachtig,' zegt mijn vriendin.

'Een beetje miezerig commentaar voor iemand die lesgeeft in kunstgeschiedenis,' antwoord ik en ik ben niet blij met de verbittering die uit mijn mond komt.

'Volgens mij is hij er niet. Hoe voel je je, Emma?'

'Morgan was een kunstexpert, soms liet hij zich bedotten en betaalde hij te veel. Maar gelukkig kon hij gebruikmaken van de diensten van de beste deskundigen ter wereld. Ik vind het een magische plek, ze hebben een fantastisch gebouw gemaakt. Hij had gelijk om er zo enthousiast over te zijn.'

'Ik zou graag willen weten wat het met je doet.'

'Wat het met me doet? Nou... net als een jurk die je in een tijdschrift hebt gezien, je hebt het knipsel bewaard en nu kun je hem eindelijk aantrekken. Ik ben trots op hem, ik kan me niet voorstellen hoe hij zich voelt, wat iemand ervaart die heeft bijgedragen aan het ontstaan van zo'n... unieke plek. Ja, uniek. Ik zou alleen heel graag willen weten hoe het met hem is. Hoogstwaarschijnlijk kan hij niet genieten van het succes van de Morgan, zal het voor hem voorgoed verbonden zijn met de herinneringen aan zijn vrouw.'

'Je hebt echt veel van hem gehouden, hè?'

'Ik houd nog steeds van hem. Ik kan niet boos op hem zijn. Ik heb dat nooit gekund en nu is het te laat om ermee te beginnen.'

Na al die brieven, drieduizend tekeningen en 106 miljoen dollar, is het klaar. 'Tot ziens in de Morgan' zullen heimelijke geliefden tegen elkaar zeggen, de dames voor hun thee met roddels, de managers die in alle rust hun krant willen lezen.

'De architectuur,' zo concludeert mijn Vergilius, 'is een materiële activiteit, want het moet zorgen voor solide bescherming van mensen, maar het is ook een spirituele activiteit, de spiritueelste van alle kunsten.'

'Waarom eet je zo weinig? Je bent altijd dol op sushi. Architect Piano is helemaal niet opschepperig, misschien... komt Federico voor de grote finale.'

'Stel je voor dat hij me nu zou zien, met plakkerige handen en mijn banale ballerina's. De architectuur verandert de wereld... Mmm, het zijn de architecten die de wereld veranderen.'

De camera blijft staan op de namen en ik verslik me in een sashimi. Ze komen voorbij als de namen van flatbewoners op de koperen intercoms:

RPBW DESIGN TEAM: Renzo Piano (principal), Federico Virgili (partner in charge), Thorsten Sahlmann, Kendall Doerr, with Alexander Knapp, Yves Pagès, Mario Reale; and Pietro Bruzzone, Michael Cook, Shinnosuke Abe, Marco Aloisini, Laura Bouwman, Jason Hart, Hana Kybicova, Miguel Leon
Models: Christophe Colson, Olivier Aubert, Yorgos Kyrkos

EXECUTIVE ARCHITECT/ARCHITECT OF RECORD: Beyer Blinder Bells Architects&Planners LLP

BBB DESIGN TEAM: Richard Southwick (partner in charge), Michael Wetstone, Frank Prial, Rob Tse, Joe Gall, Yuri Suzuki, Meghan Lake with Don Lasker, Carlos Cardoso and Christine Hunter

ARCHITECTURAL TEAM AND CONSTULANTS: *Project Director* Paratus Group; *Construction Manager* F.J. Sciame Construction Co., Inc.; *Structural Engineer* Robert Silman Associates, PC; *MEP Engineer* Cosentini Associates; *Thermal Performance and Lighting* Ove Arup & Partners; *Façade Consultant* Front; *Elevator Design* IROS; *Acoustician* Eckhard Kahle, Kahle Acoustics (Brussels); *Acoustic Consultant* David R. Harvey, Harvey Marshall Berling Associates (New York); *Landscape* HM White; *Cost Consultant* Stuart-Lynn Company; *Security* Ducibella Venter and Santore; *Graphics* Pentagram Design, Inc.; *Exhibition and Installation Design* Imrey Culbert; *Interactive Music Stations* Potion

De cast van een monsterproductie. Mister Piano groet ons op de tonen van *De dood en het meisje* van Franz Schubert. Die is er ook, in de kelderkluizen. De camera zoomt uit op de roze –

pardon, Tennessee Pink Marble – kubus. De kleur van het verleden, de kleur van het heden. Ik kijk ernaar op de tv en het is alsof ik er altijd geweest ben, precies zoals het nu is, een glazen stad waar alles mogelijk lijkt: een kop koffie drinken, lunchen, dineren, lezen, praten, naar muziek luisteren, een film kijken, naar een concert luisteren. Op het Plein kan je zitten tussen de bomen en de kunstwerken. Waar zou Federico op dit moment zijn?

'Hij zou het mooi hebben gevonden.'

'Wie?'

'Meneer Morgan. Je zou zijn verhaal moeten lezen.'

'Misschien kunnen we er wel een keer naar toe...'

'Mattia is superopgewonden, uit zijn verhalen maak ik op dat hij nooit slaapt, dat effect heeft de eerste keer in New York op iedereen.'

'Het is heel laat, Emma. Ik stuur een sms'je naar Alberto dat ik hier blijf slapen, als je dat goed vindt.'

Natuurlijk vind ik dat goed, en wat ken ik haar toch goed. Ze vertrouwt mijn grapjes en mijn nonchalante gebabbel niet. Ze heeft hem niet gezien. Maar ze weet heel goed dat het is alsof Federico hier tussen ons in op de bank heeft gezeten.

Cold fusion is echt een lelijke titel. Zelf voor een sciencefictionroman.

De man loop op Madison Avenue. Het motregent in deze vochtige nacht in april, maar hij heeft geen zin om een taxi te nemen en de Vespa zit al in de container. De stad lijkt verlaten, het Amerikaanse avontuur is beëindigd. Een paar maanden uitgesteld, misschien een jaar en misschien meer, maar nu is het beëindigd en het had niet beter gekund, met de flitslichten van de tv-schijnwerpers van de halve wereld. 'Welterusten, baas, een enorm succes, complimenten.' Iedereen zei alsmaar *wonderful*. De man loopt met zijn lichaam iets voorovergebogen, pakt zijn mobiel en belt zijn dochter, alles goed, lieverd en hoe is het met jou? Hier ook alles goed, papa, jammer dat ik het feest niet heb gezien, je zag er vast heel goed uit, maar morgen heb ik examen kunstgeschiedenis en dat moet ik halen... ja, Katherine is hier, we wilden net naar bed gaan. Ik ben trots op je, pap. Doe Renzo en Frank de groeten van me, ik bel je morgen om je te vertellen hoe het examen is gegaan. De man kan haar niet zeggen dat hij bang is, dat het lijkt alsof hij half slaapt, de gedachte dat hij haar moet achterlaten op het *college* kwelt hem, maar hij zegt niets tegen haar, te veel, die kilometers afstand, maar hij mist Parijs. En bovendien heb je niet altijd zin om met iemand te praten en hij vindt het fijner om stil te zijn. Zij heeft een toekomst. De man die in een taxi stapt en tegen de chauffeur zegt 42 West 10th Street, denkt dat hij geen toekomst meer heeft. Hij leunt achterover op de achterbank als in een versleten fauteuil, zijn slapen bonken. De wereld heeft hem complimenten gegeven maar hij kon niet wachten tot alles voorbij was, hij moet de verstikkende liefde van degenen die dicht bij hem zijn van zich af zetten, alsof hij een risicogeval is en ze niet begrijpen dat hij alleen wil zijn, naar huis wil gaan en een manier wil vinden om zijn hoofd te laten stoppen met bonken. Hij loopt de trap op. Op de overloop loopt hij naar rechts, hij opent de deur en gaat de woonkamer binnen waar de opgestapelde dozen de kamer een afwachtende aanblik geven. Alleen de kisten voor de boeken ontbreken nog. De boeken staan aan de kant opgestapeld, de titels vormen een keten van gedichten. Zinnen. Hij zal ze morgen inpakken. De kleren van Anna zijn al ingepakt in een paar Italiaanse koffers. Haar moeder zal ze elke ochtend strelen als fetisjen, dat doe je met de kleren van doden, het lichaam is eruit maar ze zijn nog vol herinneringen. Zelf heeft hij de kunstboeken gehouden, hij had zich nooit gerealiseerd hoeveel Anna er kocht, en de cd's en de foto's en die schriften die hij niet heeft willen lezen. Anna schreef, en hoeveel dingen weten we niet van de mensen die samen met ons leven. Sarah heeft de oorbellen en de broches gehouden die naar mama ruiken. Het afscheid, morgen de zoveelste party op het bureau, nog drie dagen en dan weg. Het is klaar. Hij zal terugkomen, er is het project van de Columbia University, maar hij heeft nu behoefte aan Europa, aan bekende gezichten, aan in de steek gelaten vrienden, zijn meubels en muren, het hol waarin hij zich kan terugtrekken, hijgend of juist happend naar lucht, wat hetzelfde is. Hij schenkt zichzelf een whisky in, donker en stroperig als honing, en stapt onder de douche, terwijl Bruce zingt '*At night I go to bed but I just can't sleep*' en hij zingt mee, tokkelend op een denkbeeldige gitaar. Verzegeld in de kist, die gitaar. '*I got something running around my head*', en de telefoon rinkelt. Wie belt er verdomme op deze tijd? Zijn gedachten vliegen naar Sarah, met die angst die maar niet weggaat, ondanks de pillen, waarom niet op mijn mobiel? Hij haat telefoons, wat ze ook zeggen. Hallo, en de hoorn is drijfnat. De mannenstem aan de andere kant van de lijn is een elektrische schok, een vuurpijl in zijn brein dat al beneveld is van de alcohol, maar hij weet dat hij de naam goed heeft verstaan. Goedenavond, architect, neemt u mij niet kwalijk dat ik u op dit tijdstip stoor. Ik ben Mattia Gentili, ik ben in New York en ik zou u graag willen ontmoeten. Haar zoon. Vierentwintig, drieëntwintig, een paar jaar ouder dan Sarah. In de haast overziet hij niet de consequenties van dat natuurlijk, morgen heb ik tijd, we zien elkaar in het Empire, om een uur, komt jou dat uit? Weet je waar het is? Iedereen weet waar het Empire is, de banaalste plek van de wereld om in Manhattan af te spreken en daar in de buurt te eten, hij zal wel iets vinden voor die vreemde ontmoeting. Wat komt die jongen doen, juist hier, juist vanavond? Hij went eraan dat zijn plannen altijd door anderen in de war worden gegooid, hij heeft inmiddels geleerd dat plannen maken flauwekul is, een valse manier om je in orde te voelen, en hij laat zich op het bed vallen, zonder kleren en nog vochtig van de douche. Springsteen zingt uit de stereo een onbehouwen slaapliedje, hij heeft geen zin om op te staan en die zo dierbare stem uit te zetten. Morgen is al gekomen. Hij heeft geen tijd om te treuren over zijn eigen oppervlakkigheid en bovendien is hij nieuwsgierig, opgewonden zelfs, wanneer hij met de taxi aankomt bij de rij toeristen die staan te wachten om omhoog te kunnen naar het drukst bezochte terras van Manhattan. Hij herkent hem tussen de menigte. Een kopie met smalle lijnen en neerhangende, bijna smekende ogen, maar dat zal wel komen door het licht, aan zijn pols een iPod-nano, een stalen balletje op zijn kin, een T-shirt met korte mouwen over een rood T-shirt met lange mouwen, enigszins afgetrapte All Stars, de zwalkende tred die hoort bij mannen boven een bepaalde lengte. Hij voelt zich houterig en verward en geërgerd, alsof hij haar opeens tevoorschijn ziet komen. Hij loopt behoedzaam maar zonder wantrouwen op hem toe. Hij hoeft zich niet te verzekeren van zijn identiteit en wanneer hij voor hem staat ziet hij dat ze even lang zijn, instinctief wil hij hem omhelzen. Wat bezielt hem? Aangenaam, ik ben Mattia, en hij drukt hem de hand met dezelfde, precies dezelfde glimlach. Hij stamelt iets over de wolkenkrabber die over een paar weken zijn eerste vijfenzeventig jaar zal vieren, zegt dat ze, als ze naar de honderdtweede verdieping zouden gaan, heel New Jersey en zelfs Connecticut zouden kunnen zien. Hij praat te snel, hij zal hem wel belerend vinden en als er iets is wat ze niet verdragen, kinderen, is het wanneer een volwassene vertrouwelijk doet. Telkens wanneer Sarah een vriend mee naar huis neemt, trapt hij er weer in met de gebruikelijke groteske autoriteit van de volwassenen. Het lijkt of hij kan horen zeggen: pap, je doet belachelijk, ze weten dat je mijn vader bent, stel je niet zo aan. Hoe vaak heeft ze dat niet tegen hem gezegd en nog steeds heeft hij niet geleerd om zich te gedragen. Hij voelt zich moe, alsof hij niet heeft geslapen, hij ziet dat bekende gezicht voor zich en het effect is verwoestend, de shock van een reis zonder gids of kaarten. Het is niet echt heimwee, maar het gebruikelijke schuldgevoel dat die in hem bonkt als een echo en dat hem fouten, tegenspoed, het verloop van een lotsbestemming in het gezicht smijt. De man en de jongen gaan het Japanse restaurant binnen om niet op straat te hoeven blijven, de jongen kijkt hem enigszins onderzoekend aan en glimlacht een beetje met zijn argeloze glimlach. Hij had op zijn leeftijd de taboes niet durven doorbreken. De minnaar van je moeder ontmoeten: ondenkbaar om haar zelfs maar voor te stellen in de armen van iemand anders dan je vader. De ogen, lang uitlopend naar de slapen als komma's van een ingewikkelde gedachte op dat mannelijke gezicht, hebben een zeker effect, maar het zijn haar ogen en oren en het profiel van dat gezicht dat hij zo goed kent. De vrouw in de felgekleurde kimono overhandigt hun de menukaart alsof het een visitekaartje is en houdt met een tangetje van bamboe een warm handdoekje vast. Laten we onze handen wassen, suggereert ze met een uitdrukkingsloos gezicht. De jongen slaat zijn armen over elkaar, uit zijn mouw steekt een donkere huid tevoorschijn, hij lijkt hem met een uitdagende blik aan te kijken maar dat is maar een indruk en het zal wel verlegenheid zijn. Het is een jongen en de dingen hadden niet zo moeten lopen. Dat denkt hij juist nu, wanneer de rit in de draaimolen beëindigd is. Sushi of tempura? Sushi graag, ik houd van rauwe vis. En de jongen leunt achterover tegen de rugleuning als teken van ontspannen overgave. De man doet hetzelfde, zonder interessante onderwerpen te vinden of iets anders dan het Empire. En toch vindt hij het fijn om hier te zijn, het is een minder pijnlijke ervaring dat hij had gedacht. Want hij heeft de hele nacht van Emma gedroomd. Er is een stilte die gevuld moet worden. Wat brengt je naar New York? Zal ik je helpen om een baantje te vinden? Ik zou kunnen praten met mijn collega's van BBB, dat is een uitstekend bureau en ze zijn aardig. Ik houd niet echt van de stijl van Piano, ik hoop niet dat ik u beledig, en ik heb al werk. Ik ben aangenomen voor een stage van zes maanden, ik ben architect, net als u. En dan een lach met luide stem vol jeugdige trots. Ik weet dat ik je vader zou kunnen zijn, maar zeg alsjeblieft je en jij tegen me, we zijn tenslotte collega's... Ik heb je gebeld om over mama te praten. Dat zegt hij en het lijkt oprecht, natuurlijk, er is geen gekunsteldheid, geen terughoudendheid. Hij is eerlijk. En helemaal niet grillig. Hoe is het met haar? En zijn hart begint zo hard te bonken dat het lijkt of hij het kloppen kan horen, een duizeling en een flauwte die hem verzwakken en optillen. Hij wil beleefd zijn, zoals gewoonlijk, maar hem voor zich zien is als een album vol herinneringen, van school, en de fotokopie-jongen haalt uit zijn rugzak een vakantie aan zee van meer dan vijfendertig jaar geleden. Dat heeft een zeker effect. Sommigen zouden dat uitdaging noemen, Enrico zeker, maar beter niet bedenken wat die zou adviseren. En zij? Gaat het goed met haar? Nee, antwoordt hij met vlakke stem en hij prikt een sushi aan zijn stokje, haast als of het wil ontwijken. Tenminste, zo lijkt het. En de winkel? En het hotel? Dat loopt als een trein, ze hebben er net zo een geopend in Rome... Het zijn mijn zaken niet, maar ik ben gister op de opening geweest. Ik heb je gehaat, sorry dat ik het zeg. Ja, ik weet wat er gebeurd is, het spijt me voor je dochter. Voor je dochter, zegt hij, niet voor jou. Een volwassen man die lijdt is iets onbestaanbaars, zij willen ons niet zo zien, zij willen geen kwetsbare ouders. Ik heb je gebeld om met je over haar te praten. Maar gaat het goed met haar? Het gaat goed met haar, als je haar gezondheid bedoelt. Alleen... ze is veranderd. Ze loopt anders, alsof ze niet goed weet waar ze heen wil. Ze doet alles op haar gemak, terwijl ik gewend was om haar te zien rondrennen. 's Avonds is ze thuis, ze leest en kijkt tv en ja, dat heeft ze altijd al gedaan, maar ik vond het niet prettig om weg te gaan, haar alleen achter te laten. Misschien vergis ik me, maar ik dacht dat jij er heel veel mee te maken had en dus ben ik naar de opening gegaan in de hoop je daar te kunnen spreken, maar dat is niet gelukt, misschien had je me weggestuurd en ik wilde je feestje niet verpesten. Je feestje niet verpesten, zegt hij. Welk feestje? De rivier stroomt over. Deze heb ik tussen de brieven gevonden. Mama had ze in een doos gestopt, ik zocht een boek in de boekenkast thuis en zag die doos en... kon de verleiding niet weerstaan. Ik werd nieuwsgierig, gewoonlijk doe ik dat niet, want ik houd er ook niet van als zij in mijn kamer rondsnuffelt. Wat ze dus ook niet doet. Ik ken haar, ze is een beetje speciaal. Maar maak je geen zorgen, ik heb er maar een paar gelezen. Het zijn mijn zaken niet, maar... nou ja... ik ben gekomen om je te zeggen dat volgens mij... nou ja... je haar tenminste zou kunnen opbellen. Ik heb haar overgehaald om een mobieltje te kopen nu ik hier ben, dat is het enige systeem om elkaar te kunnen spreken, ze gebruikt het eigenlijk alleen maar met mij. Het is... het doet me pijn om haar zo verdrietig te zien. Je brieven zijn mooi... en de Morgan ook... Pardon, juffrouw, mag ik nog een biertje? Emma heeft een mobieltje, ze zal dat ding wel haten en zie al voor me hoe ze zit te hannesen met de toetsen om haar zoon te bellen. Trage Emma, hij kan zich zijn winterkoninkje op hoge hakken moeilijk voorstellen met langzame tred. Ze schrijft ook sms'jes... als je haar belt is ze misschien blij, ik weet niet of ik hier goed aan heb gedaan, ik ben al duizend keer van gedachten veranderd... Federico moet glimlachen bij de gedachte aan de voorzorgsmaatregelen, de geheimen, aan *de ingehouden gevoelens*, aan postbus 772. Ze zijn er nog allemaal, hij zal ze morgen gaan ophalen. Verdorie, wat een blamage, wie weet wat hij had geschreven... Hij heeft er maar een paar gelezen, hij zei dat met een zweempje kwaadaardigheid. Hij heeft het koud, nu Mattia zijn toespraak heeft beëindigd en het zijn beurt is. Hij moet iets antwoorden. Hij ziet hem eten als een uitgehongerde wolf, zo zijn kinderen, die eten niet, die verslinden. Het lijkt wel een rare droom, het oude leven bevindt zich achter de muur van het restaurant. Waar een man en een jongen praten alsof ze elkaar altijd al gekend hebben. De volwassene kijkt op zijn bord. Hij is opgelucht, hij heeft de indruk dat iemand hem iets kostbaars heeft teruggebracht. Een gedachte gaat door hem heen, zij is daar, hij ziet haar terug in het grote bed en het enige woord dat in hem opkomt en dat hij zou willen zeggen tegen deze mooie jongen met zijn ravenzwarte haar is 'dankbaarheid'. De spiegel weerkaatst het beeld van een man en een jongen. Over tien jaar zal Mattia een man zijn en het stokje van een liefde wordt doorgegeven. God, wat een afgunst. Hij zou graag over Sarah willen praten, een ander onderwerp dan Emma. Discretie, meer niet. Hij staat op en gaat hem voor. Het nummer zit in zijn zak. Een vrijgeleide. Dank je, Mattia. Dank je en als je iets nodig hebt, denk eraan, bel me en ik neem contact op met het bureau.

Die nacht zou hij niet slapen, dat wist hij op dat moment al. Hij liep weg en draaide zich na een paar passen om. De jongen liep gehaast, de iPod in zijn oren en die slungelige tred van mensen van meer dan een bepaalde lengte.

Finis-Terrae

Tenger, van achter, met mijn witte pagekopje, zie ik er beslist romantisch uit. Ik zou de hoofdpersoon kunnen zijn van een van de eerste bladzijden van een liefdesroman, als tenminste iemand me kon zien, hier op het gras, tussen de wilde rozemarijnstruiken en de distels en de meidoorn die op de muren van een negentiende-eeuws weerstation staan geborduurd. In mijn hand een glas sancerre, mijn spijkerbroek opgerold tot onder mijn knieën, blote voeten in auberginekleurige Repetto-ballerina's.

Ik boek vooruitgang: ik ben van de hakken af, ik drink bijna elk soort alcohol en ik verf mijn haar niet meer, ook al betekent dat nog niet dat ik mijn wekelijkse bezoekje aan de kapper heb opgegeven. Ik kijk naar de oceaan, terwijl hij, bruin onder zijn korte, witbepoederde baardje, over de stenen loopt met de vaste tred van een kapitein op de brug van zijn schip. De semafoor is gerestaureerd, heeft witgekalkte muren en kobaltblauwe ramen. Ik heb mijn hart erheen verhuisd: de schrijftafel, de beige en wijnrood geruite fauteuils, de slagersbank, de poef en Colette met haar ongekamde haren die graan gooit naar de duiven op het plein voor Palais Royal. Een meeuwenjong landt voor mijn voeten, zoekt vertrouwen. Het is een dag in augustus en het is mijn verjaardag. We gaan zo eten en de rauwe stem van Carole King zingt over mogelijke liefde.

'Emmaaaa, kom eens kijken,' roept de kapitein.

'Je hoeft niet te schreeuwen, ik ben nog niet doof. Kom jij liever hier... je weet niet wat je mist...'

'Je moet komen, het is te mooi.'

'Wat is er? Wat is te mooi?'

'Er is post.'

'Ik had iets heel anders in gedachten... *Will you still love me tomorrow*? Hmmm... zullen we dansen? Ik ben nog maar aan mijn eerste glas en het stijgt me nu al naar het hoofd.'

Op de monitor van mijn MacBook flikkert een nieuw bericht. Onderwerp: 'Hier zijn we'. Nee, niet een tekst, we zijn inmiddels gevorderd tot de korte filmpjes, dat is tegenwoordig heel gewoon en ik verzet me niet meer tegen dit idiote communicatiesysteem, waar ik me bij neerleg met het respect dat men verschuldigd is aan de moderne tijd. Een dubbele klik met de muis en het is alsof je ze in levenden lijve voor je ziet, en ik raak ontroerd als een dom gansje wanneer ik haar zie in die linnen bloes die haar dikke buik omhoogtrekt en hij ja knikt en groet met zijn grote hand, net als vroeger. Ze zijn mooi en verliefd en over iets meer dan twee maanden word ik oma. Quasi-oma, als je bedenkt dat Alice de dochter is die ik nooit heb gehad, en Mattia is trots dat hij quasi-oom wordt. De winkel is veranderd nu Federico zich ermee heeft bemoeid en hem met twee pennenstreken heeft veranderd in een *concept store* (gruwel) waar boeken en kaarsen, bloemen en geuren en zelfs behang met teksten van grote schrijvers erop worden verkocht. De boekhouding is in orde, het hotel loopt gesmeerd, in de nieuwe kersenhouten boekenkasten zijn de boeken nog steeds ingedeeld op soort liefde. Natuurlijk, de nieuwe stoelen van hout en metaal zijn naar de smaak van iemand die net als ik een beetje minimalistisch is, maar die nieuwe naam *Emma's dream* – want Romans&Romances was 'te lokaal' – kan ik met moeite verteren. Gelukkig hebben ze de naam 'Locanda van de Romans' wel zo gelaten, als gedenksteen voor de oorspronkelijke eigenares, alsof ik al dood en begraven ben. Het videobericht heeft zelfs audio, maar ik zal nooit begrijpen hoe dat allemaal werkt en ze zullen mij niet kunnen overhalen om tegen het niets te praten voor een camera die op een spionnetje lijkt.

‘Het is een eiland, Federico, dat heb je gedaan. Je hebt van die winkel een eiland gemaakt: ik had het nog niet goed begrepen, ik zie het nu pas, maar wat ben je toch geniaal, architect!’

‘Lang zal ze leven, lang zal ze leven, lang zal ze leven in de gloria, in de gloria, in de gloriaaaaaa!’ zingen de twee vanaf het beeldscherm.

‘Wat lief zijn ze... ik moet huilen, Federico. Zullen ze het wel redden, met het kind en de winkel en alles?’

‘Dat is niet langer jouw probleem, Emma. En ik geloof echt dat ze het allemaal heel goed doen. Houd op met jezelf onmisbaar voelen en bedenk dat je vanaf vandaag een bejaarde dame bent. Bijna net zo bejaard als ik.’

Het is niet koud, op de Atlantische Oceaan, die kijkt naar haar hoge kusten als een opstandig kind. Federico klemt me in zijn armen, met de voorzichtigheid van iemand die heeft geleerd te kiezen. Ik duw mijn neus in zijn elleboogholte en snuif de geur op van een huid die ik heb leren kennen in een tijd die het niet meer nodig heeft zijn herinnering terug te vinden. ‘Ik draag jouw hart in mijn hart, jij draagt mijn hart in jouw hart. Laten we nu proberen van elkaar te houden. En daarin te volharden.’

Dankwoord

Ik ben heel blij dat ik een heleboel mensen kan bedanken en ik weet zeker dat Emma bij het lezen van deze lijst er plezier in zou hebben zich de persoonlijkheden voor te stellen van degenen die verborgen blijven achter de namen, en bovenal zou ze mij begrijpen.

Mijn dank gaat naar de volgende personen.

Allereerst naar architect Giorgio Bianchi, partner in charge bij Renzo Piano Building Workshop: hij heeft mij in vol vertrouwen en royaal zijn verhalen, de emoties en geheimen van zijn werk op het bureau en op het bouwterrein verteld, en een paar exclusieve anekdotes waarmee ik het personage Federico heb kunnen 'construeren'.

Francesca Bianchi, voor de foto's, de afspraken, de uitleg over de Morgan Library en de tijd die ze voor mij heeft vrijgemaakt.

Renzo Piano, die mij met een brief, geschreven met groene inkt, heeft aangemoedigd.

Rank J. Prial Jr. van Bleyer Blinder Belle, die mij de geheimen heeft onthuld van een werkelijk bijzonder bouwterrein.

Charles E. Pierce Jr., Biran Regan, Patrick Milliman en Christine Nelson van de Morgan Library&Museum in New York, die mij vriendelijk en professioneel hebben laten snuffelen in de geheimen van John Pierpont Morgan en zijn bibliotheek.

Fabio Fassone, die als eerste mijn passie voor de Morgan heeft gesteund.

Mijn privélezers, die titels en liefdes hebben aangedragen en die van Emma hielden nog voordat ze haar kenden: vooral

Diego Arquilla, voor de wijn, de titels en de details over e-mail – zonder hem had Romans&Romances veel lacunes gehad.

En verder Pablo Paolo Peretti, Anna Pia Fantoni, Elena Albano, Paola Peretti, Valeria Palumbo, Marco De Martino, Veronica Bozza, Mita Gironda, Gianfranco Pierucci, Manuela Campari.

Cardioloog Stefano Savonitto, die mij het syndroom van het 'gebroken hart' heeft doen ontdekken.

Corrado Spanger, die vanaf de eerste synopsis heeft geloofd in dit boek.

Laura Galletti, boekhandelaarster, die mij heeft opgevoed in de 'wetenschap' van de barcodes en van de boekenkasten van een boekwinkel *comme il faut*.

Advocaat Fulvio Pusineri, omdat, al zou je het niet denken, deze roman veel behoefte heeft gehad aan juridisch advies.

Davide Dodesini voor de vertalingen.

Alessandra Gentile, die samen met mij de etalages van Romans&Romances heeft bedacht.

Luca Barbareschi, aan wie ik ook het eerste beeld dank: een helikopter die over de menhirs van Jean en Jeanne vliegt.

GianMario Maggi, die mij Bretagne heeft doen ontdekken; Giulia en Guido Venturini, dankzij wie ik Belle-île en mer heb leren kennen en ervan ben gaan houden.

Giulia Ichino, mijn uitgeefster. Zij kan luisteren, is geduldig en discreet, maar gezegend met een onberispelijke koppigheid. Precies wat een schrijver nodig heeft.

Mijn zoon Davide, die mij de personage van Mattia heeft geschonken.

En, als altijd, Vicki Satlow, die veel meer is dan een literair agente: zij is handlanger en vriendin en weet mijn crises te beheersen met intelligentie en liefde.